D1290291

HORS D'ATTEINTE

Née en 1970, Karin Slaughter a grandi dans une petite ville du sud de la Géorgie. Son premier roman, *Mort aveugle* (2003), est un best-seller traduit dans une quinzaine de pays. Elle y plante le décor d'une bourgade du sud des États-Unis, Grant County, terrain des enquêtes de ses personnages : Jeffrey Tolliver, le chef de la police locale, et Sara Linton, le médecin légiste, que l'on retrouvera dans ses romans suivants. Karin Slaughter vit à Atlanta.

Paru dans Le Livre de Poche :

À FROID

AU FIL DU RASOIR

INDÉLÉBILE

MORT AVEUGLE

SANS FOI NI LOI

TRIPTYQUE

KARIN SLAUGHTER

Hors d'atteinte

ROMAN TRADUIT DE L'ANGLAIS (ÉTATS-UNIS)
PAR MARIANNE AUDOUARD

GRASSET

Titre original :

BEYOND REACH

Publié par Bantam Dell, A Division of Random House, Inc., 2007.

ISBN : 978-2-253-15854-7 – 1re publication LGF

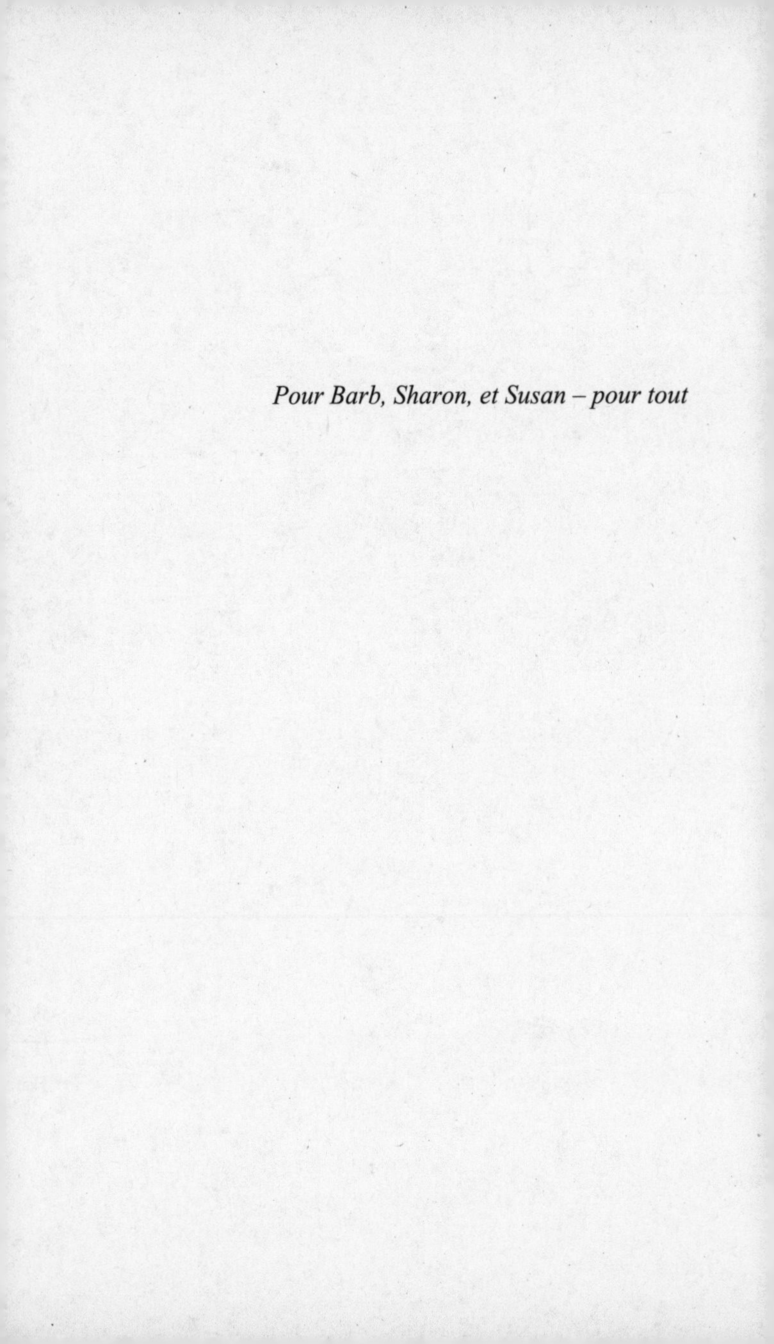

Pour Barb, Sharon, et Susan – pour tout

Prologue

Que lui avaient-ils injecté ? Quelle substance courait dans ses veines ? Elle avait du mal à garder les yeux ouverts, mais elle entendait parfaitement. Presque trop bien, même. Un sifflement aigu, un raté de moteur, les soubresauts des pneus sur le terrain inégal. L'homme assis à côté d'elle parlait d'une voix douce, comme une berceuse, apaisante. Elle avait la tête lourde, mais les répliques brèves et cassantes de Lena la maintenaient éveillée.

Elle avait les mains attachées dans le dos. Ses épaules lui faisaient mal. Ou peut-être pas. Peut-être que la douleur était fictive, que son cerveau lui envoyait des signaux trompeurs parce qu'elle *aurait dû* avoir mal. C'était un élancement sourd, pulsant au rythme de son cœur battant à tout rompre. Elle essaya de se concentrer sur autre chose – la conversation qu'elle entendait, l'endroit où les conduisait Lena. Mais en vain : elle sombrait toujours plus profondément, recroquevillée sur elle-même, se blottissant dans chaque sensation comme un nouveau-né dans une couverture.

Le cuir des sièges lui brûlait les jambes, mais elle ne savait pas pourquoi. Il faisait pourtant frais dehors. Elle sentait une brise lui caresser la nuque. Un autre trajet lui revint en mémoire, ce long voyage en Floride dans la Chevette de son père. Il n'y avait pas de climatisation, et on était en plein mois d'août. Les quatre fenêtres étaient ouvertes, mais rien à faire contre une telle canicule. La radio crépitait. Ils n'arrivaient pas à se mettre d'accord sur le choix de la musique, de la station. À l'avant, ses parents se querellaient à propos de l'itinéraire, du prix de l'essence, de la vitesse à laquelle ils conduisaient. À la sortie d'Opelika, sa mère dit à son père de s'arrêter à une épicerie pour acheter des Coca glacés et des biscuits à l'orange. Ils grimacèrent en sortant de la voiture, la peau des bras et des jambes collée, presque fondue par la chaleur du vinyle des sièges.

Elle sentit la voiture se cabrer quand Lena l'arrêta au point mort. Le ronronnement du moteur continuait de résonner à ses oreilles.

Il y avait quelqu'un d'autre – pas dans la voiture, mais dehors, plus loin. Ils étaient sur le terrain de foot. Elle reconnut le tableau d'affichage et l'immense écriteau : « ALLEZ LES MUSTANGS ! »

Lena s'était retournée et les observait. À côté d'elle, l'homme remua. Il glissa son arme dans la ceinture de son jean. Il portait une cagoule, comme dans les films d'horreur, qui ne laissait voir que ses yeux et sa bouche. Pourtant, c'était suffisant. Elle le connaissait, elle aurait presque pu prononcer son nom, si seulement sa bouche avait accepté de bouger.

L'homme dit quelque chose, il devait avoir soif, Lena lui tendit un grand gobelet en polystyrène, d'un blanc intense, presque éblouissant. Elle ressentit soudain une soif presque insoutenable. À la seule pensée de boire, les larmes lui montèrent aux yeux.

Lena la regardait et tentait de lui faire comprendre quelque chose sans parler.

Soudain, l'homme se déplaça sur la banquette, s'approcha si près qu'elle pouvait sentir la chaleur de son corps, l'odeur subtile de musc de son après-rasage. Elle sentit une main glisser derrière sa tête, se poser doucement sur sa nuque. Ses doigts étaient doux et délicats. Elle se concentra sur sa voix, elle savait que les mots prononcés étaient importants, qu'il fallait écouter.

« Tu comptes t'en aller ? demanda l'homme à Lena. Ou tu vas rester ici pour écouter ce que j'ai à dire ? »

Lena s'était détournée d'eux, peut-être avait-elle la main posée sur la poignée. Elle se retourna en disant : « Dites-moi.

— Si j'avais voulu te tuer, commença-t-il, tu serais déjà morte. Tu le sais.

— Oui.

— Ton amie, là… » Il dit autre chose, mais ses mots étaient entremêlés, de sorte qu'elle n'entendait que des sons incompréhensibles. Elle ne pouvait rien faire d'autre que regarder Lena et calquer ses réactions sur les siennes.

La peur. Elle était censée avoir peur.

« Ne lui faites pas de mal, supplia Lena. Elle a des enfants. Son mari…

— Eh oui, c'est triste. Mais chacun fait ses propres choix.

— Vous appelez ça un choix ? » aboya Lena. Il y avait autre chose, mais elle ne percevait que la terreur. L'échange se poursuivit, puis elle sentit soudain quelque chose de froid l'envelopper. Une odeur familière remplit la voiture – lourde et tenace. Elle savait ce que c'était. Elle l'avait déjà sentie, mais sa tête refusait de lui dire quand et où.

La portière s'ouvrit. L'homme sortit de la voiture et resta debout à la regarder. Il n'avait pas l'air triste ou contrarié. Il avait l'air résigné. Elle avait déjà vu ce regard. Elle le connaissait – elle connaissait ce regard froid derrière la cagoule, ces lèvres humides. Elle le connaissait depuis toujours.

Qu'était donc cette odeur ? Elle aurait dû s'en souvenir.

Il murmura quelques mots. Quelque chose brilla dans sa main : un briquet en argent.

Elle comprit. Sous l'effet de la panique, elle sentit une décharge d'adrénaline lui monter au cerveau, traversant la brume avant de lui percuter le cœur.

De l'essence à briquet. Le gobelet avait été rempli d'essence à briquet. Il l'avait renversé sur elle. Elle en était recouverte, trempée.

« Non ! » hurla Lena en faisant un bond en avant, les doigts écartés.

Le briquet retomba sur ses genoux, le liquide prit feu et brûla ses vêtements. Il y eut un cri atroce. Il provenait du fond de sa gorge, tandis qu'elle restait assise, désemparée, à regarder les flammes lui lécher le corps. Ses bras se relevèrent brusquement, ses orteils et ses pieds se recroquevillèrent comme ceux d'un bébé. Elle pensa de nouveau à ce lointain voyage pour la Floride, la chaleur épuisante, cette douleur déchirante, aiguë et insupportable quand sa chair se fondit dans le siège.

Lundi après-midi

Chapitre 1

Sara Linton regarda sa montre. Sa grand-mère lui avait offert cette Seiko le jour où elle avait passé son bac. Quand Granny Em avait passé son bac, elle était à quatre mois de se marier, à un an et demi de porter le premier de ses six enfants et à trente-huit ans de perdre son mari d'un cancer. Le père d'Emma avait considéré que les études supérieures étaient une perte de temps et d'argent, surtout pour une femme. Emma n'avait pas discuté – elle avait été élevée à une époque où les enfants ne songeaient même pas à contester les décisions de leurs parents – mais elle s'était assurée que les quatre de ses enfants qui avaient survécu aillent à l'université.

« Porte-la et pense à moi, avait dit Granny Em ce jour-là, sur le campus du lycée, en attachant le bracelet en argent au poignet de Sara. Tu feras tout ce dont tu as toujours rêvé, et je veux que tu saches que je serai toujours à tes côtés. »

Étudiante à l'université d'Emory, Sara avait passé son temps à regarder sa montre, en particulier pendant les cours de biochimie, de génétique appliquée et d'anatomie, dont l'enseignement était toujours confié aux professeurs les plus soporifiques. À l'école de médecine, elle avait avec impatience regardé sa montre chaque samedi matin en attendant devant le labo que le professeur vienne lui ouvrir la porte pour qu'elle puisse terminer ses expériences. Pendant son internat au Grady Hospital, elle avait fixé le cadran blanc de ses yeux embués, essayant de déchiffrer ce que lui montraient les aiguilles, tout en calculant combien de temps il lui restait sur ses trente-six heures de garde. À la clinique pour enfants de Heartsdale, elle avait attentivement suivi les mouvements de la deuxième aiguille en prenant le pouls d'un enfant pour déterminer si « j'ai mal partout » était le signe d'une maladie grave ou signifiait simplement que l'enfant n'avait pas envie d'aller à l'école ce jour-là.

Sara avait porté cette montre pendant près de vingt ans. La vitre du cadran avait été remplacée deux fois, la pile à de nombreuses reprises, et le bracelet une fois, parce que Sara ne supportait pas l'idée de le nettoyer du sang séché de la femme qui était morte dans ses bras. Même à l'enterrement de Granny Em, Sara s'était surprise à caresser le chaton du cadran, tandis que les larmes coulaient sur son visage à la pensée violente que jamais elle ne reverrait le sourire vif et ouvert de sa grand-mère, ni son regard pétillant en apprenant les derniers faits d'armes de l'aînée de ses petites-filles.

Maintenant, les yeux fixés sur le cadran, pour la première fois de sa vie elle se sentait heureuse que sa grand-mère ne soit pas à ses côtés, qu'elle ne puisse pas lire la colère dans son regard, connaître le sentiment d'humiliation qui brûlait dans sa poitrine comme un incendie incontrôlable, assise dans une salle de conférences, accusée de faute professionnelle par les parents d'un patient décédé. Tout ce pour quoi Sara avait toujours travaillé, tous les pas qu'elle avait faits et que sa grand-mère n'avait pas pu faire, chaque réussite, chaque diplôme, tout cela était vidé de son sens par une femme qui la considérait comme une tueuse d'enfant.

L'avocate se pencha par-dessus la table, sourcils relevés, sourire en coin, tandis que Sara jetait un coup d'œil à sa montre. « Dr Linton, vous avez peut-être un rendez-vous plus urgent ?

— Non. » Sara s'efforça de garder une voix calme, d'étouffer la rage que l'avocate avait tout fait pour attiser au cours des quatre dernières heures. Sara savait qu'elle se faisait manipuler, elle savait que la femme essayait de l'appâter, de la pousser à des aveux horribles qui seraient à jamais consignés par le petit bonhomme assis dans un coin, penché sur la machine à transcrire. Ce qui n'empêchait pas Sara de réagir. Cette idée ne faisait même qu'accroître sa colère.

« Depuis le début, je vous appelle Dr Linton. » L'avocate jeta un coup d'œil à un dossier posé devant elle. « Mais c'est peut-être Tolliver ? Je vois que vous avez réépousé votre ex-mari, Jeffrey Tolliver, il y a six mois.

— Linton, c'est parfait. » Sous la table, la jambe de Sara tremblait si fort que sa chaussure était sur le point de tomber. Elle croisa les bras sur sa poitrine. Elle avait mal à la mâchoire à force de serrer les dents. Elle n'aurait pas dû se trouver là. Elle aurait dû être chez elle, en train de lire un livre ou de parler à sa sœur au téléphone, en train d'étudier les dossiers de ses patients ou de trier d'anciens dossiers médicaux, ce qu'elle n'avait jamais le temps de faire.

Ils auraient dû lui faire confiance.

« Donc », continua l'avocate. Elle s'était présentée au début de la déposition, mais Sara ne se rappelait pas son nom. La seule chose sur laquelle elle avait été capable de se concentrer à ce moment-là était l'expression du visage de Beckey Powell, la mère de Jimmy.

Cette femme à qui Sara avait tenu la main si souvent, l'amie qu'elle avait consolée, avec qui elle avait passé un nombre incalculable d'heures au téléphone, pour essayer de traduire en langage simple le jargon médical que les cancérologues d'Atlanta utilisaient pour lui expliquer pourquoi son fils de douze ans était en train de mourir.

Dès l'instant où ils étaient rentrés dans la pièce, Beckey avait regardé Sara comme si elle avait été un assassin. Le père du garçon, avec qui Sara était allée à l'école, n'avait même pas été capable de la regarder dans les yeux.

« Dr Tolliver ? insista l'avocate.

— Linton », corrigea Sara, et la femme sourit, comme chaque fois qu'elle marquait un point contre Sara. Cela arrivait si souvent que Sara était tentée de demander à l'avocate si elle souffrait d'une forme particulièrement aiguë du syndrome de Tourette.

« Le matin du 17 – le lundi de Pâques –, vous avez reçu les résultats des analyses cellulaires que vous aviez prescrites à James Powell. C'est bien cela ? »

James. On aurait dit qu'elle parlait d'un adulte. Pour Sara, il serait toujours le petit garçon de six ans qu'elle avait rencontré bien des années plus tôt, le petit garçon qui aimait jouer avec ses dinosaures en plastique et qui, de temps en temps, mâchouillait ses crayons de couleur. Il avait eu l'air si fier quand il avait dit à Sara qu'il s'appelait Jimmy, comme son père.

« Dr Tolliver ? »

Buddy Conford, l'un des avocats de Sara, finit par prendre la parole. « Allez, c'est bon, chérie, arrêtez votre petit numéro.

— Chérie ? » répéta l'avocate. Elle avait une de ces voix rauques que les hommes trouvent irrésistibles. Sara voyait bien que Buddy n'échappait pas à la règle et que son sens de la compétition était d'autant plus aiguisé qu'il trouvait son adversaire séduisante.

Buddy sourit, ayant marqué le point. « Vous savez très bien comment elle s'appelle.

— Veuillez prier votre cliente de répondre à la question, maître Conford.

— Oui », répondit Sara avant qu'ils ne puissent échanger d'autres piques. Elle s'était aperçue que les avocats pouvaient se montrer très bavards à trois cent cinquante dollars de l'heure. Ils étaient capables d'analyser le terme « analyser » si l'horloge tournait. D'autant plus que Sara avait deux avocats : Melinda Stiles était le conseil juridique de Global House Indemnity, une compagnie d'assurances à qui Sara avait versé près de trois millions et demi de dollars au cours de sa carrière. Buddy Conford était l'avocat personnel de Sara, qu'elle avait engagé pour qu'il la protège contre la compagnie d'assurances. Certaines clauses imprimées en toutes petites lettres dans les contrats d'assurance contre les fautes professionnelles prévoyaient que la responsabilité de la société était limitée si le préjudice subi par le patient était la conséquence directe de la négligence coupable du médecin. Le rôle de Buddy était de s'assurer que cela n'arriverait pas.

« Dr Linton ? Le 17 au matin ?

— Oui, répondit Sara. D'après mes notes, c'est à ce moment-là que j'ai reçu les résultats du labo. »

Sharon, se souvint Sara. L'avocate s'appelait Sharon Connor. Quel nom inoffensif pour une personne aussi horrible…

« Et que vous ont appris les résultats des analyses ?

— Que Jimmy souffrait très probablement d'une leucémie aiguë myoblastique.

— Et le pronostic ?

— Cela ne relève pas de mes compétences. Je ne suis pas cancérologue.

— Effectivement. Vous avez orienté les Powell vers un oncologue, un de vos compagnons d'université, un certain Dr William Harris, à Atlanta ?

— Oui, c'est bien cela. » Pauvre Bill. Lui aussi était cité dans le procès, il s'était vu contraint d'engager son propre avocat, et bataillait avec sa compagnie d'assurances.

« Mais vous êtes bien médecin ? »

Sara inspira profondément. Buddy lui avait ordonné de se contenter de répondre aux questions, et non aux remarques acerbes. Et elle payait assez cher ses conseils pour en tenir compte.

« Et en qualité de médecin, vous devez bien savoir en quoi consiste une leucémie aiguë myoblastique, n'est-ce pas ?

— Il s'agit d'un dysfonctionnement malin caractérisé par le remplacement des cellules ordinaires de la moelle épinière par des cellules anormales. »

Connor sourit, avant de poursuivre : « Et cela commence par un seul progéniteur hématopoïétique somatique qui se transforme en une cellule incapable de différenciation normale ?

— La cellule perd son apoptose. »

Nouveau sourire, nouveau point marqué. « Et le taux de survie à cette maladie est de cinquante pour cent. »

Sara se taisait, attendant que l'épée retombe sur sa tête.

« Et le temps est un facteur critique pour le traitement, n'est-ce pas ? Dans le cadre d'une telle maladie – quand les cellules du corps se retournent contre elles-mêmes, que l'apoptose est interrompue, d'après ce que vous nous dites, ce qui constitue le processus génétique normal de mort cellulaire –, le temps est un élément crucial. »

Quarante-huit heures n'auraient pas sauvé la vie du petit garçon, mais Sara n'avait pas l'intention de prononcer ces mots, puisqu'ils seraient transcrits dans un document juridique pour lui être ensuite jetés à la figure avec toute la brutalité dont Sharon Connor était capable.

L'avocate fouilla dans ses dossiers, comme si elle avait besoin de consulter ses notes. « Vous avez étudié à l'école de médecine d'Emory. Et, comme vous avez eu l'amabilité de nous le préciser, vous faisiez non seulement partie des dix pour cent des meilleurs étudiants, mais qui plus est, vous êtes sortie sixième de votre promotion. »

Ce petit numéro semblait exaspérer Buddy. « Nous avons déjà établi les compétences du Dr Linton.

— Je m'efforce simplement d'y voir clair », se défendit l'avocate. Elle souleva une feuille, les yeux fixés sur les mots imprimés, puis la reposa. « Et, Dr Linton, vous avez pris connaissance de ces informations – ces résultats d'analyse plus ou moins équivalents à une condamnation à mort – dans la matinée du 17 septembre. Et pourtant, vous avez fait le choix de n'en faire part aux Powell que deux jours plus tard ? Et pour quelle raison ? »

Sara n'avait jamais entendu autant de phrases commençant par « et ». La grammaire n'était sans doute pas une matière très prisée dans l'école qui avait formé cette sournoise avocate.

Néanmoins, elle répondit : « Ils étaient à Disney World pour l'anniversaire de Jimmy. Je voulais qu'ils profitent de leurs vacances, je pensais que ce seraient leurs dernières vacances en famille avant un certain temps. J'ai donc pris la décision de ne pas leur en parler avant leur retour.

— Ils sont rentrés le 17 au soir, et pourtant, vous n'avez rien dit jusqu'au 19 au matin, soit deux jours plus tard. »

Sara ouvrit la bouche pour répondre, mais l'autre femme ne lui en laissa pas le temps.

« Et vous ne vous êtes pas dit qu'ils pouvaient rentrer pour traiter leur enfant sans délai, et peut-être lui sauver la vie ? » Manifestement, elle n'attendait pas de réponse. « J'imagine que, si on leur avait donné le choix, les Powell préféreraient avoir aujourd'hui leur fils vivant à leurs côtés plutôt que des photos de lui au Royaume enchanté. » Elle fit glisser la photo en question par-dessus la table. Elle passa devant Beckey et Jim Powell, devant les deux avocats de Sara, et s'arrêta à quelques centimètres d'elle.

Elle n'aurait pas dû regarder.

Le petit Jimmy se tenait debout, appuyé contre son père, ils portaient tous deux des oreilles de Mickey sur la tête et tenaient des cierges magiques, tandis que les nains de Blanche-Neige avançaient en colonne derrière eux. Même sur la photo, on voyait que le garçon était malade. Il avait des cernes noirs sous les yeux, et il était tellement maigre… Son bras n'était pas plus épais qu'un morceau de corde.

Ils étaient rentrés de vacances un jour plus tôt, parce que Jimmy voulait être à la maison. Sara ne savait pas pourquoi les Powell ne l'avaient pas appelée à la clinique, pourquoi ils ne lui avaient pas amené Jimmy pour qu'elle puisse l'examiner. Peut-être ses parents avaient-ils compris, avant même de connaître les résultats d'analyse, le diagnostic définitif, que l'époque où ils avaient un enfant normal et en bonne santé était révolue. Un enfant merveilleux, gentil, intelligent, joyeux

– tout ce dont des parents pouvaient rêver. Et maintenant, il n'était plus là.

Sara sentit les larmes lui monter aux yeux et se mordit la lèvre si fort qu'elles se mirent à couler de douleur et non de chagrin.

Buddy prit brusquement la photo, d'un air agacé. Il la fit glisser vers Sharon Connor. « Gardez votre réquisitoire pour votre miroir, chérie. »

La bouche de Connor se tordit en un rictus quand elle reprit la photo. Elle était la preuve vivante que la théorie selon laquelle les femmes sont des êtres nourriciers et altruistes était un ramassis de conneries. Sara n'aurait pas été surprise de voir des chairs en décomposition derrière ce sourire.

L'avocate reprit la parole : « Dr Linton, ce jour-là, le jour où vous avez reçu les résultats d'analyses de James, un autre événement particulier est-il survenu ? »

Sara sentit un frisson lui parcourir la colonne vertébrale, comme un signal d'alarme contre lequel elle ne pouvait rien faire. « Oui.

— Et pouvez-vous nous dire de quoi il s'agissait ?

— J'ai trouvé une femme assassinée dans les toilettes du restaurant voisin.

— Violée et assassinée, c'est bien cela ?

— Oui.

— Ce qui nous amène à parler de votre emploi à temps partiel en tant que médecin légiste du comté. Il me semble que votre époux – plus précisément votre ex-époux au moment de ce viol doublé d'un assassinat – est le chef de la police du comté. Vous travaillez tous deux en étroite collaboration quand des affaires surviennent. »

Sara attendait la suite, mais apparemment, l'avocate avait simplement souhaité que cela figure au dossier.

« Maître ? demanda Buddy.

— Un instant, s'il vous plaît », murmura l'avocate en s'emparant d'un épais dossier.

Sara fixa ses mains, pour s'occuper. Pisiforme, triquêtre, os crochu, grand os, trapézoïde, trapèze, semilunaire, scaphoïde… Elle récita le nom de tous les os de sa main, puis s'attaqua aux ligaments, cherchant à se distraire, voulant à tout prix éviter de tomber dans le piège que l'avocate était soigneusement en train de lui tendre.

Pendant que Sara faisait son internat au Grady Hospital, les chasseurs de têtes l'avaient tellement harcelée qu'elle avait cessé de répondre au téléphone. Des associations. Des propositions de salaire mirobolantes, avec des primes en fin d'année. Le droit de pratiquer des interventions chirurgicales dans l'hôpital de son choix. Des assistants personnels, un accès au laboratoire d'analyses, un secrétariat, et même une place de parking. On lui avait tout offert sur un plateau d'argent, mais en fin de compte, elle avait pris la décision de rentrer à Grant et d'y pratiquer la médecine pour un salaire nettement inférieur, et encore moins de gloire, simplement parce qu'elle trouvait important que les médecins desservent les communautés rurales.

Y avait-il une part de vanité dans sa décision ? Sara s'était toujours vue comme un modèle pour les jeunes filles de la ville. La plupart n'avaient jamais vu que des hommes médecins. Les seules femmes qui avaient un tant soit peu d'autorité étaient les infirmières, les enseignantes et les mères. Au cours de ses cinq premières années à la clinique pour enfants de Heartsdale, Sara avait passé plus de la moitié de son temps à convaincre ses jeunes patients – et bien souvent leurs mères – qu'elle était bel et bien diplômée de l'école de médecine. Personne ne pensait qu'une femme pouvait être assez intelligente pour parvenir à un tel poste. Même quand Sara avait racheté la clinique à son associé qui prenait sa retraite, les gens étaient restés sceptiques. Il lui avait fallu des années pour se faire une place respectée dans la communauté.

Tout ça pour ça.

Sharon Connor finit par lever le nez de ses papiers. Elle fronça les sourcils. « Dr Linton, vous avez vous-même été violée, c'est juste ? »

Sara sentit sa bouche s'assécher. Sa gorge se resserra et elle eut subitement très chaud. Elle tentait de lutter contre le sentiment de honte qui l'assaillait, et qu'elle n'avait pas ressenti depuis la dernière fois qu'un avocat avait pris sa déposition concernant le viol. Comme à l'époque, son champ de vision se rétrécit et se brouilla, de sorte qu'elle ne voyait plus rien. Elle n'entendait que les mots qui résonnaient à ses oreilles.

Buddy se leva d'un bond, il discutait, menaçait l'avocate du doigt, ainsi que les Powell. À ses côtés, Melinda Stiles de chez Global Medical Indemnity ne disait rien. Buddy avait prévenu Sara que cela risquait d'arriver, que Stiles resterait assise sans rien dire, laissant l'avocat de la partie adverse déchiqueter Sara, et n'interviendrait que si elle considérait que Global risquait d'être exposée. Autre femme, autre modèle d'autorité raté.

« Et j'exige que ça figure au putain de dossier ! conclut Buddy en tirant sa chaise pour s'y asseoir.

— C'est noté, dit Connor. Dr Linton ? »

La vision de Sara s'éclaircit. Elle entendit un bruit sec claquer dans ses oreilles, comme quand on nage sous l'eau et qu'on remonte brusquement à la surface.

« Dr Linton ? » répéta Connor. Elle s'adressait à elle par son titre, qui dans sa bouche sonnait comme quelque chose de honteux et de laid, plus que comme le symbole de ce pour quoi Sara avait travaillé toute sa vie.

Sara regarda Buddy, qui haussa les épaules en secouant la tête, lui signifiant qu'il n'y pouvait rien. Il l'avait avertie que l'audition se résumerait à une sorte de partie de pêche, où la vie de Sara servirait d'appât.

« Docteur, voulez-vous prendre quelques minutes pour vous remettre ? dit Connor. Je sais qu'il vous est très difficile de parler de votre viol. » Elle indiqua l'épais dossier posé sur la table, devant elle. Il devait s'agir des minutes du procès. La femme avait donc tout lu, elle connaissait les détails atroces de l'agression. « D'après ce que j'ai pu voir, l'attaque dont vous avez été victime a été très très brutale. »

Sara s'éclaircit la gorge et fit l'effort de parler d'une voix forte et sans crainte : « Oui, en effet. »

Le ton de Connor devint presque conciliant. « J'ai travaillé pour le cabinet du représentant du ministère public à Baton Rouge… et honnêtement, au cours de mes douze ans de carrière en tant que procureur, je n'ai jamais rien vu d'aussi brutal, d'aussi sadique que ce que vous avez vécu. »

Buddy intervint sèchement. « Très chère, voulez-vous bien cesser de verser des larmes de crocodile et en venir à la question ? »

L'avocate hésita une seconde avant de poursuivre. « À titre d'information, le Dr Linton a été violée dans les toilettes du Grady Hospital, où elle était interne aux urgences. Apparemment, le violeur s'était introduit dans les toilettes des femmes par le faux plafond. Le Dr Linton se trouvait dans l'un des cabinets quand il lui est littéralement tombé dessus.

— C'est noté, dit Buddy. Vous avez une question à poser ou c'est juste pour faire un discours ?

— Dr Linton, le fait que vous ayez subi un viol brutal est entré en compte quand vous avez pris la décision de revenir vous installer dans le comté de Grant, n'est-ce pas ?

— J'avais d'autres raisons.

— Diriez-vous que le viol constituait le motif principal de votre décision ?

— Je dirais que c'était l'un des nombreux motifs de ma décision.

— Est-ce que ces propos mènent quelque part ? » demanda Buddy. Les avocats eurent de nouveau un échange tendu ; Sara se pencha vers la carafe d'eau posée sur la table et se servit un verre en se concentrant pour ne pas trembler.

Elle sentit, plus qu'elle ne la vit, Beckey Powell tressaillir et se demanda si elle se sentait coupable, si elle voyait Sara comme un être humain et non plus comme un monstre. Elle l'espérait. Elle espérait que Beckey aurait du mal à trouver le sommeil ce soir, qu'elle se rendrait compte que quoi qu'elle fasse, avec son avocate, pour traîner Sara dans la boue, rien ne lui ramènerait son fils. Rien ne changerait le fait que Sara avait tout tenté pour sauver Jimmy.

« Dr Linton, poursuivit Connor. J'imagine qu'au regard du viol brutal que vous avez subi, ce fut éprouvant pour vous de découvrir en entrant dans ces toilettes une femme qui avait été victime d'une agression sexuelle. Surtout dans la mesure où votre propre viol remontait à dix ans presque jour pour jour.

— C'est une question ? intervint Buddy.

— Dr Linton, vous et votre ex-mari – excusez-moi, votre mari – tentez d'adopter, n'est-ce pas ? Puisqu'en conséquence de ce viol brutal, vous ne pouvez pas avoir d'enfant ? »

La réaction de Beckey fut nette : pour la première fois depuis le début, Sara la regarda vraiment. Elle vit les yeux de Beckey s'adoucir, une fugace expression de joie traverser son visage, mais l'émotion s'évanouit aussi brusquement qu'elle était apparue, et Sara n'eut aucune difficulté à interpréter l'argument qui vint aussitôt la remplacer : Tu n'as aucun droit à devenir mère, puisque tu as tué mon fils.

Connor brandit un document familier. « Docteur, vous et votre mari, Jeffrey Tolliver, avez déposé un dossier de demande d'adoption auprès des autorités de l'État de Géorgie il y a trois mois, c'est bien cela ? »

Sara essaya de se souvenir de ce qu'ils avaient écrit dans le dossier, de ce qu'ils avaient dit pendant les cours de parentalité organisés par l'État, qui avaient occupé tout leur temps libre au cours des derniers mois. Quelles incriminations l'avocate dénicherait-elle dans cette procédure interminable et en apparence inoffensive ? La tension artérielle trop élevée de Jeffrey ? Les problèmes de vue de Sara ? « Oui. »

Connor feuilleta ses papiers en marmonnant : « Un instant, s'il vous plaît. »

La pièce était minuscule et mal aérée. Il n'y avait pas de fenêtre, pas de tableau accroché au mur, que l'on aurait pu regarder pour se donner une contenance. Un palmier en fin de vie était posé dans un coin, ses feuilles pendaient tristement. Rien de bon ne sortirait de tout cela. Aucune procédure ne ramènerait jamais un enfant mort. Aucun non-lieu ne permettrait jamais de restaurer une réputation mise à mal.

Sara regarda sa main. Ligaments dorsaux métacarpiens, ligaments dorsaux intercarpiens…

Elle avait rendu visite à Jimmy la semaine précédant sa mort, elle avait tenu sa petite main dans la sienne pendant des heures, tandis qu'il parlait avec difficulté de foot et de skate-board, de toutes les choses qui lui manquaient. Sara l'avait vue à ce moment-là, la mort dans son regard. Son regard, qui était l'opposé absolu de l'espoir qui brillait dans celui de Beckey Powell, même si cette dernière connaissait le diagnostic, même si elle avait accepté d'interrompre le traitement pour ne pas prolonger les souffrances de Jimmy. C'était cet espoir qui empêchait Jimmy de lâcher prise, cette crainte qu'ont tous les enfants de décevoir leur mère.

Sara avait emmené Beckey à la cafétéria, s'était installée dans un coin tranquille avec cette femme désespérée, sa main dans la sienne, comme elle l'avait fait avec Jimmy quelques instants plus tôt. Elle avait expliqué à Beckey ce qui allait arriver, la manière dont la mort viendrait lui prendre son fils. Ses pieds deviendraient froids, puis ses mains, à mesure que la circulation ralentirait. Ses lèvres se teinteraient de bleu. Sa respiration deviendrait irrégulière, mais il ne faudrait pas le prendre pour un signe de détresse. Il aurait du mal à déglutir. Il perdrait peut-être le contrôle de sa vessie. Il divaguerait, mais Beckey devrait continuer à lui parler, à le solliciter, parce qu'il serait encore là. Il resterait son Jimmy jusqu'à la dernière seconde. C'était son devoir d'être présente à chaque étape, puis – le moment le plus difficile – de le laisser partir sans elle.

Il faudrait qu'elle soit assez forte pour laisser Jimmy partir.

Connor s'éclaircit la voix et attendit d'avoir l'attention de Sara. « Vous n'avez pas facturé aux Powell les analyses et les consultations effectuées après avoir établi le diagnostic de James, dit-elle. Pourquoi cela, Dr Linton ?

— En fait, je n'ai pas établi de diagnostic définitif, corrigea Sara qui essayait de retrouver sa concentration.

Je leur ai dit ce que je pensais et les ai orientés vers un cancérologue.

— Votre ami d'université, le Dr William Harris, compléta l'avocate. Et vous n'avez pas facturé aux Powell les travaux d'analyse ou les visites qui ont suivi le renvoi.

— Je ne m'occupe pas de la facturation.

— Mais vous gérez vos employés, n'est-ce pas ? » Connor marqua une pause. « Dois-je vous rappeler que vous avez prêté serment ? »

Sara ravala la réponse acerbe qui lui venait spontanément à l'esprit.

« D'après le témoignage de votre manager, Nelly Morgan, vous lui avez ordonné de passer en pertes la somme de deux mille dollars, qui correspondait à ce que les Powell vous devaient. Exact ?

— Oui.

— Pourquoi donc, Dr Linton ?

— Parce que je savais qu'ils auraient à faire face à des frais médicaux considérables pour le traitement de Jimmy. Je ne voulais pas venir m'ajouter aux nombreux créanciers. » Sara fixa les yeux sur Beckey, mais celle-ci refusait de croiser son regard. « C'est ça, le fond du problème, n'est-ce pas ? Les factures du labo, les factures d'hôpital, les radiologues, les pharmacies. Vous avez sans doute des dettes colossales. »

Connor la rappela à l'ordre : « Dr Linton, vous êtes ici pour répondre à mes questions, pas pour poser les vôtres. »

Sara se pencha vers les Powell, dans l'espoir de les toucher, de les ramener à la raison. « Vous ne comprenez pas que cela ne le fera pas revenir ? Rien de tout cela ne vous ramènera Jimmy.

— Maître Conford, veuillez dire à votre cliente…

— Vous avez idée de ce à quoi j'ai renoncé pour m'établir ici ? Savez-vous combien d'années j'ai passées…

— Dr Linton, ne vous adressez pas à mes clients.

— C'est à cause de ce genre de procès que vous avez dû aller jusqu'à Atlanta pour trouver un spécialiste, que l'hôpital a fermé, qu'il n'y a que cinq médecins dans un rayon de 150 kilomètres qui peuvent se permettre de pratiquer la médecine. »

Ils refusaient de lui répondre, de la regarder.

Sara se renfonça dans sa chaise, épuisée. Cela ne pouvait pas se résumer à une question d'argent. Beckey et Jimmy voulaient autre chose, une explication, comprendre pourquoi leur fils était mort. La triste réalité était qu'il n'y avait pas d'explication. Les gens mouraient – les enfants mouraient –, et parfois, ce n'était la faute de personne, rien ne pouvait l'empêcher. Tout ce que ce procès signifiait, c'était que d'ici un an, ou peut-être cinq, un autre enfant tomberait malade, une autre famille serait terrassée, et personne ne serait là pour les aider.

Personne ne serait là pour leur tenir la main, pour leur expliquer ce qui se passait.

« Dr Linton, continua Sharon Connor. Quant au fait que vous n'ayez pas facturé aux Powell les analyses et les consultations : ne vous sentiez-vous pas, en réalité, coupable de la mort de Jimmy ? »

Elle savait quelle réponse Buddy attendait, elle savait que même Melinda Stiles, la silencieuse avocate de Global Medical Indemnity, voulait qu'elle nie.

« Dr Linton, insista Connor, ne vous sentiez-vous pas coupable ? »

Sara ferma les yeux. Elle revoyait Jimmy couché dans son lit d'hôpital, en train de lui parler de skateboard. Elle sentait encore ses petits doigts froids dans sa main, tandis qu'il lui expliquait patiemment la différence entre un *heelflip* et un *ollie*.

Articulation interphalangienne. Articulation métacarpo-phalangienne. Phalange distale, médiale, proximale…

« Dr Linton ?

— Oui, finit-elle par admettre, les larmes ruisselant sur son visage. Oui, je me sentais coupable. »

*

Sara traversa le centre de Heartsdale, le compteur de sa BMW 335Ci atteignait tout juste les 40 km/h. Elle passa devant le Stop Discount, la boutique de vêtements, la quincaillerie. Au niveau du pressing, elle s'arrêta au milieu de la route déserte, incapable de savoir si elle voulait continuer ou non.

Devant elle, le portail du Grant Institute of Technology était ouvert. Les étudiants déambulaient dans l'allée principale, déguisés en lutins et en superhéros. Halloween avait eu lieu la veille, mais les étudiants de Grant Tech avaient tendance à prolonger les fêtes pendant une semaine. Sara n'avait même pas pris la peine d'acheter des bonbons cette année. Elle savait qu'aucun parent n'enverrait sa progéniture sonner à sa porte. Depuis la plainte pour faute professionnelle déposée contre elle, la ville entière l'avait mise à l'écart. Même des patients qu'elle soignait depuis des années, des gens qu'elle avait vraiment aidés, évitaient son regard au supermarché ou à l'épicerie. Sara s'était donc dit qu'il n'aurait pas été très malin de sa part de revêtir son costume de sorcière pour se rendre à la fête de l'église, comme elle l'avait fait les six dernières années. Elle était née et avait grandi à Grant County.

Elle ne savait que trop bien que c'était une ville qui brûlait les sorcières.

Elle avait passé huit heures et demie à l'audience, et tous les aspects de sa vie avaient été passés au crible. Plus de cent parents avaient signé des autorisations permettant à Sharon Connor de passer les dossiers médicaux de leurs enfants au peigne fin, la plupart d'entre eux espérant évidemment gagner un peu d'argent au passage. Melinda Stiles, qui s'était montrée étonnamment disponible une fois que la pièce s'était vidée, lui avait expliqué que c'était assez courant. Une plainte pour faute professionnelle transformait les patients en vautours, et Sara en verrait de plus en plus tournoyer au-dessus de sa tête au fil du procès. Global Medical Indemnity étudierait les données, ferait peser les pertes contre la solidité de la défense et déciderait ensuite d'accepter ou non un règlement à l'amiable.

Auquel cas tout cela – l'humiliation, l'avilissement – n'aurait servi à rien.

L'un des étudiants poussa un cri aigu, et Sara sursauta. Son pied glissa de la pédale de freins. Ce n'était qu'un jeune homme, vêtu d'un costume de Banane Chiquita, ainsi que d'un pantacourt bleu et d'un haut jaune qui laissait voir son ventre poilu et dodu. C'étaient toujours les plus rustres qui se déguisaient en femmes dès qu'ils en avaient l'occasion. Jimmy Powell serait-il devenu l'un de ces jeunes gens stupides ? S'il était resté vivant, aurait-il hérité du maintien voûté de son père ou du visage arrondi et joyeux de sa mère ? Sara savait qu'il avait l'esprit vif de Beckey, son penchant pour les farces et les mauvais jeux de mots. Pour le reste, on ne saurait jamais.

Sara tourna à gauche pour rentrer sur le parking de la clinique. Le parking de *sa* clinique, qu'elle avait achetée au Dr Barney plusieurs années auparavant, en travaillant à temps partiel comme médecin légiste pour pouvoir se le permettre. Le panneau avait vieilli, les escaliers avaient besoin d'une nouvelle couche de peinture et la porte latérale restait coincée quand il faisait chaud, mais c'était à elle. Tout cela lui appartenait.

Elle sortit de la voiture et utilisa sa clé pour ouvrir la porte. La semaine précédente, elle avait fermé la clinique, furieuse contre les parents qui avaient signé des autorisations dans l'espoir de gagner un peu d'argent, furieuse contre la ville qui la trahissait. Sara n'était pour eux qu'une machine à sous, un moyen d'accéder aux millions de dollars détenus dans les coffres des compagnies d'assurances. Personne ne se rendait compte des conséquences de ce cambriolage, du fait que les franchises en cas de faute professionnelle ne cesseraient d'augmenter, que les médecins ne pourraient plus exercer, et que les soins médicaux, déjà trop chers pour de nombreuses personnes, seraient bientôt hors de portée pour la plupart. Personne ne se souciait des vies détruites, du moment qu'il y avait des millions à la clé.

Qu'ils réfléchissent à cela, quand ils seraient obligés de faire une heure et demie de route pour se rendre à Rollings, chez le pédiatre le plus proche.

Sara laissa les lumières éteintes en traversant l'entrée de la clinique. Malgré la fraîcheur du mois d'octobre, il faisait chaud à l'intérieur. Sara enleva sa veste de tailleur et la posa sur le comptoir de l'accueil pour aller aux toilettes.

L'eau du robinet était glacée. Sara se pencha pour s'éclabousser le visage et se débarrasser de la crasse qui lui collait à la peau. Elle avait envie d'un long bain, d'un verre de vin. Mais pour cela, elle devrait rentrer, et elle n'en avait pas envie. Elle avait envie de rester seule, pour se retrouver. En même temps, elle aurait voulu être avec ses parents, qui étaient en ce moment même quelque part au Kansas, à mi-chemin de leur épopée à travers l'Amérique. Tessa, sa sœur, était à Atlanta, où elle mettait enfin en pratique son diplôme universitaire, en travaillant comme conseillère pour les sans-abri. Et Jeffrey… Jeffrey était à la maison, attendant le retour de Sara pour qu'elle lui raconte tout ce qui s'était passé. C'était avec lui qu'elle avait le plus envie d'être, et en même temps elle ne voulait pas le voir du tout.

Elle regarda son reflet dans le miroir, et fut choquée de ne pas se reconnaître. Ses cheveux étaient tellement tirés en arrière qu'elle n'aurait pas été étonnée de voir la peau de son crâne se fendiller. Doucement, elle détacha ses cheveux en grimaçant de douleur. Son chemisier amidonné était tâché d'eau, mais Sara s'en fichait. Elle se sentait ridicule dans ce tailleur, sans doute la tenue la plus chère de sa garde-robe. Buddy avait insisté pour qu'elle porte un tailleur noir près du corps et coupé sur mesure, pour qu'elle donne l'impression d'être un riche médecin et non pas la fille du plombier d'une petite ville devenue pédiatre. Elle pourrait être elle-même au tribunal, lui avait assuré Buddy. Sara pourrait dévoiler sa véritable personnalité à Sharon Connor au moment le plus propice.

Sara avait horreur de cette duplicité, de devoir se transformer en salope masculine et arrogante dans le cadre de sa stratégie de défense. Tout au long de sa carrière, elle avait refusé d'étouffer sa féminité pour rentrer dans le club des hommes de médecine. Et voilà qu'un procès faisait d'elle tout ce qu'elle méprisait.

« Tout va bien ? »

Jeffrey se tenait dans l'encadrement de la porte. Il portait un costume anthracite, une chemise bleu foncé et une cravate. Son téléphone portable était accroché d'un côté de sa ceinture, son étui de pistolet de l'autre.

« Je pensais que tu étais à la maison.

— J'ai laissé ma voiture au garage. Ça t'embête de me ramener ? »

Elle secoua la tête, en s'appuyant contre le mur.

« Tiens. » Il lui tendit une pâquerette qu'il avait sans doute ramassée sur la pelouse mal entretenue. « Je t'ai apporté ça. »

Sara prit la fleur, qui se distinguait à peine d'un brin d'herbe, et la posa sur le rebord du lavabo.

« Tu veux en parler ? »

Elle déplaça la pâquerette de manière à ce qu'elle soit perpendiculaire au robinet. « Non.

— Tu veux rester seule ?

— Oui. Non. » Très vite, elle s'approcha de lui, l'entoura de ses bras et cacha son visage dans son cou. « C'était tellement horrible, murmura-t-elle. Mon Dieu, c'était atroce.

— Ça va aller, la rassurait-il en lui caressant le dos. Ne les laisse pas t'atteindre, Sara. Ne les laisse pas ébranler ta confiance. »

Elle se serra contre lui, elle avait besoin d'être apaisée par la présence de son corps contre le sien. Il avait passé la journée au travail, et avait la même odeur que la pièce commune de la brigade – un étrange mélange d'huile pour les armes, de café brûlé et de transpiration. Sa famille étant éparpillée, Jeffrey était la seule constante de sa vie, l'unique personne présente pour ramasser les morceaux. En y réfléchissant, elle se rendait compte que cela durait depuis seize ans maintenant. Même après qu'ils avaient divorcé et qu'elle avait passé le plus clair de son temps à essayer de penser à autre chose qu'à Jeffrey, il avait toujours été là, dans un coin de sa tête.

Elle frôla son cou du bout des lèvres, lentement, jusqu'à ce qu'elle sente sa peau réagir. Elle passa ses mains dans son dos, descendit jusqu'aux hanches, et le tira vers elle, lui faisant clairement comprendre ce qu'elle voulait.

Il eut l'air surpris, mais quand elle l'embrassa sur la bouche, il répondit avec la même ardeur. À ce moment-là, plus que l'acte sexuel, c'était l'intimité qui l'accompagne que Sara désirait. Voilà au moins une chose qu'elle se sentait capable de faire correctement.

Jeffrey se détacha le premier. « Allez viens, on rentre. » Il lui replaça une mèche de cheveux derrière l'oreille. « Je ferai à manger, on s'allongera sur le canapé et… »

Elle l'embrassa de nouveau en lui mordillant la lèvre et le serra de plus près. Il n'avait jamais eu besoin de beaucoup d'encouragements, mais comme sa main glissait vers la fermeture Éclair de sa jupe, Sara se mit à penser à la maison : la pile de linge qu'il fallait plier, la fuite du robinet de la salle de bains adjacente à la chambre d'amis, le revêtement déchiré de l'étagère de la cuisine.

La seule pensée de devoir enlever son collant l'épuisait.

Jeffrey se détacha de nouveau, un demi-sourire aux lèvres. « Allez, dit-il en la prenant par la main. Je te ramène. »

Au moment où ils arrivaient dans l'entrée, son portable se mit à sonner. Il haussa les épaules en regardant Sara, comme pour lui demander la permission de répondre.

« Vas-y, dit-elle, sachant bien que la personne qui tentait de le joindre rappellerait – ou pire, viendrait le chercher. Réponds. »

Malgré sa réticence, il prit le téléphone accroché à sa ceinture. Elle le vit froncer les sourcils en regardant l'écran. Puis il répondit : « Tolliver. »

Sara s'appuya contre le comptoir de l'accueil, les bras croisés sur sa poitrine, et essaya de déchiffrer l'expression de Jeffrey. Elle était femme de flic depuis trop longtemps pour croire à un « simple » coup de téléphone.

« Où est-elle maintenant ? » demanda Jeffrey. Il hocha la tête, ses épaules se tendaient au fil de la conversation. « OK, dit-il en regardant sa montre. Je peux y être dans trois heures. »

Il raccrocha et serra le téléphone si fort que Sara eut peur qu'il ne se casse. « Lena », dit-il brusquement, au moment où Sara allait lui demander ce qui se passait. Lena Adams était l'une des détectives de sa brigade, une jeune femme qui avait la fâcheuse habitude de se mettre dans des situations impossibles, en entraînant Jeffrey dans son sillage. La seule mention de son nom réveillait les craintes de Sara.

« Je pensais qu'elle était en vacances, dit Sara.

— Il y a eu une explosion. Elle est à l'hôpital.

— Elle va bien ?

— Non, dit Jeffrey en secouant la tête, incrédule. Elle a été arrêtée. »

Trois jours plus tôt

Chapitre 2

Lena gardait une main sur le volant et, de l'autre, cherchait une station de radio qui lui convienne. Elle grimaça en entendant les morceaux ineptes qui s'échappaient des haut-parleurs. Depuis quand la bêtise était-elle devenue un argument de vente ? Elle abandonna ses recherches quand elle tomba sur une station de country. Elle avait un chargeur de six CD dans sa voiture, mais elle en avait plus qu'assez, elle les connaissait tous par cœur. En désespoir de cause, elle se pencha pour essayer d'attraper un CD par terre, à l'arrière. Elle trouva trois boîtiers vides et jura. Elle était sur le point de laisser tomber quand ses doigts effleurèrent une cassette, sous son siège.

Sa Celica avait environ huit ans, et était munie d'un lecteur de cassettes. Lena n'avait aucune idée de ce que pouvait contenir cette cassette-là, ou de la manière dont elle avait atterri dans sa voiture. Elle l'inséra néanmoins dans le lecteur et attendit. Aucun son ne sortait, et elle augmenta le volume en se demandant si la cassette était vierge ou si elle avait été endommagée par la chaleur écrasante de l'été précédent. Elle monta encore le son, et eut un choc violent quand les premières mesures de batterie de *Bad Reputation* de Joan Jett emplirent la voiture.

Sibyl. Sa sœur jumelle avait enregistré cette cassette deux semaines avant sa mort. Lena se rappelait avoir écouté la même chanson six ans plus tôt, sur l'autoroute qui la ramenait à Grant County après une visite au labo du Bureau d'Investigations de l'État de Géorgie, le GBI, à Macon. Le voyage avait été très similaire à celui d'aujourd'hui – un trajet direct sur une autoroute bordée de kudzu [1], les rares voitures en circulation dépassant les poids lourds et les mobile homes en passe d'être livrés à des familles impatientes. Pendant ce temps, à Grant County, sa sœur se faisait torturer et assassiner par un sadique, tandis que Lena chantait à tue-tête dans sa voiture avec Joan Jett.

Elle sortit la cassette du lecteur et éteignit la radio.

Six ans. Elle n'avait pas l'impression qu'autant de temps s'était écoulé, mais d'un autre côté, cela lui paraissait une éternité. Lena venait tout juste d'atteindre le stade où la première chose à laquelle elle pensait le matin n'était pas sa jumelle morte. En général, ce n'était que plus tard dans la journée, quand elle voyait quelque chose de drôle ou qu'elle entendait une histoire abracadabrante au travail qu'elle pensait à Sibyl, qu'elle se disait qu'il faudrait qu'elle le raconte à sa sœur, avant de se rappeler, une fraction de seconde plus tard, que Sibyl n'était plus là pour l'écouter.

Lena pensait toujours à Sibyl comme sa seule famille. Leur mère était morte treize jours après leur naissance. Leur père, un flic, avait été tué pendant son service, d'une balle tirée par un homme qu'il avait arrêté pour excès de vitesse. Il n'avait jamais su que sa jeune épouse était enceinte. Et comme il n'y avait pas d'autre famille à proprement parler, Hank Norton, le frère de

---

1. Plante grimpante originaire d'Extrême-Orient, introduite aux États-Unis où elle est devenue envahissante.

leur mère, avait élevé les deux jumelles. Lena n'avait jamais considéré son oncle comme sa famille. Hank avait été un drogué quand elle était petite, et un salopard sobre et moralisateur quand elle était ado. Lena le voyait davantage comme un gardien, celui qui établissait les règles et détenait le pouvoir. Dès le début, Lena n'avait souhaité qu'une chose : s'échapper.

Elle remit la cassette dans le lecteur, baissa le volume de sorte que l'on n'entendait plus qu'un grognement grave et colérique.

I don't give a damn about my bad reputation...

« Je me fous pas mal de ma mauvaise réputation... » Les deux sœurs avaient chanté ce morceau pendant leur adolescence, c'était leur hymne contre Reese, le trou dans lequel elles avaient vécu jusqu'à ce qu'elles soient assez grandes pour foutre le camp. Avec leur peau mate et leurs traits exotiques, héritage de leur grand-mère mexicaine, elles n'avaient jamais été très appréciées. Les autres enfants étaient cruels et la stratégie de Lena consistait à les attraper les uns après les autres pour leur casser la figure pendant que Sibyl se concentrait sur ses devoirs, travaillait dur pour obtenir les bourses nécessaires pour poursuivre ses études. Après le lycée, Lena avait glandouillé un certain temps, puis elle était entrée à l'Académie de police, où Jeffrey Tolliver l'avait choisie parmi un groupe de recrues et lui avait offert un job. Sibyl occupait déjà un poste de professeur à l'Institut technologique de Grant, ce qui avait largement facilité la décision de Lena.

Lena se surprit à repenser à ces premières semaines passées à Grant County. Après Reese, Heartsdale lui faisait l'effet d'une grande métropole. Même Avondale et Madison, les deux autres villes qui constituaient Grant County, lui semblaient impressionnantes.

La plupart des jeunes avec qui Lena était allée à l'école n'avaient jamais franchi les limites de l'État de Géorgie. Leurs parents travaillaient douze heures par jour à l'usine de pneus ou touchaient le chômage et passaient leur journée à glander et à boire. Les vacances étaient réservées aux riches – ceux qui pouvaient se permettre de rater quelques jours de travail tout en continuant à payer la facture d'électricité.

Hank était propriétaire d'un bar à la périphérie de Reese, et une fois qu'il eut cessé de s'injecter dans les veines les bénéfices qu'il en tirait, Sibyl et Lena avaient vécu une vie assez confortable par rapport à leurs voisins. Certes, le toit de la maison était en mauvais état, et, aussi loin qu'elle se souvienne, la camionnette Chevy modèle 1963 n'avait jamais bougé de ses cales au fond du jardin, mais il y avait toujours à manger à table, et tous les ans, à la rentrée, Hank emmenait les filles à Atlanta faire du shopping.

Lena aurait dû être un peu reconnaissante, mais ce n'était pas le cas.

Sibyl avait huit ans quand Hank, en état d'ébriété, l'avait percutée avec sa voiture. Les filles jouaient à se lancer une vieille balle de tennis. Lena l'avait lancée trop loin, et Sibyl avait couru la rattraper dans l'allée. Elle s'était baissée pour la ramasser, et le pare-chocs arrière de la voiture de Hank l'avait percutée à la tempe. Il n'y avait pas eu beaucoup de sang – juste une coupure fine et nette le long du crâne – mais le mal était fait. Sibyl avait à jamais perdu la vue, et ni les réunions des Alcooliques Anonymes auxquelles il assistait ni l'attention qu'il leur accorda dès lors n'y changèrent quoi que ce soit – Lena continuait de voir la voiture qui percutait sa sœur, l'expression étonnée sur le visage de Sibyl avant de s'écrouler.

Et pourtant, voilà qu'elle prenait sur ses précieuses vacances pour aller voir ce vieux salopard. Cela faisait deux semaines que Hank ne lui avait pas donné de nouvelles, et c'était étrange. Même si Lena ne le rappelait que rarement, il laissait des messages tous les deux jours environ. La dernière fois qu'elle avait vu son oncle remontait à trois mois, quand il avait fait la route jusqu'à Grant County, sans y être invité, pour l'aider à déménager. Elle louait la maison de Jeffrey, après qu'il eut découvert que ses deux locataires précédentes, étudiantes à l'université, se servaient de sa maison comme d'un bordel particulier. Hank avait dû prononcer une dizaine de mots en portant des cartons, et Lena s'était montrée tout aussi bavarde. En partant, comme elle se sentait coupable, elle avait voulu lui proposer d'aller dîner au restaurant de grillades qui venait d'ouvrir en haut de sa rue, mais, avant même qu'elle ait pu formuler son invitation, il était monté dans sa Mercedes, en invoquant un prétexte quelconque.

Elle aurait dû se douter de quelque chose. Hank ne ratait jamais une occasion de passer du temps avec elle, même si ces moments étaient pénibles. Le fait qu'il soit retourné à Reese directement aurait dû lui mettre la puce à l'oreille. Elle était quand même détective, nom de Dieu ! C'était son boulot, de remarquer les choses inhabituelles.

Elle n'aurait pas dû laisser s'écouler deux semaines avant de l'appeler pour prendre des nouvelles. En fin de compte, c'était Charlotte, une voisine de Hank, qui avait téléphoné pour dire à Lena de venir jeter un œil sur son oncle.

« Il est mal en point », avait-elle dit. Quand Lena avait voulu en savoir plus, Charlotte avait marmonné des excuses – il fallait qu'elle aille voir l'un de ses enfants – et avait raccroché.

Lena sentit qu'elle se tendait en franchissant les limites de la ville de Reese. Elle haïssait cette ville. À Grant au moins, elle avait sa place. Ici, elle serait toujours l'orpheline, la fauteuse de troubles, la nièce de Hank Norton – non, pas Sibyl, Lena, celle qui pose problème.

Elle passa devant trois églises à la file. Près du terrain de base-ball, une grande pancarte annonçait : « Prévisions de la journée : Jésus règne ! »

« Mon Dieu… » murmura-t-elle en s'engageant à gauche sur Kanoga Road, en pilotage automatique à travers les petites rues qui conduisaient jusqu'à la maison de Hank.

La journée de classe ne serait pas terminée avant une heure, mais les voitures qui quittaient le lycée suffisaient à provoquer des embouteillages. Lena ralentit, elle entendait les grésillements de plusieurs stations de radio concurrentes pendant que des frimeurs faisaient grincer les pneus de leurs grosses voitures sur le goudron.

Un type dans une Mustang bleue, le vieux modèle qui ressemblait à un camion et dont le tableau de bord pouvait vous décapiter en cas de collision, vint s'arrêter dans la file voisine. Lena tourna la tête et vit un jeune homme la regarder fixement, sans aucune gêne. Les chaînes en or accrochées à son cou brillaient sous le soleil de l'après-midi, et ses cheveux roux étaient recouverts de telles quantités de gel qu'il ressemblait davantage à une créature du fond de l'océan qu'à un habitant d'une petite ville du Sud des États-Unis. Tout à fait inconscient de son air débile, il remuait la tête au rythme du rap qui sortait des haut-parleurs de sa voiture, et fit un signe racoleur à Lena. Elle détourna le regard en pensant qu'elle aimerait bien voir ce blanc-bec de bonne famille lâché dans les quartiers chauds d'Atlanta un vendredi soir. Il serait trop occupé à mouiller sa culotte pour profiter de la *gangsta life*.

Elle tourna dans la rue d'après, choisissant le chemin le plus long pour arriver chez Hank, espérant ainsi éviter les jeunes et la circulation. Hank allait sûrement bien. Lena savait que s'il y avait une chose qu'elle partageait avec son oncle, c'était cette tendance à la déprime. Hank se trouvait sans doute dans une de ses périodes sombres. Il serait probablement furieux de la trouver sur le pas de la porte, envahissant son espace. Elle ne pourrait pas lui en vouloir.

Une Cadillac Escalade blanche était garée dans l'allée, derrière la vieille Mercedes de Hank. Lena se colla au trottoir et coupa le moteur, en se demandant qui le visiteur pouvait bien être. Hank accueillait peut-être une réunion des AA, auquel cas elle espérait que le propriétaire de la Cadillac était le dernier à partir et non pas le premier à arriver. Son oncle était aussi accro aux conneries psy qu'il l'avait été à la drogue et à l'alcool. Elle avait vu Hank faire six heures de route pour assister à la conférence de tel ou tel orateur, et repartir dans la foulée, refaire six heures de route pour arriver à temps pour l'ouverture du bar, où l'attendaient les poivrots de l'après-midi.

Elle observa la maison en se disant que la seule chose qui avait changé depuis son enfance, c'était l'état de délabrement. Le toit était encore plus voûté, la peinture s'effritait tellement qu'une mince ligne de taches blanches formait un trait de craie tout autour de la maison. Même la boîte aux lettres avait connu de meilleurs jours. Apparemment, quelqu'un l'avait attaquée à coups de batte de base-ball, mais Hank, en bon bricoleur qu'il était, l'avait rattachée au poteau de bois pourri avec du gros scotch.

Lena prit les clés dans sa main et sortit de la voiture. Ses cuisses étaient engourdies après les heures passées à conduire, et elle se pencha pour s'étirer.

Un coup de feu retentit. Lena se redressa brusquement et tendit la main vers son arme avant de s'apercevoir que son Glock était dans la boîte à gants. Au même moment, elle se rendit compte que le coup de feu n'était en réalité que le bruit de la porte d'entrée qui se refermait.

L'homme qui avait claqué la porte était gras et chauve, avait des bras de la taille d'un canon et une arrogance perceptible à des lieues à la ronde. À sa hanche gauche était accroché un grand étui à couteau de chasse, et une grosse chaîne en métal pendait entre la boucle de sa ceinture et son portefeuille, rangé dans la poche arrière de son pantalon. Il descendait d'un pas vif les marches instables du perron en comptant la liasse de billets qu'il tenait dans ses grosses mains.

Il leva les yeux et aperçut Lena ; une expression de mépris passa sur son visage. Il monta dans la Cadillac blanche. Les larges pneus du véhicule firent voler la poussière tandis qu'il faisait marche arrière dans l'allée et s'engageait dans la rue, à côté de la Celica. L'Escalade faisait environ un mètre de plus en longueur et environ soixante centimètres de plus en largeur. Elle était si haute que Lena ne voyait pas au-dessus du toit. Les vitres latérales étaient teintées, mais, comme celles de devant étaient baissées, elle voyait nettement le conducteur.

Il avait freiné de manière à la coincer entre les deux voitures et la fixait avec insistance d'un regard mauvais. Le temps sembla s'arrêter, et Lena vit qu'il était plus âgé qu'elle n'avait cru, que son crâne rasé n'était pas l'expression d'un genre qu'il se donnait, mais venait compléter une grosse croix gammée rouge tatouée sur le haut de son bras. Des poils noirs et drus formaient un bouc et une moustache, derrière lesquels elle distinguait un sourire moqueur sur ses lèvres grasses et humides.

Lena était flic depuis assez longtemps pour reconnaître un taulard quand elle en voyait un, et l'homme en face d'elle avait été taulard assez longtemps pour savoir qu'elle était flic. Ni l'un ni l'autre n'avaient l'intention de baisser les yeux, mais c'est lui qui gagna la partie en secouant la tête, comme pour dire : « Quel putain de gâchis ! » Il avait le profil du type qui bat sa femme, et à travers sa chemise, Lena vit ses muscles se tendre quand il passa la première et disparut.

Lena resta dans son sillage. *Cinq, six, sept...* Elle compta les secondes, immobile au milieu de la route, attendant que la Cadillac prenne le virage, pour que l'homme ne puisse plus la voir dans ses rétroviseurs.

Une fois le véhicule disparu, elle fit le tour de la Celica, ouvrit la portière du côté passager et prit le couteau pliable de 15 centimètres qu'elle gardait sous le siège. Elle le glissa dans sa poche arrière, puis sortit son Glock de la boîte à gants. Elle vérifia le dispositif de sécurité, et accrocha l'arme à sa ceinture. Lena n'avait aucune envie de recroiser l'homme, surtout si elle n'était pas armée.

En s'approchant de la maison, elle refusa d'envisager les raisons qui avaient pu conduire un tel individu à rendre visite à son oncle. Dans une ville comme Reese, personne ne pouvait se payer une voiture pareille en travaillant à l'usine de pneus. Et on ne repartait sûrement pas de chez quelqu'un en agitant des liasses de billets si l'on n'était pas totalement certain de ne pas se les faire piquer.

Ses mains tremblaient. L'encadrement de la porte s'était fendu sous l'effet du violent claquement, ou peut-être à cause d'un coup de pied donné pour l'ouvrir. Des morceaux de bois pourri et de métal rouillé s'étaient détachés près de la poignée, et Lena poussa la porte de la pointe de sa chaussure pour l'ouvrir.

« Hank ? » appela-t-elle, résistant à l'envie de sortir son arme. L'homme à l'Escalade était parti, mais sa présence restait palpable. Il s'était passé quelque chose ici… et ce n'était peut-être pas fini…

Au cours de sa carrière de flic, Lena avait développé un certain respect pour son intuition. Le métier vous apprenait à écouter vos tripes. Cela ne faisait pourtant pas partie des choses qu'on enseignait à l'Académie de police. Soit vous saviez prêter attention aux poils qui se hérissaient dans le cou, soit vous preniez une balle dans le dos dès votre première mission, tirée par un drogué convaincu que des extra-terrestres voulaient l'enlever.

Lena sortit son arme, la pointa vers le sol : « Hank ? »

Pas de réponse.

Elle traversa lentement la maison, incapable de dire si l'endroit avait été mis à sac ou si Hank avait simplement omis de faire le ménage pendant un certain temps. Une odeur désagréable flottait dans l'air, quelque chose de chimique, comme du plastique brûlé, qui se mélangeait à l'habituelle odeur de tabac froid – Hank fumait comme un pompier – et à celle de graillon des plats à emporter qui constituaient son ordinaire. Des journaux étaient éparpillés sur le canapé du salon. Lena se pencha pour voir de quand ils dataient : pour la plupart, ils remontaient à plus d'un mois.

Prudemment, elle traversa le couloir, l'arme à la main. La porte de la chambre de Lena et Sibyl était ouverte, les lits bien faits. La chambre de Hank, en revanche, c'était une autre affaire. Les draps étaient en boule au pied du lit, comme après une nuit agitée, et une tâche brunâtre s'étalait au milieu du matelas nu. La salle de bains était immonde. Les joints étaient noirs de moisissure, des morceaux de plastique humide pendaient du plafond.

Elle se trouvait devant la porte close de la cuisine, prête à appuyer sur la gâchette s'il le fallait. « Hank ? »

Pas de réponse.

Les gonds grincèrent quand elle poussa la porte à battants.

Hank était affalé sur une chaise, à la table de la cuisine. Des prospectus des AA étaient empilés devant lui par centaines, juste à côté d'une boîte métallique à couvercle, que Lena reconnut immédiatement. Elle la connaissait depuis l'enfance.

Son kit de défonce.

Les drogués étaient presque aussi attachés à leurs habitudes qu'à la drogue elle-même. Un certain type d'aiguille, une veine plutôt qu'une autre… ils avaient des routines, un protocole qu'il était aussi difficile de rompre que l'addiction elle-même. Battre le sachet, tapoter dessus pour en faire sortir la poudre, allumer le briquet, passer la langue sur ses lèvres, attendre que la poudre devienne liquide, que le liquide se mette à bouillir. Puis… l'aiguille. Parfois, la seule idée de la piqûre suffisait à les faire décoller.

Hank conservait son attirail dans une boîte cadenassée ; elle était bleu marine à l'origine, mais la peinture s'était écaillée et on entrevoyait le métal gris. Il cachait la clé dans son tiroir à chaussettes, ce que même une petite fille de sept ans pouvait deviner sans trop de difficultés. Bien que la boîte fût fermée, Lena pouvait voir ce qu'elle contenait aussi clairement que si elle avait été ouverte : des aiguilles sous-cutanées, du papier aluminium, un briquet, des filtres de cigarettes. Elle connaissait la cuiller qu'il utilisait pour faire chauffer la poudre ; en argent noirci, le manche gravé était tordu de manière à pouvoir le passer autour de l'index. Une fois, Hank l'avait surprise avec, et lui avait infligé une raclée mémorable. Était-ce parce que Lena avait fouillé dans ses affaires, ou parce qu'il voulait qu'elle reste clean ? Ça, elle ne l'avait jamais su.

Elle était appuyée contre le plan de travail de la cuisine, l'arme à la main, quand Hank finit par s'animer. Il leva vers elle un regard vitreux, mais elle voyait bien qu'il ne parvenait pas à se concentrer, qu'il était incapable de la voir, qu'il n'en avait rien à faire. De la bave s'écoulait de sa bouche ouverte. Il n'avait pas mis son dentier, ne s'était pas lavé ou coiffé depuis sans doute plusieurs semaines. Les manches de sa chemise étaient remontées et elle vit les petites cicatrices laissées par les aiguilles bien des années plus tôt, mélangées à de nouvelles plaies – des trous béants, ulcéreux – infectées à cause du talc, du détergent ou du produit quelconque utilisé pour couper la merde qu'il s'injectait.

Elle pointa brusquement l'arme sur son oncle. Elle se sentait hors d'elle, comme si l'arme n'était pas reliée à sa main, comme si ce n'était pas son doigt qui était posé sur la gâchette, sa voix qui demandait : « C'était qui ce type ? »

Hank ouvrit la bouche. Elle vit ses gencives rouge foncé, l'endroit où il y avait, avant, des dents, des dents qui avaient pourri dans sa bouche parce que la drogue l'avait rongé de l'intérieur.

« Réponds-moi ! » ordonna-t-elle, l'arme pointée sur son visage.

Quand il essaya de parler, sa langue glissa à l'extérieur de sa bouche. Elle dut se servir de ses deux mains pour immobiliser l'arme et éviter de tirer un coup soudain. Plusieurs minutes s'écoulèrent, peut-être des heures – Lena n'aurait pas su dire, elle n'avait aucune notion du temps, ne savait plus si elle se trouvait dans le présent ou si elle était, d'une manière ou d'une autre, prisonnière du passé, quelque trente ans en arrière, quand elle n'était qu'une enfant effrayée qui se demandait pourquoi son oncle arborait un sourire si large alors même que du sang s'écoulait de son nez et de ses oreilles. Elle sentait sa peau brûler à cause de la chaleur qu'il faisait dans la maison. L'odeur qui émanait de Hank était insoutenable. Elle se souvenait de cette odeur, depuis son enfance, elle savait qu'il ne prenait pas soin de lui-même, qu'il refusait de se laver parce que la couche de crasse sur sa peau bouchait les pores et permettait de retenir la drogue un peu plus longtemps.

Lena fit un effort pour poser l'arme sur le plan de travail et lui tourna le dos, essayant d'interrompre le flux de souvenirs qui l'assaillait : Hank qui s'évanouit dans le jardin, les services sociaux qui sonnent à la porte pour les enlever, Sibyl pleure, Lena hurle. Même à présent, des larmes salées coulaient sur son visage, et soudain, voilà qu'elle n'était plus qu'une petite fille, désemparée et vulnérable, dont le seul espoir dans la vie était un putain de drogué bon à rien.

Elle se retourna, et lui asséna une claque si forte qu'il s'écroula par terre.

« Lève-toi ! cria-t-elle, en lui donnant des coups de pied. Lève-toi, putain ! »

Il grogna et se mit en boule. Elle se souvint que même très affaibli, le corps tente de se protéger. Elle avait envie de le cogner avec ses poings. Elle aurait voulu le frapper au visage jusqu'à ce qu'il la reconnaisse. Combien de nuits avait-elle passé les yeux grands ouverts, à pleurer, en attendant qu'il finisse par rentrer ? Combien de fois l'avait-elle trouvé au matin, la tête dans son vomi ? Combien d'étrangers avaient passé la nuit chez eux – des hommes vils et mauvais, au sourire vicieux, aux mains grasses et baladeuses – tandis que Hank ignorait ce qui se tramait autour de lui, occupé qu'il était à courir après sa drogue.

« C'était ton dealer ? demanda Lena, sentant une vague de nausée la submerger. C'était ton contact ? »

Il murmura quelque chose, du sang retomba comme une fine bruine sur le lino.

« Qui ? » hurla-t-elle, penchée sur lui, cherchant à lui arracher les mots, le nom de ce dealer. Elle le retrouverait, elle l'emmènerait dans les bois et lui mettrait une balle dans la tête. « Qui était ce type ?

— C'était… souffla Hank.

— Je veux son nom, ordonna Lena en s'agenouillant à côté de lui, les poings tellement serrés que ses ongles lui perçaient la paume des mains. Dis-moi qui c'est, pauvre connard. »

Il avait le visage tourné vers elle, et elle vit qu'il faisait un effort pour se concentrer. Quand ses paupières commencèrent à se refermer, elle agrippa ses cheveux jaunes et gras, et lui releva brutalement la tête, de sorte qu'il n'avait d'autre choix que de la regarder.

« Qui est-ce ? répétait-elle.

— C'est l'homme…

— Qui ? C'est qui ?

— C'est lui », marmonna Hank avant de refermer les yeux, comme accablé par l'effort. Il réussit pourtant à terminer sa phrase : « C'est lui qui a tué ta mère. »

Lundi soir

Chapitre 3

Depuis l'instant où James Oglethorpe avait foulé pour la première fois le sol de la Géorgie, les hommes avaient tenté de découper l'État en petits territoires personnels. La première tentative eut lieu en 1741, quand les administrateurs tentèrent de diviser le territoire en deux colonies : Savannah et Frederica. Quand la Géorgie devint une colonie de Sa Majesté et que l'Église d'Angleterre devint la religion officielle, le territoire fut divisé en huit paroisses. Après la Révolution, les pays des Creeks et des Cherokees au sud furent conquis par les Blancs, et plus tard, une autre partie située plus au nord fut également annexée.

Au milieu des années 1880, il ne restait plus de territoire indien, de sorte que les colons décidèrent de subdiviser les comtés existants. En 1877, il y avait cent trente-sept comtés en Géorgie – tant de petites poches de pouvoir politique que la Constitution de l'État fut amendée pour freiner cette tendance au morcellement, avant d'être de nouveau amendée en 1945 pour combler les vides juridiques qui avaient, entre-temps, permis la création de seize autres comtés. Le nombre finalement admis fut cent cinquante-neuf ; chaque comté disposant de son propre représentant à l'assemblée de l'État, de son propre siège, de son propre barème fiscal, de ses écoles, juges, systèmes politiques ainsi que de son shérif, élu au niveau local.

Jeffrey ne savait pas grand-chose du comté d'Elawah, à part le fait que ses fondateurs lui avaient sans doute donné le nom des Indiens qu'ils avaient fait fuir. La nuit était tombée quand Sara et lui atteignirent les limites de la ville, et d'après ce qu'ils pouvaient en voir, l'endroit n'avait vraiment rien de remarquable. Lena n'était pas du genre à raconter son enfance, et en traversant Reese, le chef-lieu du comté, Jeffrey comprit pourquoi. Même l'obscurité de la nuit ne parvenait pas à cacher l'insipidité déprimante de la ville.

Jeffrey avait étudié l'histoire des États-Unis à l'université d'Auburn, mais aucun manuel ne mentionnait que certaines villes du Sud ne s'étaient jamais remises de la Reconstruction. L'eau courante, les installations de plomberie, choses qui semblaient naturelles à la plupart des Américains, étaient un luxe pour les gens qui habitaient du mauvais côté de Reese. La ville dont Jeffrey était originaire, Sylacauga, dans l'Alabama, était pauvre, mais ce n'était pas cette pauvreté-là. Reese était une plaie infectée, exposée uniquement quand quelque catastrophe enlevait la croûte.

« À gauche », dit Sara, lisant les instructions que le shérif avait données à Jeffrey.

Il prit le virage et, profitant de l'éclairage d'un lampadaire, jeta un coup d'œil à Sara. Elle s'était changée, avait enfilé un jean et un pull, mais les traits de son visage étaient encore tirés. Il ne savait pas si c'était à cause du procès ou de la situation avec Lena. Il avait été surpris qu'elle propose de venir. Elle n'était vraiment pas fan de Lena. Même si, au fil des années, les deux femmes étaient parvenues à garder des rapports civilisés, les plus grosses disputes que Sara et Jeffrey avaient eues récemment avaient été liées à la jeune détective, son tempérament têtu et impulsif, ce que Sara considérait comme sa désinvolture pour tout ce qui avait trait à sa sécurité, et qui, pour Jeffrey, étaient les qualités d'un excellent flic.

La mauvaise opinion que Sara avait d'elle était en partie due à Jeffrey. Il ne parlait de Lena à la maison que quand elle avait déconné. Il n'avait jamais parlé à Sara des choses qu'elle faisait bien : son talent à mener des interrogatoires, sa capacité à tirer des leçons de ses erreurs. Dans la mesure où il avait lui-même commis des bourdes colossales au cours de sa carrière, Jeffrey pardonnait plus facilement. En vérité, Lena lui faisait beaucoup penser à la personne qu'il avait été au même âge. Et peut-être que Sara le ressentait de la même manière : elle était loin d'adorer le Jeffrey Tolliver qu'elle avait connu dix ans plus tôt.

Si on lui avait demandé son avis, Jeffrey aurait dit que Sara avait proposé de l'accompagner parce qu'elle ne voulait pas rester seule. Ou peut-être qu'elle avait eu envie d'aller prendre l'air. Jeffrey n'était pas non plus très content de la manière dont les habitants de Grant County traitaient sa femme depuis quelque temps. Depuis deux mois, il gardait en tête une liste des gens à qui il ne ferait plus jamais sauter de contravention.

« Par là, dit-elle en montrant du doigt une rue perpendiculaire qui semblait être une impasse.

— Tu es sûre ? »

Sara relut les indications : « Prendre à droite au niveau du restau de grillades. »

Il ralentit en tâtonnant au-dessus de sa tête pour trouver la lampe du plafonnier.

« Là », dit Sara en appuyant sur un bouton juste à côté du rétroviseur. La BMW de Sara était un plaisir à conduire, mais tous ces gadgets et accessoires fatiguaient Jeffrey. Il lui prit la feuille de route et lut les indications sous la lumière.

« J'arrive à te lire, tu sais, dit-elle. Tu écris comme une institutrice de primaire. »

Il indiqua l'écran du GPS qui affichait « Aucune donnée disponible » depuis une demi-heure. « Combien tu as payé pour ce truc ?

— Qu'est-ce que ça a à voir avec ton écriture ? »

Il ne répondit pas et continua à observer ses notes. Il avait bien écrit : « Prendre à droite au niveau du restau de grillades. »

Jeffrey tendit la feuille à Sara et prit à droite. Il conduisait lentement, les pneus de la voiture heurtaient coup sur coup des nids-de-poule. Il était sur le point de faire demi-tour quand Sara repéra un panneau bleu reconnaissable, avec un H. Et en effet, un peu plus loin, on apercevait l'éclairage d'un parking, et au-delà, un bâtiment qui ne pouvait être autre chose que l'hôpital.

« Cinquième Avenue », lut Sara sur le panneau de rue. Puis elle ne dit plus rien tandis qu'il entrait sur le parking.

Le Centre médical du comté d'Elawah se trouvait en face d'un Dunkin' Donuts et d'un Kentucky Fried Chicken, tous deux fermés à cette heure tardive. L'hôpital était un cauchemar d'architecte. Mélange de béton, de moellons et de briques, l'édifice haut de deux étages faisait penser à un chien galeux écrasé dans un virage. Les rares véhicules éparpillés sur le parking étaient en majorité des camions, avec de la boue séchée sur les pneus. Ils arboraient tous des autocollants d'associations de courses de stock-cars et d'autres en forme de poissons symbolisant Jésus. Ils avaient fait trois heures de route, mais aucun doute, ils se trouvaient toujours dans une petite ville du Sud.

Jeffrey se gara sur une place libre, près de l'entrée des urgences. Il ne sortit pas de la voiture, ne coupa pas le moteur. Il resta assis, réfléchissant aux quelques informations dont il disposait. Lena était impliquée dans une explosion. Elle était soignée à l'hôpital. Elle avait été arrêtée.

Qu'a-t-elle donc encore fait ?

Telle avait été la réaction de Sara – Sara qui ne pouvait pas comprendre pourquoi Jeffrey avait toujours soutenu Lena, qui ne savait pas ce que c'était de grandir sans personne pour vous soutenir, personne pour penser que vous seriez capable de faire autre chose que reproduire les erreurs de vos parents. Si c'était le cas, Jeffrey finirait ses jours comme un pauvre type alcoolique, et Lena… Il ne savait pas ce que deviendrait Lena. La seule chose qui l'avait sauvée, c'était qu'elle ait refusé de considérer Hank Norton comme son modèle. Quant aux autres personnes de la vie de Lena, Jeffrey n'en avait rencontré qu'une, un ex-petit ami, ancien taulard et ancien néonazi, qu'il s'était fait le plus grand plaisir de renvoyer en prison.

« Eh, dit doucement Sara. Ça va ?

— Ouais. » Il se tourna vers elle. « Écoute, je sais ce que tu penses de Lena, mais…

— Je le garde pour moi ? » l'interrompit-elle. Il l'observa, essayant de voir si elle était agacée ou énervée par sa demande. Elle ne laissait transparaître aucune émotion, et réussit même à lui sourire. « Terminons-en avec cette histoire et rentrons à la maison.

— Bonne idée. » Il coupa le moteur et sortit de la voiture. Une odeur de tabac flottait dans l'air, et Jeffrey vit deux aides-soignants appuyés contre une ambulance, essayant de tuer le temps jusqu'au prochain appel. L'un d'entre eux fit un signe à Jeffrey et il hocha la tête en guise de réponse, faisant le tour de la BMW pour ouvrir la portière à Sara.

Jeffrey la prévint : « Je ne sais pas trop comment ça va se passer.

— Je peux attendre dans la voiture. Je ne veux pas te déranger.

— Tu ne me dérangeras pas », répondit-il, même si l'idée lui avait traversé l'esprit. Il ouvrit la portière arrière et attrapa sa veste de costume. « Tu pourras l'examiner, t'assurer qu'elle va bien. »

Sara hésita. Il savait ce qu'elle pensait, qu'elle était mal à l'aise dans son rôle de médecin ces derniers temps, et qu'avec ce procès au-dessus de sa tête comme une épée de Damoclès, elle ne faisait plus vraiment confiance à son intuition. « Je ne sais pas si… »

Jeffrey n'insista pas. « T'en fais pas, dit-il. Allez, viens. »

Les portes vitrées s'ouvrirent et ils pénétrèrent dans le service des urgences. À l'intérieur, la salle d'attente était vide, à l'exception d'un vieillard en fauteuil roulant et d'une jeune femme assise sur une chaise à côté de lui. Ils portaient tous deux un masque chirurgical, les yeux rivés sur l'écran de télévision suspendu au plafond. Jeffrey se souvint des alertes sanitaires qu'il avait récemment entendues aux informations, concernant une nouvelle épidémie de grippe qui risquait de tous les tuer. La réceptionniste à l'accueil ne portait pas de masque, mais il supposa, à voir son air renfrogné, que tout microbe susceptible de se balader dans les parages serait trop effrayé pour s'approcher d'elle.

Il ouvrit la bouche pour parler, mais elle le coupa dans son élan en posant brusquement un formulaire sous son nez. « Remplissez-moi ça. Suivez la ligne jaune jusqu'au bureau pour fixer l'échéancier de paiement, puis revenez. Nous avons environ deux heures de retard, alors si vous n'avez pas de bonnes raisons d'être ici, je vous conseille de rentrer dormir et d'attendre que ça passe. »

Jeffrey sortit son badge et le posa sur le comptoir, à côté du formulaire. « Je viens voir le shérif Valentine. »

La réceptionniste passa sa langue sur ses dents, on aurait dit qu'elle avait du tabac à priser dans la bouche. Finalement, elle poussa un gros soupir, reprit sa fiche et se tourna vers son ordinateur, où un jeu de solitaire apparaissait à l'écran.

Jeffrey regarda Sara, dans l'espoir qu'elle puisse l'éclairer sur le fonctionnement obscur de l'hôpital. Elle haussa les épaules et il pensa qu'on les avait plantés là quand la réceptionniste poussa un autre soupir sonore et dit : « Suivez la ligne verte jusqu'à l'ascenseur, montez jusqu'au troisième étage, et suivez la ligne bleue jusqu'à la salle de repos des infirmières. Elles sauront peut-être de quoi vous parlez. »

Il regarda par terre. Cinq lignes de couleurs différentes étaient peintes sous leurs pieds. Deux d'entre elles menaient à un couloir, une autre à l'ascenseur et la dernière, une ligne rouge, conduisait à la sortie, moins de trois mètres derrière lui.

Jeffrey reprit son badge et le rangea dans sa poche. Il laissa Sara passer devant lui pour se diriger vers l'ascenseur. Comme par magie, les portes s'ouvrirent quand ils approchèrent. Le sol était rose foncé, usé et sale, et une odeur diffuse de détergent et de vomi flottait dans l'air.

Sara s'arrêta. « On pourrait prendre les escaliers.

— Et la ligne bleue alors ? » demanda Jeffrey, ne plaisantant qu'à moitié.

Elle haussa les épaules et avança. Il la suivit, appuya sur le bouton du troisième étage et remarqua qu'il y avait un deuxième étage mais pas de premier. Ils attendirent sans bouger que les portes se referment. Rien. Il appuya de nouveau sur le trois. Toujours rien. Il appuya sur le deux et les portes se refermèrent. Au-dessus de leur tête, un bruit de mécanismes retentit, et l'ascenseur s'éleva.

Sara dit : « Je ne devrais vraiment pas être là. »

Il détestait la voir aussi mal. « J'ai envie que tu sois là. » Il essaya d'avoir l'air plus convaincant. « J'ai besoin de toi ici.

— Ce n'est pas vrai, rétorqua-t-elle, mais ton mensonge me fait plaisir.

— Sara... »

Elle lui tourna le dos et regarda le panneau d'affichage vissé à la paroi de l'ascenseur. « CRYSTAL = MORT », avertissait l'un des posters, avec des photos avant/après d'une belle adolescente blonde qui, après un an de consommation, s'était transformée en vieille chouette sans âme, sans dents, sa peau, jadis parfaite, pleine de plaies infectées. Au bas de l'affiche figurait un numéro, mais quelqu'un avait dessiné un gros joint qui cachait les deux derniers chiffres. Une autre affiche, qui présentait toutes les étapes d'une réanimation d'urgence, occupait le reste du panneau. Elle avait été vandalisée, avec le genre de graffitis que l'on trouvait dans ce type d'endroits : jeux de mots vulgaires, numéros de téléphone de femmes de petite vertu, messages personnels enjoignant trucmuche ou machinchose d'aller se faire foutre.

Enfin, les portes de l'ascenseur s'ouvrirent et un signal sonore retentit. Ils découvrirent un couloir faiblement éclairé ; Jeffrey supposa qu'on avait éteint pour que les patients puissent dormir. Le panneau de la sortie de secours indiquait une porte qui se trouvait tout au fond du couloir et projetait une chaude lueur rouge.

Jeffrey regarda autour de lui, maintenant les portes de l'ascenseur ouvertes, se demandant s'ils se trouvaient au bon étage.

« Voilà ta ligne », murmura Sara, indiquant la ligne bleue tracée sur le sol. Jeffrey vit qu'elle se prolongeait vers la droite, passait devant la sortie de secours, jusqu'à l'angle. Il regarda vers la gauche, mais ne vit rien de particulier, seulement d'autres chambres et une autre sortie de secours.

Ils suivirent le tracé jusqu'à la salle de garde. Une fois qu'ils furent arrivés, Jeffrey se rendit compte que le couloir faisait un tour sur lui-même et qu'ils auraient tout aussi bien pu prendre à gauche.

« Voilà pourquoi les gens détestent les hôpitaux, dit-il à Sara, toujours à voix basse. Ou ils vous rendent malade, ou ils vous rendent fous. »

Sara leva les yeux au ciel, et Jeffrey se souvint de la première fois où il lui avait avoué détester les hôpitaux. « Mais *tout le monde* déteste les hôpitaux ! » avait-elle répondu du tac au tac.

La salle de garde était tout en longueur, ouverte des deux côtés ; elle était envahie de graphiques et de feuilles de papier de couleur. Il y avait un bureau, éclairé par la lumière crue d'une lampe. Un journal était ouvert à la page des mots croisés, quelques cases étaient remplies. Jeffrey supposa, voyant le paquet de gâteaux à moitié vide posé à côté d'un Coca Light, que la personne assise à ce bureau avait été dérangée au milieu de sa collation.

Sara s'appuya contre le mur, les bras croisés sur la poitrine. « L'infirmière fait sans doute sa ronde.

— Alors on attend ici ?

— On pourrait chercher Lena tout seuls.

— Je ne crois pas que le shérif apprécierait. »

Elle le regarda bizarrement, étonnée qu'il s'en soucie.

Il allait lui répondre quand elle entendit un bruit de chasse d'eau. « On dirait que l'infirmière a terminé sa ronde. »

Ils attendirent, Sara appuyée contre le mur, Jeffrey faisant les cent pas tout en observant les pancartes accrochées aux portes des chambres. « Pas d'eau » ; « Pas d'aliments solides » ; « Pas de passage aux toilettes sans surveillance ».

Nom de Dieu, ils savaient vraiment s'y prendre pour vous humilier dans ce genre d'endroits !

Il entendit le bruit de l'eau du robinet qui coulait dans les toilettes, puis le grincement familier d'un distributeur de serviettes en papier. Quelques secondes plus tard, la porte s'ouvrit et un homme aux cheveux gris et en uniforme apparut. Il sursauta en les voyant. « Chef Tolliver ?

— Jeffrey », dit-il en s'avançant pour serrer la main de l'homme. Il s'aperçut une seconde trop tard qu'il ne s'agissait pas du shérif. L'insigne accroché à son uniforme brun et taupe indiquait qu'il avait affaire à un adjoint. « Voici ma femme, le Dr Sara Linton.

— Donald Cook. » Il serra la main de Jeffrey et fit un signe de la tête à Sara. Il avait une voix grave et forte, et ne semblait pas se poser de questions sur le sommeil des patients. « Désolé si je vous ai fait attendre. »

Jeffrey n'y alla pas par quatre chemins : « Comment va mon détective ?

— Rien de grave, répondit Cook. Elle est sage comme une image. »

Dans d'autres circonstances, Jeffrey aurait sans doute plaisanté en disant qu'il devait y avoir erreur sur la personne. « A-t-elle été brûlée ? Votre shérif m'a dit qu'il y avait eu une explosion…

— Elle a respiré de la fumée, elle a des coupures et des éraflures. Le médecin a dit qu'elle se remettrait sans problème. »

Jeffrey attendit que Sara pose davantage de questions sur l'état de Lena, mais elle restait silencieuse. Cela ne lui ressemblait pas. En milieu hospitalier, Sara se sentait dans son élément. Il s'était attendu à ce qu'elle demande au moins à voir le dossier médical de Lena ou à rencontrer son médecin.

Mais bon, en général, Sara ne l'accompagnait pas quand il travaillait. Jeffrey imaginait qu'elle essayait de ne pas se mêler de ce qui ne la regardait pas. Il demanda à l'adjoint du shérif : « Pouvez-vous me dire ce qui s'est passé ?

— Vaut mieux que vous en parliez à Jake. » L'homme fit le tour du bureau et s'installa dans le fauteuil avec un grognement. Il prit le téléphone en disant : « Désolé, je ne peux même pas vous proposer de vous asseoir. » Il posa une paire de lunettes sur son nez pour lire les numéros sur l'appareil. « Ils ont eu un drogué hier soir qui a vomi sur toutes les chaises. C'était plus simple de toutes les jeter et d'en commander de nouvelles.

— Pas de problème », dit Jeffrey. Il enfouit les mains dans ses poches, se retenant de recommencer à faire les cent pas. Sara restait impassible, mais Jeffrey s'aperçut qu'elle était tout aussi étonnée de la situation que lui. Le garde armé de Lena était une farce. L'adjoint aurait dû être posté devant sa chambre, au lieu de se goinfrer de biscuits et de courir aux chiottes dès que l'envie lui en prenait. Sara avait raison. Jeffrey aurait dû chercher tout seul la chambre de Lena, au lieu d'essayer de se la jouer diplomate.

Cook fit un geste inutile pour réclamer silence, et dit dans le combiné : « Jake ? Il est là. Ouais, il est venu avec un médecin. » Il hocha la tête, puis raccrocha, et dit à Jeffrey : « Jake est en train de se garer. Il était rentré dîner. On pensait qu'il vous faudrait un peu plus de temps pour arriver.

— Pourquoi a-t-elle été arrêtée ? » Comme l'autre ne répondait pas, Jeffrey essaya de l'aider en émettant des hypothèses : « Atteinte à la propriété ? Négligence grave ? »

Cook esquissa un sourire. « Pas exactement. »

Jeffrey savait très bien ce que ce « pas exactement » signifiait : ils l'avaient inculpée pour quelque chose de mineur, en attendant de trouver un chef d'accusation plus grave. Il jeta un coup d'œil à Sara, tiraillé. L'amener ici n'avait sans doute pas été l'une de ses meilleures idées. L'hôpital lui rappelait sans doute le procès pour faute professionnelle, le fait qu'à Grant County, sa vie privée et sa vie professionnelle avaient été jetées en pâture.

Jeffrey prit sur lui et se concentra de nouveau sur Lena. « Pouvons-nous la voir ?

— Ce n'est peut-être pas une bonne idée », dit Cook en prenant un biscuit dans le paquet. Jeffrey sentit son estomac gargouiller et réalisa qu'il n'avait pas dîné. Cook dut l'entendre, parce qu'il proposa : « Vous en voulez ? » Jeffrey secoua la tête et l'homme tendit le paquet à Sara, qui refusa également.

Cook s'appuya contre le dossier en mâchant son gâteau. Il leva les sourcils en regardant Jeffrey. « Sale histoire. »

Jeffrey savait pertinemment que le vieil homme se moquait de lui. Cook en avait sûrement plein le dos de jouer la baby-sitter. Apparemment, il s'amusait plus en jetant un os à Jeffrey pour voir s'il allait essayer de l'attraper qu'en faisant des mots croisés. Ce que l'adjoint n'avait pas prévu en revanche, c'est que le chien risquait de mordre. Jeffrey regarda sa montre et se dit qu'il avait perdu assez de temps comme ça. Assez joué. « J'aimerais vraiment la voir, dit-il à l'adjoint.

— L'explosion a été déclenchée de manière délibérée », affirma Cook, comme s'il proférait un avertissement.

Jeffrey sentit Sara bouger derrière lui. « Vraiment ?

— Ouaip. »

Il ne put s'empêcher de dire : « Vous pensez que c'est mon détective qui l'a déclenchée ?

— Comme je vous l'ai dit…

— Voyez ça avec Jake.

— C'est ça », répondit Cook, son uniforme constellé de miettes. Sans raison apparente, il annonça : « Je travaillais avec Cal Adams. »

Jeffrey devina qu'il parlait du père de Lena.

« Un type bien, Cal, poursuivit Cook. Il s'est pris deux balles dans la tête lors d'un incident de circulation. J'ai eu envie de mourir quand c'est arrivé. »

Jeffrey ne répondit pas. Il savait trop bien ce qu'on éprouvait quand on perdait un collègue pendant le service. C'était un deuil qui vous hantait tous les jours de votre vie – peut-être encore plus douloureux que la perte d'un membre de la famille ou d'un époux.

Cook était toujours affalé dans le fauteuil, les mains croisées sur son ventre. « Vous m'avez pris pour le shérif, pas vrai ?

— Pardon ? dit Jeffrey, absorbé dans ses pensées. Oui. Désolé.

— Ça fait quarante ans que je porte cet uniforme, déclara Cook avec fierté. J'ai fini par me présenter pour devenir shérif. J'ai perdu contre Jake. » Jeffrey savait qu'il fallait se faire élire pour devenir shérif. Il remercia le ciel de n'être pas obligé de faire campagne tous les deux ans pour garder son job. C'était un bon poste si l'on arrivait à l'obtenir. La retraite et les avantages sociaux consentis aux shérifs faisaient partie des meilleurs du secteur.

Cook dit en rigolant : « Jake Valentine. On dirait le nom d'une vedette de série B. Dire que ça fait même pas trois ans qu'il a arrêté de téter sa mère ! »

Jeffrey n'était pas d'humeur à écouter les potins sur le shérif. Il voulait en savoir plus sur l'explosion, savoir si c'était un acte délibéré ou non, s'il y avait d'autres blessés, et ce que Lena avait à voir là-dedans. Comprenant que Cook ne lui donnerait pas les réponses sur un plateau d'argent, il lui demanda : « Vous connaissez Hank Norton ?

— Sûr. C'est un sacré minable, celui-là. »

Jeffrey se rendit compte qu'il était soulagé d'entendre Cook parler de l'oncle de Lena au présent. « Est-ce que Hank a eu des problèmes ? demanda-t-il.

— On a attrapé un type qui vendait du crystal dans son bar, il y a trois semaines. On l'a fermé, mais Hank était tellement défoncé que je sais même pas s'il s'en est aperçu.

— Je croyais qu'il était clean maintenant.

— Et moi je croyais que ma femme était vierge quand je l'ai épousée. » Cook pâlit en se souvenant de la présence de Sara. « Excusez-moi, Madame. » Il s'accouda au bureau et s'adressa à Jeffrey : « Écoutez, Norton est drogué depuis la nuit des temps. Il a dû commencer vers seize ou dix-sept ans. Et quand on est dans son cas, on se passe pas de ces choses-là bien longtemps.

— Des amphètes, c'est ça ?

— C'est ce qu'on dit. »

L'ascenseur sonna et Jeffrey entendit le bruit métallique des portes qui s'ouvraient. Les pas de deux personnes résonnèrent dans le couloir. Elles discutaient avec animation, mais en chuchotant. Quand elles approchèrent, Jeffrey vit que l'une était une infirmière ; l'autre était sans doute le shérif Jake Valentine. La jeune infirmière était pendue aux lèvres du shérif qui lui racontait une bagarre compliquée qu'il avait eue avec un chauffard ivre. Cook n'avait pas menti au sujet de Valentine. Il n'avait pas l'air d'avoir plus de dix-huit ans. Il était très grand, et tellement fin que la ceinture à laquelle était accrochée son arme était serrée au maximum et que l'extrémité pendait comme une langue. Quelques poils au-dessus de sa lèvre supérieure semblaient indiquer une moustache, et une zone mouillée sur le dessus de son crâne suggérait la présence d'un épi qu'il avait tenté d'aplatir avant de venir à l'hôpital. Il mesurait au moins cinq centimètres de plus que Jeffrey, mais comme il se tenait voûté et penchait la tête en avant comme une tortue, cela ne se voyait pas. Jeffrey se dit que sa mère avait dû passer ses journées à lui dire de se tenir droit.

« Jake ! » s'exclama l'infirmière en lui donnant une tape sur le bras.

Cook émit un grognement, comme pour indiquer qu'il avait entendu cette histoire un nombre considérable de fois. « Jake, dit-il, voilà le chef qui est venu te voir. »

Valentine sembla surpris de trouver Jeffrey devant la salle de garde. Jeffrey se demanda pourquoi il se sentait obligé de jouer la comédie. Même si Cook ne lui avait pas téléphoné, le couloir était suffisamment éclairé pour qu'il l'ait vu.

« Jake Valentine, dit le shérif en lui tendant la main.

— Tolliver », répondit Jeffrey. Malgré son apparence frêle, Valentine avait une poignée de main ferme. « Je vous présente ma femme, le Dr Sara Linton. »

Sara lui serra la main et lui adressa un sourire forcé.

L'infirmière fit le tour du bureau et Valentine adopta soudain une posture solennelle, comme si l'on avait appuyé sur un bouton. Il dit à Jeffrey et Sara : « Désolé de faire votre connaissance dans ces conditions.

— Pouvez-vous nous dire ce qui s'est passé ? »

Valentine fit un geste en direction de son adjoint. « Je suppose que Don vous a mis au courant.

— J'ai préféré te laisser cet honneur, répondit Cook avec un coup d'œil complice à Jeffrey.

— Darla, dit Valentine à l'infirmière. Ça t'embête si on va dans ton bureau ?

— Faites comme chez vous, répondit-elle en feuilletant le dossier d'un patient. Et faites-moi signe si vous avez besoin de quoi que ce soit. »

Jeffrey intervint : « En fait, j'aimerais vraiment savoir comment va mon détective, Lena Adams.

— Elle va bien, répondit l'infirmière. Elle a de la fumée dans les poumons, mais dans quelques jours, il n'y paraîtra plus rien.

— Tant mieux, dit Valentine, comme s'il avait lui-même posé la question. Par ici. » Il recula, pour laisser Jeffrey et Sara passer devant lui.

Sara proposa : « Je peux rester là, si…

— C'est bon », l'interrompit Jeffrey. Sara était tellement effacée qu'il n'avait guère envie de la laisser seule.

Il la laissa passer devant et essaya de lire le nom des patients sur les portes, le plus discrètement possible. Tandis qu'ils avançaient, Valentine parlait d'une voix forte, mais étouffée. « Nous l'avons trouvée au lycée hier. J'habite juste en face. Je voyais les flammes de la fenêtre du salon. »

Jeffrey ralentit, il aurait préféré que le jeune se mette à sa hauteur au lieu de lui marcher sur les talons comme un chiot.

Valentine poursuivit : « Nous pensons que c'était une Cadillac Escalade. Pas de plaques d'immatriculation, du coup, nous avons eu du mal à l'identifier. Elle était garée en plein milieu du terrain de foot. Le chef des pompiers dit qu'il y a des traces évidentes de combustible, sans doute de l'essence.

— Attendez un peu. » Jeffrey l'arrêta, pour essayer d'avoir des précisions. On lui avait simplement dit qu'une explosion avait eu lieu et que Lena avait été blessée. Jeffrey avait tout naturellement pensé que l'explosion s'était produite dans un bâtiment. « La Cadillac a été incendiée ? C'est ça qui a explosé ?

— C'est ça. » Valentine hocha la tête. Toujours à voix basse, il expliqua : « La voiture était garée en plein milieu de la ligne médiane. Je n'ai jamais rien vu brûler aussi fort de ma vie. Ils vont avoir un mal de chien à identifier le corps. Fred Bart – notre médecin légiste – m'a dit que la chaleur était tellement intense qu'elle a démoli les dents. »

Sara s'était arrêtée un peu plus loin. « Il y avait un corps dans l'Escalade ?

— Oui, madame, sur la banquette arrière », confirma le shérif.

Sara serra les lèvres et baissa le regard. Elle ne semblait ni surprise, ni choquée. Jeffrey savait ce qu'elle pensait : ça avait fini par arriver. Obstinée qu'elle était, ou parfaitement indifférente à ce qui l'entourait, la conduite de Lena avait fini par faire un mort.

Valentine prit son silence pour de la confusion. « Je ne me suis pas bien exprimé, n'est-ce pas ? Je suis désolé, je pensais que Don…

— Don nous a dit qu'il vous laissait le soin de tout nous expliquer, répondit Jeffrey.

— Je vois. » Valentine hocha de nouveau la tête ; on avait l'impression qu'il ne croyait pas entièrement Jeffrey. « Venez, entrons ici », dit-il en indiquant une porte fermée.

Jeffrey se retourna pensant que le shérif plaisantait : ils se tenaient devant un placard à linge.

« On sera plus tranquilles », dit Valentine, alors que l'endroit était désert.

Sara croisa les bras sur sa poitrine. Elle observait le placard avec une inquiétude manifeste.

Jeffrey demanda : « Vous êtes sûr que c'est bien nécessaire ?

— Comme ça nous n'aurons pas à craindre de réveiller quelqu'un. » Valentine tendit le bras devant lui pour ouvrir la porte. « Après vous. »

Jeffrey était agacé par cette comédie, mais il acceptait de jouer le jeu du shérif. Le plus important pour l'instant, c'était de comprendre dans quelle panade Lena s'était mise. Il chercha l'interrupteur et alluma la lumière. À droite, les piles de draps, à gauche, les serviettes. L'espace vide était d'environ deux mètres cinquante de profondeur et d'un mètre de large. Les cellules de la prison du comté étaient plus grandes que ça.

Sara aurait manifestement préféré rester à l'extérieur, mais il lui fit signe de passer devant elle. Jeffrey la suivit, Valentine entra le dernier, referma la porte. Le placard rétrécit encore davantage.

« Donc », dit le shérif avec un sourire. Il parlait maintenant d'une voix normale et s'appuya contre une étagère, comme s'ils étaient un groupe de potes en train de discuter avant un match de foot. « Vers onze heures hier soir, j'étais chez moi en train de regarder la télé, et j'ai vu toutes ces flammes du côté du lycée.

Première chose, j'appelle les pompiers, pensant que le bâtiment était de nouveau en feu – des jeunes ont essayé de l'incendier avant, mais heureusement, les extincteurs automatiques les en ont empêchés, ce qui est une bonne chose, vu que les pompiers sont tous des bénévoles et qu'il leur a fallu des siècles pour arriver sur place. Bon, je me suis habillé, et je suis allé à l'école voir ce qui se passait. C'était plus rapide d'y aller à pied. Comme je vous l'ai dit, j'habite juste en face. »

Son discours était tellement bien rodé que Jeffrey se demanda combien de fois il l'avait répété. Il essaya d'en venir à la partie importante. « Et là, vous avez vu le véhicule en feu sur le terrain.

— C'est ça, confirma Valentine. Il faisait nuit noire, mais les flammes étaient hautes, et j'ai aperçu quelqu'un assis dans les gradins. Alors j'y vais, en me disant que ce serait sans doute un petit jeune sorti faire une course de voitures, et là, je vois mademoiselle Adams, votre détective. Elle était assise sur les gradins inférieurs, pleine de suie et de crasse. Le pied posé sur un bidon d'essence.

— Elle avait été brûlée ?

— Non, mais elle avait été battue, quelque chose de bien. Des bleus sur le bas du visage, comme si on lui avait donné des coups de poing, du sang coulait de sa bouche, impressionnant. Personnellement, je n'avais jamais rien vu de pareil, mais peut-être que je regarde trop de films à la con avec ma femme, parce que la première chose que je me suis dit, c'est : "Cette femme vient de brûler son mec." Genre, vous savez, il a dérapé, il l'a cognée une fois de trop et elle a pété les plombs – il claqua des doigts – alors je me suis assis à côté d'elle, pour essayer de la faire parler.

— Et qu'est-ce qu'elle a dit ?

— Rien. J'ai tenté tous les trucs possibles pour la dérider, mais elle restait bouche cousue. »

Jeffrey imaginait sans mal la réaction de Lena face aux « trucs » de Valentine. Il pouvait s'estimer heureux qu'elle ne lui ait pas ri au nez.

Valentine continua : « Ce n'est que ce matin, quand nous avons fouillé le parking de l'école et trouvé sa Celica, que nous avons eu son nom. J'ai trouvé son badge dans la boîte à gants, et je me suis dit, OK, ça coûte rien de les appeler. »

Jeffrey passa sur le fait que le shérif ait attendu qu'il fasse jour pour fouiller le parking. « Elle n'avait pas de pièce d'identité sur elle ?

— Non, monsieur. On n'a rien trouvé sur elle à part un tube de Labello… Son permis était dans la voiture, et le badge dans la boîte à gants, comme je vous l'ai dit. Rien d'autre dans ses poches, rien de dissimulé dans ses parties… » Sa voix s'éteignit et il rougit en finissant sa phrase : « … intimes.

— Pas d'arme ? » Outre son Glock, Lena portait parfois un grand couteau pliable dans sa poche de derrière, mais Jeffrey n'avait pas l'intention d'en faire part au shérif maintenant.

« Non. Aucune arme.

— Y avait-il des blessés sur le lieu du crime ?

— Non. Seulement la victime dans la Cadillac, et elle sur les gradins.

— Est-ce qu'elle avait de l'essence sur elle ? Du combustible sur ses chaussures ou ses vêtements ?

— Non. Mais le bidon d'essence était vide.

— Elle avait des allumettes ou un briquet ?

— Rien, à part le stick. Et je l'ai vidé jusqu'au bout, c'était bien du baume pour les lèvres.

— On a trouvé ses empreintes sur le bidon ?

— Je peux pas vraiment dire. C'était un vieux bidon, tout rouillé. Nous l'avons envoyé au labo du GBI à Macon, mais je suppose que vous connaissez leurs délais. »

Jeffrey hocha la tête. À moins que l'affaire ne soit prioritaire, le labo n'aurait sans doute pas le temps de s'occuper de la bonbonne avant six mois.

Il essaya de rester poli pour poser sa question suivante. « Sans vouloir vous vexer, de quoi l'avez-vous inculpée ?

— Oh, trois fois rien, reconnut Valentine. Je vais vous dire franchement, chef, puisqu'on est tous les deux dans le même bateau. On n'a pas grand-chose contre elle, mais je pense que vous admettrez que les circonstances sont assez suspectes. Ajoutez à cela qu'elle refuse de nous aider en répondant aux questions. »

Jeffrey était forcé d'admettre que s'il avait trouvé une personne refusant de coopérer sur les lieux d'un homicide, il aurait sans doute fait la même chose que Valentine. Il répéta sa question : « De quoi l'avez-vous inculpée ? »

Valentine eut l'élégance d'avoir l'air gêné en énumérant les chefs d'accusation. « Obstruction à la justice. Entrave à l'enquête. Non-présentation de papiers d'identité. »

Jeffrey hocha de nouveau la tête. Il voyait bien Lena faire tout cela. On ne comptait plus le nombre de fois où elle avait entravé des enquêtes à Grant County – et encore, des affaires sur lesquelles elle-même travaillait.

« A-t-elle été mise en accusation ? demanda-t-il.

— Le juge est venu à l'hôpital ce matin. »

Jeffrey fit rapidement le point sur la somme dont il disposait sur son compte courant. Il ne toucherait son salaire que la semaine suivante. Il faudrait qu'il attende l'ouverture des banques demain matin pour faire un virement de son compte épargne et retirer l'argent dans un distributeur. « Où puis-je payer la caution ? demanda-t-il.

— On lui a refusé la caution. »

Jeffrey tenta de dissimuler le choc qu'il éprouvait, puis devina rapidement comment les choses s'étaient passées. Le shérif n'avait pas beaucoup d'expérience, mais il avait réussi à se mettre un juge dans la poche. Jeffrey tenta malgré tout de le ramener à la raison. « Vous pensez qu'elle risque de s'enfuir ? Elle est née ici. Elle est liée à la communauté. Et ça fait plus de dix ans qu'elle est un officier reconnu de ma brigade.

— Je comprends.

— Vous ne pouvez pas mettre un flic en prison. Ils la mettront en pièces.

— Elle n'est pas en prison, lui rappela Valentine. Elle est à l'hôpital.

— Tout ce que je peux vous dire, c'est que vous avez intérêt à avoir de sacrées bonnes raisons pour la maintenir en garde à vue. » Jeffrey était lui aussi capable de jouer à ce jeu-là. Il faisait ce boulot depuis plus longtemps que Jake. Les juges locaux pouvaient aller se faire foutre. Jeffrey avait des juges *d'État* dans sa poche.

Apparemment, Valentine n'était pas aussi bête qu'il en avait l'air. « Je n'ai rien à voir à ça, chef. Je peux vous le jurer sur toutes les bibles que vous voudrez. C'est pas ma faute si elle n'a pas voulu se défendre.

— Comment ça ?

— Comme je vous le disais tout à l'heure : votre détective ne bronche pas. »

Jeffrey finit par comprendre. « Elle n'a *rien* dit depuis que vous l'avez trouvée sur le terrain de foot ?

— Non, monsieur. Pas un mot. Elle n'a pas demandé à boire, pas cherché à en savoir plus sur son état de santé ou quand elle allait sortir d'ici. Elle n'a pas voulu parler à son avocat commis d'office, pas voulu répondre au juge quand il lui a demandé si elle était coupable ou non coupable. Elle est restée couchée dans le lit, à fixer le plafond. Avery était tellement énervé – Avery, c'est le juge – qu'il lui a refusé la caution et a ordonné une évaluation psychiatrique. »

Jeffrey se sentit patauger. Lena pouvait certes se montrer obstinée, mais son silence n'avait aucun sens. Quelqu'un était mort dans cet incendie. Comment avait-elle pu rester assise à regarder la voiture brûler ?

Sara finit par prendre la parole. « Peut-être que ses cordes vocales ont été abîmées pendant…

— Le toubib dit qu'il n'y a aucune raison médicale qui expliquerait qu'elle ne puisse pas parler, l'interrompit Valentine. Le problème, c'est qu'elle fait même pas l'effort. »

Jeffrey ne voyait toujours pas d'explication logique au silence de Lena. « Et le psy ?

— Elle n'a pas voulu lui parler non plus, répondit le shérif. Pour autant que je sache, elle n'a pas dit un traître mot depuis le début. Elle reste couchée, à fixer le plafond. J'ai même envoyé Darla essayer. Rien.

— Elle est peut-être en état de stress post-traumatique ? En état de choc ? » suggéra Jeffrey.

Valentine eut l'air aussi sceptique que l'était Jeffrey lui-même.

« Vous lui avez dit que j'allais venir ?

— Non. J'ai pensé qu'il valait mieux la laisser mariner un moment. »

Jeffrey essayait de se mettre à la place de l'autre, de voir l'affaire sous tous les angles. « Vous avez identifié le corps ?

— On n'a pas pu dégager la voiture du terrain avant cet après-midi. Elle était trop chaude.

— Votre médecin légiste a-t-il vu des choses de ce genre avant ? » demanda Jeffrey. Le corps calciné était un élément crucial ; de fait, c'était la seule chose susceptible d'expliquer ce qui s'était passé sur le terrain de foot. En Géorgie, le poste de médecin légiste, auquel on accédait par les urnes, était occupé en général par le directeur des pompes funèbres ou toute autre personne que la manipulation de cadavres n'effrayait pas. Le fait que Sara, docteur en médecine, ait prit ce poste à Grant County était très rare. Il n'y avait aucun moyen de savoir qui occupait ce poste ici.

« Fred Bart est un type bien, dit Valentine. Il nous tiendra au courant de tout ce qu'il trouve. Je dois dire qu'il n'avait pas l'air très optimiste. Un cadavre dans cet état – on a déjà du mal à dire si c'est un homme ou une femme, alors forcément, encore plus à savoir comment la mort est survenue. » Il haussa les épaules et sourit d'un air idiot. « Qu'est-ce que je raconte… Je suis sûr que vous savez comment ça marche. »

Valentine n'avait pas vraiment répondu à la question ; Jeffrey essayait le plus discrètement possible de savoir quelles étaient les compétences de Bart. « Sara est notre médecin légiste à Grant County. Elle est pédiatre par ailleurs.

— Oh, dit Valentine en se dégageant de l'étagère et en souriant à Sara. C'est bien, ça. Ma femme est institutrice. Elle passe son temps à corriger mes fautes de grammaire et à me dire de me tenir droit. »

Jeffrey aurait voulu poser d'autres questions, mais quelque chose lui disait que Valentine n'y répondrait pas. « Pourquoi m'avez-vous appelé ?

— Question de bon sens », répondit Valentine. Il sembla vouloir s'arrêter là, mais poursuivit : « Je vais être honnête avec vous, chef. Votre détective m'a l'air assez inoffensive. Je ne l'imagine pas faire ça. Il y a forcément autre chose. Je me suis dit que si je n'arrivais pas à la faire parler, peut-être que vous, si. » Il s'interrompit, puis ajouta : « Au moins, vous pourriez nous faire économiser beaucoup de temps et d'argent, si vous arriviez à savoir qui se trouvait dans cette voiture. »

Jeffrey ne pensait pas pouvoir être d'une grande aide, mais il dit : « D'accord, laissez-moi la voir. »

De nouveau, Valentine laissa Jeffrey et Sara passer devant lui – sans doute, devinait Jeffrey, parce que les parents du jeune homme lui avaient appris à respecter ses aînés plutôt que par respect pour la hiérarchie, hélas.

Pendant qu'ils se dirigeaient vers la chambre de Lena, Jeffrey tenta d'analyser ce que le shérif venait de leur dire. Les faits étaient simples. Lena s'était trouvée sur le lieu d'un crime, où une voiture avait été incendiée et un corps calciné, au point de le rendre méconnaissable. Pourquoi était-elle sur ce terrain de foot ? Quel lien avait-elle avec la personne décédée ? Qui avait provoqué l'explosion ? La question de Sara lui revenait sans cesse à l'esprit : *Qu'a-t-elle donc encore fait ?*

Malgré le peu d'expérience de Valentine, Jeffrey ne trouvait rien à lui reprocher en ce qui concernait l'arrestation. Dans les mêmes circonstances, Jeffrey aurait lui aussi arrêté Lena. Elle était un suspect évident, et on ne pouvait pas dire que son silence aidait les enquêteurs. Cela dit, Lena n'avait jamais eu la réputation d'aider les autres.

Il se souvenait encore de la première fois où il l'avait vue. Elle était dans le gymnase de l'Académie de police, accrochée à une corde suspendue au plafond, bien décidée à arriver jusqu'en haut, alors qu'elle transpirait tellement que ses mains glissaient. Il n'y avait personne d'autre – Lena s'entraînait pendant son temps libre – et Jeffrey l'avait observée pendant près d'une demi-heure tenter avec acharnement d'arriver tout en haut, et échouer sans cesse – avant de se rendre dans le bureau du commandant pour demander à voir son dossier.

Les maires des trois villes qui composaient Grant County avaient nommé Jeffrey chef de la police pour qu'il fasse bouger les choses et aide le service à passer le cap du XXIe siècle. Lena avait été la première femme embauchée qui ne fasse pas partie du personnel administratif. Jeffrey avait tout misé sur elle, convaincu d'avoir fait le bon choix, même quand les faits le contredisaient. Quand Frank Wallace, le plus âgé de ses détectives, lui avait annoncé quelques semaines plus tôt qu'il prendrait sa retraite à la fin de l'année, Jeffrey avait accueilli la nouvelle en se disant que Lena était mûre pour assumer de nouvelles responsabilités. S'était-il trompé à son sujet ? Était-il possible que pendant les quinze années où il l'avait côtoyée, Lena ait vécu une sorte de mensonge ?

Il y avait forcément un sens à toute cette histoire. Tous les crimes avaient une explication, un motif. Jeffrey n'avait plus qu'à découvrir lequel. Le shérif avait raison sur un point. Lena n'était pas une tueuse de sang-froid.

« Nous y voilà. » Valentine indiqua une porte fermée et Jeffrey vit le nom de Lena sur l'étiquette. Sa chambre se trouvait au bout du couloir, dans l'angle. Si Jeffrey et Sara n'avaient pas suivi cette fichue ligne bleue, ils auraient trouvé Lena sans passer par Cook.

« Peut-être que Sara et moi ferions mieux d'y aller seuls », suggéra Jeffrey. Si Lena avait l'intention de parler, elle ne le ferait certainement pas devant l'homme qui l'avait arrêtée.

« Eh bien… » hésita Valentine en se grattant le menton. Il prit son temps pour y réfléchir. À l'autre bout du couloir, la sonnette de l'ascenseur retentit. Sans doute Cook qui allait chercher d'autres biscuits.

« Allons-y, entrons », insista Jeffrey qui commençait à en avoir assez d'attendre le shérif.

Comme le couloir, la chambre était plongée dans l'obscurité. Lena était couchée, exactement comme Valentine l'avait décrite : allongée sur le dos, immobile. Ses poignets étaient attachés au lit avec des bandes velcro. Ses mains retombaient mollement, ses doigts frôlaient le matelas. Elle avait les yeux fermés, mais Jeffrey ne savait pas si elle dormait ou si elle attendait son heure. Comme le leur avait raconté le shérif, son visage était ravagé. Du sang avait séché sur sa lèvre inférieure. Ses joues étaient sérieusement éraflées. Les hématomes foncés qui lui recouvraient le visage avaient dû retenir les infirmières de lui enlever le sang et la suie ; elle était très sale, et s'était apparemment pris une bonne raclée.

Jeffrey ne savait que dire. Il fut soulagé quand Sara s'approcha, en demandant doucement : « Lena ? »

Lena tourna la tête, surprise. Ses yeux s'écarquillèrent quand elle vit Jeffrey et Lena dans sa chambre. Elle se redressa brusquement, tirant sur les liens qui l'attachaient au lit, comme si elle se sentait prise au piège, menacée. Les draps s'entortillèrent autour de ses pieds quand elle se mit à pousser contre le matelas, essayant de s'éloigner d'eux le plus possible.

« Non, murmura Lena. Vous ne pouvez pas être là… Non.

— Eh bien voilà ! » Le sourire abruti du shérif montrait qu'il était content de lui. « Je savais bien que vous pouviez parler.

— Non ! » répéta Lena, ignorant tout le monde sauf Sara. Sa voix était emplie de venin : « Dehors. Sors d'ici tout de suite. »

Jeffrey tenta de lui parler : « Lena… »

Toute sa haine semblait dirigée vers Sara : « T'es conne ou quoi ? Je t'ai dit de sortir, putain ! Tire-toi ! »

Sara, bouche bée, n'en revenait pas. Jeffrey sentit un éclair de fureur le traverser, et, les dents serrées, il ordonna : « Lena, arrête !

— Dehors ! hurla-t-elle en tirant sur ses liens. Faites-la sortir d'ici ! supplia-t-elle le shérif. Je vous dirai tout ce que vous voulez. Mais faites-la sortir ! »

Valentine semblait perdu. Il fit un signe de la tête en direction de la porte. « Peut-être qu'elle devrait…

— Non », dit Sara. Elle avait parlé si doucement que Jeffrey n'était pas sûr d'avoir bien entendu, jusqu'à ce qu'elle se retourne vers les deux hommes et leur demande : « Pourriez-vous nous laisser un instant ? » Puis, s'adressant à Jeffrey : « S'il te plaît ? »

Sara n'attendit pas la réponse. Elle prit le dossier médical accroché au pied du lit et se mit à l'étudier en attendant qu'ils sortent. Jeffrey voyait bien qu'elle se forçait à rester là, et que si elle avait pu claquer des doigts et se retrouver ailleurs, elle l'aurait fait. Pourtant, il ne comprenait pas bien pourquoi elle tenait à rester.

Pour la première fois depuis qu'ils étaient rentrés dans la chambre, Lena s'adressa directement à Jeffrey : « Dégage ta putain de femme, hors de ma vue. Je ne veux pas d'elle ici. »

Il soutint son regard, tenant à ce que la jeune femme comprenne bien que ses paroles auraient des conséquences durables. Jeffrey pouvait supporter beaucoup de choses, mais en aucun cas qu'un membre de sa brigade puisse dire des saloperies sur sa femme sans que cela porte à conséquence.

Sara leva les yeux du dossier de Lena. « C'est bon. Laissez-nous quelques instants. »

Faute de mieux, Jeffrey se contenta de répondre : « Nous attendrons dans le couloir. » Il s'approcha de la porte et l'ouvrit pour que le shérif puisse sortir. Valentine fixa Lena pendant quelques secondes, indécis. Finalement, il secoua la tête, manifestant clairement son mécontentement, et sortit de la chambre.

Dans le couloir, Jeffrey laissa la porte se refermer derrière lui, puis s'immobilisa devant. Il ne faisait pas vraiment barrage, mais presque.

« Alors. » Valentine posa la main sur son arme. Cela le démangeait de retourner dans la chambre. « C'est ce à quoi vous vous attendiez ? »

Jeffrey avait envisagé de nombreux scénarios, mais pas celui-là. « Où est l'oncle de Lena, Hank Norton ? » demanda-t-il.

Valentine fixait la porte comme s'il avait voulu la traverser.

Jeffrey insista : « C'est le parent le plus proche de Lena. Vous n'avez pas pris contact avec lui ? »

Valentine hocha la tête. « Il n'était pas chez lui. »

On entendait des bruits étouffés à travers la porte, mais pas de cris. Jeffrey fit signe au shérif qu'ils pouvaient avancer un peu dans le couloir. « Vous êtes allés chez Hank ? »

Valentine ne bougea pas. « Impossible de le trouver. Je suis passé chez lui hier soir, et de nouveau ce matin. Son bar a été fermé ; il s'est produit un incident il y a quelques semaines.

— Cook m'en a parlé.

— Ouais. » Un air de soupçon passa sur le visage du shérif. Manifestement, il ne faisait pas confiance à son adjoint. Jeffrey se demandait comment ils parvenaient à travailler. Le commissariat devait être petit, sans doute pas plus de cinq hommes. Envoyer Donald Cook faire le planton à l'hôpital était une manière de garder l'ennemi à distance, mais Jeffrey aurait volontiers parié que le vieux de la vieille avait plus d'amis en uniforme que son jeune supérieur.

« Aucune idée sur l'identité de la victime à l'intérieur de la Cadillac ? demanda Jeffrey.

— Nous n'avons pas de personnes portées disparues. Pas de rapport concernant des personnages suspects dans les parages. Pas de plainte concernant une Escalade disparue. C'est un mystère. »

Au moins, il s'était bougé pendant la nuit. « Et Hank Norton ?

— Il conduit une Mercedes, qui est sans doute plus vieille que moi.

— Non, dit Jeffrey en secouant la tête. Vous ne pensez pas que ça pourrait être lui dans la Cadillac ? »

Valentine haussa les épaules. « Tout ce que je sais, c'est que les analyses d'ADN vont me bouffer la moitié de mon budget du trimestre. »

Ses préoccupations budgétaires étaient légitimes, mais Jeffrey se demanda de nouveau pourquoi Valentine semblait si peu pressé d'identifier la victime. Peut-être avait-il déjà sa petite idée mais pas très envie de partager ces informations.

« Je sais que vous avez dit qu'il n'y avait pas de combustible sur ses vêtements, mais est-ce que la médico-légale a trouvé quelque chose sur ses chaussures ? »

Valentine prit son temps pour répondre. « Elle portait des chaussures… comment ça s'appelle ? Avec un petit talon.

— Des escarpins ? demanda Jeffrey, pensant qu'il était étrange que Lena porte autre chose que des tennis un jour de vacances.

— C'est ça, des escarpins. Ma femme porte ces chaussures de hippies et de lesbiennes, vous savez, avec une semelle en liège. Je sais pas comment ça s'appelle, mais elle ne jure que par elles. »

Jeffrey essaya de le ramener à ce qui l'intéressait. « On a trouvé quelque chose sur ses chaussures ?

— De la suie, de la crasse, rien d'inhabituel. Je me suis dit que ça valait pas la peine de les envoyer au labo. » Valentine releva la tête : « Vous pensez que je devrais ? »

Jeffrey haussa les épaules. Si ça n'avait tenu qu'à lui, il aurait dépensé de l'argent pour identifier la victime avant de se soucier des chaussures de Lena. Mais ce n'était pas la question que lui avait posée le shérif. « C'est vous qui voyez. »

Ils entendirent de nouveau le tintement de l'ascenseur. Jeffrey essaya de trouver un sujet de conversation qui les maintiendrait un peu plus longtemps dans le couloir ; il voulait laisser le plus de temps possible à Sara. « Où est le premier ?

— Quoi ?

— L'ascenseur. Les boutons n'indiquent que deux et trois. Où se trouve le premier étage ?

— Au sous-sol, dit Valentine. Dingue, non ?

— Et comment on fait pour y aller ?

— Il faut prendre les escaliers et faire le tour du bâtiment. »

Jeffrey se demanda combien de victimes le médecin légiste avait à prendre en charge. « Vous avez beaucoup de cadavres là-bas ?

— Des cadavres ? » Il eut l'air choqué, mais gloussa en expliquant : « La morgue se trouve près de la fourrière. Le sous-sol sert de buanderie, d'espace de stockage, des choses comme ça.

— C'est étrange, dit Jeffrey qui se raccrochait aux branches pour ne pas laisser mourir la conversation. Pourquoi la fourrière ? »

Valentine haussa les épaules, jeta un coup d'œil à sa montre, puis à la porte.

Jeffrey tenta autre chose : « Elle va avoir besoin d'une thérapie ou d'un truc comme ça ? D'un traitement ?

— Quoi ? Pour l'incendie ? » Valentine secoua la tête. « Non, le docteur a dit qu'elle serait remise d'ici quelques jours.

— Et vos suspects habituels ?

— Comment ça ?

— Les mauvais gars du coin. Les pistes potentiellement intéressantes. »

Valentine secoua la tête. « Là, je ne vous suis pas, chef.

— Eh bien, commença Jeffrey en s'efforçant de ne pas avoir l'air condescendant, moi, quand il arrive quelque chose dans mon secteur, un vol de voiture ou de télévision, j'ai souvent une assez bonne idée de qui ça peut être.

— Ah. » Valentine hocha la tête. « D'accord, j'ai compris. C'est juste qu'on n'a pas tellement de voitures qui explosent sur les terrains de foot par ici. »

Jeffrey ignora son sarcasme. « Des pyromanes ?

— Ça, c'est des crimes de grandes villes.

— Il faut croire que non. »

Valentine se gratta le menton. « Je crois que celui qui a fait ça voulait faire passer un message.

— Quel genre de message ?

— Votre détective est la seule personne qui puisse apporter une réponse à cette question. À ce propos, dit-il en indiquant la porte, je crois que votre femme a eu assez de temps avec elle. »

Jeffrey espérait que c'était le cas. Il emboîta le pas à Valentine. Sara était appuyée contre le mur, devant la salle de bains. Le lit était vide, les bandes velcro pendaient du cadre de lit. On entendait le bruit de la douche.

Sara expliqua : « Je l'ai convaincue d'aller se laver.

— Elle vous a parlé ? » demanda Valentine.

Sara secoua la tête, et Jeffrey s'aperçut qu'elle disait la vérité.

« Ça n'a pas servi à grand-chose alors, dit Valentine, manifestement agacé. Ça fait combien de temps qu'elle est dans la salle de bains ?

— Pas longtemps. »

Il tenta d'ouvrir la porte, mais elle était fermée à clé. « Bon Dieu ! Ça ne vous a pas effleuré l'esprit qu'il serait peut-être judicieux de l'accompagner ? »

Sara ouvrit la bouche pour répondre mais Jeffrey la devança et avertit le shérif : « Baissez d'un ton. »

Valentine l'ignora et se mit à cogner à la porte. « Mademoiselle Adams, ouvrez cette porte tout de suite. » Il détacha la radio accrochée à sa ceinture. « Cook, tu es là ? Viens par ici. » Pas de réponse. Le shérif appuya son épaule contre la porte pour essayer de l'ouvrir.

Pour la deuxième fois de la soirée, les lèvres de Sara s'entrouvrirent, mais elle ne dit rien.

« Cook ? » Valentine essaya de nouveau de joindre son collègue par radio. Toujours pas de réponse. Il donna un coup de poing à la porte : « Mademoiselle Adams, je vous laisse jusqu'à trois pour ouvrir cette porte. »

La radio crépita. De sa voix lente, Cook demanda : « Qu'est-ce qu'il y a, Jake ?

— Trouve le passe de la salle de bains et ramène tes fesses », aboya Valentine. Il raccrocha la radio à sa ceinture et appuya de nouveau son épaule contre la porte.

« Mademoiselle Adams, répéta-t-il. Sortez de là et tout se passera bien. »

Jeffrey demanda à Sara : « Elle a des objets tranchants à l'intérieur ? »

Valentine se retourna, attendant la réponse.

Sara secoua la tête. « Je ne pense pas.

— Elle pourrait essayer de se faire du mal ? demanda Valentine.

— Je n'en ai aucune idée, répliqua Sara d'un ton acide. Je ne suis pas son médecin.

— Merde… », siffla Valentine. Il frappa de nouveau à la porte. « Mademoiselle Adams !

— Oh non… » Sara avait parlé si doucement, et les coups assenés à la porte étaient si forts, que Valentine n'entendit pas.

« Qu'est-ce que… » Jeffrey leva les yeux, les mots restaient bloqués dans sa gorge. Il savait exactement ce qui s'était passé de l'autre côté de la porte.

Cook entra dans la chambre, une clé à la main. « Qu'est-ce qui se passe ? »

Valentine lui arracha la clé des mains et la glissa dans la serrure. La pièce était pleine de buée. Il entra et tira brusquement le rideau de douche. La baignoire était vide.

« Putain de merde ! » Au-dessus des toilettes, un carreau du faux plafond avait été déplacé, révélant un espace assez large pour que l'on puisse s'y glisser. « Merde ! » cria-t-il en donnant un coup de pied dans le mur. Il s'adressa à Cook : « Fouillez l'hôpital de la cave au grenier ! Appelez des renforts ! » Cook sortit et Valentine regarda Sara droit dans les yeux : « Connasse. »

Jeffrey attrapa l'homme par le bras et le plaqua contre le mur. « Parlez encore une seule fois à ma femme sur ce ton-là, et on va avoir un vrai problème. C'est compris ? » Valentine essaya de se dégager, mais Jeffrey le serrait fermement. « C'est compris ? »

Valentine se ramollit d'un coup, comme un chaton qu'on attrape par la peau du dos. « Elle a laissé mon prisonnier s'échapper. »

Jeffrey ne voulut pas regarder Sara. Il savait qu'elle pensait la même chose que lui. Lena l'avait roulée. Il n'y avait pas d'autre explication.

Il lâcha le shérif.

« Connard. » Valentine tira sur sa chemise en grimaçant. Il passa devant Jeffrey et s'avança dans le couloir. Jeffrey le suivit et entra dans l'autre chambre. Le lit était vide, et ne semblait pas avoir été utilisé. « Elle a laissé mon prisonnier s'échapper, râla Valentine. Putain, j'arrive pas à croire que je sois resté tout ce temps dans le couloir, à vous laisser m'embobiner pendant que votre femme était à l'intérieur, en train de la laisser s'enfuir.

— Sara n'a rien à voir là-dedans.

— Rendez-moi service, mon vieux, lui jeta Valentine sur un ton de défi. Prenez votre femme, montez dans votre bagnole et foutez-moi le camp d'ici. »

Jeffrey n'avait pas besoin de se l'entendre dire poliment. Il tourna les talons sans mot dire et alla chercher Sara.

Elle se trouvait toujours dans la chambre de Lena, en état de choc. « Comment est-ce que j'ai pu être aussi bête ? Comment est-ce que j'ai pu… »

Il passa son bras autour de ses épaules et la conduisit hors de la chambre. « On n'est pas obligés d'en parler maintenant.

— De toute façon, je n'aurais jamais dû me trouver ici. »

Jeffrey la conduisit dans le couloir. Les renforts avaient été appelés – deux flics en tout et pour tout. Ils semblaient plus âgés que Don Cook, et tout aussi compétents.

Valentine se mit à aboyer des ordres, tout en hurlant dans sa radio pour qu'on lui envoie plus d'hommes. « Je veux qu'on la retrouve *tout de suite* ! »

Jeffrey appuya sur le bouton de l'ascenseur. Il observa le couloir en essayant d'imaginer comment Lena s'était évadée. Apparemment, elle avait déplacé le lambris du faux plafond et s'était glissée dans la fente, pour traverser jusqu'à la salle de bains voisine. Ensuite, elle avait dû prendre les escaliers pour aller au sous-sol. L'ascenseur s'ouvrait sur le service des urgences, mais même si elle était passée par là, sa présence n'aurait sans doute pas provoqué de réaction. Nul doute que la réceptionniste n'aurait pas daigné lever les yeux de son écran.

Les portes de l'ascenseur s'ouvrirent. Jeffrey posa sa main sur le dos de Sara pour l'inciter à avancer. Tandis que les portes se refermaient, Valentine et l'un des autres flics passèrent devant l'ascenseur ; sans doute allaient-ils fouiller le sous-sol.

Jeffrey appuya sur le bouton du deuxième étage, se demandant de nouveau pourquoi on ne pouvait pas accéder au premier. Peut-être existait-il un monte-charge quelque part, que Valentine avait oublié de mentionner. Lena avait pu l'utiliser pour descendre, et après ? Dans la buanderie, elle aurait trouvé des serviettes et des draps. Il y avait sans doute une pièce réservée au personnel, peut-être des casiers pour le personnel d'entretien. Elle aurait pu y trouver des vêtements, de l'argent liquide. Jeffrey pensait qu'elle y aurait pris ce dont elle avait besoin avant de fiche le camp le plus vite possible.

« Comment est-ce que j'ai pu être aussi bête ? » répéta Sara en secouant la tête. Elle avait les yeux remplis de larmes. Jeffrey l'avait vue en colère un nombre incalculable de fois, mais rien n'égalait la violence de la colère qu'elle dirigeait contre elle-même.

« Répète-moi exactement ce qu'elle t'a dit, lui demanda-t-il.

— Toujours la même chose – que nous devions partir. C'est tout juste si elle me regardait. » Elle essuya une larme de sa main, elle était pâle de rage. « Je suis désolée. Tout ça est de ma faute.

— J'étais dans le couloir, dit Jeffrey, elle m'a roulé moi aussi.

— Pas comme… » Sara secoua la tête, incapable de finir sa phrase. « Je l'ai détachée, Jeffrey. C'est moi qui l'ai laissée partir.

— Elle t'a demandé de la détacher ?

— Non – oui, enfin pas directement. Elle m'a dit qu'elle se sentait sale, qu'elle était couverte de crasse, et moi je me suis approchée pour la détacher. Je n'y ai même pas réfléchi. Je l'ai même aidée à sortir du lit. »

Il insista doucement : « Elle a dit autre chose ?

— Elle s'est excusée. » Sara sourit de sa propre bêtise. « Elle avait l'air tellement effrayée. Ses mains tremblaient, elle avait du mal à parler, je ne l'ai jamais vue dans un tel état – pas depuis la mort de Sybil. Je me suis complètement fait avoir. Mon Dieu, quelle conne ! »

Jeffrey l'entoura de son bras, ne sachant comment s'y prendre pour la réconforter. Il était si furieux contre Lena qu'il avait du mal à réfléchir.

« Un faux plafond, dit Sara. S'il y a quelqu'un qui devrait savoir qu'on peut se glisser dans un faux plafond… »

Il savait ce qui lui était arrivé des années plus tôt au Grady Hospital, quand son agresseur lui était littéralement tombé dessus du plafond des toilettes. Si Lena lui avait planté un coup de poignard dans le dos, voilà que Sara venait de le remuer dans la plaie. « Ce n'est pas ta faute, Sara, lui dit-il, tu n'es pas flic.

— Alors qu'est-ce que je fais ici ? répliqua-t-elle d'un ton agressif. J'aurais mieux fait de rester dans la voiture, merde ! J'aurais dû rester à la maison. »

Les portes de l'ascenseur s'ouvrirent. Ils virent deux autres adjoints du shérif traverser l'entrée en courant, vers les escaliers.

« Viens, on s'en va », lui dit-il en la prenant par le bras. Ils se trouvaient au niveau des portes coulissantes quand Valentine les interpella.

« Un instant, s'il vous plaît », dit-il en courant pour les rattraper. Il était essoufflé, sans doute à force de courir dans les escaliers. Il tendait la main, paume ouverte. « Donnez-moi les clés de votre voiture. »

Si Sara n'avait pas été là, Jeffrey lui aurait dit d'aller se faire foutre. La situation étant ce qu'elle était, il lui remit les clés en silence, pressé d'en finir.

Valentine vit le logo BMW sur le porte-clés et jeta à Jeffrey un regard comme ceux qu'on jette aux putes dans la rue. Les flics ne conduisaient pas de BMW, en tout cas pas dans le monde de Jake Valentine.

« C'est la voiture de ma femme », lui dit Jeffrey. Sara avait travaillé d'arrache-pied pour se l'offrir. Et en ce qui concernait Jeffrey, elle pouvait même conduire une Rolls-Royce si elle en avait envie.

Valentine appuya sur le bouton pour ouvrir la voiture. Soudain, il s'arrêta. « La buanderie, dit-il en fixant Jeffrey. Vous m'avez demandé ce qu'il y avait au sous-sol.

— C'était juste pour parler.

— Ne me prenez pas pour un con.

— Je t'attends là, dit Sara en se dirigeant vers l'une des banquettes qui se trouvaient devant l'entrée.

Valentine lui jeta un autre regard noir avant d'aller à la voiture. Jeffrey savait qu'il n'y trouverait rien. Même si Lena avait vu la BMW sur le parking, il n'y avait aucun moyen de déverrouiller ou d'ouvrir le coffre sans la clé. Et briser une vitre n'aurait servi à rien : grâce à un dispositif de sécurité, si l'on déclenchait le système de verrouillage centralisé depuis l'extérieur, rien ne pouvait être débloqué de l'intérieur. Jeffrey s'était d'ailleurs retrouvé coincé dans la voiture une fois où Sara avait accidentellement appuyé sur le bouton de verrouillage en se précipitant vers la maison pour répondre au téléphone. Si le toit coulissant n'avait pas été ouvert, ce qui lui avait permis de s'extirper du véhicule, il aurait pu rester coincé pendant des heures.

L'intérieur de la voiture était parfaitement visible à travers les vitres, mais le shérif ouvrit néanmoins la portière pour s'assurer qu'elle était vide, et se pencha pour vérifier, comme s'il avait une chance de découvrir Lena cachée sous l'accoudoir central. Il fit le tour vers l'arrière de la voiture et ouvrit le coffre. Il ne contenait que la trousse de secours et des poubelles à amener au recyclage.

Valentine referma le coffre et dit à Jeffrey : « J'imagine que j'aurais l'air encore plus con si je diffusais un avis de recherche concernant un fugitif inculpé de non-présentation de papiers.

— C'est une hypothèse raisonnable. » Le shérif se trouvait déjà en position délicate avec les chefs d'inculpation qu'il avait contre Lena. Il lui faudrait maintenant marcher sur des œufs. Ils savaient tous deux qu'à la moindre erreur désormais, toutes les accusations qu'il pouvait avoir contre elle tomberaient à l'eau.

« Bon. » Valentine jeta un coup d'œil sur le parking. « Ça, c'est la Jeep de Darla. La Chevrolet rouge appartient à l'équipe d'entretien, la Branco est à George, et là-bas, c'est le Ranger de Bitty. Elle est là depuis jeudi ; elle est venue toute seule parce qu'elle avait mal à un côté, et elle est restée parce qu'en fait, c'était l'appendicite. »

Il venait de passer en revue toutes les voitures du parking, mais Jeffrey ne put s'empêcher de demander : « Où est votre véhicule ? »

Valentine se mit à rire, et pas parce qu'il trouvait ça drôle. « Don a sa canne à pêche préférée dans le coffre, et c'était sa première préoccupation. Nos véhicules sont garés derrière. Nous sommes en train de faire descendre le personnel pour qu'ils vérifient leur casier, voir s'il leur manque quelque chose. J'ai aussi envoyé un homme chez Hank, des fois qu'elle se pointerait là-bas. » Il rendit les clés à Jeffrey. « Je suppose qu'entre votre femme qui m'a fait perdre mon temps et vous qui m'avez baladé dans le couloir, elle a au moins vingt minutes d'avance sur moi. »

Jeffrey n'avait aucune intention de discuter les points de détail, comme le petit abus de pouvoir exercé par Valentine quand il les avait enfermés tous les trois dans le placard à linge. « Au moins.

— Je peux vous poser une question ? Ça vous embête d'avoir contribué à l'évasion ? »

En une seconde, son ton était devenu mauvais. Jeffrey s'éloigna de la voiture et répondit : « Pas vraiment.

— C'est comme ça que vous travaillez, vous, les vieux flics ! » Valentine était furieux. « Toujours à vous serrer les coudes, même si vous enfreignez la loi. N'importe quoi pour protéger les collègues, pas vrai ? » Sa voix était de plus en plus forte. « Ça ne m'étonnerait pas que vous et ce vieux Don ayez monté ça ensemble. Des coups pourris, pour que le bleu-bite passe pour un con.

— Faites très attention à ce que vous me dites, Jake, l'avertit Jeffrey.

— Je pourrais l'arrêter, dit Valentine en indiquant Sara d'un geste énervé. Je *devrais* l'arrêter. »

Il avait maintenant toute l'attention de Jeffrey. « Nous savons très bien tous les deux que ça ne risque pas d'arriver.

— Ah ouais ? Ben ça, si. » Valentine lança son poing en avant, son bras décrivit un cercle au lieu de partir directement de l'épaule. Ce qui laissa amplement le temps à Jeffrey de bloquer le coup et d'envoyer son poing dans le ventre de l'autre. De l'air sortit de la bouche de Valentine quand il se plia en deux. Il serait tombé à genoux si Jeffrey ne l'avait pas retenu.

« Putain… grogna le shérif en se tenant le ventre. Bon Dieu… »

Sara s'était levée et Jeffrey lui fit un signe de la tête pour lui dire de rester à sa place. « Relevez-vous », dit-il à Valentine.

Le shérif fit un effort, mais ses genoux ne lui obéissaient pas.

Jeffrey le tira par le col, jusqu'à ce que l'autre finisse par le regarder. « Respirez, lui dit-il comme s'il s'adressait à un enfant. Ça va passer.

— Lâchez-moi. » Valentine repoussa Jeffrey mais s'appuya contre la voiture. « Putain, vous êtes plus fort que vous n'en avez l'air. »

Jeffrey tendit la main vers Sara, pour lui faire comprendre que tout allait bien. « Où avez-vous appris à cogner comme ça ?

— J'ai grandi avec quatre grandes sœurs », réussit-il à articuler. Ce qui expliquait pourquoi il cognait comme une fille. « Merde, j'aurais pas dû vous frapper. »

Jeffrey s'abstint de lui faire remarquer qu'il n'avait pas réussi à le toucher. Il se déplaça, de manière à se retrouver entre Valentine et Sara, et dit au shérif : « Écoutez-moi bien Jake. Je vous ai déjà prévenu une fois. Vous menacez ma femme encore une fois, et je vous casse la gueule. C'est bien clair ? »

Valentine toussa, puis hocha la tête.

« Vous tenez debout ?

— Je crois. »

Jeffrey attendit qu'il s'éloigne de la voiture.

« Je suis désolé, dit Valentine. Je m'énerve assez vite.

— Sans blague ?

— Vous me préviendrez si elle vous contacte ? demanda le shérif.

La question prit Jeffrey de court, ce qui expliquait peut-être l'honnêteté avec laquelle il répondit : « Je ne sais pas. »

Valentine le regarda fixement, et hocha de nouveau la tête. « Merci pour votre franchise. »

Jeffrey regarda Valentine avancer vers l'entrée en titubant. Les portes s'ouvrirent sur son passage. Sara se trouvait toujours sur la banquette et Jeffrey lui fit signe de le rejoindre.

« C'était quoi, ça ?

— Je t'expliquerai plus tard. Viens, on y va. »

Il fit mine de lui ouvrir la portière, mais elle marmonna que ça allait et monta.

Jeffrey faisait le tour du véhicule quand une berline blanche traversa le parking à toute vitesse et s'arrêta sur une place libre à côté de lui dans un crissement de pneus. Quelques secondes plus tard, un homme chauve sortit de la voiture. Il portait une chemise en coton dont les manches avaient été arrachées et un jean qui semblait taché d'huile. Une grosse chaîne métallique pendait entre l'avant et l'arrière de son pantalon. Sur sa hanche gauche, accroché à sa ceinture, il portait l'un des plus gros couteaux de chasse que Jeffrey ait jamais vus.

Pendant que Jeffrey l'observait, l'homme retira le couteau de son étui et le posa sur le siège de la voiture, apparemment au courant qu'il était interdit d'entrer armé dans l'enceinte de l'hôpital. Non pas qu'il eût l'air d'avoir besoin d'une arme. À vue d'œil, Jeffrey aurait dit que le type pesait plus de 120 kilos, et que du muscle.

La berline trembla quand il referma la portière. Il avait le visage lacéré de coupures, comme s'il s'était battu avec un tigre et avait perdu. Il regarda Jeffrey, le provoquant : « Tu veux ma photo ? »

Jeffrey repoussa sa veste et posa la main sur sa hanche. Son arme était cachée sous le siège avant de la BMW, mais le taulard n'en savait rien. « Ne cherche pas la merde.

— Va te faire foutre, connard », aboya l'autre en se dirigeant vers les urgences.

À travers la porte vitrée, Jeffrey apercevait Jake Valentine penché au-dessus du guichet, en train de discuter avec la réceptionniste. Ils tournèrent tous les deux la tête quand le géant entra dans la salle d'attente. Valentine jeta un regard à Jeffrey, mais le shérif se trouvait trop loin pour lire l'expression sur son visage. Il dit quelque chose à la brute en faisant un signe de la main, comme pour le calmer. Ils échangèrent des mots, puis l'homme se retourna et ressortit. En passant devant Jeffrey, il marmonna « Enculé », mais Jeffrey n'aurait su dire à qui l'insulte était adressée.

Valentine sortit de l'hôpital, la voiture blanche fit demi-tour, coupa le virage et s'éloigna à toute vitesse.

Jeffrey jeta un coup d'œil dans la voiture pour voir comment Sara allait. Il demanda à Valentine : « Un de vos amis ?

— Un dealer du coin qui voulait voir un de ses hommes, expliqua le shérif. Je lui ai dit de revenir pendant les heures de visite. »

Jeffrey le regarda attentivement, se demandant s'il lui mentait. L'échange lui avait semblé un peu trop brusque pour ne concerner qu'un refus de visite, mais d'un autre côté, Jeffrey n'avait pas l'impression que la brute au couteau était quelqu'un qui aimait s'entendre dire non.

« Tenez », dit Jeffrey en sortant deux cartes de visite de sa poche de derrière. Il griffonna quelque chose sur la première carte puis en donna une autre au shérif. « Mon portable est inscrit tout en bas. Appelez-moi si vous trouvez mon détective. »

Valentine jeta un regard blasé à la carte avant de la prendre.

Jeffrey remit les autres dans sa poche. Il monta dans la BMW et sortit du parking. Ni lui ni Sara n'avaient grand-chose à dire, ils suivirent la route qu'ils avaient prise à l'aller. Valentine avait tort concernant l'avance de vingt minutes. Jeffrey pensait qu'elle en avait quinze tout au plus. Il se posait les mêmes questions que le shérif sans doute : Où Lena irait-elle ? Vers qui pouvait-elle se tourner ?

Vers lui. Lena s'était toujours adressée à Jeffrey quand elle avait un problème, pour qu'il passe la prendre pour aller au travail ou pour des choses plus graves, comme s'occuper de son connard de petit ami raciste. Cette fois pourtant, c'était différent. Cette fois, elle était allée trop loin. Valentine avait raison sur un point : volontairement ou non, Sara avait aidé Lena à s'évader. Lena était flic ; elle connaissait la loi mieux que la plupart des avocats. Elle savait exactement dans quelle situation elle mettait Sara, et elle s'en était moquée.

Dans le calme de la voiture, Sara demanda : « Et maintenant ?

— On rentre à la maison. » Il sentait qu'elle l'observait, essayant de comprendre s'il était sérieux ou non. « Je ne rigole pas, Sara. On arrête les frais.

— Tu vas laisser Lena dans la merde ici ?

— Après ce qu'elle t'a dit ? Après ce qu'elle t'a *fait* ? » Il secoua la tête, convaincu de sa décision. « C'est terminé. Je me fous de ce qui peut lui arriver.

— Tu as vu sa réaction quand on est rentrés dans la chambre ?

— J'ai entendu ce qu'elle t'a dit. » Il sentit de nouveau la colère monter. « Il n'y a pas d'autre choix, Sara. Elle t'a utilisée. Je n'ai pas l'intention de l'aider.

— Je ne l'ai jamais vue aussi effrayée. D'habitude, elle se contrôle parfaitement. »

Il émit un grognement : « Peut-être avec toi.

— Tu as raison. Elle ne me montre jamais ses faiblesses. Toujours cette attitude, cette posture, pour montrer à quel point elle est forte et invincible. Mais là, ce n'était pas de la comédie, Jeffrey. Peut-être après, mais au moment où elle nous a vus dans la pièce, elle était terrorisée.

— Alors pourquoi elle ne m'a pas parlé ? Ou à toi au moins ? Elle s'est retrouvée seule avec toi. Elle savait très bien que tu n'irais pas tout raconter au shérif. Pourquoi ne s'est-elle pas confiée à toi ?

— Parce qu'elle a peur.

— Dans ce cas, elle aurait dû se contenter de la fermer et te laisser en dehors de tout ça.

— J'apprécie que tu prennes mon parti, dit Sara d'une voix douce, mais réfléchis une seconde : Lena savait que si elle s'en prenait à moi, tu ferais exactement ce que tu es en train de faire. Ce n'est pas de moi qu'elle voulait se débarrasser. Ce qui lui importait, c'est que *toi*, tu quittes la ville. »

Jeffrey serra le volant un peu plus fort, réticent à admettre que Sara avait peut-être raison. « Depuis quand est-ce que tu défends Lena Adams ?

— Depuis… » Sara se tut. « Depuis que je l'ai vue terrorisée au point de tout risquer pour que tu quittes la ville. »

Il se repassa la scène, revit la réaction de Lena. Sara avait raison : sa peur n'était pas feinte. Elle n'avait pas regardé Jeffrey dans les yeux ; elle savait qu'il était sans doute la seule personne au monde qui savait quand elle mentait.

« Je l'ai vue dans beaucoup de situations difficiles, dit Sara, mais je ne l'ai jamais vue aussi terrorisée. »

Jeffrey ne releva pas. À nouveau, il se remémorait la réaction de Lena, se demandant quel lien tout cela pouvait avoir avec le cadavre de la Cadillac incendiée.

« Elle m'a dit que je devrais avoir peur, dit Sara.

— Elle a dit pourquoi ?

— Elle a commencé à se morfondre en disant que tout ce qu'elle touchait virait à la catastrophe. J'ai pensé qu'elle s'apitoyait sur son sort, mais maintenant, je crois qu'elle se rendait compte que ce qu'elle faisait ne marchait pas, et que du coup, elle a décidé d'essayer autre chose. » Sara secoua la tête. « Elle est terrifiée, Jeffrey. Au point d'accepter que tu disparaisses de sa vie s'il le faut. Tu es la seule constante qu'elle ait jamais eue. Que se passe-t-il de si terrible pour qu'elle soit prête à te perdre ?

— Tu ne t'es pas dit qu'elle a peut-être raison ? répliqua-t-il pour éviter de répondre à sa question. C'est peut-être une bonne idée de ne pas se mêler de tout ça. »

Sara émit un faux rire. « Tu ne vas pas laisser tomber comme ça.

— Tu as l'air assez sûre de toi…

— Sept – huit – zéro – A – B – N. » Elle s'interrompit, attendant une réponse. « Ce n'est pas ce que tu as noté au dos de la carte ? Le numéro d'immatriculation de la voiture blanche ? »

Jeffrey sortit la carte pour vérifier : 780 ABN. Comme d'habitude, la mémoire de Sara était infaillible. Il jeta un coup d'œil à sa femme. Elle regardait par la fenêtre, plongée dans ses pensées. Il savait qu'elle ne regrettait plus d'être venue avec lui à l'hôpital. En revanche, elle regrettait que *lui* soit là, que Lena ait de nouveau réussi à l'entraîner dans une situation dangereuse.

Sara était femme de flic, et elle avait parfaitement intégré la méfiance des flics à l'égard des fausses coïncidences. Le colosse de la berline était arrivé moins d'une demi-heure après l'évasion de Lena. Même de l'endroit où elle était, assise dans la BMW, le tatouage imprimé sur le bras du type lui avait sauté aux yeux aussi violemment que si ç'avait été une enseigne au néon.

Il aurait fallu être aveugle pour ne pas remarquer la croix gammée rouge sang.

Mardi matin

Chapitre 4

Sara faisait les cent pas dans la chambre du motel, le téléphone collé à l'oreille, malgré le cordon qui limitait ses déplacements aussi sûrement qu'une laisse de chien. Sara et Jeffrey s'étaient tous deux sentis soulagés quand ils avaient vu la pancarte indiquant qu'il y avait des chambres libres au motel Home Sweet Home la veille, à la sortie de Reese, mais Sara avait regretté leur décision dès l'instant où Jeffrey avait ouvert la porte. L'endroit semblait sorti d'un univers parallèle, le genre de boui-boui minable dont Sara n'aurait pas soupçonné l'existence ailleurs que dans les films de série B et les romans de Raymond Chandler. La seule pensée du tapis à poils longs et humides de la salle de bains lui donnait des frissons de dégoût. Pour ne rien arranger, ils ne parvenaient à capter aucun réseau sur leurs téléphones portables. Sara avait utilisé toutes les lingettes désinfectantes qu'elle avait pu trouver dans sa trousse de secours avant d'envisager de se servir du téléphone fixe de la chambre.

« Qu'est-ce que tu as dit ? » demanda sa mère. Elle se trouvait quelque part au milieu du Kansas. Ses parents avaient prévu de traverser les États-Unis en voiture, et ils n'étaient partis que depuis deux semaines, mais Sara se rendait compte que Cathy aurait donné n'importe quoi pour rentrer à la maison.

« J'ai dit, papa n'est pas si terrible que ça », répondit Sara, en songeant qu'il était tout de même très rare qu'elle se sente obligée de défendre son père. Cathy et Eddie Linton étaient mariés depuis plus de quarante ans, mais dès le début, Sara avait pensé que leurs vacances de rêve étaient une grave erreur. En réalité, ses parents ne passaient pas beaucoup de temps ensemble, et encore moins dans un espace confiné. Son père était toujours au travail ou en train de bricoler dans le garage, tandis que sa mère avait toujours une quelconque réunion, ou un rallye à organiser, ou des activités avec tel ou tel groupe de l'Église, de sorte qu'elle passait beaucoup de temps à l'extérieur du foyer. Leur indépendance était le secret de la réussite de leur mariage. L'idée de les savoir tous les deux piégés dans le camping-car de 11 mètres qu'ils avaient acheté en prévision de leur road-trip de deux mois et demi lui donnait la migraine.

« Je ne m'étais jamais rendu compte à quel point il pouvait être agaçant », insista sa mère. Apparemment, elle se trouvait dans la kitchenette du camping-car ; Sara l'entendait ouvrir et refermer des placards. « Ce n'est quand même pas sorcier de monter une trappe à ordures ! Il est plombier, nom d'un chien ! » Elle poussa un grand soupir. « Deux heures, Sara. Ça lui a pris deux heures ! »

Sara se mordit la langue, même si sa mère n'avait pas complètement tort. D'un autre côté, son père avait sans doute fait traîner les choses pour prolonger son espérance de vie.

« Tu écoutes ce que je te dis ?

— Oui, maman », mentit Sara. Elle portait d'épaisses chaussettes, mais se servait de son gros orteil pour essayer de déloger un M&M vert incrusté dans la moquette, près de la fenêtre. « Deux heures. »

Sa mère se tut un instant, puis dit : « Raconte-moi ce qui s'est passé. »

Elle abandonna le M&M quand elle s'aperçut que sa chaussette restait collée au bonbon. Elle se remit à marcher. « Je t'ai dit ce qui s'était passé. Je l'ai laissée s'échapper. J'aurais tout aussi bien pu lui ouvrir la porte et la conduire à l'aéroport.

— Non, pas ça, insista Cathy. Tu sais bien de quoi je veux parler. »

Ce fut au tour de Sara de soupirer. Elle était presque contente de s'être tournée en ridicule la veille à l'hôpital, parce que l'évasion de Lena lui avait fourni un motif de réflexion et de préoccupation, le soir dans son lit. À présent, la question de sa mère ramenait le procès pour faute professionnelle au premier plan.

« Je dirais, expliqua-t-elle, que leur stratégie est d'affirmer que, sous prétexte que j'avais été attaquée dix ans plus tôt, j'étais trop distraite pour dire aux Powell que Jimmy avait une leucémie, et qu'il est mort parce que j'ai attendu un jour de trop.

— Mais c'est totalement ridicule !

— Leur avocate est assez convaincante. » Sara repensa à la femme, à son sourire de crocodile atteint du syndrome de Tourette. « Elle a presque réussi à me convaincre moi aussi. »

Encore un placard qu'on ouvrait et qu'on refermait. « Je n'arrive pas à croire qu'une autre femme puisse te faire ça, dit Cathy. C'est écœurant. Tu vois, c'est pour ça que les femmes n'avancent jamais : il y en a toujours d'autres pour leur tirer dans les pattes. »

Sara garda le silence, elle ne se sentait pas d'attaque pour supporter une des rengaines féministes de sa mère.

« Je peux rentrer si tu as besoin de moi », proposa Cathy.

Sara faillit lâcher le téléphone. « Non, ça va, vraiment. Ne gâche pas tes vacances à cause de…

— Merde ! » siffla sa mère. C'était rare qu'un juron sorte de sa bouche. « Je dois y aller. Ton père vient de mettre le feu.

— Maman ? » Sara appuya le combiné contre son oreille, mais sa mère avait déjà raccroché.

Le téléphone à la main, elle se demanda si elle devait rappeler, mais se dit que si quelque chose de grave était arrivé, sa mère aurait eu l'air moins agacée. Elle finit par reposer le téléphone et se dirigea vers la grande vitre qui donnait sur le parking du motel. Elle avait laissé les rideaux tirés la plus grande partie de la matinée, pensant qu'il était moins déprimant d'être seule dans le noir que de regarder le parking désert. Elle ouvrit à présent les rideaux en polyester de quelques centimètres, laissant filtrer un rayon de lumière.

La table et les chaises de jardin en plastique blanc complétaient de manière idéale la triste vue. Sara ajusta la serviette usée jusqu'à la corde dont elle avait recouvert l'une des chaises et s'assit. Une fatigue intense la submergea, mais la pensée de retourner dans le lit, de se glisser entre les draps rugueux et jaunissants, était rédhibitoire.

Le matin, elle avait traversé la route pour aller acheter du café, et était ressortie avec du nettoyant Comet à l'eau de Javel et une éponge à l'odeur rance, comme si elle avait déjà été utilisée. Elle avait pensé nettoyer la chambre, ou, au moins, rendre la salle de bains moins dégoûtante, mais chaque fois qu'elle envisageait de prendre les produits et de se mettre à l'ouvrage, elle s'apercevait qu'elle n'en avait pas l'énergie. Et puis, quitte à faire le ménage, autant que ce soit dans sa propre maison.

Elle tenta de dresser une liste des tâches qu'elle pourrait accomplir maintenant, si elle était à Grant County : plier la pile de linge posée sur le lit de la chambre d'amis, réparer la fuite du lavabo de la salle de bains, partir en promenade avec les chiens au bord du lac. Évidemment, en réalité, Sara n'avait rien fait de tout cela au cours des semaines qui s'étaient écoulées depuis qu'elle avait fermé la clinique. La plupart du temps, elle était restée assise chez elle, à s'inquiéter pour le procès. Quand sa sœur l'appelait d'Atlanta, elle lui parlait du procès. Quand Jeffrey rentrait du travail, elle lui parlait du procès. Elle était devenue tellement obnubilée, voulant sans cesse en discuter avec son entourage, que sa mère avait fini par s'écrier : « Pour l'amour de Dieu, Sara, fais quelque chose ! Même les patients internés en hôpital psychiatrique font du macramé. »

Malheureusement, sortir de chez elle ne faisait qu'aggraver les choses. Qu'elle se trouve à l'épicerie ou au pressing pour récupérer les costumes de Jeffrey, ou même en train de ramasser les feuilles mortes dans l'allée, elle sentait le regard des gens peser sur elle. Elle sentait leur désapprobation. Les rares fois où elle avait parlé à quelqu'un, les échanges avaient été brefs, voire carrément froids. Sara n'en avait parlé à personne, ni à Jeffrey, ni à sa famille, mais à chaque rencontre, elle s'enfonçait un peu plus dans sa dépression.

Et maintenant, grâce à Lena Adams, elle avait un nouvel échec à ajouter à sa liste. Comment avait-elle pu se faire avoir aussi facilement ? Comment avait-elle pu être aussi bête ? Toute la nuit, Sara avait tenté d'analyser le moment qu'elle avait passé avec Lena, décortiquant chaque seconde, essayant de voir comment elle aurait pu agir autrement, comment elle aurait pu changer le cours des événements. Rien ne lui venait à l'esprit, à part sa propre bêtise.

Lena était à genoux sur le lit, ses liens l'empêchant de bouger davantage. Dès que Jeffrey et le shérif étaient sortis, elle s'était détendue, avait relâché ses bras.

Sara l'avait observée, et avait remarqué la manière dont la poitrine de la jeune femme tremblait à chaque expiration. « Qu'est-ce qui se passe, Lena ? Pourquoi as-tu si peur ?

— Vous devez vous en aller. Tous les deux. » Sa voix était calme, menaçante. Quand elle leva les yeux, son regard semblait luire de terreur. « Il faut que tu fasses partir Jeffrey d'ici. »

Le cœur de Sara s'arrêta de battre. « Pourquoi ? Il est en danger ? »

Lena ne répondit pas. Elle baissa les yeux sur ses mains, sur les draps froissés. « Tous les gens, tout ce que je touche, ça tourne toujours à la catastrophe. Il faut vous éloigner de moi.

— Tu crois vraiment que nous allons t'abandonner ? » Sara avait dit « nous », mais elles savaient toutes deux qu'il aurait été plus juste de dire « Jeffrey ». « Quelqu'un est mort dans cette voiture, Lena. Dis-moi ce qui t'est arrivé. »

Elle secoua la tête, résignée.

« Lena, parle-moi. »

Toujours pas de réponse. C'était sans doute à ce moment-là que Lena avait pris sa décision. Faute de pouvoir contrôler Sara, elle pouvait au moins se servir d'elle.

« Je suis tellement sale, avait-elle dit, et au ton de sa voix, on comprenait que la saleté s'était incrustée plus profondément qu'à la surface de sa peau. Je me sens si sale. » Elle avait tourné son regard vers Sara. Des larmes emplissaient ses yeux, et même si sa voix était plus stable, ses mains tremblaient toujours. « J'ai besoin de me laver. Il faut que je me lave. »

Sara n'avait même pas réfléchi. Elle s'était approchée du lit et avait tout naturellement défait les bandes velcro. « Ça va aller, avait-elle promis. Il faut que tu me fasses confiance, ou si tu veux, je peux aller chercher Jeffrey…

— Non, avait-elle supplié. Juste… J'ai juste besoin de me laver. Laisse-moi… » Ses lèvres tremblaient. Toute sa hargne semblait s'être évaporée. Elle se laissa glisser sur le côté du lit et essaya de se mettre debout, les jambes tremblantes. Sara prit la jeune femme par la taille, l'aida à se redresser.

Lena avait vraiment bien joué la comédie. Une fragilité incontestable avait marqué chacun de ses mouvements. Rien ne laissait supposer qu'elle serait un instant plus tard en mesure de grimper sur les toilettes et de se hisser dans le faux plafond, encore moins qu'elle serait capable d'échapper à une chasse à l'homme.

Sara s'était fait berner, elle avait suivi Lena qui traversait la chambre, le bras à quelques centimètres du dos de la jeune femme, au cas où elle aurait besoin de la soutenir. C'était pour elle un geste naturel, le genre de chose que l'on apprenait au cours de la première semaine d'internat. Elle l'avait escortée jusqu'à la salle de bains, traînant les pieds pour avancer au même rythme lent.

Et pendant qu'elles avançaient ainsi, Sara avait pensé que Lena n'était pas une geignarde. C'était le genre de fille qui préférerait se vider de son sang plutôt que d'admettre qu'elle s'était coupée. Sara se surprit à se demander si les médecins ne se seraient pas trompés de diagnostic, qu'elle devrait jeter un coup d'œil aux radios de poumons, mettre la main sur un stéthoscope, contrôler les prescriptions, procéder à des analyses de sang et de fluides. Y avait-il des lésions cérébrales, des séquelles conséquentes à l'explosion ? Lena était-elle tombée ? S'était-elle cogné la tête ? Avait-elle perdu connaissance ? L'inhalation de fumée pouvait être fatale, et faisait plus de victimes que les incendies eux-mêmes. Des infections secondaires, du liquide dans les poumons, des dommages tissulaires. Sara envisageait toutes sortes de possibilités, et elle s'était rendu compte que, sans y prendre garde, elle s'était remise à penser en médecin. Pour la première fois depuis des mois, elle se sentait utile.

Lena s'était arrêtée devant la porte de la salle de bains, elle avait levé la main pour faire comprendre à Sara qu'elle avait besoin d'intimité. Puis, juste avant de fermer la porte, Lena s'était tournée vers elle. « Je suis tellement désolée », avait-elle dit, d'un air si sincère que Sara avait du mal à croire qu'il s'agissait de la même femme qui s'était, quelques instants plus tôt, comportée de manière hystérique, pleine de peur et de haine. « Je suis vraiment, vraiment désolée.

— Ne t'inquiète pas, l'avait rassurée Sara en souriant, pour faire comprendre à Lena qu'elle n'était plus seule dans cette histoire. On en parlera plus tard, d'accord ? On appellera Jeffrey et on trouvera une solution. »

Lena avait hoché la tête, sans doute parce qu'elle sentait que sa voix la trahirait.

« Je t'attends ici. »

Et Sara *avait* attendu, debout devant la porte, en souriant bêtement, pensant à quel point elle allait *aider* Lena. Pendant ce temps, Lena dévalait sans doute les escaliers, riant de la facilité avec laquelle elle avait pu s'échapper grâce à Sara.

Maintenant, assise à la table en plastique de la chambre de ce motel sordide, Sara se sentit rougir d'humiliation.

« Idiote », dit-elle, se levant avant que la chaise n'ait le temps d'engloutir ce qui lui restait de vitalité.

Cathy avait raison. Il fallait qu'elle fasse quelque chose. Elle prit le Comet et l'éponge nauséabonde achetés à l'épicerie et se dirigea vers la salle de bains. Pour une raison obscure, le lavabo se trouvait devant la porte ; c'était un meuble tout en longueur, dont les côtés portaient des traces de brûlures aux endroits où les gens avaient posé leur cigarette pendant qu'ils faisaient… quoi ? Qu'ils se brossaient les dents ?

Elle n'avait pas le courage d'y penser.

Sara mit du produit dans le lavabo et se mit à frotter, en essayant de ne pas le décaper totalement. Elle y mettait toutes ses forces, éliminant des années de crasse, comme si sa vie en dépendait.

Le Chant du cygne, se dit-elle. Toutes ces années passées à être l'élève préférée des profs – la meilleure de la classe, les meilleures notes, les plus beaux compliments et l'avenir le plus prometteur –, et pour quoi ? Elle avait été acceptée à l'université d'Emory avant même d'avoir terminé le lycée. L'école de médecine lui avait pratiquement déroulé le tapis rouge, lui offrant une aide financière si importante que son père n'avait eu aucun mal à payer la différence. Des milliers de personnes déposaient leur candidature pour obtenir un internat à l'hôpital de Grady. Sara n'avait jamais eu le moindre doute. Elle savait qu'elle serait acceptée. Elle était si sûre de ses capacités, de son intelligence, que jamais de la vie elle n'aurait imaginé échouer ou rater quelque chose qu'elle avait décidé d'entreprendre.

À part empêcher une fille de 55 kilos, même pas diplômée de l'université, de s'échapper du Centre médical du Comté d'Elawah.

« Idiote », répéta Sara. Elle abandonna le lavabo et entra dans la salle de bains. Elle commença par les toilettes, à l'aide de la brosse accrochée au mur, en essayant de ne pas penser à la raison pour laquelle les poils étaient devenus gris foncé. En s'agenouillant à côté de la baignoire, Sara se souvint du jour où, des années plus tôt, sa mère lui avait montré comment nettoyer une salle de bains – quelle quantité de produit utiliser, comment récurer doucement la porcelaine à l'aide d'une éponge…

Sara s'accroupit en se disant qu'un jour, bientôt peut-être, elle montrerait à son enfant comment nettoyer la baignoire ou passer l'aspirateur dans le salon. Ce serait Jeffrey qui lui montrerait comment trier le linge, parce que chaque fois que Sara mettait des chaussettes blanches dans le lave-linge, elles en ressortaient roses. Elle pourrait au moins amener son enfant à l'épicerie ; pour Jeffrey, repas équilibré était synonyme de plat surgelé, ce qui expliquait peut-être pourquoi il était obligé de prendre des médicaments pour sa tension artérielle.

Une pensée l'assaillit et lui fit l'effet d'un coup de couteau dans la poitrine. Et si elle croisait Beckey Powell à l'épicerie ? Et si, devant le rayon de viande, la main de son enfant dans la sienne, Beckey passait par là ? Comment Sara s'y prendrait-elle pour expliquer à son fils ou à sa fille pourquoi Beckey Powell la haïssait ? Comment pourrait-elle lui expliquer pourquoi toute la ville pensait qu'elle avait provoqué la mort d'un enfant par son incompétence ?

Sara s'essuya le front du revers de la main, les yeux lui piquaient à cause des vapeurs de Javel dans la minuscule salle de bains. Elle aurait voulu que Jeffrey soit là pour l'empêcher de se laisser entraîner dans des pensées aussi sombres. Depuis qu'ils avaient rempli le dossier d'adoption, ils avaient commencé à se prêter au petit jeu des hypothèses : « Et si on a un garçon qui déteste le foot ? » « Et si on a une fille qui adore le rose et qui veut une permanente ? »

Sara se dit que ces jeux-là étaient la dernière chose à laquelle pensait son mari au même moment. On avait trouvé un mort dans un véhicule et, d'une manière ou d'une autre, Lena était impliquée. Après avoir rencontré Jake Valentine, Jeffrey ne pensait pas que la police locale soit capable de résoudre ce crime autrement qu'en sautant sur la conclusion qui se trouvait à portée de main, et en mettant tout sur le dos de Lena. Il était parti tôt ce matin mettre au point une stratégie avec Nick Shelton, l'un de ses amis, qui travaillait pour le Bureau d'Investigations de l'État de Géorgie. Sara n'avait pas été invitée à se joindre à eux.

Elle se pencha au-dessus de la baignoire pour la rincer, puis remit du produit et recommença. L'éponge n'était pas loin de rendre l'âme, mais Sara ne comptait pas s'arrêter avant d'avoir terminé. Elle plia l'éponge en deux et utilisa la tranche pour s'attaquer aux traces noires qui entouraient l'évacuation, et qui remontaient sans doute aux années 1970.

Elle marmonna un juron, elle aurait vraiment préféré se trouver chez elle. À Grant County, au moins, elle n'était pas dans les pattes de Jeffrey et le laissait travailler. Ici, tout ce qu'elle pouvait faire, c'était s'assurer qu'il disposait d'un endroit propre où poser sa brosse à dents. En l'espace d'une nuit, elle s'était transformée en sainte femme au foyer, et pour quoi ? Pour que Lena puisse tranquillement quitter la ville, en riant sous cape.

Sara savait que Jeffrey contournait parfois les règles. S'il avait été seul, la veille, il aurait considéré la salle de garde vide comme une invitation à aller lui-même chercher Lena. S'il était rentré seul dans cette chambre d'hôpital, Lena se serait peut-être confiée à lui. Elle lui aurait peut-être dit pourquoi il fallait qu'elle sorte de là, au lieu de s'évader. Une chose était sûre, elle ne se serait pas servie de Jeffrey pour faciliter son évasion, elle le respectait trop pour lui faire une chose pareille.

Contrairement à Sara.

Cathy disait que les femmes étaient les pires ennemies des femmes. Est-ce que Sara était l'ennemie de Lena ? Elle ne le pensait pas. Certes, Sara n'avait jamais compris le lien qui unissait son mari à la détective de trente-cinq ans, mais elle n'était pas assez bête pour être jalouse. Mis à part le fait que Lena n'était absolument pas le genre de Jeffrey – à moins de penser aux unions contre nature, impossible d'imaginer deux êtres plus dissemblables –, leur relation ressemblait trop à celle d'un grand frère avec sa petite sœur un peu perdue pour que Sara s'en inquiète.

Peut-être cette inimitié venait-elle des mauvais choix que Lena faisait pour elle-même. Après la mort de sa sœur Sibyl, Lena était tombée en dépression. Elle avait même réussi à se faire suspendre de ses fonctions au sein de la police pendant quelque temps. C'est à ce moment-là qu'elle avait commencé à fréquenter Ethan Green. Et c'est à ce moment-là que Lena avait perdu toute la sympathie de Sara.

En tant que médecin, Sara aurait dû comprendre ce processus. Le deuil peut conduire à la dépression, et la dépression entraîner des modifications chimiques dans le corps, qui font qu'il est impossible de sortir de cette spirale infernale sans aide, pharmacologique ou thérapeutique, ou les deux. Et pourtant, au cours des derniers mois, Sara s'était largement familiarisée avec les dangers de la dépression. Malgré son expérience personnelle, elle ne parvenait pas à comprendre pourquoi Lena s'était tournée vers Ethan.

Sara avait lu les dossiers médicaux de nombreuses femmes, elle connaissait les statistiques, avait étudié les relations de cause à effet. La dépression peut conduire à une certaine vulnérabilité. La vulnérabilité attire les prédateurs, qui traversent le monde comme des requins à l'affût du sang dans la mer. En apparence, une femme pouvait donner l'impression d'être forte, cela ne voulait pas dire qu'elle ne serait pas un jour victime de violences domestiques. Dans certains cas, le risque de devenir une victime était même plus important ; on ne peut maintenir une apparence de solidité que pendant un certain temps avant qu'elle ne s'écaille.

Sara savait tout cela, en théorie. Elle acceptait que certaines femmes – des femmes intelligentes – rencontrent les mauvaises personnes, finissent par faire compromis sur compromis, jusqu'à ne plus avoir d'autre choix que de se laisser faire. Pourtant, le fait que le petit ami de Lena, ce jeune homme de vingt-quatre ans, l'ait maltraitée – pire que ça : battue jusqu'au sang –, c'était quelque chose qu'elle ne pouvait pas accepter.

C'était comme si Lena avait été obsédée par ce type, incapable de s'en détacher. Peut-être que si Ethan avait été une drogue, Sara aurait mieux compris son addiction. L'héroïne, le crystal, l'opium... Tout cela aurait pu expliquer la dévotion de Lena, son incapacité à survivre 24 heures sans sa dose. Le lavage de cerveau qu'elle avait subi aurait été plus compréhensible si elle avait fait partie d'une secte, mais Lena n'avait d'autre excuse que sa personnalité et ses blessures. Elle avait un bon boulot, de l'argent, du soutien. Bon Dieu ! Elle portait quand même un badge et une arme ! Ethan était un taulard violent en libérté conditionnelle. Lena aurait pu l'arrêter à n'importe quel moment. En tant qu'officier de police, elle était tenue de dénoncer les cas de violence domestique, même si elle en était elle-même la victime.

Et malgré cela, elle avait laissé Jeffrey s'en charger. Lena lui avait dit qu'Ethan transportait une arme dans son sac à dos. Jeffrey refusait désormais d'en discuter avec Sara, mais cette dernière était convaincue que Lena avait mis cette arme dans son sac, que cette lâcheté avait été pour elle le seul moyen de se débarrasser de son bourreau. Ethan avait maintenant dix rudes années d'incarcération devant lui. Lena avait caché l'arme avant d'appeler Jeffrey et le laisser faire le sale boulot.

Et bien évidemment, Jeffrey avait accouru.

Mais n'était-ce pas aussi pour cela que Sara l'aimait ? Parce qu'il refusait d'abandonner les gens, même s'ils semblaient irrécupérables ? Sara était mal placée pour critiquer les femmes qui faisaient n'importe quoi pour un homme. Elle avait tout de même épousé Jeffrey deux fois, parce qu'elle l'avait quitté une première fois après l'avoir trouvé au lit avec une autre femme. Jeffrey avait changé depuis leur divorce, il avait mûri. Il avait trimé pour récupérer Sara, pour regagner sa confiance et réparer leur relation. Elle aimait ce nouveau Jeffrey avec une passion telle que, parfois, elle s'en effrayait.

Était-ce ce qui avait conduit Lena à rester avec Ethan alors qu'il la battait ? Était-elle aussi malade d'amour que Sara, ressentait-elle la même douleur à l'estomac quand ils étaient séparés ? Elle aussi, s'était-elle tellement ridiculisée pour lui qu'elle ne pouvait lâcher prise ?

Sara laissa tomber ce qui restait de l'éponge dans la poubelle et rinça de nouveau la baignoire. Jeffrey aurait sans doute un choc en revenant de son rendez-vous. Elle ne se souvenait même pas à quand remontait la dernière fois où elle avait lavé sa salle de bains aussi soigneusement. Sara détestait la plupart des tâches ménagères, et ne les faisait que parce que dans une ville aussi petite que Heartsdale, sa mère aurait tout de suite été au courant si elle avait engagé une femme de ménage. Cathy était convaincue que les tâches ménagères forgeaient le caractère et que payer quelqu'un d'autre, en particulier une femme, pour s'en acquitter à votre place montrait bien de quel bois vous étiez fait. Sara, elle, considérait que l'éthique puritaine du travail de sa mère dépassait les bornes. Ce n'était pas un hasard si Sara avait obtenu son bac avec un an d'avance : pendant son enfance et son adolescence, sa mère pensait que les devoirs constituaient la seule excuse valable pour échapper aux corvées.

Elle se lava les mains et se remit à penser à Lena. Elle aurait voulu pouvoir supprimer Ethan Green de leur vie à tous avec autant de facilité qu'elle enlevait le produit. Sara n'avait vu Ethan qu'une seule fois – elle avait vu son corps. Il avait sans doute fallu des heures pour lui faire tous ces tatouages. Sara en avait compté au moins dix, mais celui qu'elle ne pourrait jamais oublier, c'était une croix gammée noire tatouée sur son cœur. Comment un homme pouvait-il adhérer à tant de haine ? Et Lena, comment pouvait-elle être avec un homme pareil, le désirer, faire l'amour avec lui, sans être dégoûtée par l'atroce symbole qu'il portait gravé dans sa chair ?

La veille, assise dans la voiture devant l'hôpital, Sara avait vu le regard que le skinhead de la berline blanche avait jeté à Jeffrey. Il avait deviné qu'il était flic, et méprisait ouvertement tout ce que cela représentait. Elle avait également vu la croix gammée rouge tatouée sur son bras, et s'était sentie malade de terreur en voyant que Jeffrey montrait sans équivoque qu'il n'était pas impressionné, qu'il ne reculerait pas. Et à présent, le seul souvenir de cette scène la rendait malade.

Le téléphone sonna, et Sara sentit son cœur bondir dans sa poitrine. Elle se précipita dans l'autre pièce pour décrocher. « Allô ? » Elle attendit, écoutant le crépitement de la ligne, le bruit de la respiration de quelqu'un. « Allô ? » répéta-t-elle, puis, sans raison : « Lena ? »

Elle entendit qu'on raccrochait, puis plus rien.

Sara reposa le combiné en tremblant. Elle regarda sa montre et vérifia sur le réveil posé sur la table de nuit. Jeffrey était parti depuis plus de deux heures pour son rendez-vous avec Nick Shelton. Il lui avait dit qu'il l'appellerait sur le chemin du retour ; impossible de savoir quand exactement.

Elle vit le menu du restaurant, les notes qu'elle avait griffonnées au dos. Sara le prit et essaya de déchiffrer sa propre écriture.

Jeffrey lui avait confié une mission. Elle était touchée par sa sollicitude, les efforts qu'il faisait pour qu'elle se sente utile, mais à vrai dire, même un singe aurait été capable de faire ce qu'il lui avait demandé.

Après être allée chercher du café à l'épicerie, elle avait téléphoné à Frank Wallace, l'adjoint de Jeffrey, et lui avait demandé de lancer une recherche avec le numéro d'immatriculation de la berline blanche qu'ils avaient vue à l'hôpital. Même Frank avait semblé étonné quand Sara lui avait transmis sa requête. Il avait néanmoins joué le jeu, et entré le numéro d'immatriculation dans son ordinateur, en chantonnant. Sara connaissait Frank depuis qu'elle était née – c'était l'un des compagnons de poker de son père – et elle s'était sentie mal à l'aise au téléphone, d'autant plus qu'ils savaient parfaitement tous les deux qu'elle n'avait pas à mettre son nez dans les affaires de la police.

Frank avait trouvé les renseignements requis en moins d'une minute. Sara avait cherché de quoi noter et trouvé le menu dans l'un des tiroirs. La Chevy Malibu appartenait à une société appelée Whitey's Feed & Seed [1].

Le nazi de la berline avait donc de l'humour.

Elle avait raccroché et décidé de prendre une initiative – chose qu'un singe n'aurait certainement pas faite – en recherchant les statuts de Whitey's Feed & Seed. Après avoir passé près de vingt minutes en attente avec le bureau du secrétaire d'État, elle avait appris qu'un dénommé Joseph Smith était PDG de la société. Admettant qu'il s'agissait d'un vrai nom, et non d'une quelconque allusion au fondateur des Mormons, Sara avait appelé les renseignements. Il y avait plus de trois cents Joseph Smith dans l'État de Géorgie. Curieusement, aucun d'entre eux n'habitait dans la région d'Elawah.

D'après la recherche informatique de Frank, l'adresse correspondant à l'immatriculation du véhicule était une boîte postale, mais la femme du bureau du secrétaire d'État lui avait donné une adresse : 339 Troisième Avenue. Si Reese était comme toutes les autres petites villes du monde, elle devait être

1. Littéralement, « semences et fourrages de Whitey », mais « Whitey » signifie aussi « le Blanc » *(NdT)*.

conçue comme une grille. Le Centre médical du Comté d'Elawah se trouvait sur la Cinquième Avenue. Sara savait que l'hôpital ne se trouvait qu'à dix minutes en voiture du motel, ce qui signifiait que la Troisième Avenue devait se trouver à quelques kilomètres.

Sara fixa le menu ; elle avait gribouillé ses notes dans la section des desserts. Elle avait parlé à sa mère, nettoyé la salle de bains, replié tous les vêtements dans la valise, laissé trois messages sur le téléphone portable de sa sœur, la priant de la rappeler avant d'avoir l'esprit atrophié par l'ennui. À part balayer le parking du motel, elle ne voyait pas ce qu'elle pouvait faire de plus.

Une moto fit demi-tour à l'extérieur, grondant si fort que les vitres tremblèrent. Sara regarda à travers la fente des rideaux, mais ne vit que l'arrière de la moto qui démarrait et s'engageait sur la route. Le ciel s'assombrissait, mais elle devina que la pluie tarderait encore quelques heures.

Sara déchira l'adresse qu'elle avait notée sur le menu et écrivit un mot à Jeffrey sur la page des hors-d'œuvre. Le matin, elle avait vu que l'épicerie vendait aussi des cartes de la région. La Troisième Avenue se trouvait sans doute tout près.

Elle prit la clé de la chambre et se dépêcha de sortir avant d'avoir le temps de changer d'avis.

Lena

Chapitre 5

« Parle-nous de notre mère. » Depuis l'instant où elles avaient appris à parler, Lena et Sibyl suppliaient Hank de tout leur raconter ; elles auraient donné n'importe quoi pour en savoir plus sur la femme qui était morte en leur donnant la vie. Hank rechignait toujours – il fallait qu'il fasse tourner son bar, ou qu'il aille à une réunion – mais finissait néanmoins par s'installer confortablement et leur raconter des souvenirs, un pique-nique ou un voyage qu'ils avaient fait pour aller rendre visite à de lointains parents. Il se passait toujours quelque chose – un étranger au bord de la route à qui leur mère portait secours, un parent malade qu'elle soignait et qui recouvrait la santé. Angela l'Ange faisait toujours passer le bien-être des autres avant le sien. Angela avait été heureuse de donner sa vie pour que ses jumelles puissent vivre. Depuis le paradis, Angela veillait sur Sibyl et Lena.

Même aux oreilles d'un enfant, ces histoires ressemblaient à des contes de fées incroyables, où tout n'était que lumière et bonté, mais Lena et Sibyl ne se lassaient jamais d'entendre Hank vanter la générosité de leur mère, son cœur ouvert et aimant. Sibyl avait essayé d'imiter leur mère, d'être le genre de personne qui ne voit que ce qu'il y a de bon chez l'autre. Pour Lena, Angela Adams avait toujours représenté le repère inatteignable, la femme à qui elle ne pourrait jamais se mesurer.

Et voilà que Hank était en train de dire à Lena que sa mère n'était pas morte en couches, mais qu'elle avait été tuée par un dealer. Et pas n'importe quel dealer : celui de Hank.

L'une des premières choses dont Lena se souvenait des histoires de Hank était qu'Angela avait été intraitable au sujet de la drogue et de l'alcool. Après avoir, pendant des années, vu son frère aîné creuser sa propre tombe, elle l'avait finalement exclu de sa vie en se jurant de ne plus le laisser approcher. Hank ne s'en était pas préoccupé sur le moment. Il avait vingt-six ans. La famille, le sexe, l'argent ou les voitures, rien de tout cela ne l'intéressait. La seule chose qui comptait, c'était la prochaine dose.

D'après Hank, la première chose qu'Angela avait fait promettre à son mari, Calvin Adams, c'était de ne jamais sortir boire avec ses collègues de la police. Calvin avait tenu parole – ils étaient très amoureux – et buvait rarement une goutte d'alcool. Une chose était sûre, il ne buvait jamais en présence de sa jeune épouse. Bien sûr, on ne saurait jamais combien de temps cela aurait duré. Le couple avait eu le temps de vivre trois mois de bonheur marital avant que Cal n'arrête son dernier contrevenant aux règles de la circulation. Le conducteur lui avait tiré deux balles dans la tête et s'était enfui, disparu à tout jamais. Le père de Lena était mort avant même de tomber à terre.

Angela s'était rendu compte qu'elle était enceinte à l'enterrement de son mari. Elle qui, normalement, n'était ni faible ni excessivement émotive, avait perdu connaissance devant la tombe de Cal. Sept mois plus tard, elle était entrée à la clinique pour mettre au monde des jumelles, et n'en était jamais ressortie. Les septicémies sont rares, mais fatales. Il n'avait fallu que deux semaines à l'infection pour venir à bout de leur mère, tuant ses organes vitaux les uns après les autres, jusqu'à ce que s'impose la décision de débrancher les machines qui la maintenaient en vie. Hank Norton, son parent vivant le plus proche, était celui qui avait pris cette décision.

Hank disait que c'était l'une des choses les plus difficiles qu'il ait eu à faire de toute sa vie.

Tout cela n'était, manifestement, qu'un tissu de mensonges.

Angela Norton était une femme menue, d'apparence assez banale jusqu'à ce qu'elle sourie, car alors, il était impossible de ne pas la remarquer. Elle avait le teint mat de sa mère américano-mexicaine, contrairement à son frère qui était blanc comme un linge. Autre qualité que Hank ne partageait pas avec sa sœur, son extrême dévotion : leur mère était très catholique. La passion d'Angela était d'aider les autres, alors que celle de Hank était de s'aider lui-même.

Lena savait que toutes les belles histoires ont à la fois des côtés obscurs et lumineux, et elle voyait bien que Hank s'était toujours présenté dans les nuances les plus sombres.

Angela Norton avait rencontré Calvin Adams lors d'un marché organisé par l'Église. Il tenait un stand pour le service du shérif, et bien que parier soit un péché, Angela voulait gagner le premier prix : un panier de pâtisseries. Angela était timide et n'était qu'une adolescente quand elle avait rencontré le premier adjoint du shérif. Elle était drôle et brillante, et sans doute la personne la plus gentille et la plus attentionnée à avoir jamais foulé cette terre.

La mère de Hank et d'Angela était morte jeune, dans un accident de voiture. Elle n'avait pas d'autre famille et son mari, militaire de carrière, avait été tué au Vietnam quand les enfants étaient petits. Cal était fils unique. Ses deux parents étaient morts quand il avait une vingtaine d'années. À ce que l'on sache, il n'avait pas d'autre famille, pas de cousine, de tante ou d'oncle. Pas de famille à qui Lena et Sibyl auraient pu rendre visite.

Calvin Adams avait belle allure. Un peu crâne d'œuf au lycée, il avait surpris tout le monde en s'engageant dans la police. Mais c'était devenu un bon flic, ferme tout en étant juste. Il était toujours prêt à entendre les deux versions d'une même histoire. Il portait son arme et son badge avec fierté, mais ne s'en servait jamais pour écraser les autres. Angela et Calvin étaient amoureux, très amoureux, et ce qui leur arriva fut tragique.

Après le décès de sa sœur, Hank avait ramené Lena et Sibyl de l'hôpital, car il ne voulait pas que les deux jumelles – sa chair et son sang – soient élevées par l'État. Pas du tout préparé à cette première nuit, il avait fabriqué des petits berceaux de fortune en recouvrant deux tiroirs de commode de draps et de coussins. Il avait couché ses deux petites nièces avant de passer la maison au peigne fin, détruisant systématiquement toute trace d'alcool.

Il affirmait souvent que cette nuit-là avait été pour lui un tournant, que voir ces deux petites filles désemparées, emmitouflées dans ses tiroirs à chaussettes, et comprendre qu'il était leur seul rempart contre la femme au menton poilu des services sociaux, lui avait donné la force nécessaire pour renoncer à son vieil ami.

Telle était l'histoire que Lena avait entendue. Tels étaient les mensonges avec lesquels elle avait grandi. Elle se souvenait de ces après-midi pluvieux où elle et Sibyl brodaient autour des récits de Hank. Elles rejouaient la courte et tragique vie de leurs parents, se prenant à tour de rôle pour Angela, la meilleure, la plus gentille. Que leurs parents s'aimaient ! Oh ! comme ils auraient aimé tenir leurs jumelles dans leurs bras ! Tout aurait été différent, tellement différent, s'ils n'étaient pas morts.

Ou pas.

Hank aimait répéter qu'il avait renoncé à ses addictions la nuit où il avait ramené ses nièces de l'hôpital, mais Lena avait vécu cette période. Elle connaissait la vérité. Huit ans s'étaient écoulés avant qu'il ne renonce complètement à tout. Huit années de défonce d'une semaine et de fêtes de plusieurs jours, de flics à la maison, et de mensonges, toujours des mensonges.

Elle avait vécu dans cette maison, tout vu de ses propres yeux : toutes ces années, elle n'avait jamais soupçonné qu'un drogué puisse lui raconter autre chose que la vérité sur sa mère et son père. Pourquoi aurait-il menti au sujet de ce qui était arrivé ? Qu'avait-il à gagner en racontant des mensonges ?

Lena se sécha les cheveux avec une serviette en s'asseyant sur le rebord du lit. Elle avait enfilé une des vieilles chemises de Hank pour l'accompagner dans la douche et le frotter pour enlever la couche de crasse dont il était recouvert. Il était tellement maigre qu'elle avait senti ses os à travers les gants de cuisine qu'elle avait passés pour le laver. Autour de ses poignets, il y avait des marques qui ressemblaient à celles laissées par le frottement d'une corde, mais elle savait qu'il s'était sans doute blessé lui-même, en se grattant la peau avec ses ongles comme on pèle une orange.

Mites de crystal. Bosses d'amphètes. Puces de shootés. Il existait plusieurs expressions pour qualifier ce phénomène qui faisait que les drogués se grattaient, se creusaient la peau. Dans le cadre d'un programme de proximité de la police, Jeffrey donnait un cours sur les drogues deux fois par an, au lycée. Lena se souvenait très bien de la première fois qu'elle avait été obligée de l'accompagner. Son cœur s'était mis à battre très fort quand elle l'avait entendu parler des réactions chimiques à la base du symptôme, qui expliquaient l'automutilation dont elle avait été témoin.

Le crystal provoque une hausse de la température corporelle, qui entraîne une sudation. Quand la sueur s'évapore, elle fait disparaître le sébum recouvrant le derme. Ce processus irrite les terminaisons nerveuses et le drogué a l'impression que quelque chose est en train de ramper sous sa peau. Il est prêt à tout pour se débarrasser de cette sensation, et utilisera n'importe quel outil qui lui tombe sous la main pour soulager sa souffrance.

Une fois, Lena avait vu Hank s'emparer d'un pic à glace et se gratter le bras jusqu'à ce que la peau éclate comme un sac de sucre. Et là, dans la salle de bains, elle venait de voir cette cicatrice, le souvenir des morceaux de chair recousus. Son corps portait tant de stigmates, tant de traces de ce qu'il avait été prêt à s'infliger, simplement pour planer.

Et pourtant, au cours de toutes ces années, jamais Hank n'avait été aussi mal en point.

Pourquoi ? Pourquoi était-il retourné à cette vie après s'être battu pour y échapper ? Pourquoi Hank s'était-il jeté à corps perdu dans ce qu'il méprisait le plus ? Il y avait forcément une raison. Un élément déclencheur qui avait entraîné la première piqûre.

Était-ce à cause du dealer ? Hank achetait-il de la drogue à l'homme qui avait tué la mère de Lena ?

Elle termina de se sécher les cheveux, s'assit, se regarda dans le miroir accroché au-dessus de la commode. Des boucles brunes recouvraient sa tête, des gouttes d'eau retombaient dans sa nuque. Comment avait-elle fait son compte pour atterrir de nouveau ici ? Comment s'était-elle retrouvée dans cette chambre, sur ce lit, à s'essuyer les cheveux après avoir une nouvelle fois nettoyé la merde qui recouvrait le corps émacié de son oncle ?

Elle était adulte à présent. Elle avait un boulot, un endroit à elle. Elle n'était plus à la merci de Hank, elle ne dépendait plus du tout de lui.

Alors pourquoi se trouvait-elle encore ici ?

« Lee ? » Hank se trouvait dans l'encadrement de la porte, enveloppé dans une vieille robe de chambre.

La voix de Lena était restée coincée quelque part dans sa gorge, mais elle réussit tout de même à dire : « Je ne peux pas te parler maintenant. »

Manifestement, il s'en fichait. « Je veux que tu rentres chez toi. Oublie ce que j'ai dit. Rentre chez toi et continue à vivre ta vie.

— Est-ce que cet homme a tué mon père ? »

Hank regardait fixement un point situé derrière Lena. Elle savait qu'au mur était accroché un poster de Rick Springfield, une relique de son adolescence.

« Dis-moi la vérité, insista-t-elle. Dis-moi comment ils sont vraiment morts.

— Ton père a été tué par balle. Tu le sais bien, Lee. Je vous ai montré l'article dans le journal. À toi et à ta sœur. »

Elle s'en souvenait, mais comment lui faire confiance ? Comment faire confiance à sa propre mémoire après toutes ces années ?

« Et ma mère ? demanda-t-elle. Tu as dit qu'il avait tué ma mère. »

Elle le vit déglutir. « C'est la mort de ton père qui l'a tuée, c'est ça que je voulais dire. » Il se gratta le cou, le menton. « Ce n'est pas le type que tu as vu qui l'a tuée, mais des types comme lui. Des gens mauvais, que tu dois éviter.

— Tu mens », répondit-elle avec une certitude inébranlable.

Il commença à tripoter une plaie près de son oreille. Elle savait qu'il commencerait bientôt à trembler, en manque.

« Quand est-ce que ça a commencé ? demanda-t-elle. Quand est-ce que tu as rechuté ?

— Ça n'a pas d'importance.

— Alors dis-moi pourquoi, insista-t-elle, consciente qu'elle était presque en train de le supplier. Pourquoi as-tu replongé, Hank ? Tu as tellement lutté pour…

— Ça ne fait rien.

— Tu es un vieil homme, lui dit-elle. Tu ne t'en sortiras pas cette fois. Autant aller choisir ton cercueil tout de suite.

— Tu me mettras dans un trou, dit-il. C'est là qu'est ma place.

— Je suis censée être désolée pour toi ?

— Tu es censée partir, répliqua-t-il, et elle eut l'impression d'entendre l'ancien Hank, celui qui fixait les règles, qui disait "Tu fais ce que je dis ou tu prends la porte".

— Je ne partirai pas avant que tu m'aies dit la vérité, rétorqua Lena. Je ne partirai pas avant que tu m'aies dit pourquoi tu te fais ça.

— Retourne à Grant. Retourne à ton boulot, tes amis, et oublie-moi. »

Elle se leva, la serviette à la main. « Je suis sérieuse, Hank. Je ne partirai pas tant que tu ne m'auras pas dit la vérité. »

Il ne parvenait pas à la regarder. « Il n'y a aucune vérité à dire, finit-il par lâcher. Ta maman et ton papa sont morts. Et tu n'y changeras rien.

— J'ai le droit de savoir ce qui s'est passé. »

Il pinça les lèvres, secoua la tête et fit mine de se retourner pour quitter la pièce. Lena l'attrapa par le bras. « Dis-moi ce qui est arrivé à ma mère. Dis-moi qui l'a tuée.

— C'est moi qui l'ai tuée ! cria-t-il en essayant de se dégager. Tu veux savoir qui a tué ta mère ? Moi. C'était *moi* ! Maintenant, rentre chez toi et laisse les morts reposer en paix. »

Elle sentit sa peau glisser sous ses doigts, et savait qu'elle était en train d'enfoncer une aiguille brisée dans sa chair. Elle essaya de le lâcher, mais il posa fermement sa main sur la sienne, la maintenant en place.

Ses yeux s'emplirent de larmes et son expression s'adoucit, comme si, l'espace d'un instant, il était capable de voir plus loin que son addiction. « Toi et ta sœur avez été les soleils de ma vie. Ne l'oublie jamais. »

Lena retira brusquement sa main. Elle vit un mince filet de sang séché juste au-dessous de sa veine jugulaire ; sans doute s'était-il piqué pendant qu'elle se séchait les cheveux. Elle s'éclaircit la voix, essaya de parler malgré la boule qui s'était formée dans sa gorge. « Si tu perfores une artère…

— Ouais. » Il semblait résigné.

« Ton cou gonflera, tu t'étoufferas.

— Rentre chez toi, Lee.

— Hank…

— Je sais ce qui va arriver, lui dit-il. Je ne veux pas que tu sois là quand ça arrivera. »

*

Depuis la dernière fois, vingt ans plus tôt, où Lena avait mis les pieds à la bibliothèque du comté d'Elawah, le seul changement notable était la présence d'un ordinateur contre le mur du fond, entre la littérature romantique et la fiction générale. Même les décorations d'Halloween semblaient être les mêmes qu'à l'époque : des squelettes mauves en papier mâché avec des chapeaux orange, des chats noirs avec une queue pailletée, des chaudrons de sorcière. La seule chose qui manquait était la citrouille en plastique remplie de bonbons, habituellement posée sur le bureau de l'accueil. Lena devina, au regard de la clientèle, que la bibliothécaire jugeait qu'ils ne méritaient pas de gâteries. Elle semblait passer le plus clair de son temps dans le monte-charge, traînant son chariot à livres derrière elle et, sur son visage, une expression renfrognée plus effrayante que n'importe quel déguisement d'Halloween.

Sibyl avait passé des heures à la bibliothèque quand elles étaient petites. Elle était la bonne élève, celle qui passait son temps à faire ses devoirs ou à lire les dernières revues scientifiques que miss Nancy, l'ancienne bibliothécaire, avait commandées exprès pour elle. Lena, elle, passait son temps à traîner et à râler à voix basse, jusqu'à ce que Hank finisse par venir les chercher pour les ramener à la maison. Il se servait de la bibliothèque comme d'une garderie : les filles devaient y rester jusqu'à ce qu'il puisse quitter le bar et les ramener à la maison.

À présent, Lena regrettait l'insolence de sa jeunesse, le manque d'intérêt dont elle avait fait preuve pour le fonctionnement de la bibliothèque. Même aveugle, Sibyl aurait été capable de comprendre comment marchait le lecteur de microfilms. Lena n'arrivait même pas à installer ces foutus machins ! Elle avait réussi à dérouler deux bobines d'archives de presse, comme un chaton l'aurait fait avec une pelote de laine, avant que la bibliothécaire ne remonte du sous-sol. Quand elle aperçut Lena, son expression habituelle de désapprobation se fit plus marquée.

« Donnez-moi ça avant de le casser ! » ordonna-t-elle en lui arrachant le film des mains. Avec ses bijoux clinquants, sa voix trop forte et son attitude pour le moins désagréable, elle n'avait rien d'une miss Nancy [1]. Et à son odeur – un parfum trop sucré qui dissimulait mal les relents nauséabonds de tabac froid –, Lena conclut que cette femme passait son temps au sous-sol, à fumer et à éviter les enfants.

Encore une chose qui n'avait pas changé : l'accès au sous-sol restait strictement interdit aux visiteurs. Le bâtiment qui abritait la bibliothèque avait servi d'hôtel de ville jusqu'à ce qu'il devienne trop petit pour les administrations locales. Construit dans les années 1950, il comptait tous les attributs de la modernité – un espace de repos en béton coulé, où le plafond était si bas qu'on risquait de s'y fracasser le crâne, ou encore un abri nucléaire et antibombardements au sous-sol. Une fois, Lena avait réussi à s'y introduire, et avait été très déçue de n'y trouver que des vieux registres électoraux et autres actes de propriété, au lieu des magazines porno et des cadavres qui, selon les rumeurs, étaient cachés dans les profondeurs de la bibliothèque. Le seul indice de ce que le bâtiment avait jadis été, c'était deux cadres de lit métalliques posés dans un coin, et des étagères remplies de bouteilles d'eau et de conserves de ragoût de bœuf.

Lena pensa que l'endroit devait maintenant empester le tabac froid des Camel sans filtre, grâce à la bibliothécaire la plus salope du monde.

---

1. Animatrice très populaire d'une émission télévisée pour enfants *(NdT)*.

« Je ne vois pas pourquoi vous voulez ça, aboya celle-ci en brandissant le microfilm. Vous savez ce que vous cherchez au moins ?

— Je veux une date bien précise, répondit Lena en s'efforçant de ne pas laisser transparaître son impatience. Le 16 juillet 1970.

— Mouais… » marmonna la femme, et Lena en déduisit qu'elle n'avait pas écouté. Elle se concentrait pour enrouler les films de manière à ce qu'ils rentrent dans leur boîtier. La clé de l'ascenseur pendait à une chaîne autour de son poignet et cognait sans arrêt contre la table métallique, ce qui était particulièrement agaçant.

Lena recula sa chaise pour laisser plus d'espace à la bibliothécaire, en essayant de garder son calme. Elle finit par se lever pour éviter de se prendre un coup de coude et lui laissa sa place. Quand Lena était petite, les bibliothèques étaient des endroits silencieux – miss Nancy avait pris toutes les mesures nécessaires pour qu'il en soit ainsi. Elle avait notamment ce qu'elle appelait sa « voix de 15 centimètres », ce qui voulait dire qu'il fallait parler d'une voix si basse que seule une personne se trouvant à quinze centimètres de vous pouvait vous entendre. À l'époque de miss Nancy, il était interdit de courir ou de chahuter, et elle-même n'aurait jamais juré comme un charretier en essayant de faire fonctionner un lecteur de microfilms.

Un groupe d'adolescents se trouvait derrière Lena. Ils étaient assis à une table, des livres ouverts posés devant eux, même si elle ne les avait pas vus faire autre chose que ricaner bêtement depuis qu'elle était entrée dans la bibliothèque. L'une des filles la vit et s'empressa de baisser les yeux sur le livre qu'elle tenait à la main, mais Lena avait remarqué quelque chose.

La bibliothèque était petite – environ seize rangées d'étagères au centre de la salle de lecture principale. Lena passa devant chacune des rangées en essayant de retrouver la mince silhouette qu'elle avait aperçue derrière la table des adolescents. Elle trouva Charlotte Warren dans la section des livres pour la jeunesse. Manifestement, Charlotte ne voulait pas être découverte, elle était plongée dans un Fifi Brindacier quand Lena l'interpella : « Salut !

— Oh ! Lee ! dit Charlotte sur un ton de surprise feinte, comme si ce n'était pas elle qui avait téléphoné à Lena pour lui dire de venir voir son oncle.

— J'ai trouvé Hank », dit Lena.

Charlotte reposa le livre en prenant tout son temps, l'alignant soigneusement avec les autres rangés sur la même étagère. Avec ses cheveux blonds cendrés et sa voix douce, Charlotte Warren était depuis l'enfance destinée à jouer le rôle du stéréotype de la mère américaine, laissant à Oprah Winfrey et à Martha Stewart le soin de donner de la valeur à son existence.

« Ça fait combien de temps qu'il est comme ça ? lui demanda Lena.

— Environ un mois, je dirais.

— Il y est allé fort.

— C'est pour ça que je t'ai appelée.

— Qui lui vend la drogue ?

— Oh. » Charlotte détourna le regard et remit ses lunettes en place. « Ça, je n'en sais rien, Lee. Je l'ai vu un jour, et il n'avait pas l'air d'aller bien, alors je me suis dit que tu aimerais être au courant, c'est tout.

— Je ne sais pas ce que je peux faire pour lui, reconnut Lena. Il est décidé à se tuer.

— Il est très déprimé depuis que Sibyl… » Charlotte n'avait pas besoin de terminer sa phrase. Elles savaient toutes deux à quoi elle faisait allusion. Elle joua machinalement avec la croix en or qu'elle portait autour du cou. « J'aurais voulu assister à l'enterrement, mais les enfants étaient à l'école, et… » Sa voix s'éteignit de nouveau. « Tu es toujours flic ?

— Oui, répondit Lena. Et toi, toujours prof ? »

Charlotte sourit : « J'entame ma seizième année.

— C'est bien. » Lena essaya de trouver quelque chose à dire. « Sibyl adorait enseigner.

— Je suis mariée maintenant. Tu le savais ? » Lena secoua la tête, et Charlotte ajouta : « J'ai trois enfants, et Larry, mon mari, est vraiment un père extraordinaire. Il fait des heures sup' à l'usine pour que les enfants ne manquent de rien. Il assiste à tous les matchs, tous les spectacles de fin d'année, les concerts de leurs groupes. C'est vraiment un homme bien, Lee, j'ai eu de la chance.

— On dirait.

— Et toi, tu as quelqu'un ?

— Non. » Lena avait répondu d'un ton un peu trop brusque. Elle se sentit rougir.

Charlotte jeta un coup d'œil par-dessus l'épaule de Lena, comme si elle avait peur d'être entendue. « Il faut que je ramène ma fille et… » Elle émit un petit rire, qui ressemblait plus à un sanglot. « Mon Dieu, tu lui ressembles tellement. » Elle posa sa main sur la joue de Lena, et la laissa reposer un peu trop longtemps. Les larmes lui montèrent aux yeux, et ses lèvres tremblèrent, tandis qu'elle essayait de maîtriser ses émotions.

« Charlotte… »

Charlotte prit la main de Lena et la serra très fort. « Prends soin de Hank, Lee. Sibyl aurait voulu que tu t'occupes de lui. »

Lena la suivit du regard tandis qu'elle avançait vers l'une des jeunes adolescentes assises à la table.

Charlotte avait deux ans de plus que les jumelles, mais elle avait été l'amie la plus proche de Sibyl. De leur plus tendre enfance jusqu'aux années de lycée, elles avaient été inséparables. Elles avaient passé des heures ensemble dans la chambre de Sibyl, elles allaient au cinéma ensemble, et partaient toutes les deux en Floride pendant les vacances de Pâques. Elles avaient perdu contact quand Sibyl avait déménagé pour intégrer l'université, mais les amitiés de cette nature ne meurent jamais vraiment.

Charlotte avait raison sur un point. Sibyl aurait voulu que Lena prenne soin de Hank. Elle l'avait aimé comme un père. Cela l'aurait tuée une deuxième fois de savoir comment il vivait. Mais si elle avait découvert qu'il leur avait menti, toutes ces années ? Qu'aurait-elle pensé de lui alors ?

« C'est réglé ! » aboya la harpie de l'autre bout de la pièce. Elle fit un geste dédaigneux en direction de la machine, comme si elle ne voulait plus en entendre parler.

« Merci », répondit Lena, mais la bibliothécaire était déjà en train de mettre sa clé dans la serrure du monte-charge, pour s'échapper.

Lena retourna à la machine. Il y avait d'autres moyens, plus efficaces. Elle aurait pu appeler Jeffrey. Elle aurait pu lui demander de faire une recherche dans la base de données de la police avec le nom de leur mère. Elle aurait pu aller faire un tour au bureau du shérif et demander à consulter le dossier concernant le meurtre de son père. Elle aurait pu retrouver le dealer de Hank et lui braquer une arme sur la tempe, lui dire que s'il s'avisait ne serait-ce que d'adresser la parole à son oncle, elle ferait exploser sa cervelle sur sa belle voiture blanche.

C'était le dealer qui posait problème. Jeffrey voudrait savoir pourquoi Lena faisait une recherche avec le nom de sa mère. Pire encore, il voudrait l'aider. Elle n'avait pas très envie de lui raconter que son oncle était de nouveau tombé sous l'emprise du crystal et qu'il avait dit des choses improbables qu'elle voulait vérifier. Il y avait fort à parier que Jeffrey prendrait alors le chemin de Reese avant même qu'elle n'ait eu le temps de raccrocher.

Si elle s'adressait au shérif d'Elawah, elle risquait d'attirer l'attention, ce qu'elle préférait éviter. Hank prenait pas mal de drogue ; il était peut-être même sous surveillance. Même sans cela, plus de trente ans s'étaient écoulés depuis que Calvin Adams avait été tué. Tous les dossiers des affaires sur lesquelles il avait travaillé étaient probablement perdus ou détruits.

Elle n'avait d'autre choix que d'utiliser les outils à sa disposition, et la bibliothèque était un bon point de départ. Hank lui avait menti sur tant de choses qu'elle ne croyait plus à rien pour l'instant. Il fallait qu'elle commence par le début, et qu'elle trouve le chemin qui la conduirait à la vérité. Peut-être que, quand elle aurait un peu plus d'informations et serait un peu plus fixée, elle pourrait solliciter l'aide de Jeffrey. Elle travaillait avec lui depuis assez longtemps pour savoir quelles questions il lui poserait. Ce qu'elle avait à faire maintenant, c'était trouver quelques-unes des réponses.

Lena s'installa devant la machine et scanna la première page du *Elawah Herald*.

MEURTRE D'UN ADJOINT LOCAL

Lena s'assit sur le bord de sa chaise pour lire. Elle ne se souvenait pas de l'article que Hank lui avait montré quand elle était petite, mais ce devait être celui-là. Tous les détails étaient là : Interpellation pour excès de vitesse. Mort sur les lieux de l'arrestation. Pas de suspects.

Au moins, Hank n'avait pas menti à ce sujet.

Lena ajusta les manettes de l'appareil et fit défiler les pages, passant rapidement sur l'exemplaire suivant avant de faire marche arrière. Le *Herald* était un hebdomadaire de tout au plus quinze ou vingt pages, et le meurtre de son père était la plus grosse affaire du moment. Toutes les couvertures des numéros du mois suivant rappelaient l'affaire, se contentant en fait de répéter les mêmes choses encore et encore. Tué de deux balles dans la tête. Aucun suspect.

Elle appuya sur le bouton d'avance rapide, en espérant qu'elle n'aurait pas à changer de film pour arriver à la semaine de la mort de sa mère. Elle descendit jusqu'en 1971, et ralentit quand elle approcha de la première semaine de mars. Elle lut les avis de décès, cherchant le nom de sa mère, puis passa au numéro suivant. Elle était sur le point de laisser tomber, quand elle vit une photo en couverture du numéro du 19 septembre.

Hank n'avait qu'une photo de leur mère, un Polaroid dont les couleurs étaient trop vives et peu naturelles. Angela Norton avait dix-sept ou dix-huit ans. Elle était sur une plage quelconque en Floride, vêtue d'un maillot de bain une pièce sans prétention, bleu et blanc, avec un grand nœud sur le côté. Ses cheveux étaient remontés sur la tête et elle prenait la pose, debout, les mains sur le côté, les paumes tournées vers le sable. C'était une époque où les adolescentes s'efforçaient d'avoir l'air plus âgées, plus mûres, et Lena avait toujours aimé l'expression sur le visage de sa mère : les lèvres pincées et le regard sérieux, le fard à paupières bleu et un trait d'eye-liner noir à la

Cléopâtre, qui situait la jeune femme aux prémices de la révolution sexuelle.

Pour les six ans de Lena et Sybil, Hank avait commandé un portrait d'Angela à un artiste à l'extérieur de la ville. La peinture à l'huile était accrochée dans le salon, au-dessus du canapé. Lena l'avait vue tous les jours pendant si longtemps qu'elle avait fini par ne plus y prêter attention.

Elle regarda attentivement, en revanche, la photo de sa mère dans le journal. Angela Adams, née Norton, était assise dans un vieux fauteuil à bascule que Lena connaissait bien, car il faisait partie des meubles de Hank. Elle portait un bébé dans chaque bras, leurs petits corps emmitouflés dans des couvertures.

Au-dessus de la photo, le magazine titrait : LA VEUVE ÉPLORÉE ET SES JUMELLES.

Mardi matin

Chapitre 6

Jeffrey était assis dans un box au fond du City Diner et écoutait les messages sur sa boîte vocale. Ici, le café était atroce, et quand la serveuse s'approcha pour le resservir, il sourit et lui fit signe qu'il n'en voulait plus, se disant que s'il avalait une gorgée de plus de ce breuvage goudronné, son crâne imploserait. Ses oreilles bourdonnaient déjà, et avec le bruit de la pluie qui tombait à verse, il avait l'impression d'avoir mis la tête dans un nid de frelons.

Il appuya sur la touche trois de son téléphone, passant rapidement sur le message du maire de Heartsdale qui le priait de faire quelque chose à propos d'un groupe de vandales qui s'amusaient à renverser les poubelles dans sa rue, ce qui, d'après le maire, signifiait que les voyous sans foi ni loi étaient en train de prendre les rênes de la ville.

Jeffrey referma son téléphone après avoir écouté le dernier message qu'un vendeur de revêtements en vinyle avait laissé pour lui parler de nouvelles opportunités de distribution. Aucune nouvelle de Sara, et elle ne répondait pas au téléphone du motel. Il espérait qu'elle était en train de prendre un bon bain, puis se souvint de la couche de crasse au fond de la baignoire, et espéra plutôt qu'elle était sortie prendre l'air. Il s'inquiétait pour elle. Elle s'était montrée bien trop silencieuse, même avant que Lena ne se joue d'elle. Les nombreuses fois où il avait ouvert un œil au cours de la nuit, il l'avait trouvée éveillée, en position fœtale, lui tournant le dos.

Il n'avait pas aimé la laisser seule ce matin, surtout dans cette horrible chambre. Très honnêtement, il détestait l'exposer à ce monde glauque dont, jusqu'à hier soir, elle ne connaissait pas l'existence. L'endroit était l'exemple parfait de ce que Jeffrey qualifiait de motel à branlette, le genre d'établissement qui attirait les chauffeurs de poids lourds, les putes et les maris infidèles. Jeffrey avait passé un certain nombre de soirées dans ce genre d'endroits, avec un certain nombre de femmes – il reconnaissait les signes. Même un imbécile se serait rendu compte que quelque chose ne tournait pas rond au moment de l'enregistrement. Le type de l'accueil avait demandé à Jeffrey pour combien d'heures il aurait besoin de la chambre.

Jeffrey avait garé la BMW de manière à ce qu'elle soit visible de la rue, au cas où Lena le chercherait. Mais Lena était peut-être en route pour le Mexique à l'heure qu'il était. Une partie de lui espérait qu'elle y resterait. Il était en colère contre Lena, furieux qu'elle ne lui ait pas fait confiance, encore plus furieux qu'elle ait dupé Sara, et furieux contre lui-même d'avoir laissé tout cela se produire.

Sara avait raison sur un point : Lena avait eu l'air terrifiée la veille au soir. Manifestement, elle avait pensé qu'à part faire en sorte que Jeffrey s'en aille, l'évasion était la meilleure solution. Se posait toujours la question de savoir pourquoi elle avait voulu se débarrasser de Jeffrey. Qu'y avait-il de si terrible pour qu'elle refuse son aide ? La personne qui se trouvait dans l'Escalade avait été tuée. Néanmoins, à la lumière du jour, Jeffrey n'imaginait pas ce qui pourrait le pousser à laisser tomber Lena – même pas un meurtre. Il y avait forcément une explication à son implication dans cette mort. Lena avait toujours été sur le fil du rasoir, mais elle n'avait jamais rien fait délibérément pour mettre en danger qui que ce soit – à part elle-même.

Pourtant, il ne pouvait s'empêcher de se demander si le corps à l'arrière de l'Escalade était celui de Hank Norton. Le matin même, pendant qu'il se rendait sur le lieu de son rendez-vous, Jeffrey avait rappelé le commissariat de Grant County pour obtenir l'adresse de Hank, qui figurait dans le dossier de Lena. Il avait appelé le numéro qu'elle avait indiqué, mais personne n'avait décroché. Contre toute attente, le navigateur GPS de la voiture de Sara avait reconnu l'adresse. Jeffrey y avait vu le signe qu'il devait s'y rendre pour voir si Hank Norton était chez lui. La maison avait l'air abandonnée – sans doute, se dit Jeffrey, parce qu'au cours des trente dernières années, elle n'avait jamais été repeinte ou réparée. Il serait volontiers descendu de la voiture pour vérifier de plus près, mais un véhicule des services du shérif du Comté d'Elawah était garé juste en face. L'homme avait fait un signe de la main à Jeffrey quand il était passé.

Si Hank se trouvait à l'arrière de l'Escalade, cela aurait pu expliquer pourquoi Lena s'était enfuie. Quelles que soient leurs relations, si quelqu'un avait tué son oncle, elle l'aurait poursuivi sans relâche. Si c'était elle qui l'avait tué… Jeffrey s'était interrompu, refusant de laisser ses pensées l'entraîner sur cette pente. Cela faisait près de vingt ans qu'il connaissait Lena, et il savait bien de quel côté de la barrière elle était.

La veille, à l'hôpital, elle aurait pu lui demander de l'aide et avait choisi de ne pas le faire. Bien entendu, elle voulait régler ça toute seule. Bien entendu, Jeffrey ne la laisserait pas le faire. Il n'en restait pas moins qu'elle faisait partie de sa brigade, et qu'elle était impliquée dans un crime violent. Elle s'était échappée de l'hôpital parce qu'elle fuyait quelque chose – et elle tenait manifestement à ce que Jeffrey ne sache pas quoi. Qu'elle soit impliquée dans l'explosion ou qu'elle l'ait elle-même déclenchée, Jeffrey était bien décidé à découvrir ce qui était arrivé. Jake Valentine n'aurait pas été capable de trouver son propre nez au milieu de sa figure. Le salut de Lena dépendait entièrement de Jeffrey.

Bien sûr, tout aurait été beaucoup plus simple s'il avait eu la moindre idée de ce qui se tramait.

Après être passé devant la maison de Hank, Jeffrey avait téléphoné au Service correctionnel de l'État de Géorgie pour s'assurer qu'Ethan Green était toujours derrière les barreaux. On le lui avait confirmé, mais la femme qu'il avait eue au téléphone avait beau sembler très sympathique, il ne se fiait pas vraiment aux informations qu'elle avait dénichées dans son ordinateur. Il avait donc appelé la Coastal State Prison et avait directement parlé au directeur. Ce fut pour lui un soulagement d'entendre qu'Ethan était toujours hébergé par le système pénitentiaire de l'État, mais il n'était pas naïf au point d'écarter toute possibilité d'implication du taulard.

Même s'il assurait s'être repenti, Ethan Green était un skinhead depuis son enfance. Il avait été élevé dans une famille de skinheads, et avait été arrêté avec ses amis skinheads. Jeffrey avait vu les croix gammées noires et d'autres images atroces que le jeune homme avait fait tatouer sur sa peau. Jeffrey ne croyait pas une seconde à la possibilité qu'Ethan n'ait pas rejoint ses petits camarades dès le moment où il était retourné en prison. La seule chance de survie pour les bêtes comme lui était de vivre en troupeau. La question était de savoir jusqu'où l'influence d'Ethan s'étendait hors des murs de la prison. La nuit dernière, l'homme qui était venu à l'hôpital arborait une croix gammée rouge sur le bras. Était-il d'une manière ou d'une autre lié à Ethan ? Le skinhead incarcéré avait-il envoyé l'un de ses hommes sur les traces de Lena ? Cela pourrait expliquer sa peur. Mais cela suffisait-il à expliquer qu'elle refuse l'aide de Jeffrey ?

Il regarda sa montre, se demandant pourquoi Nick Shelton avait du retard. Le représentant du Bureau d'Investigations de l'État de Géorgie dans la région sud-est était un homme occupé. Ils avaient décidé de se voir dans ce restaurant parce qu'il se trouvait à mi-chemin pour les deux – assez loin de Reese pour éviter les regards trop curieux, et assez près de Macon pour que Nick n'ait pas à quitter son bureau trop longtemps. Jeffrey était resté discret la veille, au téléphone, mais il espérait que Nick pourrait répondre à certaines questions qu'il se posait sur Jake Valentine, et sur ce qui se passait sous l'autorité du nouveau shérif. Nick travaillait sur des affaires qui dépassaient les frontières des différents comtés, et Reese faisait partie de sa juridiction. Si quelqu'un était en mesure de dire à Jeffrey si des groupes de skinheads étaient actifs dans la ville, c'était bien Nick Shelton. L'agent du GBI adorait chasser la racaille, et malgré sa tendance à l'exubérance, c'était un sacré bon flic.

Un bon flic qui avait une bonne heure de retard.

Jeffrey prit son portable et composa le numéro du motel. Avant de partir, il avait demandé à Sara de contacter Frank Wallace à Grant County, mais ils savaient tous deux que c'était simplement une excuse pour la rappeler et voir comment elle allait. Jeffrey ne pensait vraiment pas que le fait de savoir à qui appartenait la voiture blanche lui fournirait des pistes inattendues. C'était le genre de tâches basiques dont il chargeait généralement ses jeunes policiers.

Jeffrey attendait, de plus en plus oppressé à chaque sonnerie dans le vide, quand Sara finit par décrocher.

« Jeff ?

— Tu as l'air essoufflée, dit-il, soulagé d'entendre sa voix.

— J'étais sortie », répondit-elle, puis elle lui expliqua pourquoi. Quand elle lui parla de la carte qu'elle avait achetée, il se rendit compte qu'il serrait le téléphone tellement fort qu'il lui glissait pratiquement des mains.

« Donc, poursuivait-elle, manifestement très excitée par sa petite aventure, c'était juste une parcelle vide, mais j'ai quand même pensé que je pourrais aller consulter l'acte de propriété au palais de justice du comté. Qu'est-ce que tu en penses ? »

Jeffrey était incapable de dire un mot. Rechercher le propriétaire d'un véhicule bien à l'abri dans la chambre du motel était une chose. Aller voir ce qui aurait pu être un repère de skinheads – ou pire – en était une autre.

« Allô ? dit Sara. Tu es toujours là ? »

Jeffrey s'éclaircit la voix, essayant de se maîtriser, de ne pas se laisser aller à sa réaction spontanée qui aurait été de lui demander, bordel de merde, ce qu'elle s'imaginait être en train de faire. « Je suis là.

— Je te disais que je pouvais aller au palais de justice… »

Il l'arrêta net. « Je veux que tu restes dans la chambre, Sara. Ne va pas au palais de justice. Ne passe plus aucun coup de fil. Reste dans cette putain de chambre et ne te mets pas dans la merde. »

Ce fut au tour de Sara de se taire.

Il continua, les dents serrées. « Je ne peux pas à la fois faire mon boulot et m'inquiéter pour toi. »

Elle laissa passer quelques secondes avant de répondre. « D'accord. »

Il comprit qu'elle était en colère, mais tant pis. « Promets-moi de rester là-bas jusqu'à ce que je revienne. »

De nouveau, une hésitation. Soudain, il se rendit compte qu'il s'était trompé. Sara n'était pas en colère. Elle était déçue d'elle-même parce que *lui* était en colère. Il devinait ses pensées, savait qu'elle s'en voulait de s'être de nouveau conduite comme une idiote.

« Je sais que tu essayais juste de m'aider, Sara, mais enfin, tu te rends compte… l'idée de te savoir toute seule dans la nature… On n'est pas à Grant County. Tu n'as pas grandi ici. Ces gens ne te connaissent pas. C'est dangereux, Sara. Tu comprends ?

— Oui.

— Chérie… » Il secoua la tête, les mots lui manquaient. « Je t'en prie, contente-toi de rester dans la chambre. Je rentre dès que je peux.

— Non, répondit-elle. Fais ton boulot. Tu as raison. Je vais rester ici. »

Il se faisait maintenant l'effet d'un parfait salopard. Il regarda par la fenêtre du restaurant. Nick Shelton était en train de descendre de son pick-up Chevrolet.

« Ce n'est pas ta faute, lui dit-il. Écoute, Nick vient d'arriver.

— D'accord, dit-elle. On se voit tout à l'heure. »

Elle ne raccrocha pas brutalement, mais Jeffrey aurait préféré. Sara n'était pas compréhensive. Elle était têtue, arrogante, exigeante – toutes choses dont un homme rêve chez une femme. Au cours des derniers mois, il l'avait vue se transformer ; de battante, elle était devenue quelqu'un qui courbait l'échine sous les coups. Jeffrey voulait la voir se mettre en colère. Il voulait l'entendre lui dire d'aller se faire foutre, qu'elle savait ce qu'elle faisait et qu'il aurait dû être reconnaissant de la voir perdre son temps dans ce trou pour l'aider alors qu'elle aurait pu être chez elle à soigner ses patients. Il voulait qu'elle lui crie dessus, l'entendre jurer contre les Powell et tous les autres salauds qui voulaient la détruire.

Il voulait retrouver sa belle et brillante femme.

« Salut, chef. » Nick Shelton passa la porte d'entrée, ses longs cheveux bruns aplatis par la pluie. « Désolé pour le retard. »

Jeffrey se leva et lui serra la main. « Pas de problème.

— Il pleut comme vache qui pisse. » Nick appela la serveuse. « Vous me faites un bon petit café, ma jolie ? »

Elle le gratifia d'un grand sourire. « Bien sûr.

— Ne remplissez pas la tasse jusqu'en haut, d'accord ? Vous laissez ça ? » Il lui montra en écartant son pouce et son index d'environ deux centimètres.

« J'arrive tout de suite. » Elle pouffa et lui fit un clin d'œil. Jeffrey avait tout juste réussi à lui décrocher un « bonjour », mais il se dit que Nick, avec son jean moulant et sa grosse chaîne en or autour du cou, était plus son genre.

L'homme du GBI regarda la serveuse s'éloigner, avec un regard gourmand pour ses grosses fesses. « J'en ferais bien mon dessert. »

Jeffrey tenta de changer de sujet. « Quoi de neuf, Nick ?

— Je travaille comme une brute. » Il piocha dans le distributeur de serviettes posé sur la table, déchirant les premières feuilles. « L'État a sucré la moitié de mon budget à cause de la putain de sécurité nationale. On a des gangs, des problèmes de drogue et des meurtres à tire-larigot, mais les fédéraux veulent nous faire tout dépenser pour combattre ces fichus terroristes, qui ne seraient même pas foutus de trouver Elawah ou Grant County sur une carte. Encore quelques années et on se sera tous entretués. »

Jeffrey n'avait jamais eu une conversation avec Nick sans qu'il se plaigne de quelque chose, mais il essaya de ne pas l'encourager avec ses propres doléances. « Désolé de savoir que tu en chies en ce moment, Nick.

— Bob Burg fait du consulting dans le Nord, et gagne vingt fois plus que ce que l'État l'a jamais payé. »

Jeffrey sentit qu'il se laissait prendre à la conversation. Bob Burg occupait auparavant le même poste que Nick, mais pour les comtés du sud-est de la Géorgie. « Qu'est-ce qui s'est passé ? »

Nick s'essuya le visage avec les serviettes et poursuivit : « J'imagine qu'ils se sont dit que le temps que je perdais à dormir et à changer de caleçon pouvait être mis à profit. Ils l'ont viré et m'ont chargé de sa région.

— Bob a été licencié ?

— Ils ont fusionné les bureaux pour rationaliser l'opération, dit Nick sur un ton sérieux et monocorde. Connards de bureaucrates. Et je ne te parle même pas des primes en liquide qu'ils ont distribuées à tous les postes de direction pour les remercier de leur lécher le cul. » Il se redressa en voyant approcher la serveuse. « Merci, ma jolie ! C'est parfait. » Il lui fit un clin d'œil et la jeune femme gloussa de nouveau avant de disparaître en ondulant du postérieur.

Nick continua : « Je ne peux pas en vouloir à Bob de l'avoir mauvaise, mais il a laissé un putain de bordel derrière lui. Des formulaires manquants, des dossiers incomplets.

— Je suis désolé pour toi. »

Nick haussa les épaules et demanda : « Comment va Sara ?

— Bien », mentit Jeffrey, essayant de réprimer un élan de tristesse.

Nick le regarda d'un air sévère au-dessus de sa tasse de café. « J'ai entendu dire que vous vous étiez déjà fait des amis ici tous les deux.

— Les nouvelles vont vite.

— Ce n'est pas tous les jours qu'une brigade de choc perd l'un de ses prisonniers. » Il fit un clin d'œil à Jeffrey. « Avec un coup de poing dans l'estomac en prime. »

Jeffrey se sentit sourire. « Il l'avait cherché.

— Je n'en doute pas une seconde.

— Dis-moi ce que tu sais de Jake Valentine. »

Nick attrapa le sucrier sur la table. « Jake Valentine, répéta-t-il d'une voix forte et enjouée. Le petit Jake était adjoint depuis environ deux jours quand il s'est présenté aux élections. » Tout en parlant, il se versait du sucre. « Ce vieux renard de Don Cook voulait le poste, mais les gens en avaient assez de tous ces vieux qui restaient assis sur leur cul sans rien faire, à toucher leurs chèques pendant que la ville partait en couilles.

— Le crystal ? » devina Jeffrey. Il n'y avait pas une ville dans tout le pays qui ne fût pas peu à peu contaminée par le fléau de la méthamphétamine. Ce n'était pas cher, ça coûtait encore moins à fabriquer, et il était pratiquement impossible de s'en défaire. Cette drogue détruisait la vie de ceux qui y touchaient, y compris quelques officiers de police naïvement rentrés dans des labos piégés.

« Le crystal », confirma Nick, en reposant enfin le sucre. Il prit le lait et continua : « Jack est encore un peu jeune, mais c'est un bon garçon.

— Il n'a même pas l'air d'avoir l'âge de conduire.

— C'est vrai, mais il a envie d'apprendre, et ça, c'est loin d'être le cas de tout le monde. Je peux t'assurer que s'il arrive à rester en place assez longtemps pour que ses couilles descendent, il fera un bon shérif.

— Il n'a pas l'air d'être très soutenu par ses adjoints.

— Peut-être qu'il y en a un ou deux qui vont essayer de l'emmerder, mais seulement en cas de problème. Don Cook n'est pas aussi puissant qu'il le pense.

— Et le prédécesseur de Jake ?

— Al Pfeiffer. C'était un bon gars, mais il a compris qu'il était temps qu'il prenne sa retraite le jour où on lui a balancé une bombe par sa fenêtre. »

Jeffrey n'était pas sûr d'avoir bien entendu. « Quoi ? »

Nick hocha la tête, remplissant sa tasse de lait jusqu'à ras bord. « Ils ont foutu une bombe dans sa maison. Sa femme et son petit-fils ont tout juste eu le temps de sortir. Lui, il a été brûlé au troisième degré, au visage et sur les bras. Il a perdu un de ses doigts. Il n'y a jamais eu de procès, parce que personne ne voulait parler : pas de témoins, pas de preuves sur la scène du crime, rien. C'est arrivé en plein jour, un dimanche après-midi. Prends-le comme un avertissement, chef. Ces gars-là ne rigolent pas. Ils gagnent trop d'argent pour ça.

— Des skinheads ? demanda Jeffrey.

— Tout juste. » Nick le regarda attentivement. « Quelque chose me dit que tu connais l'histoire. »

Jeffrey comprit que c'était à son tour de partager ses informations. « J'ai vu un mec devant l'hôpital d'Elawah l'autre soir – un taulard, un gros dur. Il avait une grosse croix gammée rouge tatouée sur le bras.

— Ah, ça. » Nick agita sa main à la manière d'une vieille dame en train de raconter des potins. « Elle est utilisée par les Frères de Peau. Voilà un intéressant petit groupe de nazis. Ils sont apparus dans les prisons à la fin des années 50. Intégration à l'extérieur, ségrégation à l'intérieur. Ça n'a pas plu aux Blancs qui dirigeaient les cellules de voir les Noirs arriver, et ils l'ont fait savoir par tous les moyens possibles. » Nick se pencha en avant, et continua à voix basse. « Dans les années 50, il y avait peut-être soixante-cinq, soixante-dix pour cent de Blancs dans toutes les prisons fédérales et d'État, ce qui correspondait au pourcentage de population blanche à l'extérieur, d'accord ?

— OK.

— Maintenant, c'est l'inverse. Le taux est de soixante/quarante, quatre-vingts/vingt dans certaines prisons. Les Blancs sont minoritaires, et les Noirs et les Hispaniques majoritaires.

— D'où l'apparition des gangs.

— Les Crips, les Bloods, les Boyz, les Tiny Raskals, les MS-13, les Nazi Low Riders.

— Ce qui nous ramène au crystal.

— Avec de l'argent rapide à se faire comme ça, enchaîna Nick, il y aura toujours une guerre ou une autre, toujours un connard qui voudra péter plus haut que les autres. Les Blancs contre les Blancs, les Noirs contre les Noirs, la seule chose qui compte désormais, ce sont les billets verts. Les Aryens disent aux Low Riders ce qu'il faut faire, les Low Riders disent aux Aryens d'aller se faire foutre, les puristes leur disent qu'ils sont tous en train de brader la race blanche… Bref, celui qui a le pouvoir a plutôt intérêt à se méfier.

— Qui utilise la croix gammée noire ?

— Pratiquement tous, sauf les Frères de Peau. » Il anticipa la question suivante de Jeffrey. « Et les deux ne se rencontreront jamais. Tu mets un Frère de Peau avec un Low Rider par exemple, ils voient leurs tatouages, c'est comme si tu mettais deux chats sauvages ensemble dans une cage. Un seul en sortira vivant.

— Tu es sûr de ça ?

— Leur querelle remonte à si loin que personne ne se souvient quand ni comment ça a débuté. Dans le serment qu'ils prêtent au moment où ils rejoignent un gang, ils s'engagent à tuer tous les salauds qui roulent pour l'autre équipe. Rouge ou noir, tu te fais tatouer, et tu as intérêt à être sûr que c'est pour la vie. On aura la paix au Moyen-Orient avant qu'ils se mettent d'accord. »

Jeffrey se sentit un peu soulagé. Quoi qu'il se passe à Reese, il pouvait, pour le moment au moins, écarter Ethan Green.

Nick s'appuya contre la banquette, la tasse de café entre les mains. « Tu as entendu ce qui s'est passé avec les Hells Angels sur la Côte Ouest ? »

Jeffrey secoua la tête.

« Alors là, eux, ce sont vraiment des violents. Ils ont passé la plus grande partie de leur vie adulte en prison, aucun espoir de sortir un jour, et si tu oses les regarder, ils te mettent un coup de couteau. Les fédéraux essayent de les avoir avec la loi RICO, en alléguant qu'ils sont une manifestation du crime organisé. Ils ont dû enchaîner ces salauds au sol pendant le procès. L'un d'entre eux était déjà condamné parce qu'il avait planté un stylo à plume dans la poitrine de son avocat. Ces types n'ont rien à perdre ; ils font passer le temps dans le quartier le plus sécurisé de la prison, en attendant leur tour. Ils savent qu'ils ne verront jamais la lumière du jour sans l'ombre des barreaux, et ils se foutent complètement du nombre de macchabées qu'ils laissent derrière eux. »

Jeffrey sentit le sang se glacer dans ses veines. « Revenons-en aux Frères de Peau.

— Le nom technique, c'est la Confrérie de la Vraie Peau Blanche, mais c'est moins joli.

— Tu peux m'en dire plus ?

— Depuis cinq, peut-être dix ans, le gang est dirigé par deux frères, Carl et Jerry Fitzpatrick. Carl est en prison et Jerry vit sur une propriété qui vaut des millions avec le reste de la famille. Il se prend pour une sorte de prédicateur de la Voie des Blancs.

— Un vrai croyant ?

— Un vrai sadique, rectifia Nick. Il ne faut pas contrarier Jerry. Il se charge lui-même des brebis égarées. Il les retrouve et leur brise les membres pour que les autres bêtes du troupeau comprennent qu'il vaut mieux rester dans le droit chemin. Il y a des types, des skinheads bien mauvais, avec vingt morts sur la conscience, qui se pissent dessus rien qu'à l'idée que Jerry ait un truc contre eux.

— On ne l'a jamais attrapé ?

— Oh ! si, il a été inculpé un paquet de fois, mais rien ne tient jamais contre lui. Les témoins ont tendance à changer d'avis une fois qu'on leur a retiré les ongles des doigts ou que leurs enfants ont disparu.

— Où se trouve la propriété ?

— Dans un bled du nom de Keene, dans le New Hampshire.

— Pourquoi est-ce qu'on se sent toujours soulagé quand ces types-là sont des Yankees ? »

Nick feignit la surprise, plaquant ses mains sur sa poitrine. « Des racistes dans le Nord, si libéral ? Comment osez-vous, monsieur ?

— Choquant, n'est-ce pas ? » opina Jeffrey, en se demandant pour la énième fois pourquoi le reste des États-Unis voulait croire que le racisme n'avait cours qu'au sud de la ligne Mason-Dixon. Un peu comme si Watts et Harlem, les affaires Rodney King et Abner Louima, n'étaient que d'étranges anomalies sur l'une et l'autre côte du pays.

Nick continua : « Les frères Fitzpatrick sont sur la liste de surveillance du FBI, mais je ne sais pas quelle priorité on leur accorde. Toutes les conneries anti-immigration dont on s'est mis à parler, c'est du pain bénit pour tous les groupes néo-nazis. Soudain, le fait de dire qu'il faudrait fermer les frontières et expulser les gens aux noms exotiques n'est plus considéré comme un discours extrémiste.

— Ce n'est pas plus mal qu'on ait d'abord enfermé les Fitzpatrick, fit remarquer Jeffrey. Pourquoi le frère est tombé, lui ?

— Il a tué deux flics.

— Ils ont la peine de mort au New Hampshire ?

— Seulement pour ce genre de crimes, répondit Nick. Le seul problème, c'est que l'âge limite est fixé à dix-sept ans. Carl était à deux semaines de son dix-septième anniversaire quand il a appuyé sur la gâchette. Prison à vie, sans la moindre chance de libération conditionnelle. Un petit malin, le Carl. Il a rencontré les gens qu'il fallait dans le bloc, il s'est fait des contacts intéressants, il a grimpé les échelons du groupe et – tu sais comment ça se passe – il a massacré son chef avec des haltères, pour prendre le contrôle de l'organisation. Un mec vraiment polyvalent. »

Jeffrey essaya de ne pas penser aux deux flics tués, à leurs familles, à leurs enfants, confrontés au malheur pendant toutes ces années. « Alors, dis-moi un peu, comment les Fitzpatrick payent leurs factures ?

— Ils sont très impliqués dans le crystal. Genre, super impliqués. Les Fitzpatrick contrôlent tout ce qui rentre et qui sort du couloir sud-est, de la Floride vers le Nord. Certains de ces gars sont milliardaires. Le seul truc, c'est qu'ils meurent avant d'atteindre les trente ans. »

Jeffrey le savait déjà. « Et ? »

Nick rajouta du sucre dans son café en continuant à parler. « Ils disent qu'ils ont le privilège de la peau, que parce qu'ils sont blancs, ils valent mieux que les autres, qu'ils devraient être au pouvoir. Ils voient ça comme une mission spéciale que leur a confiée Dieu. » La serveuse passa devant eux et Nick lui adressa un nouveau clin d'œil, puis se retourna vers Jeffrey : « Tu aimes bien les histoires, pas vrai ?

— J'aime bien, oui.

— Alors je vais t'en raconter une, commença Nick. La Confrérie a été créée par un ancien combattant de la Seconde Guerre mondiale, un garde de l'Armée nationale qui venait de l'Ouest et qui s'appelait Jeremiah Todd. Il soutenait qu'il avait fait partie de l'une des divisions d'infanterie qui avaient participé à la libération de Dachau. » Nick goûta de nouveau le café et recommença à se verser de la crème. Jeffrey se retint de ne pas balancer la tasse à travers la pièce. « Quand il revient d'Allemagne, Todd se met à raconter partout que tout a été exagéré, que la presse est en train de faire une montagne de rien du tout. Il y était, il a vu de ses propres yeux, et il n'y avait rien d'autre qu'un groupe de juifs qui foutaient le bordel, dans le but de détruire l'Amérique. »

Jeffrey sentit le dégoût l'envahir. « Un négationniste ?

— Voilà.

— Et d'où vient la croix gammée rouge ?

— Avant l'apparition d'Hitler – je ne déconne pas –, les insignes de l'unité de gardes nationaux à laquelle Todd appartenait étaient marqués d'une swastika rouge.

— C'était un symbole de chance chez les Indiens d'Amérique, ajouta Jeffrey.

— Exact. De nombreuses divisions du Sud et de l'Ouest avaient adopté des symboles indigènes. Bien entendu, au moment de la guerre, leur supérieur leur a enjoint de changer de symbole, mais ça faisait partie de l'uniforme de la division de Jeremiah Todd jusqu'au début des années 30. Et tu sais comment sont les militaires. Ils ne renoncent pas si facilement aux traditions.

— Comment est-ce que Todd a atterri en prison ?

— Un magasin d'alcool, une épicerie. Un hold-up avec une arme ou un couteau, peu importe. Je ne connais pas les détails. De toute façon, ce connard aurait fini en prison de la même manière que tous les autres.

— Je suppose qu'il est mort ?

— Suriné dans le réfectoire pour un morceau de pain, il y a plus de vingt ans, précisa Nick. Mais tu t'en doutes, il restait quelques disciples, et ils ont continué à prêcher la bonne parole jusqu'au New Hampshire on dirait. On constate une grosse résurgence de ces gangs dans les prisons, en particulier de ces abrutis obsédés par la suprématie de la race blanche. La première chose qu'ils font en arrivant en prison, c'est de se déclarer, de choisir un côté pour être protégés et ne pas se faire planter par les Frères ou violer par les Aryens ou massacrer par les bronzés. Et ça ne s'arrête pas aux portes de la prison. Si un connard les emmerde à l'intérieur, ils s'en prennent à la famille du mec à l'extérieur. Comme je te l'ai dit, la plupart d'entre eux n'ont rien à perdre. Au pire, ils risquent quoi ? Une nouvelle condamnation à perpétuité, en plus des six qu'ils ont déjà ? Que le responsable du quartier sécurisé réduise leur temps de récréation à une heure par semaine au lieu de deux ? Et puis quoi ? Ils savent qu'ils ne sortiront jamais, alors qu'est-ce que ça peut faire ?

— Et ils font du trafic de drogue à l'extérieur aussi ?

— Dedans et dehors, dit Nick. Il faut bien financer Armageddon, et ce n'est évidemment pas en creusant des tranchées que ces mecs gagneront de l'argent. » Il prit une gorgée de café avant de demander : « Comment Lena est-elle liée à tout cela ?

— Je n'en ai aucune idée, reconnut Jeffrey.

— J'aurais voulu voir la tête de Jake quand il a compris qu'elle s'était échappée.

— Il ne souriait pas, tu peux me croire.

— Tu comprends pourquoi elle s'est barrée ? »

Jeffrey secoua la tête. « Tu crois qu'après toutes ces années je comprends pourquoi elle fait quoi que ce soit ? »

Nick rit d'un air entendu. « Sacrée nana. »

Jeffrey n'avait aucune envie de discuter des qualités de Lena. « Comment se fait-il que tu en saches autant sur ce groupe ?

— Tu te souviens d'Amanda Wagner ? »

Jeffrey avait rencontré la médiatrice quelques années plus tôt, quand le GBI avait été appelé à Grant pour gérer une situation qui avait mal tourné. « Quel rapport avec l'unité tactique ?

— Aucun. Wagner a une nouvelle équipe qu'elle a mise en place pour traiter les crimes violents commis en dehors des frontières des comtés – une sorte d'unité de réaction rapide censée court-circuiter la procédure administrative, ha ha ha. Ces mecs-là, les Frères de Peau, ont causé pas mal de problèmes dans le Nord, Cherokee, Rabun, Whitfield. Il y a quelques mois, elle a fait venir tous les représentants de terrain à Atlanta pour nous faire un point sur la situation, nous indiquer les signes auxquels il fallait faire gaffe.

— C'est-à-dire ?

— La croix gammée rouge surtout. Ils produisent du crystal dans les petites villes, comme s'ils étaient IBM ou un truc du genre, et le font circuler tout le long du couloir de la drogue, via Atlanta, New York, la Nouvelle-Angleterre, jusqu'au Canada. On ne sait même pas combien de membres compte l'organisation. Les estimations varient de quelques centaines de personnes à quelques milliers. » Il s'arrêta, secoua la tête. « C'est toujours la même histoire : ils ciblent des adolescents qui se sentent incompris et isolés, leur donnent le sentiment de faire partie d'une famille, un système de croyances qui permet d'expliquer pourquoi le fait d'être blanc ne les a pas empêchés d'être pauvres. Ils les remplissent de haine et leur mettent une arme dans la main. Tu l'as vu par toi-même, chef. Ces jeunes passent leur temps à faire des allers-retours en prison, jusqu'à ce qu'ils se fassent choper pour quelque chose de plus grave, et soudain, ils se retrouvent rois du bloc n° 9, engrangeant de l'argent derrière les barreaux, donnant des ordres à leurs soldats à l'extérieur. Putain, regarde Carl Fitzpatrick ! Tu aurais pensé qu'il puisse avoir autant de pouvoir à l'extérieur ? »

Jeffrey se sentit submergé par une grande fatigue. Il n'était même pas sûr que tout cela soit lié à Lena. Tout ce dont il disposait, c'était une intuition, et maintenant, ses tripes lui disaient que l'implication de ce groupuscule ne mènerait à rien de bon. « Tu vas prévenir Amanda qu'ils ont des activités à Elawah maintenant ?

— Mais c'est elle qui me l'a dit ! répondit-il. Le truc, tu le sais aussi bien que moi, c'est que le GBI ne peut pas intervenir dans une enquête avant que les autorités locales ne le leur demandent. »

Jeffrey savait que Nick disait la vérité, tout comme il savait que le GBI anticipait parfois sur les demandes d'aide d'une ville en s'assurant d'être bien préparé. « Vous avez réuni des informations sur le groupe qui opère à partir d'Elawah ?

— Pas beaucoup, reconnut Nick. C'est apparemment une structure bien étanche. Pour certains de ces gangs, on sait très bien qui dirige les affaires, parce que le salopard qui chapeaute tout veut que ça se sache. Ils ne deviennent pas hors-la-loi pour se cacher dans les jupes de leur mère. Ils veulent pouvoir le faire ouvertement, jouer au grand, voir la terreur dans le regard des gens quand ils passent dans la rue.

— Mais ce n'est pas le cas à Elawah ?

— Pas à Elawah, et pas avec la Confrérie. La manière de travailler des Fitzpatrick, c'est de désigner quelques personnages clés dans une ville, et s'il y a un problème, ils envoient quelqu'un de l'extérieur le résoudre. Comme ça, personne ne se salit les mains, et personne ne sait qui dénoncer s'ils se font attraper. Leurs conneries d'Armageddon, ils les prennent très au sérieux. Jésus-Christ viendra faire le nettoyage, les débarrasser des Noirs, et Carl et Jerry Fitzpatrick hériteront du royaume terrestre. »

Jeffrey se sentait de plus en plus mal à l'aise. C'étaient toujours les vrais croyants qui pensaient qu'ils n'avaient rien à perdre. Nom de Dieu, dans quelle histoire Lena s'était-elle embarquée ?

Nick continua : « Il y a deux ou trois hommes de main à Elawah pour faire le sale boulot. Ne me demande pas comment ils s'appellent, je n'en ai aucune idée. Nous avons essayé de nous renseigner, mais ça n'a rien donné. Celui qui est à la tête des affaires, qui que ce soit, reste très discret. Il joue au *Magicien d'Oz* derrière un rideau. C'est comme ça que l'organisation fonctionne. On ne parle pas de se faire remarquer ou de se la jouer, on parle d'argent et de pouvoir. »

Jeffrey s'appuya contre la banquette et regarda Nick remettre du sucre dans son café. « Et le shérif ?

— Valentine ? » Nick secoua la tête. « Aucune chance pour que ce soit Jake qui dirige tout ça. C'est trop élaboré. Celui qui tient les rênes, c'est quelqu'un qui a beaucoup de patience, une grande capacité de contrôle. »

Donc une personne plus âgée, plus mature. « Cook ?

— Je veux bien croire que Cook accepte de l'argent pour regarder ailleurs, mais de là à ce qu'il en fasse partie ! » Nick secoua de nouveau la tête. « Peut-être, mais ça m'étonnerait.

— Pfeiffer, alors ? Peut-être qu'il est devenu trop avide et que c'est pour ça qu'ils lui ont envoyé une bombe ?

— Ça tiendrait la route s'il y avait eu un vide. Tu sais comment ça se passe – tu fais dégager un type et tu vois tous les cafards se précipiter pour prendre sa place. Il n'y a rien eu de ce genre. De fait, si on regarde les degrés de pureté de la dope, on se rend compte qu'ils sont montés en flèche après le départ de Pfeiffer. »

Jeffrey savait que les organismes chargés de la surveillance des drogues évaluaient leur efficacité par rapport à la pureté de la marchandise vendue dans la rue.

Plus le produit était coupé, plus cela signifiait que les actions de la police étaient efficaces. Plus le produit était pur, plus il y avait de chances que les méchants soient en train de gagner la partie.

« Tu crois que ça représente combien d'argent ? demanda Jeffrey.

— Rien qu'à Elawah ? »

Jeffrey hocha la tête.

« Putain ! Plus d'argent que toi ou moi n'en verrons jamais, à moins que ce soit dans le coffre des pièces à conviction. Ils viennent d'intercepter un chargement à Atlanta. Ils ont attrapé deux types qui conduisaient un camion plein à craquer de crystal. Dans les journaux, ils affirment que la valeur marchande du chargement est supérieure à trois cents millions. »

Jeffrey ne parvenait pas à imaginer ce qu'une telle somme représentait. « Le shérif précédent – Pfeiffer. Pourquoi n'a-t-il pas fait appel au GBI ?

— Tu lui demanderas toi-même. » Nick sortit une feuille de sa poche arrière. « Quand tu m'as dit que tu étais à Reese, je me suis dit que tu aurais peut-être des questions auxquelles je ne pourrais pas répondre. Désolé, c'est mouillé, s'excusa-t-il en dépliant la feuille. Le vieux vit assez loin dans la cambrousse, alors tu auras besoin d'un plan. Je peux te prêter le mien, si tu promets de me le rendre. »

Jeffrey regarda l'adresse et s'aperçut que la ville se trouvait à au moins quatre heures de Reese. « Il n'a pas le téléphone ?

— Il est si loin de tout que je serais même étonné qu'il ait l'électricité. »

Jeffrey regarda de nouveau le bout de papier que Nick lui tendait. Elawah n'était pas son comté. Il ne connaissait pas les gens du coin. Jake Valentine n'avait pas dit qu'il avait besoin d'aide, et quand bien même, ce n'était pas à Jeffrey de voler à son secours. Il était là pour aider Lena, pas pour se battre contre un groupe de skinheads. Le problème, c'était qu'il n'avait pas d'autre piste. À part suivre l'idée de Sara et aller au palais de justice vérifier l'acte de propriété, aucune autre idée ne lui venait à l'esprit.

Sara. Il ne pouvait pas la laisser seule dans cette chambre de motel pendant qu'il faisait la route jusqu'à la frontière de la Floride. Sa présence pourrait rendre cette visite un peu moins formelle. Nick avait dit que Pfeiffer avait une femme. Sara pourrait tenir l'épouse à l'écart pendant que Jeffrey poserait quelques questions délicates au mari.

Nick lui tendait toujours la feuille. « Alors, mon vieux ? »

Jeffrey hésita de nouveau, repensant à la terreur dans la voix de Lena quand elle avait dit à Sara de quitter la ville. Il ne trompait personne, et certainement pas lui-même. « Je crois que je vais avoir besoin de ton plan. »

Lena

Chapitre 7

Le motel Home Sweet Home, dans la banlieue de Reese, avait été la seule solution pour Lena la nuit précédente. Le bâtiment carré de deux étages faisait penser à un décor de film d'horreur des années 60. Petite, déjà, elle l'appelait l'hôtel des Putes, le genre d'endroit où les gens qui ne voyaient pas l'intérêt d'apprendre à se connaître se retrouvaient pour baiser. À l'âge de seize ans, Lena avait fait semblant de perdre sa virginité dans cet endroit. Le type, Ben Carver, avait trente-deux ans, et c'était à peu près la seule chose qu'elle lui trouvait. Il était ennuyeux et bête, limite attardé, et elle était sur le point de mettre fin à leur relation quand Hank avait découvert qu'ils se fréquentaient. Hank lui avait alors interdit de revoir Ben, et la nuit suivante, Lena s'était retrouvée sur le dos à l'hôtel des Putes.

Elle n'aurait pas dit que c'étaient les trois minutes les plus ennuyeuses de sa vie, mais pas loin. Et on pouvait tranquillement affirmer que, quand Ben ne l'avait pas rappelée le lendemain, elle était loin d'avoir eu le cœur brisé. Lena avait eu trop peur pour penser à autre chose que sa crainte de tomber enceinte. Ben avait dit qu'il mettrait un préservatif, mais elle avait été trop gênée pour vérifier. Lena s'était trouvée totalement impuissante à ce sujet ; le seul pharmacien de la ville refusait de délivrer la pilule du lendemain. Pour autant qu'elle sache, c'était toujours le même homme qui tenait la pharmacie aujourd'hui. Elle était prête à parier que ce connard ne voyait aucun inconvénient à vendre du Viagra à dix dollars le comprimé aux hommes célibataires.

Non pas que les pilules contraceptives soient efficaces à cent pour cent. Il y avait toujours ce risque de moins d'un pour cent, la fois où la pilule ne fonctionnait pas, où le préservatif éclatait, et avant même de réaliser ce qui se passait, vous vous retrouviez assise sur une chaise en plastique dans une clinique à Atlanta, en attendant que votre nom soit appelé.

Lena se souvenait encore de cette journée dans tous ses détails – la matière des chaises, les affiches accrochées au mur. Hank l'avait attendue à l'extérieur, marmonnant dans sa barbe, faisant les cent pas sur le parking. Il n'était pas d'accord avec la décision de Lena, mais à sa manière maladroite et confuse, il l'avait soutenue à travers toute l'épreuve. « Je suis mal placé pour porter un jugement, lui avait-il dit. On fait tous des erreurs. »

Mais était-ce vraiment une erreur ? La plupart des gens étaient d'accord pour dire qu'on pouvait avorter en cas de viol, comme si le fait que la femme n'ait pas éprouvé de plaisir à l'acte sexuel les dédouanait de tous leurs scrupules éventuels à ce sujet. La relation que Lena entretenait avec Ethan était complexe : tumultueuse, violente, brutale… mais parfois, elle pouvait être tendre, amoureuse, presque affectueuse. La vérité, c'était que la plupart du temps, elle avait volontairement eu des rapports avec lui. La plupart du temps, elle avait posé ses mains sur son corps, l'avait accueilli dans son lit. Pouvait-elle remonter à la conception de leur erreur, déterminer une nuit en particulier, un moment en particulier, et dire si oui ou non l'acte avait été consenti ? Était-elle capable de faire la différence entre ses émotions selon qu'il la battait ou qu'il l'aimait ?

Pouvait-elle vraiment dire que leur bébé avait été une erreur ?

Lena s'assit dans le lit, elle ne voulait plus y penser.

Elle alla jusqu'au lavabo et sortit sa brosse à dents de son sac ; elle n'avait pas voulu la laisser sur le rebord la nuit dernière. Dieu seul savait ce que les gens avaient fait sur ce lavabo en plastique tout abîmé. La chambre était encore plus dégoûtante que dans son souvenir. La moquette collait à ses semelles quand elle marchait dessus et les draps du lit étaient tellement sales qu'elle avait dormi tout habillée. En fait, elle avait passé la nuit allongée, s'assoupissant et se réveillant sans arrêt, sursautant au moindre bruit, craignant que le vicieux veilleur de nuit n'utilise son passe pour venir la surprendre dans son sommeil. C'était exactement le genre d'endroit où ces choses-là arrivaient.

Elle avait dormi avec son arme à la main.

La photo du journal était gravée dans son esprit, et quand elle ne pensait pas à sa peur d'être violée et tuée, elle réfléchissait à sa mère, aux mensonges qu'on leur avait racontés, à elle et à Sibyl. Il était clair à présent qu'Angela Adams n'était pas morte après deux semaines de coma à l'hôpital. Elle avait vécu au moins six mois après la naissance de Lena et Sibyl. Le jour où la photo du journal avait été prise, elle les avait tenues dans ses bras, prenant la pose pour le photographe tandis qu'elle racontait au journaliste combien il était scandaleux que le meurtre de son mari n'ait pas été résolu. « J'aimais Calvin plus que ma propre vie, déclarait-elle. Il devrait être ici, le père de ces deux merveilleux bébés. »

Ses mots étaient un peu mielleux au goût de Lena, mais l'intention l'avait touchée. Sa mère les avait aimées. Elle avait été effondrée après la mort de leur père. Elle les avait tenues dans ses bras.

Lena marchait dans la chambre tout en se brossant les dents. Quand Angela était-elle vraiment morte ? Et comment ? Hank avait dit que la brute épaisse qui était sortie de chez lui était l'homme qui avait tué Angela Adams. Avec la drogue, Hank avait baissé la garde, et Lena était convaincue qu'il avait dit la vérité, ou du moins, la vérité telle qu'elle lui apparaissait.

Mais avait-il voulu dire que l'homme avait vraiment, physiquement tué sa mère ? Il était sans aucun doute assez vieux pour avoir été dans les parages quand Calvin Adams avait été assassiné. Était-ce lui qui avait commandité le meurtre de Calvin toutes ces années auparavant, laissant Angela seule, sans mari et avec deux filles jumelles à élever ? Était-ce trop lourd à porter pour elle ? Est-ce que le suicide lui avait semblé être la seule issue, le seul moyen de ne plus souffrir ? Lena aurait pu le comprendre. À plusieurs reprises, elle-même avait envisagé cette solution.

Si c'était un suicide, cela pouvait expliquer pourquoi Hank avait menti sur le moment et les circonstances de la mort d'Angela. Il n'avait pas voulu que les filles portent le poids du suicide de leur mère. Ça aussi, Lena aurait pu le comprendre, à défaut de le pardonner. Au moins, les mensonges auraient eu une certaine logique.

Si sa mère s'était suicidée, cela expliquerait aussi que Hank essaie de faire la même chose. Lena l'avait vu de nombreuses fois au cours de sa carrière : le suicide était de famille. Et il n'y avait pas l'ombre d'un doute : si Hank continuait à ce rythme-là, il serait mort avant la fin du mois. Ce qu'il était en train de se faire à lui-même, il le faisait de manière parfaitement délibérée. Lena avait toujours pensé que Hank était un survivant. Si l'on s'injectait des saloperies dans les veines pendant vingt ans et qu'on continuait à respirer, c'est qu'on n'avait pas envie de mourir. Et si, subitement, on cessait de s'accrocher à la vie par le bout des doigts, c'était que quelqu'un vous avait donné une sacrée bonne raison de lâcher prise.

Lena cracha dans le lavabo, puis se servit d'une bouteille d'eau pour se rincer la bouche.

Hank avait toujours été prudent, comme s'il avait été capable de faire la distinction entre l'usage et l'abus de drogues. Malgré tous ses comas et ses plaies ouvertes, il faisait attention à une chose. Si les amphétamines étaient sa religion, on pouvait dire qu'il priait à l'autel de ses veines. C'est par là que la drogue pénétrait dans son corps, et il faisait preuve d'une grande rigueur dans les soins qu'il leur apportait. Il ne faisait jamais bouillir le produit avec la seringue avec laquelle il se piquait, parce que la cuiller ou le coton risquaient d'endommager l'extrémité, entraînant une cicatrice plus grande. Il utilisait toujours des aiguilles neuves, des tampons désinfectants stériles, ainsi que de la vitamine E pour minimiser les marques. Il ne fumait pas avant de se piquer, parce que cela rendait les veines plus difficiles à trouver et augmentait le risque de se piquer au mauvais endroit.

Parfois, évidemment, ses besoins prenait le pas sur sa raison ; en témoignaient ses bras couverts de cicatrices et la perte occasionnelle de toute sensibilité dans ses pieds et ses mains parce que ses veines étaient trop abîmées pour irriguer ses extrémités. Mais pour un drogué, il avait toujours été assez prudent.

Jusqu'à maintenant.

Lena ouvrit le robinet de la douche, puis changea d'avis, se disant qu'elle se sentirait sans doute encore plus sale si elle posait ses pieds nus dans la baignoire grise et tachée. Elle vérifia que le verrou de la porte était bien fermé, puis se déshabilla à la hâte pour enfiler des sous-vêtements propres avant de remettre le jean de la veille. Elle trouva un t-shirt dans son sac, et garda les yeux rivés sur la porte en l'enfilant.

Hank ne lui dirait rien. Il avait été très clair à ce propos la veille. Quelles que soient ses raisons, elle savait qu'il était têtu – aussi têtu qu'elle. Quoi qu'elle puisse dire, qu'elle le supplie ou le maltraite, il ne lui parlerait pas s'il ne l'avait pas lui-même décidé. Et à voir sa tête la veille, à moins d'un miracle, il y avait fort à parier qu'il emmènerait ses secrets dans sa tombe.

Lena aperçut son reflet dans le miroir au-dessus de la commode. Il était orienté vers le lit, les coins décorés de pattes d'araignée pour donner une impression de dentelles. Elle ne voyait plus Sibyl quand elle se regardait dans le miroir. Sibyl était à jamais prisonnière d'un temps qui l'empêchait de vieillir. Elle n'aurait jamais de petites rides autour des yeux, ni de cicatrice sur la tempe gauche. Elle n'aurait pas de cheveux gris, comme ceux que Lena avait découverts dans le miroir de sa salle de bains la semaine précédente, et qu'à sa grande honte elle avait arrachés à l'aide d'une pince à épiler. Même si elle avait vécu, Sibyl n'aurait jamais eu cette dureté dans les yeux, ce regard froid et indifférent qui semblait mettre le monde entier au défi.

Sibyl ne saurait jamais que leur mère avait vécu plus longtemps, en tout cas assez longtemps pour les tenir dans ses bras. Elle ne saurait jamais que, comme Lena l'avait toujours prédit, Hank s'était laissé vaincre par son addiction. Et elle n'irait jamais sur sa tombe lui reprocher sa faiblesse.

Hank allait mourir. Lena savait qu'il n'avait aucune chance de s'en sortir sans intervention médicale. Pourtant, chaque fois qu'elle pensait à lui, elle voyait non pas le Hank des vingt-cinq dernières années, le participant assidu des réunions des Alcooliques Anonymes qui accourait auprès de Lena dès qu'elle le sifflait, mais le drogué de son enfance, le shooté qui préférait sa seringue à ses nièces. Quand Lena pensait à sa déchéance, elle ressentait la colère que seul un enfant peut ressentir pour ses parents : tu es la seule chose que j'aie dans la vie, et tu m'abandonnes au profit d'une drogue qui nous détruira tous.

Voilà ce que les drogués ne voyaient pas. Non seulement ils foutaient en l'air leur propre vie, mais celles de tous ceux qui les entouraient. Lena se souvenait de certaines nuits de son enfance où, agenouillée à côté de son lit, elle avait prié pour que Hank finisse enfin par se louper, pour que l'aiguille pénètre trop profondément, que la drogue soit trop puissante, qu'il meure. Elle s'était imaginé leur adoption, une mère et un père qui prendraient soin d'elle et de Sibyl, un toit décent, une vie ordonnée, et sur la table de la nourriture qui ne sortait pas de boîtes de conserve. En voyant Hank maintenant, en voyant l'état dans lequel il se trouvait, Lena ne pouvait s'empêcher de repenser à ces nuits d'insomnie.

Et une partie d'elle-même, une très grande partie, lui disait de le laisser mourir.

Lena s'assit sur le lit pour attacher ses baskets. Penser à Hank ne la mènerait nulle part, sauf dans son lit pour se morfondre. Elle ne savait pas bien ce qu'elle comptait faire aujourd'hui, mais sa priorité pour l'instant était de sortir de cette chambre minable. Les archives microfilms de la bibliothèque n'allaient pas plus loin que 1971. Les bureaux du journal se trouvaient dans l'arrière-boutique d'une compagnie d'assurances, de sorte que Lena ne pensait pas qu'ils y conservaient des archives. Elle essaierait néanmoins de prendre contact avec le rédacteur en chef de l'hebdomadaire, un homme dont le travail à plein temps consistait à recenser les chiens écrasés du coin.

Lena pensait pouvoir retrouver l'acte de décès de sa mère par le biais de l'administration, mais elle aurait besoin du numéro de sécurité sociale d'Angela, de son lieu de naissance, ou du moins de sa dernière adresse connue pour effectuer cette recherche. Elle connaissait la date de naissance de son père et de sa mère, puisqu'elles figuraient sur son acte de naissance, mais au-delà de ces renseignements, rien. L'hôpital avait peut-être conservé une adresse de facturation ou toute autre information pertinente, mais il lui faudrait un mandat pour y accéder. Elle avait pensé à essayer le palais de justice du comté, mais à en croire le message de leur répondeur, il était fermé pour cause de travaux d'élimination de l'amiante.

Puisque le motel se trouvait juste à côté du bar de Hank, Lena décida de commencer par là. D'un point de vue strictement technique, le Hut se trouvait à l'extérieur des limites de Reese. Comme de nombreuses petites villes d'Amérique, Elawah était un comté « sec », où l'alcool était prohibé. Pour en acheter, il fallait passer la frontière et se rendre à Seskatoga, ce qui expliquait pourquoi les services du shérif passaient la majeure partie de leur week-end à ramasser des jeunes sur la route qui menait hors de la ville.

Lena ouvrit la porte de sa chambre et ferma aussitôt les yeux à cause de la luminosité soudaine. Elle cligna plusieurs fois des yeux pour récupérer sa vision, le regard fixé sur le béton du balcon. Et juste à gauche de son pied, elle vit un petit X rouge, tracé à la craie, d'environ sept ou huit centimètres carrés.

Elle s'accroupit, fit glisser ses doigts sur la marque rouge en se demandant si elle se trouvait là à son arrivée la veille. Il faisait nuit, mais la vieille enseigne éclairait suffisamment. Cependant, Lena n'avait pas regardé par terre en rentrant dans sa chambre. Elle s'était concentrée sur l'essentiel : rentrer son sac, trouver sa brosse à dents, s'effondrer sur le lit.

Lena regarda le bout de ses doigts et vit que la craie avait déteint sur sa peau. Cette marque sur le sol ne voulait rien dire, si ce n'est que la femme de ménage ne faisait pas son travail. À voir l'état de la chambre de Lena, on ne pouvait pas dire que le personnel d'entretien était méticuleux.

Lena regarda néanmoins autour d'elle en se relevant. Personne ne lui sauta dessus ; elle s'approcha du balcon et examina le parking. À part une moto garée sur une place réservée aux handicapés, il n'y avait que sa Celica.

Elle regarda de nouveau par terre. Un X. Pas une croix gammée, pas une croix. Juste un X rouge pour marquer l'endroit.

Lena s'essuya les mains sur son pantalon en avançant vers les escaliers, les yeux toujours rivés sur le sol, cherchant d'autres signes, essayant de voir si les autres chambres aussi avaient été marquées. Mais il n'y avait rien d'extraordinaire, juste des mégots de cigarette, des détritus et quelques feuilles mortes, même si l'arbre le plus proche du motel se trouvait environ 30 mètres plus loin, dans la forêt qui s'étendait derrière le bâtiment.

Elle s'arrêta à la réception pour prendre un café. Un pot rempli de monnaie était posé sur le bureau, et une petite pancarte indiquait qu'il fallait payer cinquante cents pour une tasse de café. Lena laissa tomber un dollar dans le pot et se servit une tasse en regardant le parking.

« Belle matinée », dit une voix d'homme. Elle se tourna vers le comptoir ; ce n'était pas un homme, mais un adolescent – le petit roux qui se prenait pour un caïd qu'elle avait vu la veille dans la Mustang devant l'école.

« Tu ne devrais pas être en classe ? lui lança-t-elle.

— Emploi du temps aménagé pour travailler », répondit-il en s'appuyant contre le mur. Son tee-shirt était tellement grand que les coutures des épaules lui arrivaient aux coudes. Il avait un peu de ventre, mais à voir la taille de ses mains et de ses pieds, elle se dit qu'il le perdrait au cours des prochaines années, en grandissant. Il garderait néanmoins ses cheveux poil de carotte et ses taches de rousseur ne disparaîtraient pas.

« Moi, c'est Rod, lui dit-il. Vous voulez des bonbons d'Halloween ?

— Non. » Lena se souvint des décorations de la bibliothèque. Halloween avait eu lieu deux jours plus tôt. Elle ne savait même plus quel jour on était.

« Vous êtes flic ? »

Pour l'incognito, c'était raté. « Pourquoi tu dis ça ?

— Vous parlez comme un flic. »

Elle prit une gorgée de café qu'elle dut se retenir de recracher aussitôt. « Et tu sais comment les flics parlent ?

— Je l'ai vu à la télé. »

Lena prit sa monnaie dans le pot. « Tu ne devrais pas croire tout ce que tu vois à la télé.

— Junior la regarde toute la nuit », dit-il, faisant probablement référence à l'employé qui l'avait dévisagée la veille, quand elle était arrivée, comme si c'était la première femme qu'il voyait de sa vie. « Il cache des magazines porno sous le canapé. M. Barnes ne le sait pas. C'est le propriétaire. » Le gamin lui fit un grand sourire. « Vous pouvez les voir, si ça vous dit.

— Ouais, c'est ça. » Elle fit mine de partir, puis changea d'avis, se disant qu'elle pouvait toujours essayer. « Eh ! » L'adolescent était toujours appuyé contre le mur, à attendre. « J'ai vu un homme l'autre jour, commença-t-elle, la tasse de café posée sur la poignée de la porte, prenant un air dégagé. Il avait une croix gammée tatouée sur le bras. »

Le gamin se redressa. Sa voix grimpa soudain de trois octaves. « Une croix gammée comme Hitler ?

— Ouais.

— Cool.

— Tu trouves ça cool ?

— Ben, ouais. Enfin, je veux dire, non, c'est évidemment mal, quoi. » Il s'appuya de nouveau contre le mur. « Je veux dire que c'est cool pour lui, qu'il ait pas honte. » Il baissa la voix. « Il y a des gens dans cette ville qui ont des draps blancs dans leurs placards.

— Comme qui ?

— Eh bien… » Le gamin se rendit compte qu'il avait peut-être un coup à jouer. « Venez, rentrons dans le bureau pour parler calmement.

— C'est ça, rappelle-moi plutôt quand tu auras des poils aux couilles. » Lena poussa la porte juste au moment où une femme entrait.

« Bon sang ! » s'écria la femme tandis que le café de Lena coulait sur le devant de sa blouse. Elle était plus âgée, ses cheveux poivre et sel retenus par un bandana bleu. Elle était menue aussi, à peu près de la taille de Lena, et folle de rage. « Mais putain ! Regardez ce que vous faites !

— Désolée, s'excusa Lena, mais la femme continuait de jurer, comme si elle l'avait fait exprès.

— Allez vous faire foutre », aboya-t-elle en poussant Lena pour passer. Elle disparut dans le bureau en claquant la porte si fort que les cadres accrochés au mur en tremblèrent.

Lena demanda au gamin qui se tenait toujours derrière le comptoir : « C'est quoi, son problème ?

— C'est la femme de ménage. »

Cela expliquait pourquoi le motel était un tel gourbi. « Elle est toujours aussi aimable ? »

Poil de Carotte haussa les épaules, encore vexé par la réplique de Lena. « C'est pas mon problème. »

Lena quitta les lieux, mal à l'aise vis-à-vis de la femme de ménage ; elle aussi aurait été de mauvaise humeur si elle avait été obligée de travailler dans ce dépotoir. C'était une chose de faire des boulots de merde quand on était jeune, mais cette femme devait avoir près de soixante ans. Elle aurait dû être en train de se la couler douce en Floride au lieu de nettoyer les chambres de ce motel pour un salaire de misère.

Lena traversa le parking, regrettant de ne pas avoir enfilé une veste avant de sortir, mais elle n'avait pas envie de retourner dans sa chambre minable pour en prendre une. La brume s'effaçait déjà sous les rayons du soleil, et elle savait que dans quelques heures à peine, elle serait contente d'être en tee-shirt.

Elle vida le reste de son café dans une grille d'égout en traversant la route, jetant tout de même un coup d'œil par terre pour voir si l'infâme breuvage ne faisait pas fondre le béton. Il y avait une épicerie bon marché juste à côté de l'hôtel, en face du bar de Hank. Elle jeta le gobelet vide à la poubelle et entra dans le magasin, qui en fait d'épicerie vendait surtout de la bière pas cher. Elle s'était souvent glissée hors de la maison de Hank, le soir, pour aller traîner derrière le magasin avec les autres cancres du lycée.

À l'intérieur, la climatisation tournait déjà à plein tube, en prévision de la chaleur de la journée. Lena passa devant la machine à café et prit un Coca. Au moment de payer, elle eut vaguement le sentiment qu'elle connaissait la caissière, sans doute du lycée, mais aucune des deux n'avait envie d'entamer la conversation. Lena fit tomber sa petite monnaie dans le gobelet et sortit par le chemin qu'elle avait pris pour rentrer.

Elle était sur le trottoir, attendant une éclaircie dans la circulation pour traverser. Le motel se trouvait juste en face, et elle vit que des voyous avaient fait preuve de beaucoup de créativité en détruisant les luminaires de l'enseigne, de sorte que, quand il faisait noir, Home Sweet Home deviendrait Ho eet me [1]. Qu'avaient-ils fait d'autre ? Étaient-ce les mêmes qui avaient tracé le X rouge devant la porte de Lena ? Cette marque la perturbait. Elle se demandait depuis combien de temps elle était là et si quelqu'un essayait de lui faire passer un message. Si c'était le cas, elle ne le comprenait pas. Elle regarda autour d'elle, attendant qu'un camion passe pour traverser ; elle frissonna ; elle avait l'impression d'être observée.

D'un air aussi naturel que possible, elle regarda par-dessus son épaule. La caissière de l'épicerie était en train de regarder par la fenêtre.

Candy, se souvint Lena. Elle s'appelait Candy. Les autres l'appelaient « Corny », parce que quelqu'un avait dit qu'elle marchait comme si elle avait une boîte de corn-flakes enfoncée dans le cul.

Parfois, elle se disait que pour rien au monde elle ne voudrait revenir à l'époque du lycée.

---

1. Autrement dit, *Ho eat me* : littéralement, « Pute mange-moi » *(NdT)*.

Il n'y avait plus de voitures, et elle ouvrit son Coca en traversant la route, se demandant comment le bar merdique de Hank avait bien pu payer les études de Sibyl et, plus souvent qu'elle ne voulait l'admettre, payer les cautions pour libérer Lena. Le Hut était un bar de trois heures, c'est-à-dire le genre d'endroit où tout le monde commençait à être en forme autour de trois heures du matin. Le désespoir couvait ici comme un nuage noir, et elle réprima un frisson en s'approchant du bâtiment.

Il n'y avait pas d'enseigne devant le bar, tout le monde savait ce que c'était. Le toit était en chaume sur le devant, mais des parasites l'avaient attaqué une quinzaine d'années plus tôt, et Hank n'avait pas pris la peine de s'en occuper. Des lampions orange et rouges ornaient la porte d'entrée, peinte pour donner l'impression qu'elle était faite de paille. Les murs extérieurs étaient décorés dans le même style mais le revêtement était tellement abîmé qu'il était impossible de deviner ce que cela représentait, à moins que quelqu'un ne vous donne un indice. Des fenêtres couraient sur toute la longueur, mais il y avait si longtemps qu'elles avaient été peintes en noir qu'on aurait dit du bois pourri.

Le scotch jaune que les autorités avaient collé en travers de la porte était la seule chose qui paraissait neuve. Hank ne lui avait pas dit que le bar avait été fermé. Il n'y avait que deux raisons possibles à une visite du Bureau chargé des affaires relatives à l'Alcool, au Tabac et aux Armes à feu : Hank avait été attrapé soit pour vente d'alcool à des mineurs, soit pour trafic de drogue.

Lena essaya d'ouvrir la porte, mais elle était fermée. Elle passa la main sur le montant, cherchant le double des clés, mais il avait disparu.

Elle laissa tomber et fit le tour du bâtiment par le côté. De toute façon, elle n'avait pas besoin de rentrer à l'intérieur. Le bureau de Hank, qui ressemblait plus à des toilettes en préfabriqué, se trouvait derrière le bar, près d'un petit cours d'eau.

Lena essaya d'ouvrir la porte de la cabane, par acquit de conscience, mais elle était fermée à clé. Hank avait dû la fermer lui-même ; il n'y avait pas de scotch officiel. Les fédéraux n'avaient sans doute pas pris la peine de demander un mandat. Le trafic de drogue à l'intérieur de l'établissement suffirait à faire la une.

Elle posa son Coca par terre et appuya ses mains contre la petite fenêtre qui se trouvait sur l'une des parois, du côté de la rivière, mais elle ne bougea pas. Avec une pierre, elle parvint à ses fins, et la vitre se brisa en mille morceaux, quelques éclats atterrissant même dans sa canette. Lena ramassa un bâton et s'en servit pour dégager le verre brisé. Mais l'idée de grimper par la fenêtre sans savoir ce qui l'attendait à l'intérieur ne l'enchantait pas. De plus, elle était assez haute, sans doute trop haute pour qu'elle parvienne à l'atteindre sans l'aide d'une échelle. Elle avait sans doute déjà fait des choses encore plus bêtes, mais sur le moment, elle ne parvenait pas à se rappeler quoi.

De frustration, elle donna un coup de pied au mur, furieuse contre elle-même et cette situation débile. Un bruit creux ; elle continua à donner des coups de pied jusqu'à ce que le bois finisse par craquer. Encore quelques coups de pied, et un joli trou était apparu dans la cabane. Elle grinça des dents en s'approchant pour enlever l'isolant rose, éternua à cause de la poussière, et se demanda si elle était en train de respirer de l'amiante. Il y avait des taches noires de moisissures et d'excréments d'animaux auxquels elle n'avait même pas envie de penser, et elle retira une quantité suffisante de fibre de verre pour exposer l'envers du lambris intérieur du bureau. Elle donna de nouveau des coups de pied pour faire sauter le lambris, qui céda avec des bruits de craquement.

Quelques minutes plus tard, Lena se trouvait dans le bureau de Hank.

Elle épousseta son jean en regardant autour d'elle, essayant de trouver l'interrupteur. Elle enleva une toile d'araignée, puis se rendit compte qu'il s'agissait en réalité du fil qui commandait la lampe suspendue au plafond. Elle tira sur la corde, et l'ampoule grésilla, s'alluma un instant, puis s'éteignit en claquant.

Lena jura de nouveau. Elle avait une lampe de poche dans sa voiture, mais n'avait pas envie de retourner la chercher. Elle profita de la lumière qui filtrait par la fenêtre cassée pour chercher plutôt les ampoules de rechange que Hank rangeait dans un tiroir de son bureau. Il avait lui-même fait les raccordements électriques, à l'aide d'une rallonge de trente mètres qu'il avait fait passer dans un tube en métal et branchée à l'extrémité du bar. Ce n'était pas la première fois que l'ampoule grillait. Elle trouva le stock d'ampoules dans le tiroir du bas et la changea, en essayant de ne pas penser à ce que ses mains pourraient trouver dans le noir. Les débris de verre crissèrent sous ses pieds tandis qu'elle dévissait l'ampoule, la douille craqua quand elle essaya de la visser droit. Finalement, la lumière jaillit, et sous l'effet de la soudaine chaleur, elle retira sa main d'un geste vif.

Elle n'était pas paranoïaque. Hank avait failli s'électrocuter plusieurs fois en changeant l'ampoule.

Lena observa la pièce étouffante, dont les murs étaient recouverts de posters de fabricants de bière et d'alcool. Des femmes à moitié dénudées la regardaient, la plupart d'entre elles en train de sucer les bouteilles qu'elles tenaient à la main. Des cartons remplis de documents administratifs qui dataient de l'inauguration du bar étaient empilés contre le mur du fond, ce qui laissait un espace d'environ trente mètres carrés dans lequel se trouvaient un bureau et deux tables. Des piles de factures étaient rangées dans des cartons de chaussures éparpillés autour du bureau.

Six ans plus tôt, Lena s'était trouvée assise sur l'une de ces horribles chaises blanches et avait bu de telles quantités de Jack Daniels qu'elle s'était rendue malade, pour essayer de trouver le courage de lui annoncer que Sibyl était morte.

Était-ce à ce moment-là qu'il avait recommencé à prendre de la drogue ? Était-ce l'annonce de la mort de sa petite fille adorée, sa nièce préférée, qui avait finalement eu raison de lui ?

Ou est-ce que tout avait commencé six mois plus tôt, quand Hank avait accompagné Lena à la clinique se faire avorter ? Il était resté à l'extérieur, fumant cigarette sur cigarette, écoutant les manifestants en colère qui agitaient leurs atroces pancartes sur l'enfer et la damnation, et qui condamnaient Lena et toutes les autres, affirmant qu'elles iraient en enfer pour leurs péchés.

Était-ce elle qui lui avait fait ça ? Les actions de Lena avaient-elles contribué à enfoncer l'aiguille dans son bras ?

Le type à la croix gammée rouge y avait aussi contribué – elle en était convaincue. Il fallait que Lena retrouve cet homme, qu'elle découvre pour qui il travaillait. Les types comme lui n'étaient que du muscle. Il y avait un cerveau quelque part, et une fois que Lena l'aurait trouvé, elle mettrait le feu à sa putain de maison, avec lui à l'intérieur.

Lena s'assit dans la chaise de Hank, qui craqua comme les gonds d'une vieille porte de grange. Le premier tiroir du bureau était fermé à clé. Elle sortit son couteau de sa poche arrière et ouvrit la lame du manche blanc perle. La serrure sauta assez facilement. Dans le tiroir, elle trouva le chéquier professionnel de Hank, quelques billets d'entrée gratuite au casino Harrah's, dans les montagnes, et le double des clés du bar. Les grands tiroirs contenaient des dossiers qui semblaient surtout concerner les affaires courantes du bar. Distributeurs d'alcool, bulletins de salaire, déclarations fiscales, papiers des assurances. Elle feuilleta le chéquier et constata que le dernier bilan datait de trois semaines. À ce moment-là, il avait six mille dollars sur son compte.

À quelle date le bar avait-il été fermé ? Il faudrait qu'elle se renseigne auprès des services du shérif. Elle se demandait si ce vieux salopard d'Al Pfeiffer était toujours en poste, et elle sourit à l'idée de rentrer dans son bureau et de brandir son insigne doré sous le nez de ce connard. Pfeiffer avait un truc avec les jeunes filles. Il les arrêtait pour excès de vitesse et les fouillait tant et si bien qu'il arrivait à dix centimètres de leurs ovaires. Il avait arrêté Lena une fois, et avait pris quelques libertés avec elle avant qu'elle ne se rende compte de ce qu'il était en train de faire et lui donne un coup de genou dans l'entrejambe. Pfeiffer l'avait fait enfermer dans une cellule sans l'inculper ni l'autoriser à passer un coup de téléphone. Elle y était restée pendant six heures, jusqu'à ce que Hank arrive au commissariat pour signaler sa disparition.

Son visage. Mon Dieu, elle se souvenait encore de l'expression de Hank. Pendant une fraction de seconde, quand elle était sortie de sa cellule, ses yeux s'étaient emplis de larmes, sa bouche s'était entrouverte et il avait émis une sorte de sanglot, juste avant de se rendre compte qu'elle allait bien. Tout aussi vite, son expression était devenue colérique, et il lui avait donné une tape sur la tête en lui demandant ce qui lui avait pris de se mettre dans des situations pareilles, pour qui elle se prenait pour être aussi insolente avec la police. Il n'avait pas voulu entendre ce qu'elle avait à dire. Pfeiffer était l'un de ses potes des AA ; Hank l'avait remercié de ne pas porter plainte contre elle.

Et pourtant, l'expression de son visage…

Lena avait vu la même transformation un nombre incalculable de fois, à tel point qu'elle pensait que Hank était quasiment schizophrène. Il était le tuteur aimant, qui aurait fait n'importe quoi pour elle, et l'instant d'après, il devenait le gardien sévère et irascible qui menaçait de la battre jusqu'au sang.

Et maintenant, voilà qu'il était redevenu le drogué, revenu à son ancien rôle en attendant que le rideau retombe.

Elle posa les coudes sur la table et laissa tomber sa tête dans ses mains. La cabane était une vraie fournaise et elle sentait la transpiration lui couler le long du dos jusqu'à la bordure de son jean. Elle resta néanmoins assise, la chaleur enveloppait son corps, l'eau de la rivière était un murmure constant, elle pensait à Hank, à la manière dont il lui était apparu dans la douche, aux mots durs qu'il avait utilisés pour lui dire de s'en aller.

Cette désintégration avait forcément une explication. La fermeture du bar l'avait-elle projeté dans une spirale infernale ? Était-ce à cause de cela qu'il avait replongé ? Lena jeta un regard circulaire au bureau exigu, en essayant de se mettre dans la tête de Hank. Il n'avait pas d'affection pour cet endroit. Il avait toujours considéré le Hut comme un moyen de gagner de l'argent, rien de plus. Il tirait un plaisir presque pervers de son statut d'alcoolique repenti et du courage qu'il lui fallait pour passer ses journées cerné par l'alcool sans pour autant y toucher. Est-ce que cela avait été une béquille pour lui toutes ces années ?

Elle repoussa la chaise du bureau, et son pied glissa sur une feuille de papier. Lena se baissa pour la ramasser, mais se figea en voyant la feuille bleu clair posée sur le sol en béton. L'écriture était belle et ronde, de celle que l'on apprenait à l'école à l'époque où c'était encore important. Elle aurait facilement pu lire ce qui était écrit à cette distance, mais elle la ramassa tout de même et s'enfonça dans la chaise pour l'étudier de près. Elle fut obligée de la lire deux fois avant que les mots commencent à prendre leur sens.

Lena fouilla dans le bureau pour trouver les autres pages de la lettre. Elle déplaça les boîtes à chaussures et trouva trois nouvelles pages, et encore quelques-unes qui étaient tombées derrière le bureau. Quand elle assembla tous les feuillets, elle s'aperçut qu'il n'y avait pas seulement une lettre, mais trois, toutes datées des deux derniers mois. Elle les lut, avec la nette impression d'être en train de lire le journal intime de quelqu'un. Par endroits, les lettres étaient banales, avec des détails concernant les courses ou le retour des enfants de l'école. À d'autres endroits, les lettres étaient intenses et très intimes, le genre de choses que l'on ne partageait qu'avec un ami très proche.

Quand elle eut terminé, Lena posa sa main à plat sur le tas de lettres, les doigts écartés, comme pour en deviner le sens profond.

Comment avait-elle pu être aussi aveugle ?

Mardi après-midi

Chapitre 8

Al Pfeiffer vivait dans la partie de l'État de Géorgie la plus éloignée d'Elawah County. Dug Rut était une ville frontalière en bordure du marais d'Okefenokee ; cette petite expédition emmènerait donc Jeffrey et Sara dans une zone humide et primitive, surtout connue pour ses alligators et ses moustiques, aussi dangereux les uns que les autres. Au lycée, Jeffrey et deux de ses copains avaient prévu de prendre quelques semaines, pendant les vacances d'été, pour explorer le marais, mais cette année-là fut aussi celle de la sortie de *Délivrance*, et même si le film avait été tourné dans les montagnes du nord de la Géorgie, il suffisait à dégoûter n'importe qui des joies du canoë.

Quoi qu'il en soit, Jeffrey se souvenait de certaines choses qu'il avait lues à l'époque sur le marais. Il savait que les fleuves Suwannee et St. Marys y prenaient leur source, le premier s'en allant vers le golfe du Mexique, l'autre vers l'océan Atlantique. Des centaines d'oiseaux et de mammifères en voie de disparition vivaient sur la réserve naturelle, et la faune était de celles qu'on aurait pu voir dans un film de science-fiction. Le lieu était aussi isolé qu'éloigné, et les familles pouvaient y vivre et y mourir sans être jamais entrées en contact avec le reste du monde. Au début du XXe siècle vivaient des gens dans le marais qui ne savaient pas que la guerre de Sécession était terminée. Et quand la nouvelle leur était parvenue, ça n'avait pas vraiment bouleversé leur existence.

Le trajet fut assez silencieux. Sara n'avait pas eu grand-chose à dire quand Jeffrey était rentré au motel. Curieusement, elle avait donc nettoyé la salle de bains, chose qu'elle ne faisait que rarement à la maison, à moins d'être en colère contre Jeffrey ou si sa mère devait venir. Elle avait eu l'air fière d'avoir réussi à faire briller la vieille robinetterie pourrie. Quant à Jeffrey, il avait fixement regardé la baignoire en pissant, se retenant pour ne pas y diriger le jet pour gâcher le travail de Sara. S'il avait voulu une femme qui prenait son pied à nettoyer des chiottes, il aurait épousé sa copine du lycée, en Alabama.

Sara avait poliment écouté tandis que Jeffrey lui rapportait ce qu'il avait appris de Nick au sujet de la Fraternité, le commerce du crystal qui s'étendait le long de la côte est, la possibilité qu'Elawah constitue un arrêt le long de la route du cartel. Elle avait hoché la tête, mais n'avait pas exprimé son point de vue. Elle ne lui avait pas demandé ce qu'il attendait de sa visite à Al Pfeiffer ni comment tout cela était lié à Lena. Une partie de lui espérait qu'elle le ferait. En en discutant avec Sara, il aurait peut-être compris.

Au bout de deux heures de route, Jeffrey n'était même plus certain de se trouver encore en Géorgie. Les plants de kudzu et les pins noueux avaient cédé la place au sable et aux palmiers. Quand il baissa la vitre, il sentit une légère brise marine, mélangée à une odeur âcre de merde, et en déduisit qu'il se trouvait non loin d'une usine à papier. Une heure plus tard, il suivit une petite route qui s'enfonçait dans les terres, vers la partie de la Géorgie qui s'enfonçait dans la Floride le long du St. Marys. Il discernait à peine la route maintenant. Le pare-brise de la voiture était recouvert de toutes sortes de traces laissées par les insectes qui avaient volé droit dans la vitre, certains aussi gros que son poing.

Jeffrey allait s'arrêter pour consulter la carte que lui avait prêtée Nick quand il remarqua autour de lui les signes indiquant habituellement qu'on se trouvait à la frontière séparant deux États du Sud : cacahuètes chaudes bouillies, produits frais, feux d'artifice, filles dénudées, classées XXX. Sara dit qu'elle avait besoin d'aller aux toilettes ; Jeffrey s'arrêta sur l'aire de repos, côté Floride. Il sortit de la voiture pour se repérer, mais remonta rapidement : la chaleur était insoutenable. Il tenta de se rappeler l'époque où il était enfant, quand la première semaine de novembre signifiait qu'on se couvrait et qu'on espérait qu'il allait bientôt neiger pour ne pas aller à l'école.

Dans la voiture, Jeffrey mit le contact et poussa la climatisation, laissant la brise artificielle lui rafraîchir le visage. Il ouvrit de nouveau la carte et l'étala sur ses genoux, retraçant le chemin à suivre, déchiffrant à grand-peine les annotations de Nick, là où l'agent du GBI avait indiqué des routes et des points de repère que le cartographe avait soit oubliés, soit jugés sans importance. Cependant, Nick n'avait jamais rendu visite à Al Pfeiffer, et ses indications ne conduisaient qu'à Dug Rut, pas jusqu'à la maison de Pfeiffer. Il ne disposait que d'un nom de rue : 8 West Road Six. C'était un bon début, mais il aurait besoin de plus de précisions.

Sara revint à la voiture et lui tendit une bouteille d'eau.

« Merci.

— Je t'en prie. »

Il la regarda fixement, essayant de trouver quelque chose à dire.

Elle indiqua la carte. « Tu sais où tu vas ?

— Je vais devoir m'arrêter à la station d'essence un peu plus près de la ville pour voir s'ils peuvent me donner des indications plus précises.

— OK. » Elle tira sur sa ceinture de sécurité et l'attacha.

Jeffrey attendit, mais elle ne dit rien d'autre. Il lui tendit la carte. Elle la replia tandis qu'il faisait marche arrière pour sortir du parking.

Jeffrey reprit la voie rapide et suivit les panneaux qui indiquaient Dug Rut. Environ un kilomètre après avoir quitté la route principale, il comprit d'où venait le nom de la ville[1]. Les terres faisaient manifestement partie du système de canalisations construit au début du XXe siècle pour tenter de drainer le marais. Le Central Park de New York avait subi le même destin, mais l'Okefenokee s'était révélé trop difficile à éliminer. Les rares marais qui subsistaient aux États-Unis faisaient probablement partie des seuls endroits encore existants où l'homme pouvait vivre uniquement grâce à la terre, en tirant d'elle ce dont il avait besoin – nourriture, logement, médicaments, l'eau potable la plus pure du monde. Jeffrey se demandait combien de temps il faudrait avant qu'ils ne soient tous détruits.

Le centre-ville de Dug Rut n'avait vraiment rien de particulier. Un bar, un bureau de poste, rien de plus. Les quelques boutiques qui longeaient la rue principale étaient toutes fermées, les propriétaires n'avaient même pas pris la peine d'accrocher des pancartes de mise en location dans les vitrines. L'endroit dégageait

---

1. *Dug rut* : littéralement, « canal creusé » *(NdT)*.

quelque chose de triste, et tout en brûlant un stop, Jeffrey se mit à désespérer de trouver une station-service.

Il fit demi-tour au milieu de la route et retourna vers le bureau de poste. Sara ne bougea pas quand il se gara devant le bâtiment. Il la taquina : « Tu ne crois quand même pas que je vais aller demander mon chemin ? Ils vont me prendre pour une femmelette ! »

Elle lui fit un sourire coincé et sortit de la voiture.

Jeffrey la regarda se diriger vers le bâtiment. Son jean était lâche ; il se rendit compte qu'elle avait encore perdu du poids. Ça ne lui plaisait pas. Sara avait toujours été mince, mais elle était maintenant trop maigre. Quand ils faisaient l'amour, il sentait ses côtes frotter contre sa poitrine. Ses hanches disparaissaient, sa taille était beaucoup trop fine. Vue de dos, on aurait presque dit un adolescent.

Jeffrey prit une profonde inspiration, et expira lentement. Huit ans plus tôt, Sara était rentrée du travail et avait trouvé Jeffrey au lit avec une autre femme, en pleine action. L'expression de Sara – trahison, douleur, colère – lui avait remis les idées en place, et Jeffrey avait utilisé toutes les stratégies imaginables pour la récupérer. Le plus difficile avait été de l'amener à lui adresser la parole. Une fois qu'elle avait desserré les dents, il s'était efforcé de la mettre dans son lit. C'était loin d'avoir été aussi facile que la première fois, mais se réveiller avec Sara à ses côtés lui avait semblé bien plus gratifiant. Six mois plus tôt, il l'avait quasiment suppliée de l'épouser. Pas « quasiment », d'ailleurs : il s'était même mis à genoux. Sara avait pris tout son temps, mais elle avait fini par dire oui.

Et à présent, c'était comme si elle disparaissait sous ses yeux.

Sara sortit du bureau de poste, et Jeffrey se surprit à étudier la carte une nouvelle fois au lieu de la regarder s'approcher.

« Ils étaient très gentils », lui dit Sara en montant dans la voiture. Elle tenait à la main un formulaire de la poste sur lequel elle avait noté quelques instructions. « Ils m'ont dit que la maison se trouve à environ cinq kilomètres d'ici, à l'ouest.

— Et si on allait plutôt en Floride ? »

Jeffrey entendit ses mots flotter dans l'habitacle de la voiture ; il savait que c'était lui qui les avait prononcés, mais n'avait aucune idée d'où ça sortait.

Sara sourit et secoua la tête. « Boire des margharitas sur la plage ? » renchérit-elle.

Il lui rendit son sourire. « Te passer de l'huile solaire sur tout le corps.

— Et ensuite de l'aloe vera, quand le soleil m'aura brûlé la peau. » Sara se retourna vers lui, toujours le sourire aux lèvres. « Il faut que tu prennes à gauche, sur Main Street.

— Je suis sérieux, pour la Floride.

— Je suis sérieuse, pour prendre à gauche. »

Il se pencha vers elle, passa ses doigts sur ses lèvres. « Tu es belle. Tu le sais, ça ? »

Elle embrassa ses doigts, puis remit sa main sur le volant.

« À gauche, répéta-t-elle. Ensuite, tu prendras à droite sur une route appelée Kate's Way. »

Jeffrey sortit du parking et s'engagea sur Main Street. Il ralentit à l'approche d'une route en gravier, essayant de déchiffrer un panneau écrit à la main. Il dut faire la même chose à trois reprises avant de trouver Kate's Way, un sentier accidenté et étroit qui, apparemment, n'était pas souvent utilisé. Le paysage changea de manière abrupte tandis qu'ils s'enfonçaient dans les terres. Cette partie de la Géorgie était constituée de vastes marécages, d'immenses cyprès au tronc large qui poussaient dans l'eau couleur de thé. De la tillandsie recouvrait les branches comme de la dentelle et, derrière les vitres pourtant remontées, on entendait le bruit constant des criquets, des oiseaux, des grenouilles et crapauds, et un alligator de temps en temps.

Les nombreux virages de la route laissaient penser qu'ils longeaient un cours d'eau, non répertorié sur la carte de Nick. Jeffrey leva le pied, au cas où il croiserait un autre véhicule. Il imaginait un camion, conduit par un gars du coin qui n'apprécierait pas de voir quelqu'un d'autre sur sa route, priorité ou non.

Mais ils ne croisèrent aucun camion, et quand Sara lui dit de prendre à droite et de s'engager sur une autre route déserte et cabossée, il dit en plaisantant qu'ils feraient peut-être bien de semer des petits cailloux derrière eux.

Trois kilomètres plus loin, ils virent une grande boîte aux lettres rouillée à côté d'une clôture délabrée. Jeffrey s'arrêta pour regarder le numéro. L'inscription était quasiment effacée, de sorte qu'ils furent incapables de la déchiffrer, mais une rapide vérification des notes de Sara leur confirma qu'ils se trouvaient au bon endroit.

Jeffrey s'engagea dans l'allée, s'arrêta pour laisser un lapin traverser le chemin. Il avança encore d'une dizaine de mètres, puis ralentit pour laisser la voie libre à quelques poules. Quand elles eurent traversé, prenant tout leur temps, Jeffrey accéléra, et souleva un nuage de poussière. Il n'avait pas voulu se faire remarquer, mais somme toute, il était peut-être prudent d'annoncer leur arrivée à un homme qui avait été chassé de chez lui par une bombe.

« Eh bien », dit Sara, surprise, en voyant la maison.

Jeffrey partageait son sentiment. Le ranch de Pfeiffer était un peu plus imposant qu'il n'aurait imaginé, s'il avait pris le temps de s'asseoir et d'y réfléchir. La maison était située en hauteur, entourée d'une épaisse pelouse, et un chemin de pierre menait jusqu'à la crique. Elle était construite comme la réplique miniature d'une plantation, avec deux grandes colonnes blanches de part et d'autre qui soutenaient un balcon à l'étage. De grandes vitres, du sol au plafond, laissaient entrer le soleil de l'après-midi et s'ouvraient pour faire courant d'air les jours où la température était plus clémente. Au rez-de-chaussée, un porche circulaire complétait le tableau.

Jeffrey se gara devant la demeure.

« Jolie baraque, dit Sara.

— Reste dans la voiture, suggéra Jeffrey. Je vais voir si c'est bien ici. »

Elle ouvrit la bouche pour répondre, mais se ravisa et se contenta de hocher la tête.

Quand Jeffrey sortit de la voiture, il entendit le ronronnement d'un système de climatisation qui venait du côté de la maison ; son bourdonnement incessant couvrait le chant des criquets et des oiseaux, mais les eaux blanches et agitées de la crique réussissaient à lui faire concurrence. Il regarda autour de lui, à la recherche de câbles électriques, et devina qu'ils étaient enterrés. Ce qui signifiait que Pfeiffer avait beaucoup d'argent. Cela coûtait trois fois plus cher de faire enterrer les lignes que de les laisser à l'air libre. Jeffrey imagina que l'ancien shérif en avait profité pour faire installer une ligne de téléphone, et se demanda comment il s'était débrouillé pour que son numéro soit introuvable – Nick Shelton n'avait pas pu mettre la main dessus. Peut-être était-il au nom de sa femme ou d'un autre membre de sa famille. De toute évidence, Al Pfeiffer avait redoublé de précautions pour s'assurer d'être injoignable.

Jeffrey mit sa main dans sa poche, pour essayer de cacher son excitation. Il sentit la clé de la voiture et s'aperçut qu'il avait laissé Sara sans climatisation et sans aucune possibilité de baisser les vitres. Il jeta un regard à la BMW, Sara lui fit un signe et hocha la tête.

Il continua à avancer sur le sentier. Plus il approchait, plus la bâtisse lui semblait presque trop neuve ; la blancheur immaculée de la peinture, les marches du porche, trop propres pour une vieille plantation. En gravissant l'escalier en ciment, Jeffrey se dit qu'elle avait sans doute été construite par un entrepreneur local, spécialisé dans la reproduction de petites maisons Tara. Isolée comme elle était, cela avait dû coûter très cher.

Entre sa retraite de shérif, sa pension d'invalidité et ce qu'il avait dû mettre de côté, Al Pfeiffer vivait manifestement de manière confortable. Ce n'était certainement pas le genre d'endroit que Jeffrey choisirait pour sa retraite, mais l'isolement avait des avantages, en particulier si l'on faisait partie de ces gens qui ouvrent leur porte un fusil à la main.

« Qu'est-ce que vous voulez ? »

Jeffrey avait levé la main pour frapper quand la porte s'était brusquement ouverte. Le fusil était pointé sur son visage, à environ cinq centimètres de son nez. Maintenant qu'il y pensait, il avait bien entendu le rapide *cha-chunk* de l'arme qu'on chargeait, de la cartouche qui se logeait dans le canon, au moment où il levait le bras. Il n'avait pas vraiment enregistré l'information, et ces quelques secondes auraient pu lui coûter la vie si le type qui tenait le fusil n'avait pas été aussi prudent. Ou peut-être était-il simplement terrifié. Il regardait sans arrêt derrière Jeffrey, pour voir s'il était seul.

Jeffrey avait toujours la main dans sa poche. Il trouva la clé de la voiture et appuya sur le bouton de fermeture, en priant Dieu pour que la voiture soit à portée de signal.

« Vous avez jusqu'à trois pour foutre le camp avant que je vous explose la tête.

— Vous êtes Al Pfeiffer ?

— Qui est-ce que je pourrais être d'autre ?

— J'ai mon… » Jeffrey sortit la main de sa poche pour prendre son badge. Il s'arrêta quand l'homme se rapprocha, appuyant fermement le canon du Remington sous l'œil droit de Jeffrey.

De la salive jaillit de la bouche de Pfeiffer quand il demanda : « Vous me prenez pour un débile, jeune homme ? »

Lentement, Jeffrey leva les deux mains en l'air. Il aurait voulu regarder par-dessus son épaule. Où était Sara ? Était-elle en sécurité ? Son cœur battait si fort dans sa poitrine qu'il entendit à peine sa propre voix quand il dit à Pfeiffer : « Je suis flic. »

L'arme ne bougeait pas, mais la terreur se lisait sans équivoque dans le regard de l'homme. « Je sais ce que vous êtes.

— Ma femme est dans la voiture, je ne veux pas qu'il lui arrive quelque chose. »

Pfeiffer regarda derrière Jeffrey. « Je me fous de qui se trouve dans la voiture. Si elle sort, c'est la dernière chose que vous entendrez de votre vie. »

Jeffrey suivit le canon du regard, et observa Al Pfeiffer. Il vit qu'il luttait pour cacher le tremblement de ses mains. Il vit aussi les dégâts causés par la bombe. D'un côté de son visage, la peau était lisse et marbrée, son œil gauche pratiquement fermé à cause des cicatrices. Il portait une chemise à manches courtes, blanche, impeccablement repassée ; les cicatrices impressionnantes sur ses bras indiquaient les endroits où la chair avait été brûlée et s'était décollée de l'os. Il avait les larmes aux yeux, mais Jeffrey ne savait pas bien si c'était de douleur ou de peur. De près, on aurait dit un mélange des deux.

Jeffrey fit un pas en arrière, pour se dégager de la pression exercée par l'arme sur sa joue. « Je suis le chef de la police à Grant County. »

Pfeiffer maintint son arme pointée sur la poitrine de Jeffrey. « Vous pourriez être le président des États-Unis, j'en ai rien à foutre. Foutez le camp.

— Pourquoi avez-vous peur d'un autre flic ?

— Vous ne seriez pas ici si vous ne connaissiez pas déjà la réponse.

— Je veux juste discuter.

— Est-ce que j'ai l'air d'avoir envie de vous parler ?

— J'ai besoin de savoir…

— Tu vois cette arme pointée sur toi, mon garçon ? » L'homme se rapprocha d'un pas, le canon de l'arme s'enfonça un peu plus dans la poitrine de Jeffrey. Pfeiffer avait l'air d'avoir quinze centimètres de moins et vingt ans de plus que Jeffrey, mais sa voix était ferme quand il dit : « Tu m'écoutes ? » Il fit une pause, mais ce n'était pas pour obtenir une réponse. « Je t'ai déjà dit que j'ai rien à dire à personne. Tu m'entends ? Rien.

— Je voulais simplement…

— Tu vas retourner là-bas et leur dire ça, d'accord ? Dis-leur qu'Al Pfeiffer t'a dit d'aller te faire foutre et de retourner d'où tu viens.

— Si vous pouviez juste…

— Dégage ! Tire-toi de ma propriété ! cria le vieillard. Monte dans ta jolie voiture, et si tu reviens, je te coupe en petits morceaux pour te jeter aux alligators. C'est compris ? »

Jeffrey ne s'avisa pas de discuter, convaincu qu'Al Pfeiffer était plus que prêt à mettre sa menace à exécution. « J'ai compris.

— Allez, du balai », dit Pfeiffer en se servant du canon pour pousser Jeffrey.

Jeffrey recula, peu disposé à tourner le dos à l'homme avant que cela ne devienne nécessaire. Il était capable de gérer la colère, mais la peur rendait les gens irrationnels. Jeffrey ne tenait pas à se trouver dans la ligne de mire de ce fusil si Pfeiffer décidait que le laisser s'en tirer à si bon compte n'était finalement pas la bonne décision.

Et ce fut exactement ce qui se produisit quand Jeffrey se retourna.

La première balle avait dû être tirée en l'air, mais le bruit était suffisamment fort pour que Jeffrey se baisse. Il entendit Sara crier, puis la deuxième balle retentit. Cette fois, l'avertissement était plus précis, la balle toucha le gravier à une dizaine de centimètres de l'endroit où Jeffrey se trouvait. Il se dépêcha de dégager, glissa sur des cailloux, et retomba violemment sur ses paumes.

« Merde », jura-t-il en se remettant debout. Ce n'était pas ça qui était prévu, Jeffrey en train de mordre la poussière tandis qu'un malade s'entraînait à viser juste. Il leva les mains en l'air en criant : « Vous allez devoir me tirer dans le dos, si c'est le genre d'homme que vous êtes ! »

Il entendit qu'on rechargeait de nouveau le fusil.

« Non ! hurla Sara en donnant des coups de poing dans la vitre. Jeffrey ! »

Il s'avança vers la voiture, mains en l'air, dos à Pfeiffer. Il regarda Sara. Elle interrompit son mouvement, ses poings restèrent immobiles, levés, à quelques centimètres de la vitre. Il y avait une clé de service dans la console centrale. Elle devait le savoir. Il le lui avait dit quand il l'y avait mise, et elle avait même dit en plaisantant qu'il leur faudrait aller jusqu'à Atlanta pour trouver un voiturier qui s'en servirait.

La bouche de Sara remua. Il lut sur ses lèvres. « Vite, vite, vite… »

Une éternité sembla s'écouler le temps que Jeffrey parcoure les dix petits mètres qui le séparaient de la voiture. Il avait l'impression d'avoir le dos brûlant, davantage à cause de la cible qui y était dessinée qu'à cause du soleil de plomb.

Si le temps s'était arrêté pendant qu'il se dirigeait vers la voiture, l'horloge se remit en route dès qu'il fut assis derrière le volant. Il trifouilla avec la clé, tant et si bien que Sara la lui arracha des mains et mit elle-même le contact.

« Démarre, supplia-t-elle. Vite. »

Il fit marche arrière et appuya sur l'accélérateur. D'un rapide coup d'œil, il aperçut Al Pfeiffer toujours dans la même position, jambes écartées, dos droit, fusil pointé vers le ciel. Le salopard eut un sourire plein de suffisance en regardant Jeffrey battre en retraite. Jeffrey ralentit un peu en rejoignant l'allée, juste pour l'avertir de ne pas se réjouir trop vite.

Il retraça la route qu'ils avaient prise pour venir. La voiture remua dans le virage tandis qu'il s'engageait sur la route principale. Il jeta un regard furtif à Sara. Elle s'agrippait si fort à la poignée que ses phalanges étaient blanches.

Dès qu'ils eurent dépassé le bureau de poste, elle lui dit : « Arrête-toi. »

Jeffrey ralentit, craignant qu'elle ait un malaise.

« Arrête-toi », répéta-t-elle en ouvrant la portière.

Il appuya brutalement sur la pédale de frein. Sara n'attendit même pas que la voiture soit arrêtée pour sortir.

Jeffrey se fit glisser sur les sièges pour la suivre. « Est-ce que… »

Elle fit volte-face et le gifla. Pendant au moins dix secondes, Jeffrey, sous le choc, ne put réagir. Elle ne l'avait jamais frappé, jamais elle n'avait même levé la main.

Il se frotta le visage, sentit l'intérieur de sa joue avec sa langue. « Tu veux bien m'expliquer ce que c'était, ça ? »

Sara faisait les cent pas devant lui, les mains devant sa bouche. Il savait qu'elle était incapable de crier quand elle était aussi en colère. Les mots restaient coincés dans sa gorge et sa voix était si faible qu'elle parvenait à peine à émettre le moindre son.

« Sara…

— Connard, murmura-t-elle. Espèce de stupide connard arrogant. »

Jeffrey sourit car il savait que cela la mettrait hors d'elle. Il n'avait aucune idée de la raison pour laquelle elle était fâchée, mais il était sûr d'une chose, c'était que si elle le frappait encore une fois, ils allaient avoir un vrai problème.

Il regarda la route tandis qu'un pick-up vert passait devant eux, ralentissant pour profiter du spectacle. Ils n'avaient pas vu d'autre véhicule depuis qu'ils étaient rentrés dans Dug Rut. C'était sans doute le plus grand événement que la ville ait connu depuis l'installation du stop au bout de Main Street.

Sara attendit que la voiture passe avant de demander : « Pourquoi est-ce que tu as ralenti ?

— Quand est-ce que j'ai… » Il s'interrompit. Dans l'allée. Il avait ralenti en voyant l'air satisfait de Pfeiffer.

« Tu ne voulais pas qu'il pense qu'il t'avait eu, pas vrai ? Il fallait que tu ralentisses pour le narguer. » Elle secoua la tête, des larmes emplirent ses yeux. « Tu es aussi con que Lena. Tu joues à des petits jeux avec les gens, des concours de bite, comme si ce n'était pas une affaire de vie et de mort. » Elle tapota sa poitrine. « *Ma* vie, Jeffrey. *Ta* mort. »

Jeffrey tenta de minimiser. « Il tirait à côté. C'étaient juste des avertissements.

— Oh ! tu n'imagines pas à quel point ça me rassure !

— Tu ne peux pas laisser des gens comme ça voir qu'ils t'ont fait peur.

— *Tu* ne peux pas laisser les gens voir qu'ils t'ont fait peur, corrigea-t-elle. Il avait une arme, Jeffrey. Un fusil.

— Nous étions hors de portée.

— Hors de portée ? » répéta-t-elle, d'un ton incrédule. Elle leva le doigt pour l'empêcher de continuer. « Tu m'as enfermée dans la voiture. Il avait son arme pointée sur ton visage et tu m'as enfermée dans la voiture.

— J'essayais de te protéger.

— Qui te protégeait, *toi* ? Je ne suis pas une enfant, Jeffrey. Je ne suis pas une pauvre petite fille à qui il faut tenir la main pour traverser.

— Pourquoi, moi oui ? »

Elle ne répondit pas. Son regard s'était déplacé, concentré non plus sur Jeffrey mais derrière lui. Le pick-up vert était de retour, et ralentissait de nouveau. Les vitres étaient teintées, mais comme il se retournait, Jeffrey parvint à distinguer deux silhouettes tandis que le véhicule les dépassait. Jeffrey se dit que le conducteur n'était peut-être pas un simple curieux. Peut-être qu'il était là pour terminer le travail d'Al Pfeiffer.

Il ordonna à Sara : « Monte dans la voiture. »

Sara ne discuta pas. Elle regagna rapidement la BMW, et Jeffrey la suivit. Il s'installa derrière le volant et mit le contact ; sans prendre la peine de vérifier l'état de la circulation, il s'engagea sur la route. Il jeta un coup d'œil dans le rétroviseur : le pick-up faisait à nouveau demi-tour.

« Ils reviennent », dit-il à Sara.

Elle attacha sa ceinture de sécurité.

La BMW fit un petit bond en avant quand il appuya à fond sur l'accélérateur. Le pick-up accéléra aussi. Jeffrey sentit qu'il se mettait à transpirer en conduisant sur la route sinueuse. Il se passa encore deux minutes avant que le pick-up ne s'engage finalement sur un sentier boueux. Soit le type qui se trouvait derrière le volant avait perdu tout intérêt à les suivre, soit il s'était rendu compte qu'il ne parviendrait pas à rattraper la six-cylindres.

Ou alors, Jeffrey et Sara étaient tous deux complètement paranoïaques.

« Ils ne nous suivent plus », dit-il à Sara, bien qu'elle s'en soit déjà rendu compte en regardant dans le rétroviseur.

Elle pinça les lèvres et regarda par la fenêtre.

« Tu vas bien ? demanda-t-il.

— Pourquoi est-ce qu'on est venus ici ?

— Quoi ?

— Pourquoi est-ce qu'on est venus ici ? » Elle parlait maintenant d'une voix normale, mais il voyait bien qu'elle n'avait pas encore laissé tomber. « Pourquoi est-ce qu'il a fallu venir jusqu'ici ?

— Je te l'ai dit. Je voulais parler à Al Pfeiffer.

— Pour quoi faire ?

— Pour savoir pourquoi il avait quitté la ville.

— Il l'a quittée parce quelqu'un a essayé de le tuer, lui et toute sa famille. »

Soudain, Jeffrey se surprit à regretter son silence. « C'est mon travail, Sara. Je parle aux gens qui ne veulent pas me parler.

— Pour autant que je me souvienne, aucun d'entre eux ne t'avait jamais tiré dessus avant. »

Il lui concéda ce point en se taisant.

« Qu'est-ce que tout cela a à voir avec Lena ? demanda-t-elle.

— Je ne sais pas.

— Comment est-ce que ça va t'aider à découvrir qui se trouvait dans l'Escalade et pourquoi cette personne a été tuée ?

— Je ne sais pas non plus.

— Eh bien, dit-elle en baissant sa vitre de quelques centimètres pour faire rentrer un peu d'air. Tu n'as pas l'air de savoir grand-chose. »

Le silence s'installa. Cela ne dérangeait pas Jeffrey, au contraire, il se contentait de regarder la route déserte, en comptant les kilomètres. Il avait un peu de mal à déglutir quand il repensait au gravier giclant sous l'effet des balles, au bruit du coup de feu dans ses oreilles. Pourquoi avait-il ralenti ? Quel instinct primaire l'avait conduit à lever le pied, à résister à l'homme qui avait failli l'envoyer *ad patres* ?

L'arme de Pfeiffer était un Remington Wingmaster, le genre de fusil qu'utilisaient la plupart des agents chargés de faire respecter la loi. Jeffrey avait menti en disant à Sara qu'ils étaient hors de portée quand il avait décéléré. Si Pfeiffer était un bon tireur – et, ayant porté l'insigne pendant près de cinquante ans, il y avait toutes les raisons de le croire –, il aurait pu faire sauter la cervelle de Sara ou de Jeffrey d'une simple pression du doigt.

Il devait sortir Sara de ce pétrin. Elle avait raison de dire qu'il était comme Lena, mais ils étaient semblables parce qu'ils étaient flics. Il y avait dans ce monde certaines personnes à qui on ne pouvait pas se permettre de montrer ses faiblesses. La faiblesse de Jeffrey, c'était Sara. Quand il avait vu le fusil, la première chose à laquelle il avait pensé était la sécurité de sa femme. Il avait fermé les portières à clé parce qu'il ne voulait pas qu'elle se précipite vers la maison au risque de se faire arracher la tête. Il était incapable de se préoccuper de sa propre sécurité tant qu'elle était en danger, et le seul moyen de remédier à cela était de la renvoyer à Grant County.

Mais alors, pourquoi avait-il ralenti ? Pourquoi avait-il laissé Sara dans la ligne de mire, simplement pour marquer un point contre l'autre ? Elle aurait pu se faire tuer par sa faute.

La première demi-heure du trajet, il eut l'impression que son cœur étouffait dans sa poitrine, et il lui fallut une demi-heure de plus pour se rendre compte que si ses mains collaient au volant, c'était parce que le côté de sa paume gauche s'était ouvert sur le gravier de l'allée.

Jeffrey s'arrêta à la première station-service qu'ils croisèrent.

Sara regarda le niveau de la jauge sur le tableau de bord. Ce n'était pas la raison pour laquelle il s'était arrêté, mais de fait, l'aiguille indiquait que le réservoir était à moitié vide et Jeffrey se dit qu'il pouvait tout aussi bien en profiter pour faire le plein. Si Sara remarqua le sang sur ses mains et sur le volant, elle ne dit rien.

L'arme de Jeffrey et son étui se trouvaient toujours sous le siège ; il les prit et les attacha à sa ceinture avant de sortir de la voiture. Il eut du mal à défaire le bouchon du réservoir – ses doigts étaient engourdis à force d'avoir serré le volant – mais réussit néanmoins à placer l'embout dans le réservoir avant de se diriger vers la petite boutique. Quand il ouvrit la porte vitrée, il dut se baisser au dernier moment pour éviter une cloche de vache suspendue au cadre de la porte.

« Désolé, dit l'employé, mais son rictus indiquait clairement que regarder les clients entrer et se prendre un coup de cloche dans la tête était sans doute l'un de ses passe-temps préférés. Il faudra que je déplace ce truc un jour. »

Jeffrey jeta un regard noir au jeune homme et se dirigea vers le fond de la boutique. Aux toilettes, il se regarda dans le miroir et constata qu'il avait les cheveux mouillés de sueur, qu'il avait sali sa chemise en tombant sur le gravier. Ses mains étaient dans un sale état, et il se servit d'une serviette en papier pour ouvrir le robinet et éviter de mettre du sang partout. L'eau froide était une torture, mais il laissa néanmoins ses mains sous le jet d'eau pour nettoyer les plaies.

« Bon Dieu », marmonna-t-il en se regardant de nouveau dans le miroir. Il secoua la tête, essayant de réfléchir à ce qui s'était passé. Il avait escompté une conversation informelle entre flics avec Pfeiffer sur la situation à Elawah, qui lui aurait permis de savoir dans quoi Lena s'était embarquée. Avait-il affaire à des skinheads ? Jake Valentine pourrait-il l'aider ? Pouvait-on faire confiance aux hommes du shérif ?

Pfeiffer avait été victime d'une attaque à la bombe, qui l'avait conduit à quitter la ville, de sorte que Jeffrey nourrissait des doutes quant au réel pouvoir qu'il détenait. Mis à part son sourire satisfait, l'ancien shérif avait manifestement été terrifié en voyant Jeffrey sur le pas de sa porte. Il existait une seule raison pour laquelle un flic avait peur d'un autre flic : la corruption. La question était de savoir qui était corrompu au sein des services du shérif. Jeffrey n'aurait pas mis Jake Valentine en haut de sa liste, mais on ne savait jamais. Bien entendu, il y avait toujours l'adjoint Donald Cook, susceptible selon Nick d'accepter des pots-de-vin. De toute évidence, Cook n'était pas satisfait de son boulot. Il n'avait en aucune façon tenté de dissimuler le fait qu'il tenait son supérieur pour un imbécile.

Mais tout cela le ramenait sans cesse à la grande question de Sara : quel rapport avec Lena ?

Aucun. Ce n'était qu'un tas de pistes isolées, qui pouvaient ou non être reliées entre elles. Les skinheads s'adonnaient au trafic de crystal meth, Hank Norton prenait du crystal. Ethan Green était un skinhead, la brute de la berline blanche était un skinhead. Al Pfeiffer était terrifié par les flics, Lena avait filé entre les mains des flics.

Quelqu'un était mort en présence de Lena. Il y avait forcément un indice qui échappait à Jeffrey, une information qui donnerait de la cohérence à l'ensemble. Il y avait forcément une raison pour que Lena se soit évadée de l'hôpital sans même lui parler. Elle était parfois horriblement têtue, mais elle n'était pas bête. Il devait y avoir une explication logique.

À l'aide des serviettes en papier du distributeur, Jeffrey se nettoya tant bien que mal le visage, essuya son cou et sa poitrine pour enlever le sang séché. Il ressentait une douleur lancinante dans la main, mais tenta de l'ignorer, et traversa la boutique.

« Combien ça fait ? » demanda Jeffrey en sortant sa carte de crédit.

« Désolé », dit l'employé en indiquant une pancarte derrière lui : « *In God we trust*. Tous les autres paient comptant. »

« D'accord. » Par chance, Jeffrey s'était arrêté à un distributeur avant de quitter Grant County, la veille. Il indiqua les boîtes de pansements derrière le comptoir. « Et donnez-moi de l'aspirine aussi.

— Trente-huit cinquante-trois », lui dit l'employé en posant l'aspirine sur le comptoir. Il prit les billets que Jeffrey lui tendait. « Sale journée ? »

Jeffrey défit l'emballage avec ses dents. « À votre avis ? »

L'employé se crispa. « Pas la peine de vous en prendre à moi, mon vieux. » Il encaissa et tendit sa monnaie à Jeffrey. « À la prochaine.

— C'est ça. » Jeffrey se baissa pour éviter la cloche en sortant de la boutique.

Dans la voiture, Sara s'était renfermée sur elle-même. Jeffrey reprit la route et suivit les panneaux en direction de la voie rapide.

Le soleil se couchait enfin quand ils atteignirent l'autoroute. L'aspirine n'avait même pas atténué son mal de tête. Sara devait être épuisée. Quand ils arrivèrent à Elawah County, sa tête était retombée sur son épaule, et Jeffrey entendait le doux cliquetis qu'elle faisait toujours en dormant.

Jeffrey prit la bouteille d'eau qu'elle lui avait achetée sur l'aire de repos et l'avala d'une seule traite. Il y avait un fond de vérité dans l'adage selon lequel il fallait faire attention à ce que l'on souhaitait. Le matin même, il s'était dit que ce serait bien de voir Sara en colère. Maintenant, il se disait qu'elle était bien plus facile à aimer quand elle dormait.

L'enseigne du motel remplissait à peine sa fonction quand Jeffrey se gara sur la place en face de leur chambre : il ne restait plus que sept lettres pour éclairer la totalité du parking. Jeffrey coupa le moteur tout en observant les alentours. Une Dodge Ram noire était garée quelques places plus loin. Une lueur irrégulière dans le bureau administratif du motel indiquait que le gérant était en train de regarder la télé. Quand Jeffrey avait pris la chambre, le garçon avait levé vers lui un regard vitreux ; on aurait dit qu'il s'ennuyait tellement qu'il en oubliait de cligner des paupières. Jeffrey pensa qu'il y avait des emplois pires que celui-ci. Travailler dans une épicerie où le moment le plus excitant de la journée était de voir si les clients allaient se prendre un coup de cloche en entrant, par exemple.

Jeffrey se pencha et secoua gentiment Sara pour la réveiller. Elle plissa les yeux, un peu perdue, puis se redressa, se souvenant de l'endroit où ils se trouvaient et de ce qui s'était passé.

Il ne put s'empêcher de demander : « Ça va ? »

Elle hocha la tête, ouvrit la porte, sortit de la voiture.

Jeffrey la suivit et en profita pour s'étirer. Il posa la main sur son arme quand il entendit un bruit derrière lui.

« Désolé. » Jake Valentine sortit de l'ombre, une bouteille de bière dans une main, une petite glacière dans l'autre. Il sursauta en voyant Jeffrey. « Il est arrivé quelque chose ?

— On est juste allés faire un tour. » Jeffrey ne trouva rien de mieux à lui répondre.

Sara se dirigea vers la chambre en disant : « Je vous laisse tous les deux.

— Euh… Madame ? l'arrêta Valentine. Je voulais vous dire que je suis vraiment désolé pour ce que je vous ai dit hier. Dans le feu de l'action, tout ça. J'aurais dû tenir ma langue. Je ne pensais pas ce que j'ai dit. »

Sara hocha la tête. « Merci pour vos excuses. »

Si Valentine s'était attendu à recevoir une réponse plus chaleureuse, il s'était adressé à la mauvaise personne. Jeffrey lui avait ouvert la porte. Sara attrapa son poignet, l'enveloppa de sa main et le retint pendant quelques secondes. Il se sentit reconnaissant pour ce geste, d'une manière presque pathétique, et lui tendit les clés de la chambre, parce qu'il eut l'impression que c'était quelque chose de symbolique. Elle lui sourit – un vrai sourire – et il sentit la tension qui oppressait sa poitrine depuis plus de quatre heures se relâcher davantage.

« Je n'en ai que pour deux minutes », dit Valentine, comme s'il craignait que Jeffrey ne suive Sara.

Jeffrey était tenté de le faire, mais comme la porte de la chambre se refermait, il demanda à Valentine : « Que se passe-t-il, Jake ? Vous avez trouvé Lena ? »

Valentine gloussa en posant sa glacière par terre pour en sortir une bière fraîche. Jeffrey vit qu'elle contenait quatre bouteilles vides posées sur ce qui restait des glaçons. « Je vous ai apporté ça. En gage de paix.

— Merci », dit Jeffrey en posant la bouteille froide contre son front. Il avait passé au moins dix heures à conduire aujourd'hui, après une nuit d'environ deux heures. Ses muscles lui faisaient mal, il avait un mal de tête lancinant, et la dernière chose dont il avait envie maintenant était de parler à Jake Valentine.

Pourtant, il avança vers l'avant du motel, pour voir si le shérif allait lui emboîter le pas. De toute évidence, Valentine voulait quelque chose, et Jeffrey n'avait pas l'intention de lui faciliter la tâche. Ce serait une manière de lui rendre la monnaie de sa pièce pour le petit épisode dans le placard à linge la nuit dernière.

Un long tunnel passait derrière l'accueil du motel et conduisait aux deux extrémités. Jeffrey n'avait pas vraiment faim, mais il savait qu'il ferait mieux de manger quelque chose. Il demanda à Valentine : « Vous avez de la monnaie ? »

Le shérif sortit une poignée de pièces de sa poche. Jeffrey prit ce dont il avait besoin et inséra les pièces dans la machine. Il regarda les barres chocolatées et les biscuits, essayant de déterminer quel aliment il était moins risqué d'avaler. Il se décida pour un paquet de Sun Chips et tapa le numéro correspondant.

« Moi aussi, je les aime bien », fit Valentine.

Jeffrey lui tendit le paquet. « Vous en voulez ? » Valentine secoua la tête et Jeffrey s'assit sur l'un des bancs en bois, en face du distributeur. Il ouvrit le paquet avec ses dents et mangea quelques chips. Elles étaient rances.

Valentine était resté debout à le regarder, ne sachant manifestement pas quelle attitude adopter. Il avait l'air plus jeune dans son uniforme, sa carrure de spaghetti était accentuée par son jean à taille haute et un polo beaucoup trop large. La casquette rouge Georgia Bulldog qu'il s'était vissée sur la tête n'arrangeait rien. Elle penchait légèrement d'un côté, sur son crâne étroit. Malgré la bosse assez voyante de son arme sur sa hanche, il ressemblait au *rookie* d'une équipe universitaire de basket.

Si Jake Valentine était le mystérieux roi de la drogue d'Elawah County, il le cachait à la perfection.

« Belle soirée, murmura Valentine. Vous et votre femme êtes allés vous promener ? »

Jeffrey ouvrit la bouteille d'un tournemain, s'efforçant d'ignorer la douleur de sa main. Il détestait la bière, mais sa tête lui faisait tellement mal qu'il aurait même été capable d'avaler du poison pour faire passer la douleur.

« Blague mise à part, dit Valentine, toujours aucun signe de votre détective. »

Jeffrey n'était pas surpris. À moins que Lena ne frappe à la porte de la prison et demande à entrer, il doutait très sérieusement qu'on la retrouve. Il avait demandé à Frank Wallace de contrôler ses cartes de crédit, mais apparemment, cela n'avait rien donné, sans quoi Frank l'aurait appelé. Il avait également prié le vieux détective de garder les yeux ouverts à Heartsdale, mais les deux hommes savaient qu'il était hautement improbable que Lena montre le bout de son nez là-bas.

Jeffrey fixa son regard sur la bâtisse abandonnée de l'autre côté de la route, un taudis dont le toit était en tôle et que quelque personnage audacieux avait entrepris de peindre pour lui donner l'apparence d'une paillote.

« Le bar de Hank, précisa Valentine. Le barman vendait du crystal derrière le comptoir. Les types de l'ATF nous ont dit qu'un informateur secret les avait tuyautés. Après les faits, remarquez. Je l'ai d'abord appris par Junior, le veilleur de nuit d'ici, qui m'a appelé pour me demander si je savais que le bar de Hank était encerclé par une soixantaine de véhicules de la police d'État. »

Jeffrey prit une autre gorgée de bière. Il entendait le bruit du cours d'eau, du vent dans les arbres de la forêt qui longeait le motel et le bar. Il aurait voulu être chez lui, dans le lac, en train de flotter sur le dos, entendre les rires de Sara et de sa sœur à travers l'eau froide. Il aurait voulu être dans son lit, la bouche de Sara sur lui.

Valentine interrompit ses pensées. « J'imagine que vous connaissiez déjà le bar de Hank, dit-il. Tout comme j'imagine que c'est vous qui avez coupé le scotch de sécurité sur la porte de derrière.

— Exact », dit Jeffrey ; il avait la nette impression que c'était l'œuvre de Lena. Donc, elle était à la recherche de quelque chose. Le scotch coupé était comme une empreinte digitale. Tout ce que cela signifiait, c'était que quelqu'un était passé par là. Cela ne disait ni quand ni pourquoi. Peut-être cherchait-elle de l'argent. Peut-être s'y était-elle trouvée la nuit dernière, quand Jeffrey et Sara essayaient de trouver le sommeil.

« Quoi qu'il en soit… » Valentine fit cogner la pointe de son pied contre le goudron. « J'étais dans le quartier, et je me suis dit… »

Jeffrey poussa un grand soupir en se levant du banc ; il était bien trop fatigué pour laisser ce petit jeu s'éterniser. « Au regard des bouteilles vides que vous avez dans la glacière, je suppose que ça fait un moment que vous êtes là. Vous n'êtes pas en uniforme, donc vous essayez de donner l'impression que vous n'êtes pas en service, mais le fait que même un gosse de trois ans repérerait votre arme me laisse penser que soit vous regardez trop la télé, soit vous avez des raisons d'avoir peur. Je parie sur la deuxième solution. »

Valentine gloussa, mais Jeffrey se rendit compte qu'il avait réussi à déstabiliser le jeune homme. Il regarda le parking, prit une grande gorgée de bière.

Jeffrey jeta le paquet vide de Sun Chips dans la poubelle. « Parlez-moi d'Al Pfeiffer.

— Al a pris sa retraite.

— Pourquoi ?

— Il avait envie de passer plus de temps avec ses petits-enfants.

— Et moins de temps à brûler vif ? »

Valentine fronça les sourcils. « Pourquoi vous intéressez-vous à ce vieil homme ? »

Jeffrey prit une rasade et retint un frisson ; le breuvage était amer. Valentine avait non seulement l'air d'un adolescent, mais il en avait aussi les goûts. Jeffrey aurait parié son salaire que le jeunot n'avait pas dépensé plus de trois dollars pour les six bouteilles.

« Bon, dit Valentine. Je voulais simplement vous dire que le médecin légiste vient demain. »

Enfin. La raison de sa visite. « Ah bon ?

— Il va regarder le corps de l'Escalade et nous dira ce qui s'est passé à son avis.

— C'est un bon plan.

— Vous me disiez que votre femme… » La voix de Valentine s'éteignit. Quand il vit que Jeffrey ne lui venait pas en aide, il continua : « J'ai eu l'impression qu'elle avait beaucoup d'expérience, c'est tout. »

Jeffrey n'en croyait pas ses oreilles. « Oui, c'est le cas.

— Je serais vraiment reconnaissant si vous pouviez nous l'envoyer, pour regarder le corps, nous dire ce qu'elle voit. »

Jeffrey tenta de déterminer les tenants et les aboutissants de la requête, de comprendre ce qui poussait Valentine à lui demander cela. Rien ne lui vint à l'esprit, et la bière n'arrangeait rien. « Je croyais que votre type était compétent.

— Oh ! oui, mais un truc pareil… Écoutez, nous pouvons la payer. Nous avons encore de l'argent sur notre budget. Dites-moi simplement quels sont ses tarifs. »

Jeffrey avala le reste de la bière et en désira immédiatement une autre. Ensuite, il pensa à son père, et regretta d'en avoir pris une.

Valentine interpréta mal son silence. « Je peux me débrouiller pour la payer en liquide si…

— Ils vous payent ?

— Pardon ? »

Jeffrey appuya sa bouteille vide contre la poitrine du shérif. « Il se passe des choses ici, et soit vous êtes dedans, soit vous acceptez de l'argent pour regarder ailleurs. »

Valentine eut un rire forcé. « Vous êtes sûr que ce sont les seules possibilités ? »

Jeffrey le prévint : « Écoutez-moi, Inspecteur Gadget, d'une manière ou d'une autre, je découvrirai ce qui ce passe ici, et je me fous de savoir sur les pieds de qui je dois marcher pour y arriver.

— Vous allez encore me frapper ? »

Jeffrey repensa à la gifle de Sara, à quel point elle avait dû se sentir impuissante, enfermée dans la voiture. « C'est possible. »

Valentine se pencha pour ranger la bouteille de Jeffrey dans la glacière. Quand il se releva, il sourit à Jeffrey, comme s'ils étaient de vieux amis. « Vous devriez venir dîner un soir. »

Jeffrey avança le long du tunnel en direction du parking. « Pourquoi est-ce que je ferais ça ? »

Valentine marchait à côté de lui. « Je vous montrerai des trucs, des petits projets sur lesquels j'ai travaillé. » Il sourit d'un air idiot. « Je suis bien plus bricoleur que j'en ai l'air.

— Pourquoi vous me racontez ça ?

— Nous essayons de construire une terrasse derrière la maison. Chaque fois que nous sommes payés, nous achetons des planches de cèdre. Ma femme pense qu'il nous faudra un an pour avoir tout ce dont nous avons besoin, mais nous sommes des gens très patients. Nous ne sommes pas comme certains qui peuvent distribuer leur argent, faire construire de grandes demeures sur des marécages. Nous prenons notre temps et le faisons correctement. »

Il parlait d'Al Pfeiffer. Jeffrey se demanda s'il savait que son ancien chef avait reçu de la visite aujourd'hui. Pfeiffer avait sûrement gardé des liens avec la communauté, peut-être y revenait-il rendre visite à des amis. Les gens savaient sans doute où il vivait. Ils gardaient sûrement contact.

Jeffrey était arrivé devant sa chambre. Il indiqua la porte. « Je m'arrête ici. »

Valentine ôta son chapeau. « Passez une bonne soirée, chef. Tenez-moi au courant pour votre femme. »

Jeffrey regarda le shérif poser la glacière du côté passager de son 4 × 4 avant d'en faire le tour pour ouvrir sa portière. Il fit un signe à Jeffrey et s'installa. Quand le pick-up démarra, il vit l'employé du motel jeter un œil par la fenêtre. Il sentit que le jeune homme l'observait quand il frappa à la porte.

Sara n'était pas franchement souriante quand elle ouvrit la porte, mais elle ne l'avait pas traité de connard depuis au moins quatre heures, et il se dit que sa chance avait peut-être tourné.

La pièce était aussi froide et humide que déprimante ; exactement comme dans le souvenir de Jeffrey. Sara avait déjà enlevé le couvre-lit sombre à motifs variés. Il se demanda quelle quantité d'ADN avait été déplacée pendant le processus.

« Que voulait notre nouveau meilleur ami ? demanda-t-elle.

— Il veut que tu fasses l'autopsie demain.

— Pourquoi voudrait-il une chose pareille ?

— Bonne question », répliqua-t-il en s'asseyant sur le lit. Il changea d'avis et se coucha sur le côté, remontant les coussins sous sa tête et en enlevant ses chaussures d'un coup de pied. « Tu n'as qu'à ajouter ça à la longue liste des choses que je ne sais pas. »

Elle s'approcha de la porte et vérifia qu'elle était bien fermée, puis éteignit la lumière. Dans l'obscurité, il sentit le matelas bouger quand elle se coucha. Comme Jeffrey, elle ne prit pas la peine d'enlever ses vêtements. Il attendit qu'elle se blottisse contre lui, mais elle n'en fit rien.

Une fois, Sara lui avait dit que quand ils étaient divorcés, elle avait continué à faire des cauchemars où on l'appelait au milieu de la nuit. C'était un sujet sur lequel même les flics ne plaisantaient pas, ce fameux coup de fil qui annonçait à votre femme, votre petite amie ou votre maîtresse que ça avait été votre tour. Un abruti plein de cocaïne, ou un ivrogne, avait sorti son couteau ou appuyé sur la détente, et les proches n'avaient d'autre choix que de décrocher le téléphone, attendre les mots fatidiques.

Elle y avait sans doute pensé aujourd'hui, quand Al Pfeiffer avait tiré. Elle avait dû être terrifiée à l'idée d'être enfermée dans la voiture, sans aucune possibilité de l'aider, à le regarder mourir.

« Jeff ? » Il n'aurait su dire à quoi il s'attendait, mais comme toujours, elle réussit à le surprendre. « Je pensais qu'on pourrait arranger la terrasse – remplacer les pierres cassées peut-être, relever le muret pour que les gens puissent s'asseoir sans se retrouver les genoux au niveau des oreilles. » Elle s'arrêta. « Qu'est-ce que tu en penses ? »

Il s'allongea sur le dos. Un mince rayon de lumière passait à travers les rideaux, et il distinguait à peine son profil. « J'en pense que la dernière fois que tu t'es amusée avec du béton, on a été obligés d'emprunter le marteau-piqueur de ton père.

— Sur le sac, ils disaient qu'il était autonivelant. »

Il sourit à l'excuse habituelle.

« Je veux faire l'autopsie. »

Jeffrey ne sut que répondre. Son réflexe premier aurait été de dire non, mais c'était uniquement parce que Valentine le lui avait demandé. « Je ne sais pas si c'est comme ça qu'on arrivera à se sortir d'ici. »

Son silence lui indiqua qu'elle ne se laisserait pas convaincre facilement. Jeffrey essaya de choisir ses mots avec soin, et proposa : « Je peux demander à Frank de venir te chercher ici quand tu auras fini.

— Non, lui dit-elle. Je ne te quitterai pas.

— Et si je veux que tu t'en ailles ? »

Le téléphone sonna avant qu'elle ait le temps de lui répondre. Jeffrey se pencha au-dessus d'elle et décrocha.

« Allô ?

— Pourquoi êtes-vous encore là ? »

Jeffrey se rassit si rapidement qu'il fit tomber le téléphone de la table de nuit. « Lena ?

— Vous ne pouvez pas rester là, dit-elle dans un murmure rauque. Pourquoi êtes-vous encore là ?

— Où es-tu ? Laisse-moi venir te chercher. »

Elle se mit à pleurer, les sanglots l'empêchaient de parler. « Pourquoi ?… pleurait-elle. Pourquoi ils ne m'ont pas tuée moi à la place ?

— Qui ça ? demanda-t-il, confus. De qui tu parles ?

— Va-t'en, supplia-t-elle. Pars avant qu'ils…

— Qui ça "ils", Lena ? Qui est à ta recherche ? » Il n'entendait que sa respiration saccadée. « Lena ? » Il colla le téléphone à son oreille. « Lena ? Tu es là ? Où es-tu ? Laisse-moi venir te chercher. »

La ligne fut coupée.

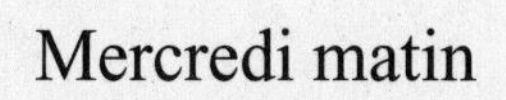

Mercredi matin

Chapitre 9

Sara sentait sous son pouce les marques de sang séché sur le volant de la BMW tout en suivant le véhicule de Jack Valentine à travers le centre-ville de Reese. Le choc, le traumatisme, ou un mélange des deux, toujours était-il qu'elle s'était endormie comme une masse la veille. Si Jack Valentine n'était pas venu frapper à leur porte ce matin à sept heures et demie, elle serait sans doute encore au lit.

Devant elle, dans la voiture de Valentine, elle apercevait Jeffrey apparemment en grande conversation avec le shérif. Sara espérait qu'il parviendrait à lui soutirer quelques informations. Le bon sens lui disait que ce ne serait certainement pas le cas. Jeffrey n'avait rien dit à Valentine du coup de téléphone de Lena, parce qu'il savait que le shérif ferait contrôler le numéro. Pour sa part, Valentine ne leur donnait aucune information sur la chasse à l'homme. Ce matin, en voyant les coupures sur le visage et les mains de Jeffrey, il s'était contenté de dire : « Je n'aimerais pas voir la tête de l'autre. »

Jusqu'alors, Sara ne s'était pas rendu compte de la gravité de ses blessures. Elle avait toujours pris soin du corps de Jeffrey. Au fil des années, elle avait désinfecté ses plaies, massé ses bleus avec du gel à l'arnica, bandé ses chevilles foulées et ses doigts cassés, mis de la glace sur son genou, après des matchs de foot improvisés, pour qu'il puisse marcher le lendemain. Les heures qu'il passait à bricoler dans la maison étaient récompensées par de longs massages du dos et autres attentions susceptibles de le détendre. Même après le divorce, quand Sara ne supportait pas de se trouver dans la même pièce que lui, elle s'était ruée à l'hôpital le jour où il avait pris une balle perdue dans la jambe.

La veille, elle n'avait pas vu qu'il s'était ouvert les mains. Elle avait vu le fusil pointé en l'air, puis le deuxième coup de feu d'avertissement, qui lui avait presque provoqué un arrêt cardiaque. Elle avait vu Jeffrey se jeter par terre, ramper sur le gravier, mais elle n'avait pas pensé à vérifier comment il allait, à regarder s'il s'était coupé ou brûlé. La seule chose sur laquelle elle avait été capable de se concentrer, c'était la terreur absolue qu'elle avait ressentie à chaque fois qu'Al Pfeiffer avait tiré, et sa colère noire, sa fureur, quand Jeffrey avait ralenti.

Il avait levé le pied de l'accélérateur. Sara avait cru que la voiture avait un problème. Elle avait regardé au sol, paniquée, pour voir ce qui n'allait pas, et avait compris pourquoi la voiture avait ralenti presque au point de s'arrêter. Elle avait alors regardé Jeffrey, la manière dont il avait grimacé quand Al Pfeiffer lui avait lancé ce regard. Mon Dieu, ce regard. Sara avait eu envie de le frapper pour le faire disparaître. On aurait dit deux garçons dans une cour d'école, c'était à celui qui parviendrait à jeter le plus de cailloux au visage de l'autre avant que l'instituteur n'intervienne. Lena était pareille – elle n'avait pas de quéquette à montrer, mais elle était capable de faire concurrence aux plus durs des gros durs.

C'est à ce moment-là que Sara avait compris pourquoi ils avaient fait la route jusqu'au marais, pourquoi

Jeffrey s'accrochait au moindre indice susceptible de le rapprocher de Lena. C'était Sara qui était devant la salle de bains quand Lena s'était évadée, mais Jeffrey était dans le couloir. À moins de trois mètres de Lena, à moins de trois mètres de l'empêcher de s'évader.

Jeffrey avait lui aussi été roulé, et son ego ne s'en remettait pas.

L'année précédente, Sara avait suivi un cours de balistique à l'Académie du GBI à Macon. Elle venait de s'occuper de deux cas de fusillade à la morgue et voulait acquérir les connaissances qui lui permettraient d'appréhender les crimes liés à des armes. La formation comprenait une séance technique au stand de tir. L'instructeur avait utilisé différentes armes et munitions pour tirer sur des mannequins remplis de gel, à des distances variables, pour permettre aux étudiants de mieux comprendre les schémas et les modes de dispersion. Le Remington Wingmaster était l'un des modèles les plus répandus sur le marché, utilisé tant par la police que par les délinquants. Avec des cartouches à haute densité, l'arme dispersait soixante pour cent de ses granules dans la cible à une distance de cinquante mètres.

D'après les estimations de Sara, quand Jeffrey avait ralenti, c'était à cette distance qu'ils se trouvaient de Pfeiffer.

Jeffrey aurait dû s'estimer heureux qu'elle ait encore été vivante pour pouvoir le gifler.

Devant elle, Valentine mit son clignotant. Sara suivit le véhicule jusqu'à la fourrière d'Elawah. Il y avait une cinquantaine de camions et de pick-up à divers stades de destruction éparpillés, des pare-chocs qui pendaient comme des dents arrachées, d'autres enfoncés dans le hayon. Connaissant les petites villes, elle se dit que la plupart des propriétaires n'avaient sans doute pas l'argent nécessaire pour aller les chercher à la fourrière, ou qu'ils se trouvaient encore en prison pour conduite en état d'ivresse. Pour simplifier, la fourrière du comté se résumait à une fantastique centrale de traitement des assurances.

La voiture du shérif rebondit sur une petite bande de gravier et s'arrêta sur le parking goudronné. Devant eux, Sara vit un grand bâtiment métallique, d'environ cinq mètres de haut sur dix de large, et supposa que la voiture de l'accident avait été déposée à l'intérieur pour être examinée.

Non pas que ce qui était arrivé à la Cadillac fût un accident. Sara s'efforçait d'aborder chaque affaire sans préjugé, mais ce n'était pas comme si un 4 × 4 retrouvé en flammes au milieu d'un terrain de football était arrivé là par hasard. Quelqu'un l'avait garé là, y avait délibérément mis le feu, et s'était éloigné en laissant le corps à l'intérieur.

La question demeurait : ce « quelqu'un » était-il Lena Adams ?

Sara sortit de la voiture. L'odeur de gazoline et de pétrole se mélangeaient dans l'air, avec un soupçon de gaz d'échappement. L'atelier était silencieux. Elle supposa que les mécaniciens étaient partis faire leur pause.

Jeffrey et Valentine s'avancèrent vers la BMW. Le shérif fit tomber un peu de boue du pneu avec son pied. « On dirait que vous avez fait du hors piste, chef. »

Jeffrey lui dit : « J'ai fait un tour du côté d'Okefenokee hier. »

Valentine leva les sourcils. « Ah bon ? » demanda-t-il en se grattant exagérément le menton. Apparemment, le trajet ne leur avait pas servi à trouver un terrain d'entente. « Je connais des gens qui sont partis s'installer dans le marais il y a quelque temps, dit Valentine à Jeffrey.

— Des amis à vous ?

— Oh, je ne dirais pas ça. » Et sans rapport évident avec la conversation, il annonça : « “Le Pays de la Terre Tremblante.” »

Jeffrey garda le silence, de sorte que Sara intervint. « Pardon ? »

Valentine expliqua : « C'est ainsi que les Indiens l'appelaient. Okefenokee, Pays de la Terre Tremblante. Environ six pour cent du marais est constitué de terre ferme. Le reste, ce ne sont que quelques mètres de végétation posés sur l'eau. Si vous marchez dessus, c'est comme si vous vous trouviez sur un matelas flottant, à peine plus stable. » Il pencha son chapeau vers l'avant, pour se protéger du soleil. « Vous y êtes allée vous aussi, madame ?

— Oui, j'ai eu ce plaisir.

— Beaucoup d'oiseaux, d'alligators, même des plantes carnivores. » Il gloussa, comme si cela lui rappelait de bons souvenirs. « Mon père nous avait emmenés là-bas quand nous étions petits. Ils nous a fallu trois jours pour traverser le marais en canoë d'est en ouest ; ça nous a presque tués. Et on a vu tout un tas de trucs dingues. » Son regard glissa vers Jeffrey, et sa voix affable devint soudain menaçante. « C'est un endroit dangereux. »

Jeffrey croisa les bras sur sa poitrine. « Oui, pour certains, j'imagine. »

Encore une fois, Sara se retrouvait au beau milieu d'un concours de bite. Elle tapa dans ses mains pour y mettre un terme, et dit à Valentine : « Bon, je suppose que le corps se trouve à l'intérieur ?

— Oui, madame », dit-il en indiquant le bureau qui se trouvait à côté de l'atelier.

Sara se dirigea vers les bureaux, les deux hommes la suivirent.

Valentine demanda à Sara : « Comment avez-vous trouvé le trajet jusqu'au marais ?

— Très agréable, merci. »

Il se pencha devant elle pour ouvrir la porte. Il eut un petit rire. « Dites, vous n'auriez pas vu Lena Adams par là-bas, en train de faire du stop, par hasard ? »

Sara se força à sourire. « Je crains que non. »

Valentine lui rendit son sourire et ouvrit la porte. « Il fallait que je vous pose la question. »

Au lieu des bureaux et des armoires de rangement que Sara avait pensé trouver là, ils entrèrent directement dans ce qui ne pouvait être que la morgue. Un grand chariot en acier inoxydable était calé sur le sol en béton, un sac vide et ouvert, destiné à accueillir un corps, était posé dessus. L'évier et les plateaux de dissection rangés contre le mur ressemblaient beaucoup à ceux de la morgue de Grant County, mais le réfrigérateur dans lequel on entreposait les corps était de ceux dans lesquels on pouvait entrer et qui étaient utilisés dans les grands restaurants. Elle ne voyait pas de dictaphone. Il faudrait que Jeffrey prenne des notes sur ce qu'elle découvrirait.

« C'est pas trop mal, intervint Valentine, même si elle voyait à l'expression de son visage qu'il avait un peu honte de l'endroit où la morgue était située. La plupart de nos autopsies sont des accidentés de la route, des choses comme ça. Nous nous occupons de tous les cas de Seskatoga, Ahlmira ainsi que de quelques autres comtés. Le fait d'avoir la morgue sur place permet de les transférer facilement.

— Bien sûr », dit Sara. Elle avait l'impression de l'avoir insulté, alors que les installations étaient plus que correctes. Elle pouvait s'estimer heureuse de ne pas avoir à travailler dans la salle réservée à l'embaumage d'une entreprise de pompes funèbres. « Où se trouve l'Escalade ?

— Par ici », dit-il en ouvrant une autre porte. De l'autre côté se trouvait un grand entrepôt. Deux bureaux et plusieurs armoires de rangement étaient placés dans un coin. Des outils étaient rangés le long du mur opposé. Il y avait six élévateurs hydrauliques avec des voitures, mais aucun mécanicien en vue. Des pièces de voitures étaient éparpillées, des véhicules accidentés à divers stades de démontage de manière à évaluer les dommages, mettre la faute sur la bonne personne. Au milieu de l'entrepôt se trouvait l'Escalade – ou ce qu'il en restait –, recouverte d'une bâche grise, posée sur du plastique pour ne pas abîmer le sol.

Valentine s'approcha de la Cadillac en expliquant : « Nous l'avons amenée jusqu'ici dès que le métal avait refroidi. Très franchement, les pompiers se sont contentés de garder la pelouse bien humide et d'attendre que le feu s'éteigne de lui-même. Forcément, il ne reste pas grand-chose. »

Sara glissa la main dans sa poche et en sortit un élastique pour s'attacher les cheveux en queue de cheval. Elle demanda à Valentine : « Vous connaissez la cause du feu ? »

Le shérif secoua la tête. « Un combustible a été utilisé, mais c'est l'explosion du réservoir qui a tout fait partir. Ils ne savent pas si elle a été déclenchée ou non, mais à voir l'arrière de la voiture, il est clair qu'il a explosé. Il devait être bien rempli en tout cas. »

Jeffrey demanda : « Vous avez entendu une explosion ? »

Valentine eut l'air de réfléchir, tout en attrapant la bâche pour commencer à l'enrouler. « En y réfléchissant, peut-être que oui. C'est difficile de reconstituer le puzzle après les faits.

— Oui, j'imagine », dit Jeffrey sur un ton qui laissait entendre qu'il pensait que le shérif mentait. Il s'avança pour l'aider à enrouler la bâche.

Sara cessa de les écouter tandis qu'elle observait la Cadillac détruite. La voiture n'était plus que l'ombre d'elle-même. Les pneus avaient fondu de sorte que le cadre reposait sur des jantes métalliques pleines de suie. Des morceaux de toit s'étaient envolés, mais curieusement, une partie du cuir et du rembourrage des sièges était encore là.

« Je suppose que les coussins avaient été traités ou quelque chose, hasarda Valentine. Nous pourrons faire venir les gars du garage quand vous serez prête à déplacer le corps. »

Sara regarda vers la banquette arrière. Il faudrait des heures pour séparer le corps du cuir. Ce serait un peu comme séparer des morceaux de papier-toilette mouillé.

Mais il allait bien falloir le faire.

Elle se pencha vers la voiture, pour évaluer l'état de la victime. Le corps était celui d'une personne de petite taille, mais cela ne voulait pas forcément dire qu'il s'agissait d'une femme. Il pouvait aussi s'agir d'un adolescent ou d'un homme de la carrure de Valentine. Qui que ce soit, cet être humain avait manifestement enduré d'atroces souffrances. Ses bras et ses jambes étaient tordus, comme si la victime avait essayé de lutter contre les flammes. Des fractures provoquées par la chaleur apparaissaient sur ce que Sara pouvait voir des os. La main gauche avait été avalée, totalement rongée par le feu. Les cheveux avaient brûlé, les yeux n'avaient plus de paupières.

Elle demanda : « Avez-vous pris des photos ? »

Valentine hocha la tête et elle se pencha un peu plus à l'intérieur de la voiture, essayant de ne rien toucher en vérifiant que la ceinture avait bien été attachée. La ceinture elle-même avait brûlé – une partie s'était fondue dans la chair – mais elle vit la boucle métallique bien en place, et en déduisit que la victime avait été attachée.

Est-ce qu'elle avait tenté de sortir ? Sara se demandait comment c'était d'être enfermé dans un 4 × 4 en feu, avec des flammes tout autour de vous, pendant que vous vous débattiez avec la ceinture, tiriez sur la poignée de la portière, en essayant en vain de sortir.

Horrible, décida-t-elle. Cela avait dû être absolument horrible.

Plusieurs longues secondes, peut-être même une minute entière, avaient dû s'écouler avant que le corps cède, que les organes cessent de fonctionner. Et c'était sans compter l'attente, les moments précédant l'incendie, l'explosion du réservoir. Il n'y avait aucun moyen de savoir combien de minutes s'étaient écoulées tandis que la victime attendait ce qui allait inévitablement lui arriver.

Sara entrouvrit la bouche quand elle se pencha pour regarder de plus près, essayant de ne pas respirer l'odeur si particulière des chairs brûlées.

Environ soixante-quinze pour cent des couches externes de la peau avaient brûlé. La plupart des muscles sous-jacents étaient grillés, mais pas totalement détruits. Le dessus de la tête et l'arrière du crâne étaient essentiellement dénudés, et Sara pouvait voir des morceaux épars de dents et le côté de la langue à travers un trou béant sur le côté gauche de la mâchoire de la victime. L'os de la mâchoire était particulièrement blanc, et elle supposa que le morceau de chair qui l'avait recouvert avait été arraché pendant le transport.

Un morceau de peau, de la taille d'une feuille de papier, manquait sur le torse, et Sara voyait nettement la cage thoracique et ce qu'elle contenait. Les organes abdominaux étaient également exposés, le foie se présentait comme un morceau sombre de viande bouillie sous des bandes effilochées de l'estomac ; il avait manifestement explosé sous l'effet de la chaleur. Sara imagina que les espèces de petits morceaux de liège noircis autour du petit intestin étaient les restes carbonisés du contenu de l'estomac.

Ce qui restait de peau autour des cuisses avait fondu dans la banquette, les ligaments pendaient le long des jambes comme des guirlandes de Noël. Les restes durcis d'un jean bleu et de sous-vêtements blancs étaient encore collés aux endroits où les fluides corporels avaient imprégné le tissu avant de sécher. Le haut d'une chaussette blanche formait un cercle autour de la cheville gauche. Bien qu'il y ait peu de peau sur les deux pieds, un morceau d'ongle recouvrait encore le pouce droit. On voyait encore des restes de vernis rose et écaillé. Sara se pencha de nouveau, se rapprocha encore un peu. La zone autour du pubis était très abîmée, mais elle était à peu près sûre qu'il s'agissait des parties génitales d'une femme.

Elle ferma les yeux une seconde, incroyablement soulagée de voir que la victime n'était pas Hank Norton. Cela lui donnait des raisons d'espérer que l'implication de Lena dans le crime n'était pas aussi importante que ce que croyait Jake Valentine.

« Sara ? demanda Jeffrey d'une voix légèrement tendue. Ça va ?

— Oui, lui dit-elle avec un hochement de tête imperceptible pour répondre à la question qui semblait évidente pour tout le monde, sauf le shérif.

— Pas joli joli, hein ? dit Valentine.

— Votre médecin légiste a vu le corps ? demanda Sara.

— Il y a jeté un rapide coup d'œil hier soir sur le terrain de foot, précisa le shérif. Fred dit qu'il n'a jamais rien vu de pareil. Le pire des cas auquel il ait eu affaire. Oh… » Il s'interrompit brusquement, comme s'il s'était souvenu de quelque chose. « Une fois que nous aurons sorti le corps de là, nous appellerons Fred pour qu'il vienne nous donner un coup de main avec les radios. L'appareil est vraiment capricieux. Je crois qu'il vaut mieux que vous n'essayiez pas toute seule.

— Fred, c'est votre médecin légiste ? demanda Jeffrey.

— Oui, confirma Valentine. Fred Bart. Il est en plein dans une dévitalisation en ce moment, mais il m'a dit de l'appeler, et il fera un saut. »

Sara dut avoir l'air confus, parce que Valentine éclata de rire. « C'est pas lui le patient, c'est lui qui fait la dévitalisation. Fred est le seul dentiste de la ville. Il dit qu'il fait le boulot de médecin légiste pour arrondir ses fins de mois. C'est un bon gars, mais il sait aussi laisser la place aux spécialistes. » Valentine fit un petit sourire. « Ce qui m'amène à vous remercier d'avoir accepté de faire ça, Dr Linton. Je sais que nous n'avons pas parlé de vos tarifs encore, mais je suis passé à la banque ce matin. »

Il sortit une liasse de billets et Sara se sentit rougir. Elle était partie du principe qu'elle faisait cela pour rendre service. C'était une chose que d'accepter un chèque de Grant County, c'en était une autre que de prendre les espèces que lui tendait Jake Valentine. Elle se sentit vulgaire en imaginant les billets changer de mains.

Valentine compta quelques billets de vingt en expliquant : « En général, nous payons Fred deux cent cinquante dollars l'intervention, mais je… » Il s'interrompit quand les premières notes de *I Wish I Was in*

Dixie retentirent de la poche de son pantalon. « Désolé », s'excusa-t-il, en fouillant dans sa poche, encombré par les billets. Il ouvrit le téléphone et répondit, mais ne dit pas grand-chose tandis qu'il écoutait. Quelques secondes s'écoulèrent, et sa bouche s'entrouvrit.

Brusquement, il dit à son interlocuteur : « J'arrive. » Il raccrocha.

Jeffrey échangea un regard avec Sara avant de demander au shérif : « Un problème ?

— Il faut que j'y aille, leur dit Valentine. Il y a eu un accident sur la route. Un mec avec qui je suis allé à l'école est passé sous un dix-huit tonnes. » Il remit les billets dans sa poche, se rendit compte de ce qu'il venait de faire, et les tendit à Sara.

« Non, lui dit-elle, refusant de prendre l'argent. Merci. »

Valentine était trop distrait pour être surpris. Il rempocha l'argent. « Ça vous embête si je vous laisse avec ça ? »

Sara laissa Jeffrey répondre. « Pas de problème. Est-ce que je peux faire quelque chose pour vous aider ?

— Non », répondit Valentine, un peu trop rapidement, d'une voix un peu trop aiguë, comme s'il craignait que Jeffrey ne propose de l'accompagner. Il sembla s'en rendre compte et ajouta : « Merci quand même », puis se dépêcha de sortir, presque en courant.

Jeffrey dit : « Au moins, on sait pourquoi il voulait que tu fasses l'autopsie. »

Sara regarda le corps, calcula le temps qu'il faudrait pour disséquer la pauvre créature. « Nous allons être coincés ici la plus grande partie de la journée.

— Mais de quoi essaye-t-il de nous éloigner ? » Ils entendirent la voiture du shérif démarrer, les pneus crisser sur le gravier. « Soit ce salopard est très intelligent, dit Jeffrey, soit il est vraiment bête. Je n'arrive pas à savoir.

— Les policiers ne sont pas connus pour leur intelligence remarquable. »

Il croisa son regard. « Tu te sens mieux, toi. »

Sara ne sut pas comment prendre ce commentaire. Au-delà du sarcasme évident, de fait, elle se sentait vraiment mieux. Que ce soit parce qu'elle avait passé une bonne nuit, ou parce qu'elle avait explosé hier, en tout cas, elle avait l'impression de s'être un peu retrouvée. Elle était entrée dans la morgue sans la moindre hésitation. Elle avait évalué l'état du corps de manière très naturelle. Elle n'avait pas douté, ne s'était pas inquiétée de savoir si on la trouverait bête ou incompétente. Elle s'était contentée de faire son travail.

« Si j'avais su que ça t'aiderait à ce point, dit Jeffrey, je me serais débrouillé pour te trouver un cadavre plus tôt ! »

Elle rit, parce qu'il y avait du vrai dans ce qu'il disait. « Tu es vraiment un bon mari…

— Je ne m'excuserai pas. »

Elle savait qu'il parlait de la veille. Elle savait aussi, pour avoir été avec lui au cours du dernier million d'années, que le monde ne s'écroulerait pas s'ils étaient énervés l'un contre l'autre.

Elle lui dit : « Moi ne plus, je ne m'excuserai pas. »

Affaire réglée. Jeffrey indiqua le cadavre carbonisé dans la voiture. « Donc, ce n'est pas Hank.

— Non, c'est une femme.

— Eh bien, c'est déjà un soulagement.

— Oui, convint-elle. Mais ça soulève une autre question… »

Il se chargea de terminer sa phrase. « Qui est-ce, et comment est-elle liée à Lena ? » Il se pencha pour mieux voir. « Qu'est-ce que tu en penses ? »

Sara lui répondit très honnêtement. « J'en pense que je serais mieux à la maison en train de creuser la terrasse. »

Il lui jeta un coup d'œil. « Il n'est pas trop tard pour faire marche arrière.

— Tu sais très bien que je ne peux pas.

— Tu as vu ça ? demanda-t-il en montrant le cou de la victime. C'est quoi à ton avis ? »

Sara allait lui demander de quoi il parlait, mais en se retournant, elle aperçut le reflet d'une fine chaîne en or, incrustée dans la chair. « Un collier. Il faudra vraiment faire une radio.

— Je pourrais chercher le numéro de Fred Bart dans l'annuaire et lui passer un coup de fil. Pour avoir une idée de l'heure à laquelle il compte venir. »

Sara s'agenouilla à côté de la voiture pour voir comment le siège était fixé. Fred Bart était apparemment habitué aux accidents de voiture. Si Jeffrey avait raison, et que Jake Valentine avait demandé à Sara de faire l'autopsie pour garder un œil sur eux, Bart ne serait sans doute pas pressé d'intervenir. Elle dit à Jeffrey : « On peut la sortir avant qu'il n'arrive.

— Tu es sûre que c'est une femme ?

— À moins que j'aie oublié les bases de l'anatomie, répondit-elle. Jake n'avait pas l'air très curieux de savoir ce que je découvrirais. Est-ce que je rêve, ou on dirait qu'il s'en fout ? » Jeffrey haussa les épaules, et elle poursuivit : « Ou peut-être qu'il sait déjà qui c'est ? Et si tu hausses encore les épaules…

— Je ne sais pas, Sara. Je ne peux rien te dire, parce que je ne sais pas. »

Elle le fixa un moment, se demandant pourquoi elle oubliait toujours à quel point il pouvait être énervant à force d'être têtu. Sans doute pour les mêmes raisons qu'il oubliait à quel point elle était persévérante.

Sara se concentra de nouveau sur la voiture. « Est-ce que tu peux aller me chercher une grosse clé ? » Elle observa de plus près les écrous qui retenaient le siège. « En fait, regarde si tu trouves plutôt une lampe de poche. »

La journée allait être longue.

Lena

Chapitre 10

Lena se gara sur le parking du lycée réservé aux professeurs, et remarqua que sa Celica, qui avait déjà huit ans, était en meilleur état que toutes les autres voitures. Elle avait taquiné Sibyl un jour en lui faisant remarquer qu'après des années d'études, son salaire de prof à Grant Tech n'était que de cinq mille dollars de plus par an que son salaire de flic. Lena, avait répliqué Sibyl, courait le risque d'être tuée pour cinq mille dollars de moins par an qu'un professeur d'université, et c'était tout de suite devenu beaucoup moins drôle.

Tout le monde savait que Lena n'avait pas vraiment été une élève brillante au lycée d'Elawah. Elle avait obtenu des B et des C jusqu'au lycée, ou plutôt jusqu'à la puberté, car après, ç'avait été la débandade. Elle avait échoué par deux fois en algèbre, et avait passé deux étés à étudier pour obtenir son diplôme au rattrapage. L'idée d'abandonner ne lui avait jamais effleuré l'esprit, mais Hank lui avait dit que le taux d'abandon du lycée d'Elawah était de quasiment cinquante pour cent. Rares étaient les jeunes qui voyaient un intérêt à travailler la physique appliquée alors que la plupart finiraient à l'usine de pneus.

Le mari de Charlotte Warren travaillait à l'usine. Bien entendu, elle n'était plus Charlotte Warren. Larry Gibson avait eu son bac la même année que Charlotte.

Quand Sibyl était partie étudier à l'université, ils avaient commencé à se fréquenter. Trois enfants plus tard, Larry était cadre intermédiaire à l'usine de pneus, Charlotte faisait passer le temps en enseignant. Ils n'étaient pas loin d'atteindre le rêve américain, sauf que, à en croire les lettres que Lena avait trouvées dans le bureau de Hank, Charlotte était malheureuse comme les pierres.

« Qu'est-ce qui cloche chez moi ? » s'interrogeait-elle dans les lettres. « Pourquoi ne suis-je pas heureuse ? »

Mais Lena avait pour l'instant du mal à s'intéresser aux malheurs conjugaux de Charlotte. Elle était là pour dénicher des informations sur Hank, pour comprendre pourquoi il avait rechuté. Elle avait besoin de savoir pourquoi il leur avait menti, et ce qui était arrivé à leur mère. Il était possible que Charlotte Warren connaisse ses secrets. On n'écrivait pas le genre de confidences que Charlotte livrait dans ses lettres à un inconnu. Même si la dernière datait de plus d'un mois, Charlotte avait plus ou moins mis son âme à nu dans sa correspondance. Lena aurait parié que Hank l'avait payée de retour. Si elle ne pouvait obtenir les informations de son oncle, elle était bien décidée à les tirer de sa confidente.

Il n'y avait pas de gardien devant l'école, de sorte que Lena put entrer directement. Une liste des classes était accrochée au mur de l'entrée, et Lena trouva facilement celle de Charlotte Gibson.

Comme beaucoup d'écoles rurales, c'était une structure à un étage, avec beaucoup d'espace pour s'agrandir, mais pas d'argent pour réaliser les travaux. Dix mobile homes, ou « classes provisoires », étaient adossés au bâtiment, au-dessus du terrain de foot. Lena se tenait dans l'encadrement de la porte et regardait les tristes mobile homes. Ils les qualifiaient de temporaires, mais Lena savait qu'au moins deux d'entre eux dataient de l'époque où elle était en terminale. Certains étaient posés sur des dalles en béton, mais la plupart reposaient sur des pilotis. De l'herbe poussait entre les canettes de sodas et les boules de papier que les étudiants avaient jetées en dessous. Des marches en bois menaient à la porte, et Lena se demanda si les préfabriqués étaient climatisés. Ils faisaient tout au plus trois mètres sur cinq et, connaissant les habitudes du comté, l'école devait entasser les élèves comme des sardines. Rien d'étonnant à ce que le taux d'abandon soit si élevé. Lena n'était là que depuis cinq minutes, et elle était déjà pressée de quitter les lieux.

Elle avança le long du chemin devant les mobile homes, songeant qu'il était curieux que Charlotte ait hérité d'une salle à l'arrière de l'école. Elle avait sans doute assez d'ancienneté pour prétendre à une vraie salle de classe, dans le bâtiment principal. Cela dit, elle pouvait déjà s'estimer heureuse d'avoir un travail. D'après les lettres que Lena avait trouvées, Hank avait été le parrain de Charlotte chez les AA. Jusqu'à l'année précédente, elle avait eu besoin d'une rasade de gin pour se lever le matin.

« Vous voulez voir le proviseur ? » l'interpella un professeur depuis une porte ouverte. Lena fit la grimace en se souvenant combien de fois ses profs lui avaient posé la même question. Ce n'était pas une question, d'ailleurs ; s'ils vous la posaient, c'était qu'ils étaient déjà en colère, autant dire que vous étiez pratiquement déjà dans le bureau du proviseur.

Le tout dernier mobile home était celui de Charlotte, et c'était sûrement le pire. La dernière marche avait pourri, et quelqu'un avait posé des moellons par terre pour la remplacer. La porte à moustiquaire, qui pendait lâchement de ses gonds, était ouverte. À l'intérieur, Lena vit deux rangées de bureaux tout en longueur qui faisaient face au mur du fond, où se trouvait Charlotte, penchée sur une pile de copies. Personne d'autre dans la salle de classe.

Lena resta devant la porte, à regarder Charlotte noter ses copies. Maintenant qu'elle était là, elle ne savait pas quoi dire. Lena avait le sentiment d'avoir, d'une certaine manière, violé Charlotte en lisant ses lettres. Peut-être était-ce le cas. Ses propos étaient très intimes, et n'étaient destinés qu'à Hank. Si la situation avait été inversée, si Charlotte avait lu les lettres personnelles de Lena, celle-ci aurait été furieuse.

Mais il était évident que Charlotte en savait plus sur Hank que ce qu'elle avait laissé entendre à la bibliothèque. Tous deux avaient manifestement partagé une amitié profonde. Une chose était sûre, cette femme savait garder un secret. Lena était habituée à faire avouer aux gens leurs pires méfaits, qu'il s'agisse d'un vol de voiture ou du meurtre d'un époux. Elle devait aborder la conversation comme s'il s'agissait d'un interrogatoire plutôt qu'une affaire d'ordre privé, personnel.

Les leçons de Jeffrey résonnaient dans ses oreilles : *Mets le suspect à l'aise, fais un peu la conversation, puis fais en sorte qu'il te dise la vérité.*

Lena frappa à la porte avant de se rendre compte que celle-ci n'était attachée à rien. Elle commença à tomber sur le côté et Lena la rattrapa, un éclat de bois lui transperça la paume de la main.

« Merde, siffla-t-elle, tandis que la porte retombait par terre.

— Une écharde ? » demanda Charlotte. Elle avait eu le temps de traverser le mobile home pendant que Lena se battait avec la porte.

Lena mit sa main dans sa bouche et hocha la tête.

« Entre », proposa Charlotte. Si elle était surprise de voir Lena, elle n'en dit rien.

« Pourquoi est-ce qu'ils t'ont reléguée ici ? » demanda Lena en entrant. Des posters aux couleurs vives décoraient les murs, et la pièce était propre et bien rangée, mais ça restait une boîte en tôle en train de cuire sous le soleil. Le sol était quasiment élastique sous ses pas, et quelqu'un avait utilisé du scotch argenté pour tenter d'isoler les fenêtres.

Charlotte ferma la porte et déclencha la climatisation. Elle fut obligée de lever la voix pour se faire entendre, à cause du bourdonnement de la machine. « Tu veux que je jette un coup d'œil à ta main ? »

Lena s'assit sur le coin du bureau de Charlotte et tendit sa main.

« Ce n'est pas très méchant », constata Charlotte, en pinçant la peau pour tenter de faire sortir l'écharde. Elle semblait plus détendue dans sa classe qu'à la bibliothèque. Elle se conduisait comme une adulte ici, comme si elle était dans son élément. « Je peux te la retirer avec une aiguille si tu… »

Lena retira brusquement sa main. « Non, merci. Ça va partir tout seul. »

Charlotte sourit en s'asseyant sur l'une des chaises des élèves. « Tu as toujours peur des aiguilles ?

— Et toi, toujours peur des clowns ? »

Charlotte rit, comme si elle avait oublié sa terreur d'enfance. « On s'habitue à beaucoup de choses. »

Sauf à coucher avec ton mari, pensa Lena. Elle parcourut le mobile home du regard, vit les taches d'humidité au plafond, sentit la brise qui venait des fenêtres mal isolées. « Tu t'es fâchée avec qui ?

— Sue Kurylowicz. » Devant l'absence de réaction de Lena, elle ajouta : « Tu te souviens ? C'était Sue Swallows à l'époque.

— Sue la Suceuse, qui faisait des pipes derrière l'épicerie ? »

Charlotte rit de nouveau ; encore une chose qu'elle avait oubliée. « Sue est maintenant l'assistante du proviseur.

— Mon Dieu, rien d'étonnant à ce que cet endroit ressemble à une porcherie.

— Ça, ce n'est pas la faute de Sue », la défendit Charlotte. Elle indiqua la pièce, l'école. « Ça ne sert à rien de donner de la confiture à des cochons.

— En tout cas, elle en a sucé plein. » Lena secoua la tête. « Je n'arrive pas à croire que ce soit ton chef. Ça doit faire chier, ça.

— Oh, elle n'est pas si terrible que ça », murmura Charlotte en déplissant sa jupe avec la paume de sa main. Elle ressemblait davantage à la Charlotte de la bibliothèque maintenant : silencieuse, soumise. « Je sais bien que ça n'en a pas l'air, mais Sue a vraiment été une bonne amie pour moi ces dernières années.

— Comme Sibyl ? »

Elle pinça les lèvres. « Non. Rien à voir avec Sibyl. »

Lena avait perçu une expression de crainte dans les yeux de Charlotte, et sa détermination flancha. Avancer doucement était quelque chose de nouveau pour elle, mais elle essaya. « Quand est-ce que le bar a fermé ?

— Il y a deux semaines environ, je crois, répondit Charlotte. Je l'ai lu dans le journal. Le barman vendait du crystal en plus de l'alcool apparemment.

— Deacon ? » demanda Lena, secouant la tête en prononçant ce nom. Cela faisait bien trente ans que

Deacon Simms travaillait pour Hank. Il avait un casier judiciaire chargé et un tempérament déplorable, ce qui faisait de lui le barman parfait pour le bar de Hank, mais personne ne l'aurait embauché ailleurs. Hank l'aimait comme un frère.

« Deacon est parti il y a quelque temps, dit Charlotte. C'était un nouveau. »

Hank ne lui avait pas dit que Deacon était parti, mais bon, il y avait beaucoup de choses qu'il ne lui avait pas dit. Elle savait que le barman avait mauvais caractère – il se disputait toujours avec Hank – mais au fil des années, Deacon avait rendu son tablier un nombre incalculable de fois, en jurant à chaque fois qu'il ne reviendrait plus. Son absence la plus longue avait duré trois jours. Il revoyait Hank à l'une de leurs réunions des AA, et tout était pardonné.

Lena se demandait si Charlotte avait vu Deacon à des réunions. Évidemment, si Charlotte était un tant soit peu comme Hank, même si elle y avait rencontré le pape en personne, en train de boire du café et de grignoter des gâteaux à l'œil, elle n'en aurait pas dit un mot. Elle tenta tout de même sa chance : « Tu sais où Deacon est allé ?

— Je ne l'ai pas vu par ici.

— Il y a ce type, commença Lena. Je l'ai vu devant la maison de Hank. Il avait une croix gammée tatouée sur le bras.

— Comme ça ? Au vu et au su de tout le monde ? » Charlotte avait l'air scandalisée. « C'est écœurant. C'était qui ?

— J'espérais que tu pourrais me l'apprendre », avoua Lena. Ce type serait sans doute plus difficile à retrouver que ce qu'elle avait cru. À moins de déambuler dans la ville sans but précis à la recherche de la brute, Lena allait avoir besoin d'aide. Il fallait simplement qu'elle trouve un moyen de demander de l'aide à Jeffrey sans impliquer Hank. Ce n'était pas comme si elle pouvait appeler son chef et lui demander de l'aider à retrouver le dealer de son oncle.

« Je suis désolée de ne pas pouvoir t'aider », dit Charlotte d'une voix douce.

Lena haussa les épaules pour balayer ses excuses. « Pourquoi Hank a recommencé à se droguer, à ton avis ?

— Qui sait ? répondit-elle en grattant une tache invisible sur sa jupe. Peut-être qu'il en a juste assez de ressentir des choses. »

Elle donnait l'impression de savoir de quoi elle parlait. Et bien sûr, Lena connaissait la vérité qui se cachait derrière ses paroles. « J'ai trouvé tes lettres. »

Charlotte rit de nouveau, mais cette fois, son rire n'avait rien de joyeux. Elle observa ses mains, puis baissa les yeux pour ne pas croiser le regard de Lena. « J'imagine que tu les as lues ?

— J'aimerais ne pas l'avoir fait », reconnut Lena.

Charlotte poussa un lent soupir. « J'ai dit tellement de choses dans ces lettres. Des choses dont je n'ai jamais parlé à personne.

— Tu as essayé de te suicider. »

Elle hocha la tête et haussa les épaules, en même temps.

« Pourquoi ? demanda Lena. Si tu es tellement malheureuse ici…

— Quoi ? Tout quitter, comme ça ?

— Ouais.

— C'est si facile pour toi, commença Charlotte. Tu n'as pas d'enfants ni de maison que tu t'es efforcée de transformer en foyer, ni de mari qui t'aime tellement qu'il est prêt à renoncer à tout, ni… » Elle s'interrompit, retenant ses émotions. « J'aime mon mari. Je l'aime vraiment. Je n'imagine même pas ce que ma vie serait sans Larry. Il est resté à mes côtés pendant toutes ces horreurs que j'ai fait vivre à ma famille. Même quand… » Sa voix s'éteignit. « Quand j'ai pris ces médicaments, il était là. C'est lui qui a appelé l'ambulance. C'est lui que j'ai vu quand je me suis réveillée à l'hôpital. Il a pris un congé sans solde, et ça lui a coûté une promotion. Il faisait le ménage à la maison, donnait à manger aux enfants, faisait les courses, et le soir, il travaillait à temps partiel dans un motel sordide pour que j'aie les moyens de continuer ma thérapie. Il a tout fait, pendant que moi, je restais couchée au lit à me lamenter sur mon sort.

— C'était il y a six ans. » Lena l'avait lu dans les lettres. « Quand Sibyl est morte. »

Charlotte décocha un faible sourire. « Tu sais, ce n'était même pas lié à elle. Enfin, évidemment, j'étais effondrée. Non seulement elle était morte, mais la manière dont elle est morte rendait tout ça encore plus horrible. » Elle s'arrêta, se reprit. « Sibby était si douce, et la voir disparaître de cette façon… »

Lena n'avait pas envie d'y penser, de se souvenir de tous les détails. « Je comprends, dit-elle. Tu sais que je comprends.

— C'est alors que je me suis rendu compte que ma vie avait évolué, à mon insu. Est-ce que ça t'est arrivé à toi aussi, Lee ? »

Lena n'y avait jamais pensé en ces termes, mais elle supposait que c'était le cas.

« Tout à coup, j'étais une femme adulte et mariée, je conduisais un break tout en essayant de m'organiser pour aller chercher les enfants à l'entraînement de foot, trouver le temps de faire la cuisine et organiser un rendez-vous nocturne avec mon mari. »

Rien qu'à entendre ce tableau, Lena étouffait, mais elle se sentit obligée de dire : « Ça n'a pas l'air si horrible que ça.

— Exactement, acquiesça Charlotte. J'étais là, avec ma petite vie exemplaire, et la seule chose que je me disais, c'était que si je devais aller à un autre loto de l'Église, ou un autre match de foot, je me suiciderais. Et un matin, je me suis réveillée et j'ai décidé de passer à l'acte.

— Ton mari sait pour Sibyl ?

— Larry sait que nous étions proches, mais rien de plus. » Elle leva enfin le regard vers Lena. « Je crois que ça le détruirait s'il savait. Pas pour ce que tu crois, mais parce qu'il sait… Il sait qu'il me manque quelque chose, et il essaie tellement de…

— Tu en as parlé à ton thérapeute ?

— Le thérapeute chrétien qui est également le pasteur de notre église ? dit Charlotte avec sarcasme. Oh ! oui. Nous en avons parlé et il a prié pour moi, et Jésus m'a enlevé ce poids comme par magie. » Des larmes coulèrent sur ses joues. « C'est ma croix, Lena. On fait son lit comme on se couche, n'est-ce pas ?

— Mais si tu… »

Elle secoua la tête avec détermination. « Si Larry l'apprenait, il serait effondré. Je ne peux pas lui faire ça. Il faut que tu comprennes que je l'aime vraiment, vraiment. Il pourrait supporter n'importe quoi – même un autre homme – mais là, il ne peut pas rivaliser, et ça le tuerait. »

Lena essaya d'avancer en douceur. « Et est-ce qu'il a besoin de rivaliser avec ça ? »

Charlotte lui jeta un regard sévère. « Tu veux dire que c'était simplement une *passade* ? » Son ton amer indiquait qu'elle avait déjà entendu cet argument. « Être amoureux de quelqu'un, se sentir lié à cette personne, comme si ton cœur était une partie du sien, ça n'a rien d'une *passade*.

— Je sais, dit Lena, parce qu'elle avait l'impression que c'était ce que Charlotte avait besoin d'entendre.

— J'ai été avec d'autres hommes, Lee. Ce n'est pas comme si je n'avais pas rencontré le bon.

— Je suis désolée, dit Lena. Ce n'est pas ce que je voulais dire. »

Charlotte regarda ses mains. Son alliance était sertie d'une pierre, qui scintillait dans ce mobile home glauque. Un homme n'achetait pas une bague pareille à une femme s'il n'était pas fou amoureux d'elle. Elle dit à Lena : « Quand Larry et moi avons commencé à nous fréquenter, il savait que je me remettais d'une histoire. Mais il ne savait pas que c'était une femme. »

Lena avait toujours été la plus lucide des deux, mais elle avait été cette fois-là plus aveugle que Sibyl. Installée dans la cabane qui servait de bureau à Hank, en train de lire les sentiments les plus intimes de Charlotte, Lena s'était souvenue de toutes les fois où sa sœur avait fermé la porte de leur chambre, demandant à Lena de les laisser seules, elle et Charlotte, pour qu'elles puissent étudier. Lena n'avait jamais deviné sur quoi leurs études portaient vraiment.

Pendant des années, Lena avait accusé Nan Thomas, la femme avec qui elle vivait quand elle était morte, d'être responsable des penchants de Sibyl. Il lui avait fallu beaucoup de temps pour accepter que les préférences sexuelles de sa sœur ne changeraient pas. Lena avait même construit une forme d'amitié avec Nan. D'une certaine manière, pourtant, elle avait continué à penser que sa sœur était une innocente qui avait été à son corps défendant arrachée au monde hétérosexuel. Mais si tout remontait aussi loin, à l'époque de

Charlotte Warren, alors toutes ses théories sur les raisons du changement de Sibyl s'effondraient.

En vérité, Sibyl n'avait pas changé du tout. Elle avait toujours été ainsi ; simplement, Lena avait été trop bête pour s'en rendre compte.

« Ton mari sait que tu fais partie des AA ? demanda Lena.

— C'est un peu difficile à cacher quand on te suspend de tes responsabilités professionnelles pour cause d'ivresse. » Elle rit, alors qu'il n'y avait rien de drôle dans ce qu'elle racontait. « C'était quand j'étais encore dans le bâtiment principal, et pas dans ce parking à caravanes. Je suis tombée à plat ventre sous le nez du personnel de la presse. Sans l'aide de Sue la Suceuse, j'aurais perdu mon poste. » Elle sourit. « Bien sûr, c'était peut-être qu'on était en milieu d'année, et qu'il aurait été pratiquement impossible de trouver quelqu'un pour me remplacer, mais je crois qu'elle m'a laissé continuer à enseigner parce qu'elle croit en moi.

— Tu te conduis comme si tout cela n'était qu'une farce.

— Oh, tu sais… Si je n'en riais pas, je ne serais pas capable de me lever le matin.

— Pourquoi as-tu commencé à boire ?

— Parce que c'était un moyen plus lent, socialement plus acceptable, de me suicider. Et ça m'anesthésiait. Je ne voulais plus rien sentir.

— C'est ce que tu disais de Hank.

— Oui. C'est ça. » Charlotte avala sa salive. Maintenant qu'elle regardait Lena, on aurait dit qu'elle ne pouvait plus la quitter des yeux. « Tu ressembles tellement à Sibby, tu sais. »

Lena secoua la tête. « Je ne lui ressemble plus.

— À l'intérieur, insista Charlotte en portant sa main à sa poitrine. Vous avez toujours été pareilles à l'intérieur aussi. »

Lena ne put s'empêcher de rire. « Sibyl n'avait rien à voir avec moi. J'avais tout le temps des problèmes. Ils ont sûrement une chaise à mon nom devant le bureau du proviseur.

— Elle était plus douée pour ne pas se faire attraper, c'est tout, répliqua Charlotte. Tu te souviens comme elle était insolente avec le professeur Hanson pendant les cours de biologie ? »

Lena sourit. « Elle le faisait tourner en bourrique. Il la haïssait.

— Tu te souviens de cette musique horrible qu'elle écoutait ? Elle était complètement folle de Joan Jett.

— Est-ce que c'est Sibyl qui – je veux dire, est-ce que c'est elle qui… » Lena se sentit devenir rouge comme une tomate. « Bon Dieu. Laisse tomber.

— C'était réciproque, expliqua Charlotte. Nous étions toutes les deux en train d'étudier sur le lit. La fenêtre était ouverte, et il s'est mis à pleuvoir. Je me suis penchée au-dessus d'elle pour la fermer, et de fil en aiguille… C'est juste… arrivé. »

Lena sentit de nouveau son estomac se retourner. Le lit de Sibyl se trouvait près du mur. C'était sur le lit de Lena qu'elles s'étaient embrassées.

« Ça va ? »

Lena hocha la tête, tenta de refouler l'image qui lui venait à l'esprit.

Charlotte comprit mal la réaction de Lena. « Elle ne pensait pas que tu pourrais l'accepter.

— Et elle avait raison, reconnut Lena dans un élan de tristesse familier. Aujourd'hui je l'accepte, mais pas au moment où c'était important.

— Elle savait que tu l'aimais, Lee. Elle n'en a jamais douté. » Charlotte se leva et avança jusqu'à la fenêtre. « Elle est comment, Nan ?

— Nan ? répéta Lena. Comment est-ce que tu sais, pour Nan ?

— Elle m'a téléphoné à la mort de Sibyl.

— Oh. » Lena avait honte de ne pas avoir passé elle-même ce coup de téléphone.

Charlotte dut s'en apercevoir. « Tu avais beaucoup de choses à faire, Lee. Ne t'inquiète pas pour ça.

— J'aurais dû te prévenir. Tu étais… » Lena ne savait pas comment qualifier la relation de Sibyl et de Charlotte. « J'aurais dû t'appeler.

— Elle a l'air un peu prétentieuse au téléphone.

— Nan ? » Lena haussa les épaules. « Pas vraiment. Parfois elle est un peu chiante, mais la plupart du temps, ça va. J'ai vécu avec elle pendant un moment.

— Oui, Hank me l'avait dit. On avait bien rigolé. »

Lena sentit son estomac se nouer. « Qu'est-ce qu'il t'a dit d'autre à mon sujet ?

— Qu'il s'inquiétait pour toi. Que tu fréquentais ce mec, un sale type, et qu'il avait peur que tu n'arrives pas à t'en défaire. » Elle s'interrompit, hésitante, avant d'ajouter : « Qu'il t'avait accompagnée à Atlanta. »

Lena eut soudain une boule dans la gorge. « C'est pour ça qu'il a recommencé à se droguer ? Parce que je… » Lena était incapable de prononcer le mot, de dire ce qui s'était passé à la clinique pour femmes d'Atlanta.

« Écoute-moi », lui ordonna Charlotte d'un ton sévère. Elle attendit que Lena lève les yeux. « Tu ne peux pas pousser quelqu'un à se droguer, de même que tu ne peux rien faire pour l'en empêcher. Tu n'as pas ce pouvoir, ni sur Hank, ni sur personne d'autre. Hank a recommencé à se droguer pour des raisons qui lui appartiennent. »

On aurait dit l'une de ses brochures des AA. « Est-ce qu'il t'a parlé de ses raisons ? »

Charlotte secoua la tête. « La plupart du temps, il m'écoutait. J'étais tellement préoccupée par moi-même que, quand j'ai compris ce qui lui arrivait, il était trop tard.

— Quand est-ce qu'il a recommencé ?

— Je dirais il y a trois mois, peut-être quatre ou cinq, s'il a commencé doucement.

— Est-ce qu'il a dit quelque chose pendant vos réunions ?

— Je ne peux pas te dire ce qu'il a dit aux réunions, Lena. Tu le sais. » Elle leva les mains, comme pour l'empêcher de poser une autre question. « En revanche, je peux te dire qu'il y a deux mois, il m'a dit qu'il ne pouvait plus être mon parrain. Je me suis sentie blessée, et je ne lui ai pas vraiment posé de questions comme j'aurais dû. J'étais trop occupée à me sentir rejetée et en colère. Une partie de moi s'est réjouie quand il n'est pas venu à la réunion suivante, ou à celles d'après. Parfois, il se rendait à celles de Caterson, et j'ai simplement pensé qu'il allait là-bas. »

Caterson se trouvait à environ soixante-quinze kilomètres, ce qui ne faisait pas très loin pour quelqu'un comme Hank, qui aimait conduire.

« Quand est-ce que tu as compris qu'il avait arrêté d'aller aux réunions ? demanda Lena.

— Il y a quelques semaines. J'ai mis mon ego de côté, et j'ai demandé à une amie à Caterson de transmettre mon bonjour à Hank. Et elle m'a dit que ça faisait une éternité qu'elle ne l'avait pas vu.

— Tu n'as jamais remarqué un 4 × 4 blanc devant sa maison ?

— Non. Larry et moi faisons des promenades après le dîner. Nous passons presque tous les soirs devant la maison de Hank. En fait, j'avais fini par me demander si tu étais venue le chercher. Sa voiture était garée dans l'allée, mais il n'y avait jamais de lumière, à part celle de la cuisine, comme d'habitude. »

Hank laissait toujours la lumière de la cuisine allumée, pour décourager les voleurs. Pas une très bonne technique puisque tout le quartier était au courant.

« Quand est-ce que tu l'as vu pour la dernière fois ? demanda Lena.

— Il y a quatre jours. C'est pour ça que je t'ai appelée. Il était dehors, en train d'essayer de réparer sa boîte aux lettres. Quelqu'un y avait mis un pétard, sans doute un des jeunes qui vivent quelques rues plus loin, pour prendre un peu d'avance sur Halloween. Larry lui a proposé son aide, mais Hank l'a insulté, nous a dit de nous en aller, et c'est ce que nous avons fait. »

Lena réfléchit à ce qu'elle venait d'entendre. « Ça fait donc plusieurs mois qu'il est enfermé dans sa maison, et la seule chose qui parvient à lui faire mettre le nez dehors, c'est une boîte aux lettres cassée ?

— Il était complètement défoncé, Lee. Je suis même étonnée qu'il ait réussi à tenir debout tout seul, encore plus à franchir les trente mètres qui séparent la maison de la boîte aux lettres. Sa peau était dans un état terrible. De toute évidence, il ne s'était pas lavé depuis un bon bout de temps. N'importe quel idiot aurait pu comprendre ce qu'il faisait.

— C'est-à-dire ?

— Il essayait d'en finir. »

La voix de Lena resta coincée. « D'en finir avec la vie ? »

Charlotte haussa les épaules. « D'en finir avec ses souffrances, peut-être.

— Qu'est-ce qui a changé ? Qu'est-ce qui l'a poussé à recommencer ?

— Je n'en ai aucune idée. C'est la vérité. Tous les matins, mon objectif, c'est de ne pas boire. Je suis une alcoolique. Nous ne sommes pas connus pour notre altruisme. »

Lena doutait que ce soit vrai dans le cas de Charlotte. Elle insista. « Mais tu as vu qu'il avait des problèmes il y a deux, trois mois peut-être ?

— Je ne sais pas, reconnut Charlotte. Peut-être que j'ai vu qu'il était déprimé ou préoccupé, ou qu'il se comportait différemment, mais tout ce qui m'intéressait, c'était moi. L'école avait recommencé et j'étais revenue dans cet enfer, avec les enfants qui se moquaient de moi derrière mon dos, et les profs qui se moquaient de moi sous mon nez. Je luttais pour rester sobre. Je me concentrais uniquement sur ce qu'il fallait faire pour rester dans le droit chemin. » Elle fit un geste d'impuissance. « Quand je me suis rendu compte que quelque chose clochait avec Hank, c'était trop tard. Il ne voulait pas me parler, il ne me rappelait pas, il ne répondait pas quand je sonnais chez lui. Il me répétait sans arrêt de le laisser tranquille et de le laisser faire ce qu'il voulait. »

Lena reconnaissait la rengaine. « C'est à ce moment-là que tu as commencé à lui écrire ?

— Oui. » Elle marqua une pause, perdue dans ses pensées. « C'était bizarre au début, mais ensuite, quand j'ai vu qu'il ne répondait pas, c'était presque libérateur. Je pouvais écrire ce que je voulais. Je ne l'avais jamais fait avant, je disais juste ce qui me passait par la tête.

— Tu parles beaucoup de Sibyl, de comment c'était quand vous étiez ensemble. » Certains passages avaient été si difficiles à lire que Lena s'était retrouvée à regarder par la fenêtre, perdue dans un autre temps. Charlotte avait réussi à saisir l'essence de Sibyl, sa bonté, sa gentillesse, l'amour dont elle était capable. Même une fois sa lecture achevée, ces sentiments étaient restés, et c'était presque comme si Sibyl était de nouveau vivante.

Charlotte continua : « Hank est la seule personne qui sache pour elle. Pour nous. Ce que nous ressentions l'une pour l'autre, que c'était de l'amour, et pas quelque chose de grotesque. » Elle s'appuya contre la fenêtre, les bras croisés au niveau de ses hanches. « Mais tu sais quoi ? Il y a très longtemps, il m'a demandé ce qui se serait passé si Sibyl et moi avions fait en sorte que ça marche. J'aurais pu me faire transférer à Georgia Tech, tu sais. Ils ne m'auraient pas tout offert sur un plateau d'argent comme c'était le cas avec Sibby, mais j'étais déjà à l'université, je m'en sortais assez bien, je visais la mention. J'étais malheureuse, je vivais avec mes parents, j'étais obligée de faire les allers-retours jusqu'à Milledgeville. J'aurais pu demander un transfert, prendre un job à Atlanta, ou un prêt étudiant ou faire quelque chose pour ça. Mais je n'ai rien fait.

— Pourquoi ?

— Je crois que ça me faisait peur. Tout me faisait peur à l'époque. Atlanta est tellement grande, anonyme. Je me sentais en sécurité ici. Et ça aurait tué mes parents.

— C'était plus facile pour nous que pour toi de partir de la maison, dit Lena. Tes parents étaient…

— Mes parents ne m'auraient plus jamais adressé la parole si je l'avais suivie à Atlanta. Ils nous ont surprises ensemble une fois. Tu le savais ? » Lena secoua la tête, choquée que Sibyl ne le lui ait jamais dit. « C'était pendant les vacances de la Toussaint de ma deuxième année, et Sibby allait partir à Tech. Mes parents étaient censés être allés rendre visite à la tante Jeannie pour la journée, mais ils s'étaient disputés. Ils se disputaient sans arrêt. C'était l'époque où ma mère avait découvert que mon père sautait Mme Ford, de l'Église, depuis à peu près cinq ans. » L'ironie de la situation la fit rire. « Donc ils sont rentrés plus tôt et nous ont trouvées… Enfin, tu peux imaginer comment ils nous ont trouvées. Ils ont téléphoné à Hank, qui était au bar, et l'ont obligé à venir sur-le-champ pour nous confronter. Il était furieux – contre eux, pas contre Sibyl. Il leur a dit que nous étions toutes les deux adultes et que cela ne les regardait pas.

— “Que celui qui n'a jamais péché…” » cita Lena. C'était un des versets préférés de Hank. Il vous le jetait toujours à la figure avant de vous dire que ce que vous faisiez était mal.

« Vous aviez tellement de chance de l'avoir », dit Charlotte.

Lena rit. « Tu te fous de moi ? J'aurais donné n'importe quoi pour avoir tes parents !

— Je te les donne.

— D'accord, concéda Lena. Ce qu'ils ont fait n'était pas bien, mais ils ne t'ont jamais laissée dehors toute la nuit par accident, ou oublié de te nourrir, ils ne t'ont jamais laissée seule avec des étrangers, et ils n'ont certainement jamais été bourrés au point de te percuter avec leur voiture et…

— Quoi ?

— Tu te rappelles bien ce que Hank a fait. »

Charlotte eut l'air perplexe. « Qu'est-ce qu'il a fait ?

— Il a rendu Sibyl aveugle. Il lui a ôté la vue. Comment peux-tu…

— Lena, ce n'était pas Hank. »

Lena sentit son cœur s'arrêter de battre. « Qu'est-ce que tu racontes ? »

Charlotte était face à elle, encore perplexe devant la réaction de Lena. « J'étais là ce jour-là.

— Non, ce n'est pas vrai.

— Toi, moi et Sibyl étions en train de jouer devant la maison avec une vieille balle de tennis que j'avais volée à mon frère. Tu as jeté la balle au-dessus de la tête de Sibyl et elle a couru dans l'allée, et…

— Non, insista Lena. Tu n'étais pas là. »

En prononçant les mots, elle revoyait cette journée : elle lançait la balle au-dessus de la tête de Sibyl, pour qu'elle lui coure après. Et Charlotte Warren était de l'autre côté de l'allée, elle récupérait la balle et la lançait à Lena. « Non. » Lena secoua la tête, comme pour effacer ce souvenir. « Tu n'étais pas là.

— Si, Lee, j'y étais. J'ai vu la voiture faire marche arrière. J'ai crié, mais elle ne s'est pas arrêtée. Le pare-chocs a touché Sibyl à la tête. Je l'ai vue s'effondrer dans l'allée. » Tandis qu'elle parlait, Lena revoyait de nouveau la scène. Sibyl courait dans l'allée, Charlotte criait. « Il y avait juste un mince filet de sang. » Avec son doigt, Charlotte traça un trait le long de sa tempe, le long de sa mâchoire, exactement à l'endroit où Sibyl avait saigné. « Tu t'es mise à pleurer, tu étais hystérique. Hank est sorti de la maison en courant, et ta mère…

— Ma mère ? » Lena se sentait prise de vertiges. Elle s'appuya contre le bureau. « De quoi tu parles ? Ma mère était là ? Elle était là quand Sibyl… ?

— Lee, dit Charlotte en posant sa main sur l'épaule de Lena. Ce n'était pas Hank. C'était ta mère qui conduisait la voiture. C'est elle qui a rendu Sibyl aveugle. »

Mercredi soir

Chapitre 11

Sara était allongée dans le lit, s'efforçant de ne pas penser aux bestioles qui avaient sans doute élu domicile dans le matelas. L'autopsie avait duré dix pénibles heures, et de retour au motel, elle avait failli fondre en larmes en voyant la chambre sale. Sara savait qu'il y avait une femme de ménage. Le matin même, elle l'avait vue pousser un grand chariot de produits nettoyants et un aspirateur. À part le lit qui avait été fait, elle n'avait apparemment touché à rien. Sara ne s'était pas attendue à voir un petit mot de remerciement pour le nettoyage de la baignoire, mais un coup d'aspirateur sur la moquette n'aurait tout de même pas été trop demander. Le M&M vert qu'elle avait vu sous la table hier matin y était toujours.

Sara ferma les yeux et écouta Jeffrey chanter sous la douche, l'eau qui tombait contre les parois en plastique de la baignoire. Elle avait nettoyé sa blessure à la main avec du désinfectant trouvé à la morgue, mais il se ferait son bandage tout seul en sortant de la douche. Elle était trop fatiguée pour le faire, et honnêtement, une partie d'elle-même ne parvenait pas à décolérer depuis la veille. Ils avaient passé toute la journée ensemble, et pourtant, ni l'un ni l'autre n'avaient voulu rompre la glace en parlant de ce qui était arrivé.

Jeffrey semblait en prendre son parti, et cela ne faisait qu'irriter Sara encore plus. Dans cette situation, elle se sentait comme une caricature d'épouse de série B, qui passait son temps à harceler son pauvre mari incompris. Elle avait toujours soutenu Jeffrey, y compris quand elle pensait qu'il avait tort, et c'était injuste de sa part de la faire passer pour une mégère.

Pour couronner le tout, Sara avait toujours un mauvais pressentiment à propos d'Elawah et de l'affaire dans laquelle Lena les avait entraînés. L'autopsie n'avait servi qu'à intensifier ses craintes. Au fil des années, Grant County avait eu son lot de morts violentes, mais Sara n'imaginait pas ce qui pouvait être plus atroce que d'être brûlé vif. En général, elle était capable de dissocier le crime et la victime. Quand on s'apprêtait à taillader un corps, mieux valait ne pas y penser comme à une personne vivante et le considérer comme une somme de parties distinctes : système circulatoire, respiratoire, tissu, organes, squelette.

Pourtant, tandis que Sara travaillait sur le cadavre de cette femme, elle s'était surprise à se poser des questions sur sa vie, la méthode utilisée pour la tuer, la famille qu'elle laissait derrière elle. Ensuite, elle s'était mise à penser à l'assassin. Qui pouvait faire une chose pareille à un autre être humain ? Pas le genre de personne qu'elle aurait voulu voir parler à Jeffrey, en tout cas.

Ils n'avaient pas attendu Fred Bart pour commencer l'autopsie, et ils avaient bien fait, car le dentiste n'était jamais apparu. Sortir les restes du corps de la voiture avait été la partie la plus facile. Une fois le corps installé sur la table, Sara s'était rendu compte qu'il avait été tellement ravagé par les flammes que les procédures habituelles ne pouvaient être respectées. Nul besoin d'utiliser la scie Stryker, puisque l'arrière du crâne s'était fracturé dans la main de Sara, et le cerveau avait glissé comme le noyau d'une pêche bien mûre. Pas besoin non plus de faire une incision en forme de Y pour ouvrir le torse puisqu'il n'y avait pratiquement plus de peau dans laquelle elle aurait pu couper.

Toutes les côtes sauf deux avaient été fracturées sous l'effet de la chaleur. Le larynx et la trachée étaient desséchés, la langue fondue dans les organes du cou. Les surfaces pleurales des deux poumons étaient calcinées, les espaces creux bouchés de suie. La plupart des muscles squelettiques semblaient cuits à point. La moelle épinière était noire.

La suie présente dans les poumons prouvait que la femme avait vécu assez longtemps pour inhaler la fumée. Sara n'était nullement spécialiste des incendies volontaires, mais elle supposait que l'explosion du réservoir était la conséquence d'un feu qui avait démarré à l'intérieur de la voiture. L'explosion du réservoir s'était produite vers le haut et vers l'extérieur, endommageant surtout l'arrière du 4 × 4. La femme, même si elle était assise sur la banquette arrière, aurait dû être en mesure d'enlever sa ceinture de sécurité et de sortir de la voiture avant les dégâts les plus sérieux.

Apparemment, la femme n'avait pas été violée. Sara s'était demandé pourquoi elle en éprouvait du soulagement. Elle-même avait été violée, brutalement, comme un certain avocat s'était fait le plaisir de le lui rappeler. Mais si horrible qu'ait été cette épreuve, elle imaginait qu'il était beaucoup plus douloureux d'être brûlée vive.

Ce qui terrifiait surtout Sara, c'est que la femme savait sans doute ce qui allait arriver. Le crâne ne portait pas de trace de coup ; personne ne l'avait assommée avant de mettre le feu. Elle avait donc regardé et attendu que les flammes viennent dévorer son corps.

Le bruit de la douche cessa, et Sara se tourna sur le ventre, regrettant de ne pas avoir pensé à ramener ses coussins de la maison. Elle portait des chaussettes, un pantalon de jogging et une chemise à manches longues boutonnée jusqu'en haut, malgré l'air étouffant de la chambre, imprégnée d'une odeur humide de poulet frit. Les restes de la pizza qu'ils s'étaient fait livrer étaient posés sur la table en plastique, et elle eut envie d'en reprendre une part mais son corps refusait de bouger. Elle aurait bien demandé à Jeffrey, mais un peu plus tôt, il avait jeté un coup d'œil à la garniture de viande hachée et il avait eu la nausée.

Le lit bougea quand il s'y glissa. Elle attendit qu'il éteigne la lumière, arrange son oreiller et les draps comme il en avait l'habitude. Il n'en fit rien, mais lui demanda : « Tu dors ?

— Oui, mentit-elle. Tu as mis quelque chose sur ta main ? »

Il ne répondit pas à sa question. « Je n'aurais pas dû ralentir. » Il ajouta : « Hier », comme si elle avait besoin de précisions, puis répéta : « Je n'aurais pas dû ralentir. »

Sara ferma les yeux. « Je n'aurais pas dû te gifler », répondit-elle. Même si elle le voulait, même si elle avait honte d'avoir eu recours à la violence, Sara ne parvenait pas à regretter sincèrement son geste.

Pourtant, elle se tourna et posa sa tête sur sa poitrine. Il poussa un profond soupir et elle sentit sa colère se dissiper.

Elle dit : « Tu sens le savon d'hôtel.

— Ça pourrait être pire, fit-il remarquer, sans lui donner plus de détails, Dieu merci. Tu as appelé ta mère ?

— Elle faisait une sieste avec papa. » Sara ajouta : « À six heures du soir. »

Jeffrey rit, mais Sara ne lui avait jamais dit qu'elle avait vingt-deux ans quand elle avait découvert que la sempiternelle « sieste » du dimanche de ses parents n'était qu'une excuse pour dissimuler des activités autrement moins innocentes. Pas plus qu'elle ne lui avait dit que c'était sa sœur de dix-neuf ans qui l'avait mise au courant.

Jeffrey lui prit la main : « Peut-être que c'est nous qui ferons des siestes, bientôt. »

Un bébé. Leur bébé.

« J'ai écouté le répondeur pendant que tu travaillais sur tes notes de l'autopsie, dit-il. L'agence d'adoption n'a pas appelé.

— Je sais, j'ai vérifié quand tu étais sous la douche.

— Ils vont nous appeler, dit-il. Je le sens.

— N'en parlons pas, lui dit-elle. Je ne veux pas que ça nous porte malheur. » En réalité, cela pouvait prendre des années avant qu'un bébé soit disponible, même si le fait qu'ils aient accepté de prendre un enfant jusqu'à l'âge de deux ans, et qu'ils n'aient pas précisé de race ou de sexe les avait fait avancer dans la liste d'attente. La dame de l'agence leur avait dit que cela pourrait arriver l'année prochaine, ou bien maintenant, d'un jour à l'autre. Il n'y avait rien d'autre à faire qu'attendre – et ce n'était pas le point fort de Jeffrey et de Sara.

Jeffrey lui caressa le bras puis le côté. Il glissa son pouce sous la taille de son pantalon et proposa : « Peut-être qu'on pourrait faire une sieste maintenant. »

Elle se releva et s'appuya sur son coude, le regarda droit dans les yeux, pour qu'il comprenne que sa réponse était sans appel. « Pas un centimètre de mon corps nu ne touchera cette chambre de motel pourrie. »

Il lui fit un de ses sourires entendus : « C'est une forme d'encouragement ? »

Sara laissa sa tête retomber sur sa poitrine, elle ne voulait pas lui donner l'occasion de la faire changer d'avis. « Je t'en prie, dis-moi que ce que j'ai fait aujourd'hui va t'aider et nous permettre de partir d'ici.

— Je ne sais pas, reconnut-il en lui caressant de nouveau le bras. Nous ne savons toujours pas qui est la victime. Si Lena ne s'était pas enfuie, nous aurions sans doute pu trouver un avocat pour la faire sortir à l'heure qu'il est.

— Ne me parle pas d'avocats, supplia-t-elle.

— Nous n'en avons jamais parlé, dit-il. Comment la déposition s'est passée. Quelle sera la stratégie.

— Ça va », dit-elle, mais sa voix resta coincée dans sa gorge. Elle n'avait pas non plus trouvé de message de Buddy Conford. Ce qui signifiait que Global Medical Indemnity essayait encore de déterminer si cela valait la peine de se battre pour défendre les décisions professionnelles de Sara, ou s'il valait mieux capituler et accéder à la demande des parents de Jimmy.

Pour une fois, elle changea volontairement de sujet pour en revenir à Lena. « Je suis contente que ce n'ait pas été Hank dans cette voiture.

— Et moi donc, répondit-il, sachant mieux que personne à quel point il aurait été facile pour les flics du coin de revoir à la hausse les chefs d'accusation contre Lena et de l'inculper de meurtre si la victime avait été son oncle. Je ne vois toujours pas comment Jake compte monter son dossier sans identification de la victime. Il doit y avoir un motif. S'il n'est pas capable de prouver qu'il existe un lien entre Lena et la victime, c'est foutu.

— Le fait de ne pas connaître son identité ne change rien au fait qu'elle soit morte. » Sara aplatit les poils de la poitrine de Jeffrey, pour qu'ils ne lui chatouillent pas le nez. « Et Lena était sur le lieu du crime. Le pied posé sur un bidon d'essence.

— Ils ne parviendront sans doute pas à isoler ses empreintes sur le bidon.

— Ce qui ne constitue pas une preuve irréfutable de son innocence.

— Ils n'ont pas sa déposition. Elle n'a pas dit un mot à qui que ce soit. »

Sara faillit demander pourquoi il accordait à Lena le bénéfice du doute, alors même que, avec n'importe qui d'autre, il aurait pris un tel comportement pour un aveu de culpabilité. Elle se ravisa, se sentant trop fatiguée pour la discussion qui suivrait immanquablement.

Jeffrey dit : « Si seulement on retrouvait Hank. Il sait forcément quelque chose.

— Tu es sûr qu'il n'est pas chez lui ? Caché ?

— D'après ce que j'ai pu voir, il n'y avait personne. Valentine a une voiture en planque en face de chez lui. Je suis sûr que quelqu'un est allé frapper à sa porte quand Lena a disparu.

— Peut-être qu'il faut frapper plus fort pour l'ouvrir, cette porte. »

Il éclata de rire, surpris. « On dirait qu'être mariée à un flic a fini par déteindre sur toi.

— Alors écoute-moi. J'ai peur que Lena ait fait quelque chose pour mettre Hank en danger. »

Jeffrey prit son temps avant de répondre. « Est-ce que tu t'es dit que ça pourrait être l'inverse ? » Elle ne répondit pas, et il poursuivit : « Hank s'est probablement remis à se droguer. Peut-être qu'il a énervé son dealer. Peut-être que Lena est venue s'occuper de la situation, sauf que le dealer n'avait pas envie qu'on s'occupe de lui. »

Elle le regarda, le menton appuyé sur la main. « Continue.

— Ces types-là n'aiment pas qu'on vienne les emmerder, dit Jeffrey. Et ils n'ont pas peur des flics. »

Pour la première fois depuis qu'ils étaient arrivés ici, Sara entendait des paroles sensées. Elle imaginait sans peine que Lena ait pu énerver les mauvaises personnes, sans penser une seconde aux conséquences. Le schéma relationnel qu'elle avait établi avec Ethan Green – qui consistait à provoquer son amant skinhead jusqu'à ce qu'il lui réponde par la force – se répétait peut-être à Elawah County.

Jeffrey dit à Sara : « Tu n'as pas vu Pfeiffer de près. Il était terrifié. Peut-être a-t-il cru qu'ils m'avaient envoyé pour finir le boulot. » Il hésita, comme s'il n'avait pas encore trouvé la suite de son raisonnement. « C'est peut-être pour ça que Lena n'a pas voulu me parler l'autre nuit, parce qu'elle ne voulait pas m'exposer à ces gens-là. »

Sara remit sa main sur la poitrine de Jeffrey. Elle ne pouvait pas laisser à Lena le bénéfice du doute, mais voulait à tout prix éviter la discussion qui risquait de s'ensuivre si elle exprimait son point de vue. « Tu crois que le type que nous avons vu à l'hôpital était le dealer de Hank ?

— Jake a dit que le type était un dealer.

— Il a également dit qu'il était venu à l'hôpital rendre visite à l'un de ses hommes, fit remarquer Sara. Jake aurait pu te dire à ce moment-là que le type fournissait de la drogue à Hank et que Lena s'en était mêlée.

— Je n'étais pas franchement dans ses petits papiers à ce moment-là, lui rappela Jeffrey. De son point de vue, toi et moi venions d'aider Lena à lui filer entre les doigts. »

Sara n'avait pas envie de s'attarder sur ce point. « Tu penses que Hank l'a aidée ? »

Il haussa les épaules. « Pour sortir de la ville, elle aura eu besoin d'une voiture, de vêtements, d'argent. Lena a pu choisir de se débrouiller toute seule ou de chercher de l'aide.

— Je ne suis pas sûre d'y croire… Hank dans le rôle du grand manitou…

— C'est un vieil homme, concéda Jeffrey. Mais bon, on ne se retrouve pas avec des marques comme ça sur les bras en allant au catéchisme. »

Jeffrey avait raison. Sur ce point comme sur plusieurs autres. Elle se demandait pourquoi il n'avait pas réfléchi de cette façon-là la veille. Cela leur aurait épargné de sacrés problèmes, sans parler des mille et quelques kilomètres de plus au compteur de sa voiture. « Quel est le programme de demain ? demanda-t-elle.

— Peut-être aller frapper très fort à la porte de Hank. » Il ricana, manifestement content que Sara ait eu cette idée. « Faute de réponse, j'essaierai d'en apprendre plus sur Jake Valentine. J'ai de bons contacts à l'Académie de formation des shérifs de Tifton. Avec un peu de chance, ils pourront me donner une meilleure idée de ce qu'il vaut, comme flic. Ensuite, j'appellerai Nick et je lui demanderai de faire un contrôle de ses antécédents.

— Tu ne peux pas demander à Frank de le faire du Commissariat ?

— Le GBI peut faire des recherches plus approfondies, dit-il. Il faut plusieurs jours pour aboutir à un profil complet.

— Impossible que Jake ait un casier ! Il ne serait pas passé au travers des mailles du ministère de l'Intérieur.

— Je vais demander à ce qu'on fasse des recoupements de ses partenaires connus.

— Quand même ! Ils auraient tiqué s'il avait été lié à une organisation criminelle.

— Ça dépend de la nature du lien en question.

— Et s'il a des contacts proches de tes contacts, et qu'ils s'aperçoivent que tu fais des recherches sur lui ?

— J'imagine qu'il ne sera pas trop étonné d'entendre la nouvelle. »

Elle attrapa sa main, lui caressa la peau jusqu'à sentir un pansement pas très bien mis. Elle enveloppa sa main dans la sienne. « Tu penses que Jake est impliqué dans tout ça ?

— Jake a grandi ici. Il n'a été adjoint que quelques années avant de devenir shérif. Je crois qu'il est au courant de tout ce qui se passe dans cette ville. La question est de savoir s'il est franchement impliqué ou s'il se contente de regarder de loin.

— Quand est-ce que tu en es arrivé à cette conclusion ? »

Elle s'attendait à ce qu'il fasse une plaisanterie sur sa brillante intelligence ou ses remarquables compétences de détective. Au lieu de quoi, il la surprit.

« Cette femme, commença-t-il, et elle comprit qu'il parlait du corps calciné sur lequel ils avaient travaillé toute la journée. Il y a des gens à qui elle manque. Soit ils ont trop peur pour demander de l'aide au shérif, soit ils savent que ça ne servira à rien, que Jake ne pourra ou ne voudra pas les aider. » Elle percevait son indignation. « Si tu ne peux pas faire confiance à la police pour prendre soin de toi, pour faire son travail correctement, quel est l'intérêt ? » Il fit une pause, mais elle savait qu'il n'attendait pas de réponse. « Ce n'est pas juste, Sara. Ce n'est pas juste. »

Vingt-quatre heures plus tôt, elle avait eu envie de le tuer, mais à présent, elle se disait qu'elle ne l'avait jamais aimé autant qu'à cet instant précis.

« Tu imagines ce que tu ressentirais si quelque chose comme ça arrivait à Grant County ? »

Sara était incapable d'imaginer une telle situation. La première fois qu'elle avait rencontré Jeffrey, c'était sur le terrain de foot du lycée de Grant County. Elle était le médecin de l'équipe, et regardait le match depuis le banc de touche. Sara s'était retournée pour une raison quelconque et avait regardé dans les tribunes. C'est à ce moment-là qu'elle avait vu Jeffrey avec Clem Waters, le maire, qui ressemblait à un nain à côté de lui. La simple présence de Jeffrey coupait la respiration de Sara. Elle ne le lui avait jamais dit avant, mais son cœur s'était arrêté de battre quand elle l'avait vu. Ensuite, quand il s'était avancé sur le terrain, elle en avait eu les jambes tremblantes. Si un joueur n'avait pas eu la bonne idée de se faire tabasser à cet instant, elle se serait totalement ridiculisée. En l'occurrence, elle ne s'était ridiculisée qu'à moitié.

Elle le serra dans ses bras. « Tu ne laisserais pas une chose pareille arriver, lui assura-t-elle. Pas dans notre ville. Jamais. »

Il appuya ses lèvres sur son front, puis se pencha pour éteindre la lumière de la table de nuit. Sara s'installa, son corps blotti contre le sien. Au moment où elle se détendait, elle le sentit, lui, se crisper.

« Qu'est-ce qui se passe ? demanda-t-elle.

— Tu sens une odeur de brûlé ?

— Après cette journée, je ne sens rien d'autre.

— Non. » Jeffrey ralluma la lampe. « Je ne rigole pas. Il y a quelque chose qui brûle.

— Je ne sens… »

Il sortit du lit et enfila son jean. À contrecœur, Sara se redressa, sachant pertinemment qu'il ne reviendrait pas dormir avant d'avoir trouvé d'où venait cette odeur. Compte tenu de l'état de l'hôtel, elle n'aurait pas été surprise d'apprendre qu'un câble électrique était en train de cramer.

Il ouvrit les rideaux et jeta un regard au parking. « Je ne vois rien.

— J'imagine que ça ne veut pas dire que tu reviens te coucher ? »

Jeffrey enfila un tee-shirt qu'il prit dans la valise et ouvrit la porte. Il resta dans l'encadrement, laissant l'air froid rentrer dans la pièce, à renifler. « Ça vient de l'extérieur. »

Elle se leva. « Je le sens maintenant. »

Ils mirent leurs chaussures et sortirent. Sara tira sur les manches de son pull, la nuit était fraîche. À l'extérieur, l'odeur était plus intense, comme la fumée d'un gigantesque feu de camp. On entendait des craquements, et ils suivirent le bruit jusqu'à un tunnel qui longeait l'arrière de l'accueil du motel.

Un attroupement de clients se tenait à l'extrémité du tunnel, et tous semblaient gênés d'être vus dans cet endroit. Leur désir d'assister au spectacle était malgré tout plus fort que la peur d'être repérés par leurs voisins et leurs époux. Et pour un spectacle, c'en était un : le bâtiment qui jouxtait l'hôtel était cerné par les flammes, la fumée s'élevant dans le ciel nocturne.

Comme Jeffrey et Sara approchaient du premier rang, les fenêtres du bâtiment s'envolèrent dans une explosion qui fit trembler le sol. Jeffrey entoura Sara de ses bras pour la protéger des éclats de verre. Il y eut une autre explosion. La porte d'entrée s'envola à son tour et atterrit sur le parking.

Jeffrey leva la voix pour se faire entendre malgré le vacarme de l'incendie. « Quelqu'un a appelé les secours ? »

Dans la foule, une voix répondit : « Deux fois. »

Jeffrey dit à Sara : « C'est le bar de Hank.

— J'espère qu'il n'y a personne dedans », répondit-elle en se couvrant les yeux pour se protéger de l'intense luminosité. Les flammes semblaient concentrées autour de la périphérie du bâtiment, comme si quelqu'un avait versé de l'essence tout autour avant de craquer une allumette. Maintenant que les fenêtres s'étaient volatilisées, le feu pénétrait à l'intérieur, léchant les poutres et les encadrements, dansant à travers le toit. S'il y avait des extincteurs automatiques à l'intérieur, de toute évidence, ils ne fonctionnaient pas. Sara se dit que le bar serait totalement englouti par les flammes d'ici cinq minutes.

Il y eut un son perçant, comme le cri d'un animal blessé, ou une sirène. Sara tourna les yeux vers la route, s'attendant à voir arriver un camion de pompiers, mais il n'y avait que quelques voitures et une moto qui avançaient lentement.

« Lena », murmura Jeffrey en faisant un pas vers le bar.

À travers une des fenêtres brisées, Sara vit une silhouette avancer vers le centre du bar. À la lumière, elle voyait que cette personne regardait un objet qu'elle tenait entre ses mains.

« Eh ! Vous ! » Jeffrey s'était manifestement rendu compte de la même chose que Sara : ce n'était pas Lena, mais un homme aux épaules larges et à la carrure épaisse. Il leva la tête quand Jeffrey l'interpella de nouveau, mais ne bougea pas.

Jeffrey se retourna vers Sara. Il hocha une fois la tête, comme pour dire : « Tu sais que je dois le faire », puis se précipita en courant vers le bâtiment.

« Jeffrey ! » cria-t-elle. C'était trop dangereux. Le feu rattraperait l'homme en l'espace de quelques secondes. « Jeffrey ! »

Il fit un bond en arrière quand un mur de flammes s'éleva devant lui, mais refusa de se rendre. Ignorant les suppliques de Sara, il fit le tour du bar, cherchant un autre moyen d'atteindre l'homme.

« Non », murmura Sara, impuissante, regardant Jeffrey qui pénétrait dans le bâtiment en flammes. À l'intérieur, la chemise de l'homme était en feu, mais contre toute raison, il se détourna de Jeffrey et s'enfonça dans le bar. Jeffrey le poursuivit, les bras tendus, puis ils disparurent tous les deux.

« Non », répéta Sara. Elle attendit, observa la porte d'entrée, espérant voir Jeffrey sortir. Elle fit le tour, les bris de verre crissant sous ses pieds, en regardant à l'intérieur à travers les trous béants laissés par les fenêtres. Elle était parvenue à mi-chemin et se tenait à l'orée du bois quand une nouvelle explosion retentit, si intense qu'elle la jeta par terre.

Les secondes passèrent. Ses oreilles bourdonnaient, elle avait l'impression que son cerveau était enveloppé dans un voile. Sara secoua la tête, des saletés retombèrent de ses cheveux. Elle posa les mains sur le sol jonché de détritus et se releva sur le côté. Des flammes surgissaient du bâtiment. Elle sentait que la peau lui brûlait. Elle réussit à se mettre à genoux, mais fut incapable de se mettre debout. Elle ouvrit la bouche, mais ne pouvait pas parler.

« Sara ! » Jeffrey sortit du bois en courant, glissa dans la boue et se laissa tomber à genoux à côté d'elle.

« Tu vas bien ? » Il prit son visage entre ses mains. « Tu es blessée ? »

Elle posa ses mains sur les siennes. « J'ai cru… »

Le cri reconnaissable d'une sirène emplit l'air. Cette fois, pas de doute, le bruit venait bien d'un camion de pompiers. Les roues arrière crissèrent à l'entrée du parking, une ambulance le suivait de près. Les pompiers s'affairaient telles des fourmis travailleuses, décrochant les tuyaux et éloignant les gens de l'incendie.

« Sara, dit Jeffrey. Parle-moi. Tu es blessée ? »

Elle secoua la tête, s'effondra contre lui en le serrant si fort autour de la taille qu'elle était étonnée qu'il parvienne encore à respirer.

« Tu vas bien, lui dit-il en lui caressant les cheveux. Tu vas bien. »

Sara savait que si elle ouvrait la bouche, elle fondrait en larmes. Elle se sentait anesthésiée, piégée dans un espace vide, sans bruit ni sensation.

Jeffrey toussa, et elle relâcha son emprise, sans pour autant le libérer.

Elle l'avait cru mort. Pendant une fraction de seconde, elle avait vu ce que serait sa vie sans lui, senti ce que ce serait de le perdre.

« Il s'est enfui dans les bois, lui dit Jeffrey, comme si l'homme à cause de qui il était entré dans le bâtiment lui importait. Il avait quelque chose dans les mains. Je n'ai pas pu voir ce que c'était. »

Un infirmier s'accroupit à côté de Sara, posa sa main dans son dos.

« Ça va, madame ? »

Elle réussit à hocher la tête. Hébétée. Elle devait être en état de choc.

L'autre infirmier demanda : « Vous arrivez à respirer ? Vous avez besoin d'oxygène ? »

Elle dut s'éclaircir la gorge avant de pouvoir lui répondre : « Non. » Apparemment, il ne la crut pas. Il tenta de poser un masque sur sa bouche, mais elle le repoussa.

Jeffrey avait l'air inquiet. « Peut-être que tu devrais…

— Je vais bien », leur dit-elle. Elle se sentait idiote, avec tous ces gens autour d'elle. Elle tira sur le tee-shirt de Jeffrey, pour essayer de se mettre debout. Il la souleva quasiment, les bras autour de sa taille. Elle posa sa main sur la sienne pour qu'il ne la lâche pas.

« Je veux retourner dans la chambre », dit-elle. Il ne posa pas de questions. Il la conduisit à travers la foule, poussant les gens sur le côté pour leur frayer un chemin. Ils les regardaient tous, et Sara garda les yeux fixés par terre, se concentrant pour mettre un pied devant l'autre, se serrant le plus possible contre Jeffrey.

« Attendez, chef. » C'était Jake Valentine.

« Pas maintenant », lui répondit Jeffrey.

Il ôta sa casquette. « Si vous pouviez juste…

— Pas maintenant », répéta Jeffrey, resserrant son emprise autour de la taille de Sara. Les lumières du distributeur de snacks clignotaient, les compresseurs faisaient autant de bruit qu'une ruche d'abeilles. Sara n'avait pas bien fermé la porte en sortant, et Jeffrey la poussa lentement d'une main. Elle sentit son corps se tendre tandis qu'il observait la pièce, s'assurant que personne ne se trouvait à l'intérieur.

Discrètement, il s'assura que Sara se trouvait derrière lui tandis qu'il contrôlait la petite salle de bains. S'étant assuré qu'ils étaient seuls, il ouvrit le robinet et prit une serviette pendue à sécher.

« Je veux savoir pourquoi il s'est enfui », dit Jeffrey en mouillant la serviette, l'esprit encore occupé par l'homme du bar.

Sara se hissa sur le comptoir, les pieds ballants. Elle recouvrait ses sens. Elle sentait un mélange acide de fumée et de transpiration sur le corps de Jeffrey. Son tee-shirt était humide de sueur et de suie.

« Je ne l'ai pas bien vu, dit-il. Il y avait de la fumée partout.

— Tu arrives à respirer ? » demanda-t-elle. Le médecin en elle se réveillait. « Tu as mal à la poitrine ou à la gorge ? »

Il secoua la tête. « Approche. » Doucement, il lui nettoya le visage à l'aide de la serviette, en disant : « Il y a une rivière qui passe derrière le bâtiment, avec une sorte de cabane à côté. Le type a trébuché sur la rive et est tombé dans l'eau. J'ai cru que j'arriverais à l'attraper, mais il a disparu. » Jeffrey ramassa quelque chose dans les cheveux de Sara et le jeta à la poubelle. « Je n'ai pas vu s'il a fait tomber ce qu'il avait dans les mains. Je ne sais pas ce que c'était, mais il a estimé que ça valait la peine d'entrer dans un bâtiment en flammes. » Il rinça la serviette. Elle vit qu'elle était tachée de saleté et se demanda à quoi son visage ressemblait. « Puis le bar a explosé, conclut Jeffrey, et je t'ai vue tomber. »

Elle sentit quelque chose de froid sur ses joues, et se rendit compte qu'elle était en train de pleurer.

« Eh, dit Jeffrey en essuyant ses larmes. Ça va maintenant. »

L'émotion submergea Sara. Elle se foutait complètement de son propre sort. « J'ai… Tu es rentré dans le bâtiment, et après, j'ai vu… J'ai cru que tu étais… »

Il lui fit un sourire étrange, comme s'il pensait qu'elle exagérait. « Ça va, ma chérie. Je vais bien. »

Elle toucha son visage, essayant d'empêcher ses mains de trembler. Sara savait que Jeffrey était attiré par sa résistance, son indépendance. Mais à cet instant précis, elle n'était pas capable d'être cette personne-là, elle ne pouvait pas le laisser croire une seule seconde qu'elle serait capable de survivre sans lui. « Je ne sais pas ce que je ferais s'il t'arrivait quelque chose.

— Allez. » Il tenta de le tourner en plaisanterie. « Les types feraient la queue pour prendre ma place. »

Sara secoua la tête, incapable de rentrer dans son jeu. « Ne dis pas ça.

— Peut-être que Nick Shelton aurait finalement sa chance. Vous pourriez vous acheter des colliers assortis. »

Elle l'embrassa, sentit de la poussière sur ses lèvres. Elle s'en fichait. Elle ouvrit la bouche, l'entoura de ses bras, passa ses jambes autour de ses hanches, et l'attira aussi près d'elle que possible. Elle voulait sentir chaque partie de son corps, sentir qu'il était toujours à elle. Une frénésie s'empara d'elle, et elle tira sur le col de son tee-shirt pour essayer de l'enlever.

« Eh… » Il se dégagea, le même sourire étrange aux lèvres. « Tout va bien, d'accord ? On va bien, tous les deux. »

Il avait dit *tous les deux*, mais ce n'était pas de cela qu'elle se préoccupait. Elle lisait en lui à livre ouvert, voyait que son sourire ne montait pas jusqu'à ses yeux, qu'il parlait trop vite, qu'il était inquiet pour quelque chose – trop inquiet pour lui en parler. Elle posa le bout de ses doigts sur ses lèvres, les fit glisser le long de son cou, de sa poitrine. Quand elle passa ses ongles sur le devant de son jean, il cessa finalement de sourire.

« Ne me quitte jamais », lui dit-elle en déboutonnant son jean et en ouvrant la fermeture Éclair. On aurait dit une menace, mais c'était l'expression de la terreur qu'elle ressentait à l'idée de vivre sans lui. « Ne pars jamais. »

Il était prêt avant même qu'elle ne l'enveloppe de sa main. Sa langue s'enfonça profondément dans sa bouche tandis qu'il l'embrassait, des caresses longues et fermes répondant aux siennes. Sara renchérit avec plus de force, se servant de ses deux mains pour l'exciter, jusqu'à ce qu'il finisse par lui baisser son pantalon et lui écarter les jambes. Elle se laissa glisser jusqu'au bord du comptoir, faisant peser tout son poids contre lui tandis qu'il entrait en elle. Il essaya de nouveau de la faire ralentir, mais elle attrapa le comptoir d'une main, et se serra contre lui en le forçant à accélérer son rythme.

« Merde… » dit-il dans un soupir en la plaquant contre le miroir, l'embrassant et la mordant dans le cou. Elle sentit que ses dents mordillaient ses seins, il agrippa son cul en poussant plus fort, plus profond. Sara planta ses ongles dans son dos, sachant à quel point il était près d'exploser, ne désirant rien d'autre.

« C'est tellement bon, murmura-t-elle en posant ses lèvres contre son oreille, le laissant sentir sa respiration. Tellement bon… » Elle continuait à parler, l'encourageant avec les mots qui le feraient basculer.

Il haleta, les muscles de son dos se tendirent. Sara ferma les yeux, se concentra sur la chaleur qui envahissait le centre de son corps tandis que celui de Jeffrey tremblait en se relâchant. Il ralentit, et cette fois, elle le laissa faire, savourant chaque caresse, désirant le garder ainsi pour toujours.

Il trembla de nouveau en terminant, retomba contre elle en agrippant le comptoir, comme s'il avait besoin d'un appui pour tenir debout. Elle fit glisser ses ongles le long de son dos. Sa peau était chaude et collante, mais elle avait envie de la sentir. Elle embrassa son épaule, son cou, son visage.

« Mon Dieu, dit-il, essoufflé. Je suis désolé, je n'ai pas pu… » Il secoua la tête. « Bon Dieu. »

Sara posa sa bouche contre la sienne, l'embrassa doucement. Elle pouvait compter sur les doigts d'une main les fois où il s'était autorisé à terminer avant elle. Et très honnêtement, elle pouvait aussi dire que jamais de sa vie elle ne s'était sentie plus proche de lui.

Il souriait de nouveau, ce demi-sourire qui pouvait à la fois la rendre folle de rage et encore plus amoureuse. « Je parie que Nick ne serait pas capable de faire ça. »

Elle s'appuya contre le miroir, toujours peu disposée à plaisanter à ce sujet.

« Tu sais ce qu'on dit à propos des hommes petits, pour compenser… »

Elle le regarda et comprit qu'il avait besoin qu'elle joue le jeu. « Dis donc, tu me prends pour qui ? répondit-elle. Je pense que je peux faire mieux que Nick. »

Il lissa ses cheveux en arrière. « Est-ce que tu sais que je t'aime depuis la première fois que je t'ai vue ? »

Elle rit. « Tu avais un rendez-vous coquin prévu le soir même.

— Pas du tout ! »

Elle lui chatouilla les côtes. « Tu as même été obligé de l'appeler pour lui dire que tu serais en retard. »

Il caressa ses lèvres du bout des doigts. « Je t'aime, Sara. »

Elle sentit sa gorge se serrer. Elle lui fit sa réponse habituelle, sa réponse gentiment moqueuse, celle qui le rendait fou, leur première année ensemble, parce qu'elle ne voulait jamais lui répéter ces mots. « Je sais.

— Et tu sais quoi ? demanda-t-il en glissant une mèche de ses cheveux derrière son oreille. Tu es une vraie petite cochonne. » Sara rougit comme une tomate et il éclata de rire. « Oui, ça aussi, mais je voulais dire au sens propre. Regarde-toi dans la glace. »

Elle se retourna et contempla son reflet. Il avait réussi à nettoyer la plus grande partie de la crasse qui recouvrait son visage, mais elle avait encore l'air d'avoir été renversée par un camion.

« Je vais te dire franchement, continua-t-il. Je n'aime pas ce que tu as fait à tes cheveux. »

Elle se retourna. « On ne peut pas dire que tu ressembles à un jeune premier toi non plus.

— Pourquoi est-ce qu'on ne terminerait pas ça sous la douche ? » Il baissa les yeux et laissa ses mains courir le long de ses cuisses. « Ou tu voulais me donner une chance de me racheter maintenant ?

— Tu crois que tu te souviens de comment on fait ? »

Ils sursautèrent tous deux en entendant un bruit de coups contre la porte.

Sara descendit du comptoir en remettant son jogging et referma sa chemise d'un geste vif. Son cœur battait comme si elle était de nouveau une jeune fille de dix-huit ans qui venait de se faire surprendre à l'arrière d'une Buick avec un garçon, et non pas une femme mûre et mariée qui pouvait en toute légitimité se trouver dans un motel bon marché avec son époux.

D'autres coups à la porte, comme des coups de marteau. De la lumière filtrait d'en haut, à l'endroit où le contreplaqué minable s'était tordu sous l'impact. La vitre de la fenêtre qui donnait sur le parking émit un horrible craquement.

Sara reboutonna sa chemise tandis que Jeffrey sautait dans son jean. « Si c'est Jake Valentine », commença-t-il, mais il n'eut pas le temps de terminer sa phrase. La vitre se brisa, des éclats de verre volèrent dans la pièce, les rideaux s'élevèrent en tourbillons tandis qu'un objet volumineux atterrissait sur la table en plastique avant de retomber par terre.

Jeffrey était tombé à genoux, se protégeant la tête entre les bras. « Putain de… »

Des pneus crissèrent sur le parking. Sara ouvrit la bouche, stupéfaite. L'objet était un homme. Quelqu'un venait de jeter un homme par la fenêtre de leur chambre.

Instinctivement, elle se précipita vers lui, mais Jeffrey lui attrapa la main et la tira vers le sol.

« Va dans la salle de bains, ordonna-t-il, en se penchant vers le lit pour attraper son arme, cachée sous le matelas. Tout de suite. »

Sara s'y précipita, accroupie, tandis que Jeffrey s'approchait de la porte. Il posa sa main sur la poignée et essaya d'ouvrir, mais la porte ne bougea pas.

Il appuya son dos contre la porte, puis contre le mur, et avança vers la fenêtre. Rapidement, il jeta un coup d'œil sur le parking, puis s'accroupit de nouveau sous l'encadrement. Il le fit deux fois, et chaque fois Sara eut le souffle coupé, s'attendant à voir sa tête exploser.

Jeffrey la regarda. « Reste là », lui dit-il, et il sauta par la fenêtre cassée.

Sara retint sa respiration, à l'affût de bruits de coups de feu. À genoux, elle rampa vers l'homme pour essayer de voir s'il était vivant. Il y avait des morceaux de verre partout, et elle les ramassa en tâchant de ne pas se couper. Elle garda la tête baissée en appuyant ses doigts contre son cou. Elle ne sut dire si elle sentait un pouls, ou si c'était le tremblement de ses mains.

« Sara. »

Elle poussa un cri et se jeta au sol, mais se rendit compte aussitôt que ce n'était que Jeffrey.

« Ils sont partis. » Avec la crosse de son arme, il déblaya des bouts de verre avant de repasser par la fenêtre. « Il est mort ? »

Elle finit par regarder l'homme. Il était couché sur le côté gauche face à la fenêtre. Le manche de perle blanc d'un couteau pliable apparemment très cher sortait de son dos. Il avait un gros morceau de verre planté dans la nuque, mais il n'y avait qu'une goutte de sang, pas le jet qu'aurait généré un cœur en activité. Elle appuya néanmoins ses doigts contre sa carotide, pour vérifier.

« Rien », dit-elle à Jeffrey.

Il sembla presque soulagé. « La porte a été clouée. »

Sara se laissa tomber à genoux, remercia le ciel que ce soit un homme qu'on ait jeté par la fenêtre, et pas une boule de feu.

Jeffrey tourna la tête de l'homme et regarda son visage. « Je crois que c'est le type du bar.

— C'est forcément lui », dit-elle. L'homme s'était de toute évidence récemment trouvé dans un incendie. Il avait les yeux ouverts, mais ses cils avaient brûlé. Ses cheveux coupés à ras étaient couverts de suie. Sa chemise était brûlée à de nombreux endroits ; sur la peau, on voyait des brûlures au premier et au deuxième degré.

Jeffrey se mit à tirer sur la manche du type.

« Non », lui dit Sara, pensant qu'il y avait peut-être des indices sur la chemise, mais elle eut vite fait de comprendre les motivations de Jeffrey.

Sur le bras de l'homme mort, il y avait un tatouage : une grande croix gammée rouge.

Lena

Chapitre 12

Lena était assise à la table de la cuisine de Hank, dos au mur, en attendant qu'il rentre. L'horloge au-dessus de la cuisinière tiquait bruyamment, et Lena devait faire un effort pour ne pas caler sa respiration sur le mécanisme. La Mercedes se trouvait dans l'allée, il devrait donc rentrer à un moment ou à un autre, mais pour l'instant, il restait introuvable. La maison était vide, comme le garage et le vieux pick-up délabré garé dans le jardin. Elle était passée par le bar, elle avait appelé l'hôpital et même parlé à quelque vieux bougre du commissariat qui lui avait servi la rengaine habituelle en lui disant de laisser passer vingt-quatre heures, mais Hank avait bel et bien disparu. Son téléphone portable était posé sur la table de la cuisine, la batterie était morte. Pas de message sur le répondeur. La boîte bleue métallique, son kit de défonce, avait disparu. Hank ne serait allé nulle part sans son attirail. Il avait dû l'emmener, ce qui voulait dire qu'il avait quitté la maison volontairement, mais ça ne lui disait pas où il était allé.

Lena ne savait même pas ce qu'elle ferait s'il réapparaissait. Que dirait-elle s'il passait la porte maintenant ? Que pourrait-elle lui demander ? Quatre heures s'étaient écoulées depuis qu'elle avait parlé à Charlotte à l'école, mais le temps ne l'avait pas aidée à y voir plus clair.

Ce n'était pas Hank qui avait été au volant.

Angela Adams avait rendu sa propre fille aveugle, et ensuite… quoi ? Elle était partie ? Elle avait laissé Hank assumer les conséquences, en porter la responsabilité ?

La seule chose que Lena s'était juré de ne jamais lui pardonner, voilà que ce salopard ne l'avait même pas faite. Toute la colère qu'elle avait ressentie contre lui la plus grande partie de sa vie bouillonnait toujours en elle, mais maintenant, elle ne savait plus contre qui la diriger. Aurait-elle dû être furieuse contre sa mère, qu'elle ne se souvenait même pas avoir rencontrée ? Qu'y avait-il de si terrible chez Angela Adams pour que Hank laisse les gens penser qu'il avait rendu sa nièce aveugle plutôt que de dire aux filles qu'elle était vivante ? Que leur avait-elle donc fait, à tous ?

La lumière fluorescente au-dessus de l'évier baignait la cuisine dans une lueur bleue quand le soleil se mit à baisser. Les prospectus AA de Hank étaient toujours éparpillés sur la table, par terre, empilés par centaines sur la cuisinière à gaz. Le tic-tac de l'horloge continuait de résonner dans la cuisine, les minutes passaient, les heures.

Après l'accident, Sibyl n'avait aucun souvenir, elle ne se rappelait pas avoir couru dans l'allée, ni même avoir joué au ballon avec Lena. Sur le moment, le médecin avait dit que c'était normal après un traumatisme crânien grave, et que parfois, les souvenirs ne revenaient pas. Les sœurs n'en avaient jamais vraiment parlé par la suite. Peut-être un peu quand elles étaient encore petites, mais au fil du temps, la cécité de Sibyl et ce qui l'avait causée était devenu un fait accepté. Parler de l'accident aurait été aussi pertinent que de parler du soleil qui se levait tous les matins : c'était une évidence.

En attendant, Lena avait rejeté la faute sur Hank, et Hank n'avait certainement rien fait pour l'en dissuader. Chaque fois qu'elle le lui envoyait à la figure, il serrait les dents, regardait fixement un point à l'horizon et attendait qu'elle ait fini.

Charlotte Warren en savait forcément plus que ce qu'elle laissait transparaître ; elle avait trois ans de plus que Lena et Sibyl. Sa mémoire était plus développée, le choc moins traumatisant. Pourtant, la jeune femme s'en était tenue aux faits : la voiture avait percuté Sibyl, Hank était arrivé en courant, et Angela s'était enfuie, sans même s'arrêter pour voir si Sibyl allait bien, sans prendre la peine d'expliquer ce qui s'était passé. La police était arrivée quelques instants plus tard, suivie de l'ambulance. La mère de Charlotte l'avait ramenée à la maison et lui avait dit d'oublier ce qui était arrivé, que rien de bon n'en sortirait.

D'après Charlotte, elle avait pris les mots de sa mère à la lettre. Même quand sa relation avec Sibyl était devenue plus sérieuse, Charlotte était partie du principe qu'il y avait des choses trop horribles, trop douloureuses, pour en parler.

Mais les choses avaient-elles vraiment été aussi simples ? Charlotte et Sibyl n'avaient-elles vraiment jamais parlé de ce jour-là ? Lena pensait que c'était possible : si Sibyl n'abordait pas le sujet avec sa propre sœur, cela pouvait également être le cas avec Charlotte Warren. Sibyl se hérissait à l'idée qu'on ait pitié d'elle. Elle avait consacré sa vie à être aussi autonome qu'une personne voyante. Elle n'avait jamais baissé les bras face à son handicap, pas plus qu'elle n'avait cherché à en tirer profit. Peut-être avait-elle choisi de ne pas parler de l'accident pour ne pas s'attirer la commisération.

Tant de secrets, tant de monde pour protéger Angela Adams, et personne pour l'expliquer.

Lena tendit la main pour attraper le téléphone accroché au mur. Le combiné était poisseux, les boutons pleins de crasse. Elle composa le numéro de Nan Thomas, se disant qu'elle allait demander à la maîtresse de sa sœur ce que Sibyl savait exactement de ce jour funeste. Son cœur battait fort quand le téléphone de Nan se mit à sonner. Lena attendit, comptant les sonneries jusqu'à ce que le répondeur se déclenche.

Elle raccrocha sans laisser de message.

Et si Sibyl savait que c'était leur mère ? Impossible. Elle en aurait parlé à Lena. Elle n'aurait pas pu passer toutes ces années sans dire à sa sœur que leur mère était restée vivante plusieurs années après que Hank leur avait dit qu'elle était morte, qu'on leur avait menti.

À moins que Sibyl n'ait voulu protéger Lena, elle aussi.

« Merde », dit Lena en se frottant les yeux. Elle était fatiguée, et la maison de Hank était presque pire encore que sa chambre de motel pourrie. Plus sale, en tout cas.

Elle se leva et se dirigea vers la porte. Elle posa sa main sur la poignée, mais ne la tourna pas. Elle laissa retomber sa main et retourna dans le couloir. Elle s'arrêta devant la salle de bains, puis se retourna et entra dans la cuisine. Les pieds de la chaise laissèrent des traces sur le parquet, mais elle ne s'en soucia guère.

Bien des années auparavant, Hank s'était rendu compte qu'il manquait de place pour entreposer tout son bazar. Il était allé chercher des planches de contreplaqué prédécoupées au magasin de bricolage et Lena avait dû les lui faire passer une à une à travers la trappe du grenier pour qu'il les installe. Évidemment, il avait eu la lumineuse idée de s'atteler à ce projet en plein mois d'août. Quand il était redescendu du grenier, après avoir fixé la dernière étagère, il s'était évanoui sous l'effet de la chaleur.

Le lendemain, il était remonté au grenier, avait empilé des cartons et déménagé diverses affaires. Lena avait dix, peut-être douze ans à l'époque. C'était quelques années après qu'Angela Adams avait rendu Sibyl aveugle. Qu'avait-il donc rangé là-haut ? Quels documents avaient été cachés au-dessus de sa tête pendant tout ce temps ? Il laissait toujours traîner tellement de merdes partout, que les affaires rangées dans le grenier lui étaient complètement sorties de la tête.

Lena grimpa sur la chaise et appuya ses mains contre la trappe. Elle semblait coincée, mais pas collée ; il y avait quelque chose par-dessus, peut-être un carton, et Lena dut donner des coups de poing sur la trappe pour la dégager. Quand elle parvint finalement à la faire glisser, sa main lui faisait mal, du sang coulait de ses phalanges. L'air stagnant du grenier s'engouffra par l'ouverture, mais Lena n'y prêta aucune attention ; elle tendit les bras pour agripper les bords de la trappe et se hissa dans le grenier.

Le plafond était mansardé, mais trop bas pour qu'on puisse tenir debout. Elle resta accroupie en avançant vers l'interrupteur, prenant garde aux clous rouillés qui dépassaient çà et là, prêts à lui déchirer la peau du crâne. Bien que la nuit fût tombée, il faisait une chaleur étouffante dans le grenier. Une goutte de sueur coula le long de son dos. Sans perdre plus de temps, elle appuya sur l'interrupteur. À sa grande surprise, la lampe s'alluma, éclairant ainsi une petite partie de l'espace exigu. Une ampoule grillée et un emballage vide étaient posés par terre ; la dernière visite de Hank devait être récente. Pas moyen de savoir ce qu'il était venu faire. Partout, des cartons empilés, des papiers dans tous les sens. Des crottes de rats parsemées sur le sol en contreplaqué. Elle entendit un couinement, sans doute un rongeur qui protestait face à l'invasion.

L'odeur la frappa avec une intensité soudaine, la puanteur envahissante de la mort.

Quand elle était débutante, Lena avait dû traiter de nombreux appels de fils et de filles installés ailleurs qui se demandaient pourquoi maman, papa ou grand-mère ne répondait pas au téléphone. En général, il y avait une très bonne raison, et les officiers aguerris considéraient que cela faisait partie de la formation sur le tas que d'envoyer les bleus découvrir les corps.

Une fois, Lena avait trouvé une vieille femme installée dans sa chaise longue, raide morte. Des aiguilles à tricoter, un châle qu'elle n'avait pas eu le temps de terminer étaient posés sur ses genoux, la télé en bruit de fond. La femme dégageait une odeur d'urine et de viande pourrie. Lena avait vomi tout ce qu'elle pouvait derrière la maison avant d'appeler le commissariat pour faire part de sa découverte.

À présent, dans le grenier, elle avait de nouveau envie de vomir – pas à cause du stress cette fois, mais de peur. Elle connaissait l'odeur d'un cadavre, savait que les fluides corporels s'échappaient, les gaz sortaient pendant que le corps entrait en décomposition. Elle savait que la peau retombait sur les os, et qu'il y avait de fortes chances pour que le cadavre ait mariné dans sa propre merde le temps qu'on le trouve.

Une pensée lui traversa l'esprit, une pensée tenace, qui refusait de la quitter : avait-elle trouvé sa mère ? Est-ce qu'Angela Adams avait passé toutes ces années ici, son corps se décomposant sur les planches de bois tandis que Lena et Sibyl grandissaient en dessous ?

Non. Impossible. Trop de temps s'était écoulé. L'odeur aurait disparu. Hank l'aurait sans doute déplacée.

Lena sentit son cœur lui remonter dans la gorge. Hank. Il était toujours la dernière personne à qui elle pensait, même maintenant. Des larmes lui montèrent aux yeux. Elle se leva, en prenant appui sur un chevron. Elle entendit un autre son dans le grenier, mais c'était celui de ses propres pleurs, comme une sirène mourante.

Elle le vit de l'autre côté du grenier : un pied pâle qui dépassait derrière des cartons ; un pied d'homme, quelques poils épars autour de la cheville, le teint cireux de la mort sur la peau.

« Non », murmura Lena ; c'est tout ce qu'elle fut capable de dire.

Il avait donc fini par le faire. Il était monté ici avec tout son attirail, avait pris sa dernière aiguille, brûlé son dernier sachet de poudre, et s'était suicidé. Exactement comme il l'avait annoncé à Lena. Exactement comme elle l'avait secrètement espéré des années plus tôt.

Elle pouvait s'en aller tout de suite. Elle pouvait retourner à Grant County. Aller au boulot lundi, faire son travail, rentrer chez elle, dîner, peut-être regarder un film à la télé. Elle pourrait appeler Nan, peut-être lui rendre visite. Elles prendraient une bière, s'installeraient dans le jardin et parleraient de Sibyl ; peut-être que Lena demanderait à la maîtresse de sa sœur ce que Sibyl savait exactement. Ou peut-être pas. Peut-être parleraient-elles du temps ou d'un livre que Nan était en train de lire, auquel Lena ne comprendrait rien. Nan lui demanderait des nouvelles de Hank, et Lena dirait qu'elle n'en avait pas depuis un petit moment, qu'elle ne savait pas ce qu'il devenait.

Lena rampa vers lui à quatre pattes. Ses bras tremblaient tellement qu'elle dut s'arrêter à mi-chemin pour se reprendre, avant de continuer. Elle entendait de nouveau des choses, des mots prononcés d'une voix de petite fille. « Je suis désolée, entendit-elle. C'est ma faute… Je n'aurais jamais dû te laisser… J'aurais dû appeler une ambulance… J'aurais dû t'emmener à l'hôpital… J'aurais dû t'en empêcher. » Lena s'aperçut que c'était sa propre voix qu'elle entendait. Elle sanglotait, respirant à grand-peine dans le grenier fermé.

Lena se leva, poussa les cartons qui s'écroulèrent sur le côté. Elle vit l'homme nu qui gisait mort sous ses yeux.

Ce n'était pas Hank.

Jeudi matin

Chapitre 13

Jeffrey n'avait jamais aimé dormir dans des endroits inconnus. Même dans sa folle jeunesse, il avait toujours répugné à passer une soirée entière avec une femme, et pas seulement parce que son mari risquait de rentrer. Il voulait pouvoir se lever en pleine nuit et savoir où se situaient les toilettes. Il aimait savoir où étaient les interrupteurs, dans quel placard se trouvaient les verres.

Une chose était sûre, il n'était pas content de se réveiller dans la maison de Jake Valentine.

Il avait facilement trouvé le shérif sur le parking du bar de Hank, à côté du motel, bien que le shérif ne puisse pas faire grand-chose, à part regarder le bâtiment se consumer. Jeffrey l'avait trouvé à côté de l'un de ses adjoints, les pouces enfoncés dans la taille de son jean tandis qu'il regardait le feu s'éteindre de lui-même. Valentine portait toujours son étui de revolver à la cheville et l'odeur qu'il dégageait ressemblait beaucoup à celle de la bière qu'il avait bue la veille avec Jeffrey. Quand Jeffrey lui avait demandé de le suivre, il n'avait pas posé de questions.

« C'est Boyd Gibson, avait-il dit quand Jeffrey lui avait montré l'homme mort étendu sur la moquette de la chambre. Nous étions à l'école ensemble. »

Et pas : « Comment est-ce que ce type mort a atterri dans votre chambre ? » ou « Qui l'a poignardé ? » Simplement : « Merde, son père va avoir le cœur brisé. »

Jeffrey aurait dû se sentir reconnaissant que Valentine leur ait proposé sa chambre d'amis pour la nuit. Grant County se trouvait à plusieurs heures de route, et Sara était redevenue silencieuse – un peu trop au goût de Jeffrey. Quand il lui avait demandé si cela la dérangeait de passer la nuit chez le shérif, elle s'était contentée de secouer la tête et de ranger ses vêtements dans la valise qu'elle avait ramenée de la maison, en silence. Elle n'avait rien dit non plus pendant le court trajet jusqu'à la maison de Valentine. Quand Jeffrey s'était couché, elle avait posé sa tête sur sa poitrine et l'avait entouré de ses bras.

Jeffrey s'était surpris à tendre l'oreille pour voir si Sara pleurait encore. Elle ne pleurait que très rarement, mais quand elle le faisait, il avait l'impression qu'on lui pressait le cœur dans un étau. Mais elle ne pleurait pas. Elle réfléchissait. Cela devint évident quand elle leva la tête, appuyée sur le coude, et déclara, sur un ton qui laissait clairement entendre que sa décision était prise : « Je ne quitterai pas cet endroit avant toi. »

Il avait ouvert la bouche pour discuter, mais elle avait posé ses doigts sur ses lèvres pour le faire taire. « Quand je t'ai épousé – la dernière fois en tout cas, précisa-t-elle en souriant –, je savais que tu étais le genre d'homme qui court vers les problèmes au lieu de les fuir. » Elle s'interrompit, puis reprit d'une voix douce mais ferme. « Je ne peux pas t'empêcher d'essayer de sauver le monde, mais je ne t'abandonnerai pas pendant que tu le fais. »

Il s'était alors fait l'effet d'un minable – non pas parce qu'il continuait à vouloir qu'elle rentre, non pas parce qu'il l'avait mise en danger, mais parce qu'il lui avait délibérément menti depuis l'instant où l'homme mort avait atterri dans leur chambre.

Jeffrey avait vu l'homme tatoué par terre, il avait vu le sang sombre, noir, couler du couteau au manche de perle planté dans son dos, et il n'avait rien dit.

« Je ne partirai pas avant toi », lui avait dit Sara.

Après cela, il n'y avait plus rien à ajouter. Il ferma les yeux, mais le sommeil ne venait pas, de sorte qu'il se retrouva à écouter la respiration de Sara. De toute évidence, elle était inquiète, et au bout d'un moment, elle se tourna sur le côté, puis s'allongea sur le ventre. Il se passa au moins une heure avant que sa respiration ralentisse et qu'elle s'endorme.

Jeffrey sortit du lit et s'habilla, même s'il n'avait nulle part où aller. Il avait très envie de prendre une douche, mais il n'y avait qu'une salle de bains dans la maison, et il n'avait pas envie de réveiller ses hôtes. Il n'avait pas non plus envie d'explorer la maison de Valentine. Alors, il déplia une chaise en fer et s'assit près de la fenêtre pour regarder dehors. Il ajusta les persiennes pour mieux voir. Tout comme la chambre d'amis, le salon donnait sur la rue, et Jeffrey se dit que le shérif avait dû avoir à peu près la même vue que lui quand il avait remarqué l'incendie sur le terrain de foot. Il ne lui aurait pas fallu plus de cinq minutes en courant pour aller voir ce qui se passait. Cette partie-là de l'histoire du shérif était au moins avérée.

Même si la maison était modeste, Valentine, ou peut-être sa femme, semblait avoir la main verte. Des éclairages discrets le long du jardin illuminaient leur ouvrage : des plantes d'automne, et une pelouse si bien tondue qu'on aurait dit une belle couverture verte. Un homme pouvait faire beaucoup de choses pour créer un foyer, remplacer un soffite pourri, repeindre les murs ou encore poser un papier peint horrible à motifs floraux que sa femme aurait choisi dans la salle de bains. Non pas que Sara ait un penchant particulier pour les motifs floraux, mais au regard de la décoration intérieure – on avait un peu l'impression qu'une Laura Ashley hystérique s'en était donné à cœur joie –, Jeffrey se disait que c'était le cas de Mme Valentine.

Il se mit à penser à tous les changements que lui et Sara avaient faits dans leur maison au fil des années. Les seuls qui lui vinrent à l'esprit étaient les plus récents. Avant la visite de la dame de l'agence d'adoption, Sara avait convaincu Jeffrey de se mettre à quatre pattes et de regarder la maison comme le ferait un bébé. Il avait joué le jeu, en riant jusqu'à ce qu'il découvre un clou qui dépassait du placard au-dessous de l'évier. Quand il avait repéré un espace de la largeur d'un doigt entre une prise électrique et le mur contre lequel elle était posée, il était prêt à raser la maison et à la reconstruire.

Jeffrey se demanda à quoi avait ressemblé la maison d'Al Pfeiffer avant que la bombe n'atterrisse chez lui. Qu'est-ce qu'il s'était dit en regardant sa maison brûler ? Ou peut-être que le vieux shérif avait été trop préoccupé par ses blessures pour penser à ce qu'il était en train de perdre ? Bon Dieu, est-ce qu'il les avait entendus clouer sa porte d'entrée, est-ce qu'il avait su ce qui allait se passer ?

Jeffrey jeta un coup d'œil à Sara, couchée dans le lit. Dans quoi l'avait-il entraînée ? Ou pire, dans quoi Lena les avait-elle entraînés ? Hier encore, il cherchait le moyen de relier toutes les pistes entre elles. Et ce soir, la solution était arrivée en volant par sa fenêtre, entourée d'un gros ruban. Le couteau au manche de perle planté dans le dos de Boyd Gibson appartenait à Lena.

Jeffrey soupira, s'affaissa sur la chaise métallique inconfortable. Il regarda de nouveau au-dehors, dans la rue déserte. Il avait dû s'assoupir ; quand il reprit conscience, un rayon de lumière passait par la fenêtre. Une voiture se gara dans la rue. Le conducteur sortit et tituba vers la maison d'en face, faisant par deux fois tomber ses clés avant de réussir à ouvrir la porte. Moins d'une minute plus tard, il ressortit et regagna sa voiture en zigzaguant, ivre mort. Jeffrey se demanda s'il devait intervenir quand l'homme tomba sur la banquette arrière. La porte de la maison s'entrouvrit, une femme sortit la tête pour jeter un coup d'œil à l'homme, puis referma la porte.

Sara remua dans le lit, et Jeffrey se retourna pour voir si elle était réveillée. Elle était toujours couchée sur le ventre, bras et jambes écartés, profitant de toute la largeur du lit. La lumière lui permettait de voir son visage. Il avait horreur de se disputer avec elle, il ne parvenait pas à fonctionner quand ils étaient fâchés. En l'observant à la morgue, à voir le soin et le respect avec lequel elle manipulait le corps de cette pauvre femme, il s'était rappelé pourquoi Sara lui était indispensable. Elle était la seule personne capable de percer le fond des choses et de balayer toutes les conneries, pour lui faire voir l'essentiel. Elle était sa conscience.

La première fois que Jeffrey avait rencontré Cathy et Eddie Linton, il avait d'abord pensé que ça n'existait plus, des mariages comme ça. Maintenant, avec Sara, il comprenait que si.

Le parquet grinça devant la porte de la chambre à coucher, quelqu'un passait devant. La salle de bains se trouvait au bout du couloir, entre les deux chambres, et Jeffrey entendit les pas s'atténuer en passant sur le carrelage. La porte se referma.

En voyant la maison la veille au soir, Jeffrey s'était dit soudain qu'il n'y avait aucune chance pour que Jake soit impliqué – à moins qu'il n'ait une demeure secrète quelque part dans la forêt. Cet endroit était vraiment bricolé. Du lambris imitation pin était posé dans le salon, et dans la cuisine, les placards étaient d'origine – ce qui n'était pas franchement une bonne chose quand vous viviez dans un ranch des années 1960. Si Jake acceptait de l'argent pour regarder ailleurs, une chose était sûre, il ne le dépensait pas pour lui.

Jeffrey entendit le bruit de la douche. Il se demanda s'il s'agissait du shérif ou de sa femme. On ne pouvait pas dire que Myra Valentine ait été aimable hier soir, mais on ne trouverait sans doute pas beaucoup d'épouses ravies d'accueillir deux inconnus chez elles à une heure du matin. Elle était petite, environ un mètre cinquante en chaussettes, sa tête n'arrivait pas à la hauteur de la poitrine de Jeffrey. Mais elle compensait ce qui lui manquait de longueur par un certain coffre. Jeffrey estimait, à vue d'œil, qu'elle avait au moins cinquante kilos de trop. Quand ils se tenaient côte à côte, les Valentine ressemblaient au chiffre 10.

Comme son époux, Myra n'avait pas posé de questions. Après les présentations d'usage, elle avait emmené Sara et Jeffrey dans la chambre d'amis, avec toute l'efficacité qu'on pouvait attendre d'une prof d'anglais de lycée, avait tendu une serviette et un gant de toilette à Sara, puis rapidement changé les draps. Quand Jeffrey avait proposé de l'aider, elle lui avait jeté un regard noir, et il avait eu l'impression d'être un lycéen surpris en train de faire passer un mot à un copain de classe.

La douche cessa de couler. On entendit des bruits dans le reste de la maison. Des poêles et des casseroles qui s'entrechoquaient. Une radio, à faible volume.

Dans la salle de bains, un sèche-cheveux soufflait. Sara ne bougeait pas. Elle avait toujours eu le sommeil lourd. Depuis son internat, disait-elle, harassant, une époque de sa vie où attraper quelques instants de sommeil était un véritable sport. Deux ans plus tôt, elle avait dormi comme un loir alors qu'un ouragan faisait rage ; Jeffrey avait passé la nuit à regarder par la fenêtre, attendant, inquiet, de voir le chêne du jardin s'écrouler contre la maison.

Jeffrey se leva, s'étira, et sentit ses vertèbres craquer en essayant de se déplier. Il avait une douleur sourde à la tête et sentait encore la fumée de la nuit dernière sur sa peau et ses cheveux. Il sentait aussi l'odeur de Sara, et son corps réagit à cette pensée. S'il s'était trouvé n'importe où ailleurs que dans la maison de Jake Valentine, il se serait recouché auprès d'elle…

Au lieu de quoi il sortit des vêtements propres, les disposa bien comme il faut sur le bord du lit. Il avait tellement envie de prendre une douche qu'il sentait pratiquement l'eau chaude lui couler dans le dos. Hier soir, Sara s'était contentée de tout jeter dans la valise. À présent, Jeffrey repliait ses chemisiers et ses pantalons pour qu'ils ne se froissent pas.

La porte d'entrée s'ouvrit et se referma ; Jeffrey s'approcha de la fenêtre pour regarder à travers les persiennes. Il avait pensé que c'était Jake Valentine qui s'en allait en douce, mais il vit le jeune homme dégingandé debout dans l'allée, mains sur les hanches, observant la rue comme le maître de céans. Le shérif portait une robe de chambre en velours rouge, ridiculement courte, qui lui arrivait quelques centimètres au-dessus du genou, et quand il se pencha pour ramasser le journal, Jeffrey eut droit, hélas, à un aperçu de son slip kangourou.

Valentine prit son journal sous le bras et s'approcha de la voiture garée devant la maison d'en face. Il portait des chaussons marron et des chaussettes blanches avec sa robe de chambre, et il laissa des traces dans l'herbe en traversant pour aller voir son voisin. Il jeta un coup d'œil à la banquette arrière, où l'ivrogne était sûrement encore en train de cuver, puis observa de nouveau la rue avant de retourner vers la maison.

Jeffrey ferma les persiennes pour éviter que la lumière ne réveille Sara. Quand il se retourna, il vit que c'était trop tard.

Elle était couchée sur le côté et le regardait : « Tu as bien dormi ?

— Comme un bébé.

— En général, les bébés ne dorment pas assis sur des chaises en métal.

— Sur des chaises hautes alors ? » Il sourit à son expression dubitative et s'assit sur le lit à côté d'elle. « Ça va ?

— Mieux, dit-elle. Qu'est-ce qu'on fait ? »

Il lui prit la main. « Tu veux toujours rester ?

— Oui. »

Il n'était pas content qu'elle reste, mais il aurait été idiot de ne pas profiter de ses compétences. « Je pensais que tu pourrais nous en dire plus sur notre visiteur surprise d'hier soir.

— Boyd Gibson ? » Sara s'assit et s'appuya contre la tête de lit. « Tu crois que Jake va me demander de faire l'autopsie ?

— Je suis prêt à le parier », lui répondit Jeffrey. Valentine allait vouloir garder un œil sur eux, et pour cela, rien de tel que de les coller à la morgue toute la journée. Ce que le shérif n'avait sans doute pas prévu, c'était que Jeffrey n'avait rien contre le fait de laisser Sara toute seule.

Elle demanda : « Tu veux que je dise oui ?

— Tant qu'à faire, répondit-il. On découvrira peut-être quelque chose. »

Elle baissa la voix, chuchota presque : « Par exemple les empreintes digitales de Lena sur son couteau ? »

Elle lui aurait donné un coup de pied dans la figure qu'il aurait été moins surpris.

Sara expliqua : « Le manche est très particulier. Je l'ai déjà vue avec.

— Je suis désolé, s'excusa-t-il, conscient qu'il aurait dû le lui dire des heures plus tôt. Je crois que je n'avais pas envie de me demander comment il avait atterri là.

— Je ne veux pas d'un mariage où on se fait des cachotteries. On l'a fait une fois et ça n'a pas marché, ni pour toi, ni pour moi.

— Tu as raison », acquiesça-t-il. Il se sentait d'autant plus minable qu'elle n'en faisait pas toute une histoire. Il eut de nouveau besoin de s'excuser. « Je suis vraiment désolé. »

Elle suggéra : « C'était peut-être de la légitime défense.

— Bien essayé », dit-il avec un rire sec. C'était difficile de plaider la légitime défense quand la victime avait été poignardée dans le dos. « Tu crois que tu trouveras quelque chose d'utile ?

— Tu sais bien que j'ai horreur de faire des pronostics, dit-elle en guise d'introduction. Mais d'après ce que j'ai vu la nuit dernière, c'est assez simple : couteau planté dans le dos, lame dans le cœur, mort instantanée, probablement. » Elle haussa les épaules. « Est-ce que c'est vraiment important de savoir s'il a été frappé à la tête avant d'être tué, ou en quoi consistait son dernier repas ?

— Et un examen de toxicologie ?

— Il faudra des mois avant de recevoir les résultats, et quand bien même, qu'est-ce que ça pourra nous apprendre ?

— Rien de nouveau, reconnut Jeffrey. Nous savons que c'est un partisan de la suprématie des Blancs, à cause du tatouage. Nous savons aussi qu'il était dans le bar avant qu'il ne brûle, parce que je l'ai vu.

— Tu crois que c'est lui qui a mis le feu ? »

Jeffrey secoua la tête. « J'ai eu l'impression que le feu avait commencé à l'extérieur. Et puis je suis certain qu'il cherchait quelque chose quand nous l'avons vu. Et il n'avait vraiment pas l'intention de partir sans l'avoir trouvé.

— S'il était drogué, ça peut expliquer son comportement.

— Mais pas ses motivations », fit remarquer Jeffrey. Il essaya de penser à sa journée, de déterminer les choses qu'il pourrait faire et qui contribueraient à les rapprocher de leur but, en l'occurrence, découvrir dans quoi Lena s'était empêtrée et essayer de l'aider à s'en sortir. « J'ai envie de passer chez Hank, voir si je trouve quelque chose.

— Dépose-moi à la morgue, je commencerai l'autopsie. »

Il fallait qu'il essaye : « Si tu partais d'ici vers une heure, tu serais de retour à Grant à l'heure du dîner.

— Ou alors, je pourrais faire un tour, histoire de voir si je nous trouve un autre hôtel, répliqua-t-elle. Je me souviens d'avoir vu un bled où il n'y avait pas qu'un bar et une poste, à une demi-heure d'ici environ. Peut-être qu'on trouvera une chambre là-bas.

— Tu sais que je ne veux pas que tu sois ici. Enfin, si, mais… »

Elle le fit taire. « Je sais. »

Le parquet du couloir craqua, mais cette fois, les pas ne continuèrent pas vers la salle de bains.

Sara replia ses genoux près de sa poitrine, remonta le drap sur elle, et on frappa à la porte.

« Entrez », dit Jeffrey.

Jake Valentine sourit en ouvrant la porte. « Désolé de vous déranger. » Il avait troqué sa petite robe de chambre pour son uniforme de shérif. Une nette amélioration, même s'il donnait toujours l'impression d'avoir enfilé les vêtements de son papa. « Myra est déjà partie à l'école, mais elle vous a laissé du bacon et des œufs sur la cuisinière si vous voulez. » Il eut un bref sourire, comme si la pensée de sa femme en train de préparer le petit déjeuner le rendait heureux.

« Merci, dit Sara. C'est très gentil de sa part. »

Valentine ôta son chapeau et s'adressa à Sara. « Quoi qu'il en soit, j'espérais que vous accepteriez de nous rendre service de nouveau avec l'autopsie de Boyd. C'est le type d'hier. Boyd Gibson. Je peux vous avoir du liquide si…

— Ce n'est vraiment pas utile, l'interrompit-elle. Je suis contente de pouvoir vous aider.

— Formidable. » Valentine fit tourner son chapeau entre ses mains. « Je vais aller chez Grover maintenant, l'amener à la morgue pour qu'il identifie le corps formellement. »

Sara n'avait jamais été douée pour cacher sa surprise. « Vous ne lui avez pas encore dit, pour son fils ? »

Valentine cessa de jouer avec son couvre-chef. « Grover est dans la deuxième équipe à l'usine, lui dit-il comme pour s'excuser. Je me suis dit qu'il valait mieux le laisser dormir un peu avant de lui apprendre la nouvelle. »

Sara hocha la tête, mais il était évident qu'elle désapprouvait son choix. Tout particulièrement dans les petites villes, où la rumeur était parole d'évangile, il était important pour un flic d'être le premier à parler à la famille, pour s'assurer qu'elle entendrait la vérité et non pas des spéculations. C'était déjà assez difficile d'apprendre à des parents la mort de leur enfant, mais encore plus quand on connaissait la victime, qu'on avait passé du temps avec la famille.

Sara dit : « Peut-être que Jeffrey pourrait vous accompagner pour parler au père. Je suis sûre que M. Gibson aura des questions sur la mort de son fils, et Jeffrey est l'une des dernières personnes à l'avoir vu vivant. »

La bouche de Valentine se tordit sur le côté tandis qu'il réfléchissait à la suggestion de Sara. Il essayait sans doute de trouver une bonne raison de dire non. « Euh… Vous n'avez pas besoin de son aide à la morgue aujourd'hui ? »

Sara feignit la surprise. Elle secoua la tête, et répondit d'un ton innocent. « Pas vraiment. »

Jeffrey proposa : « Vous pourriez prendre ma déposition sur le chemin.

— Votre déposition pour quoi ?

— Au sujet d'hier soir, précisa Jeffrey. Je suppose que vous aurez besoin de ma déposition concernant ce qui s'est passé. L'incendie du bar. L'homme mort jeté par la fenêtre.

— Ah. Oui, dit Valentine. D'accord. » Il jeta un coup d'œil à sa montre. « On ferait mieux d'y aller dans ce cas.

— Laissez-moi dix minutes, le temps de me doucher en vitesse, dit Jeffrey en prenant ses vêtements sur le lit. J'arrive tout de suite. »

*

Jeffrey ne savait pas si c'était juste pour lui, mais Jake Valentine conduisait avec une extrême prudence. Il ne passait jamais devant une intersection sans ralentir, et à un moment, il alla même jusqu'à s'arrêter à un feu vert à la sortie de la ville, en disant à Jeffrey : « Celui-là passe très vite au rouge. » Il était d'humeur bavarde, et Jeffrey resta silencieux, se contentant de hocher la tête pour que le shérif continue de parler tandis qu'ils se rendaient chez Grover Gibson pour lui annoncer que son fils avait été poignardé.

Au bout d'une demi-heure de babillage incessant, Valentine sembla avoir épuisé son stock de remarques météorologiques et d'anecdotes sur les élèves de terminale et les farces qu'ils faisaient à la fin de l'année scolaire. Il n'avait pas une seule fois mentionné le motif de leur voyage, ni émis d'hypothèses sur le meurtrier de Boyd Gibson. Jeffrey savait que même Jake Valentine aurait recherché les empreintes sur le manche du couteau planté dans le dos de Boyd. Il lui faudrait scanner ce qu'il aurait trouvé et l'envoyer au laboratoire de l'État pour qu'ils effectuent des recoupements. À moins qu'il ne le fasse passer en priorité, ce qui était peu probable, il aurait des réponses dans quelques jours.

Jeffrey demanda : « Vous vous êtes déjà trouvé dans une situation pareille ?

— Comment ça ?

— Le fait de connaître une victime, répondit Jeffrey. Ce Boyd Gibson. Vous étiez à l'école ensemble, non ?

— On ne traînait pas avec les mêmes bandes.

— Vous étiez avec les sportifs, et lui avec les fumeurs ?

— Oh ! moi, dit Valentine en riant. La plus grande déception de mon père, c'est que je n'aie jamais été foutu de tenir un ballon de basket. » Il jeta un regard à Jeffrey. « Papa jouait en nationale pendant sa dernière année à l'université de Géorgie. Il a marqué trente-sept points pratiquement à lui tout seul lors de la demi-finale. Quant à moi, je suis juste bon à changer des ampoules et à attraper les cartons en haut de l'étagère.

— Qu'est-ce qui vous a donné envie de porter l'insigne ?

— Oh. » Il fit un geste de la main, pour balayer la question. « Ça ou autre chose…

— C'est un travail un peu dangereux, non, pour le choisir à la légère… D'autant plus que votre prédécesseur a été chassé de la ville.

— Il est retombé sur ses pattes.

— J'ai l'impression qu'il est parti quand il était encore temps. »

Valentine regarda Jeffrey d'un air sévère. « Vous êtes en train de me dire que je devrais faire la même chose ?

— Je dis que c'est un job dangereux pour quelqu'un qui n'y met pas ses tripes. »

Valentine ralentit pour tourner sur une route de terre à une seule voie. « Je pourrais vous surprendre, chef.

— Vous savez ce qui me surprend ? demanda Jeffrey, sentant la température baisser à l'intérieur de la voiture comme ils s'engageaient sur la route ombragée, bordée d'arbres. C'est que vous n'ayez pas de questions à me poser.

— Quelles questions ?

— Commencez donc par me demander pourquoi mon détective vous a planté, dit Jeffrey. Qui a fait disparaître Hank Norton ? Qui a fait fermer son bar ? Qui a déclenché les incendies ? Qui a tué votre pote de lycée ? »

Valentine ralentit, s'arrêta. Il mit au point mort et se tourna vers Jeffrey. Celui-ci s'était rendu compte de deux choses. La première, c'était qu'ils se trouvaient au milieu de nulle part ; la seconde, que Jake Valentine était le seul des deux à être armé.

Il sentit une goutte de sueur perler dans son dos.

Valentine posa la main sur le bas du volant, ses doigts à quelques centimètres à peine de l'arme accrochée à sa ceinture. Il dit : « Vous avez l'air nerveux, chef.

— J'aimerais savoir pourquoi vous vous êtes arrêté.

— Pour répondre à vos questions, dit-il. Venez, allons faire une promenade. » Il ouvrit la portière et sortit. Jeffrey resta assis, son cœur cognant dans sa poitrine. L'endroit où ils s'étaient garés n'était ni plus ni moins qu'un chemin de terre, au milieu d'une forêt dense. Personne ne savait qu'ils étaient ici, à part Sara, et on pourrait lui raconter beaucoup de choses pour expliquer que Jeffrey n'était pas revenu.

Valentine s'était avancé sur la route, à quelques mètres de la voiture. Il fit signe à Jeffrey de sortir. « Allez, chef. »

Jeffrey ouvrit la portière. Il avait laissé son arme dans la voiture de Sara, dans le coffre, avec leur valise. Il avait cru qu'ils venaient ici pour annoncer à un homme que son fils était mort, pas pour chasser des voyous.

« Il commence à faire froid, dit Valentine.

— Oui », acquiesça Jeffrey. En sortant de la voiture, il sentit que le vent se levait. Il ne portait qu'une veste légère sur un tee-shirt à manches longues, mais il ne la ferma pas, afin que le shérif pense qu'il voulait pouvoir accéder à la poche intérieure s'il en avait besoin.

Jeffrey referma la portière. Le chemin était couvert de feuilles mortes, les arbres empêchaient la lumière de passer. L'endroit lui aurait paru fantastique s'il n'avait eu la très nette impression qu'il s'agissait d'une sorte d'embuscade.

« Par là. » Valentine se mit à marcher, assez lentement pour que Jeffrey puisse le rattraper.

« Je n'avais pas prévu de faire une promenade, dit Jeffrey.

— C'est pourtant une belle journée. Vous devriez peut-être fermer votre veste.

— Ça va », assura Jeffrey.

Valentine tendit le bras pour attraper une feuille, d'un orange vif, sur une branche au-dessus de leur tête. Il la froissa entre ses doigts en parlant. « Ce sont des gens de la campagne qui vivent ici. Des gens simples. Pour la plupart, ils ont juste envie d'aller travailler, rentrer auprès de leur femme et leurs gosses, avoir assez d'argent à la fin de la semaine pour prendre quelques bières et regarder les matchs à la télé. »

Jeffrey gardait les bras le long du corps. Il y avait une façon spéciale de marcher quand on portait une arme, comme si on avait des couilles en cuivre qui descendaient jusqu'aux genoux. « C'est à peu près la même chose à Grant County.

— J'imagine. » Valentine laissa Jeffrey prendre un peu d'avance sur lui. C'était subtil, mais Jeffrey comprit que l'autre cherchait la bosse d'une arme dans son dos.

Valentine poursuivit : « Toutes les petites villes se ressemblent, je crois. La politique et toutes ces conneries brouillent les choses, mais nous avons tous les mêmes aspirations, qu'on se trouve dans le sud de la Géorgie, dans le sud de la France ou à Tombouctou. Nous voulons nous sentir en sécurité. Nous voulons que nos enfants aillent dans de bonnes écoles et qu'ils aient les opportunités que nous n'avons pas eues. Nous voulons vivre nos vies et sentir que nous contrôlons notre destin. »

On aurait dit quelqu'un d'autre à présent ; les gestes nonchalants et toutes ses expressions de brave gars du coin avaient disparu.

« Où est-ce qu'on va comme ça, Jake ? »

Le shérif fit un sourire paisible à Jeffrey. « Par ici. » Il indiqua un petit sentier qui coupait à travers bois.

« Qu'est-ce qu'il y a là-bas ?

— Vous allez voir. »

Cette fois, Valentine passa devant et Jeffrey le suivit. Plus ils s'enfonçaient dans la forêt, plus les poils de son cou se hérissaient. Le sentier ne semblait pas très fréquenté. Il descendait en pente, et Jeffrey ralentit, mettant ainsi de la distance entre lui-même et le shérif. Valentine ne sembla pas s'en apercevoir. Il continuait à marcher, jouait toujours avec la feuille. Il ne s'arrêta que lorsqu'il parvint à une petite clairière, pour attendre Jeffrey.

« Regardez ça », dit Valentine, pointant du doigt un rocher en pente, au milieu duquel il y avait un trou. Un gros morceau de tuyau en PVC y était fixé, d'où s'écoulait un filet d'eau.

« Une source naturelle », dit Jeffrey, très surpris. Il s'accroupit pour l'observer, avant même de réfléchir à ce qu'il était en train de faire. Il leva les yeux vers le shérif, attendant que l'autre fasse un geste.

« Tenez. » Valentine lui tendit la main, l'aida à se mettre debout. « Le tuyau suit la pente par ici. » Il commença à marcher, en longeant le tuyau. La forêt devenait moins dense à mesure qu'ils descendaient de la colline vers ce qui semblait être une cabane abandonnée. Jeffrey estimait qu'ils avaient marché une cinquantaine de mètres avant d'atteindre un énorme réservoir en plastique blanc contenant de l'eau de source. Jeffrey entendait l'eau couler dans le réservoir, et vit un gros conduit en plastique raccordé à la cabane au milieu de la clairière.

« De la plomberie, dit Valentine à Jeffrey. L'eau de source passe dans la tuyauterie de la maison. Froid comme la mort si vous voulez prendre une douche, mais plutôt ingénieux, pas vrai ?

— Oui », convint Jeffrey. Il aperçut une Ford minable garée à côté de la cabane. Un long câble partait du toit et rejoignait un poteau électrique. Exception faite de l'antenne satellite fixée à un coin du toit, on aurait dit une maison du temps de la Grande Dépression.

Valentine dit : « Ça ne fait que quelques années qu'il y a l'électricité. Le comté a mis une éternité avant de se décider à faire les travaux. Grover a dû tout faire tout seul.

— C'est ici que vit le père de Boyd Gibson ?

— Évidemment. Vous pensiez que je vous emmenais où ? » Valentine enleva son chapeau et s'essuya le front avec sa manche. Il transpirait autant que Jeffrey, lequel comprit que Jake Valentine avait été autant sur ses gardes que lui pendant leur promenade tendue dans les bois.

Valentine montra une table de pique-nique délabrée un peu plus loin dans la forêt. De toute évidence, elle était là depuis longtemps ; les plants de kudzu l'avaient envahie. « Boyd et moi, on s'asseyait là-bas pour fumer de l'herbe quand on était jeunes. On séchait les cours tout le temps, toujours à faire des conneries. C'était son frère, Larry, le sportif. Boyd et moi, on était les fumeurs. » Il resta silencieux un moment, sembla réfléchir en regardant la table de pique-nique. « Le père de Boyd me détestait. Remarquez, je n'étais pas fan non plus. Il a tellement battu sa femme qu'elle en est morte, puis il a commencé à tabasser ses fils. Moi aussi il m'a frappé, une fois. Il m'accusait d'avoir fait de Boyd un drogué, et je crois qu'il avait peut-être raison. » Il se frotta la mâchoire, comme en souvenir d'un coup. « Peut-être que je me raconte des histoires, parce que moi en tout cas, c'est vrai que je bois trop, mais pour la drogue, je crois qu'il y a des gens qui supportent, et d'autres qui se font avoir. J'ai un peu tout essayé : la coke, les amphètes, l'herbe. C'était sympa, mais ensuite j'ai rencontré Myra, et elle ne supportait pas ce genre de choses, alors j'ai laissé tomber. Boyd n'en était pas capable. Il a commencé à prendre du crystal, à se piquer, et ça, j'ai toujours été trop poule mouillée pour le faire – j'ai une peur bleue des aiguilles. Une fois qu'il a commencé à s'envoyer cette merde dans les veines, il n'en est jamais revenu. Vous et Sara, vous avez des enfants ? »

Jeffrey ne s'attendait pas à cette question soudaine. « On essaye.

— Myra dit qu'elle ne mettra pas d'enfant au monde sans être sûre qu'il aura un papa. »

Jeffrey et Sara en avaient parlé des centaines de fois. « C'est dangereux d'être flic, mais on ne peut pas s'arrêter de vivre pour autant. »

Valentine hocha la tête en regardant la table de pique-nique. Jeffrey vit que le sommet de son crâne commençait à se dégarnir. D'où le chapeau en permanence. Le père de Jeffrey avait été un connard de première classe, mais Jeffrey se rassurait en se disant qu'au moins son vieux était mort avec plein de cheveux sur la tête.

« Myra et moi, dit Valentine, on se connaissait au lycée. Enfin, comme on connaît ceux qui sont du mauvais côté et ceux qui sont du bon côté. Sa famille est venue s'installer ici quand j'étais en première. Une fille de la ville. » Il rit, sans doute à une plaisanterie entre eux. « Myra était du bon côté, au cas où vous n'auriez pas compris. Elle est très croyante, elle adore le Seigneur. Elle était assez surprise quand j'ai débarqué à la même université qu'elle, elle pensait que je n'étais qu'un fumeur minable qui finirait par fabriquer des pneus à l'usine. J'ai dû me démener pour la convaincre que je n'étais pas qu'un abruti en train de tourner en rond. » Il gloussa de nouveau. « C'était il y a dix ans, et elle n'a pas changé. Putain, elle est jolie. Rusée comme un renard, et elle n'a pas peur de me remettre en place, et j'en ai sûrement besoin assez souvent. Maintenant, je n'imagine pas ce que serait ma vie sans elle. Triste, je suppose. Peut-être que je serais en prison au lieu d'être le patron. Ç'aurait pu être moi à la place de Boyd hier soir. »

Jeffrey croisa les bras, se demandant si ce qu'il entendait était la vérité, ou s'il s'agissait d'une histoire soigneusement montée pour lui faire baisser la garde. Valentine n'avait pas franchement été avenant au cours des derniers jours, et voilà qu'il lui livrait l'histoire de sa vie, comme un converti devant une mission d'évangélisation.

Valentine s'appuya sur ses talons et remit son chapeau. « Vous vouliez savoir qui a provoqué les incendies, qui a chassé Hank et fait fermer son bar ? » Il regarda en direction de la petite maison, comme pour s'assurer que personne n'entendrait. « La réponse aux deux questions est Boyd Gibson. Il travaillait dans le bar, il coupait la bière avec du crystal, quand l'ATF est intervenu. Quant à savoir qui l'a poignardé, j'ai ma petite idée, mais il faudra que je vous fasse vachement plus confiance avant de vous le dire.

— C'est lui qui a fait exploser l'Escalade ?

— Ça ne m'étonnerait pas.

— Pourquoi ma détective s'est-elle enfuie ?

— J'imagine qu'elle est aussi têtue et arrogante que son chef. Je l'ai arrêtée parce que je crois qu'elle est impliquée là-dedans jusqu'au cou. Je vais la retrouver. Et je veux bien être pendu si je la laisse s'enfuir une deuxième fois. »

Jeffrey commenta, en connaissance de cause : « C'est une bataille perdue d'avance.

— Ouais… Eh bien, nous verrons. » Le shérif haussa les épaules.

« Qui est le chef ? demanda Jeffrey. Qui dirige les skinheads ?

— Si je connaissais la réponse, vous et moi ne nous serions sans doute jamais rencontrés. » Valentine sourit en coin. « Enfin bref, chef, je dois vous prévenir que la dernière fois que j'ai vu Grover Gibson, il m'a menacé de me tabasser si je mettais de nouveau les pieds sur son terrain. »

Une partie de Jeffrey se réjouit à la pensée de voir le jeune shérif se faire botter le cul. « Peut-être que nous devrions appeler des renforts dans ce cas. Je ne suis pas ici en tant que flic.

— C'est ce que j'ai compris quand je vous ai vu monter dans ma voiture sans votre arme. » Il fit un clin d'œil à Jeffrey avant de se diriger vers la maison en disant : « J'espère que votre jolie femme est vraiment médecin. J'ai l'impression que je risque d'avoir besoin de quelques points de suture. »

Lena

Chapitre 14

Deacon Simms était de ces hommes qui ont toujours l'air vieux et décalés, même à vingt ans. Lena supposait que Deacon se considérait comme un rebelle, et qu'avec sa queue-de-cheval grisonnante au vent, quand il se rendait au bar sur sa vieille Harley, il devait avoir l'impression de lutter contre le système. Il avait encore l'apparence du Hell's Angel qu'il avait été dans sa jeunesse : moustache en guidon de vélo, drapeau sudiste sur son tee-shirt, patchs de cuir sur son jean délavé.

Même dans les années 70, il avait eu l'air surgi d'un autre temps ; c'était un vieux hippie, et sa lenteur d'expression et de raisonnement prouvait bien qu'on ne cessait jamais d'être un gros fumeur, quel que soit le temps passé sans allumer un joint. Comme Hank, Deacon était un membre fervent des Alcooliques Anonymes et des Narcotiques Anonymes, et de tous les Anonymes qui voulaient bien l'accepter. Contrairement à Hank – Seigneur, faites que ce ne soit pas le cas de son oncle –, Deacon était mort.

Penchée sur le corps de l'homme dans le grenier de Hank, Lena supposa que Deacon avait été battu à mort. Son visage ressemblait à une prune bleuie, ses joues affaissées étaient recouvertes de sang séché. Ses lèvres avaient explosé, coupant la moustache qui retombait comme un postiche. Deacon n'était sans doute pas mort tout de suite. Lena n'était pas médecin, mais elle avait vu assez de cadavres dans la morgue de Sara Linton pour savoir qu'on n'avait pas des bleus comme ça si le cœur s'était arrêté de battre. Il était mort depuis une semaine sans doute, peut-être dix jours. Combien de temps avait-il attendu avant de rendre l'âme ? Était-ce le taulard à la croix gammée qui l'avait entreposé là-haut ? Ou Hank ?

Il y avait certaines procédures à respecter quand on trouvait un cadavre. Lena avait appris tout cela lors de sa deuxième semaine à l'Académie de police, au cours de laquelle on leur enseignait toutes les choses importantes qu'ils ne se fatiguaient pas à raconter aux élèves qui laissaient tomber dès la première semaine.

D'abord, on commençait par interdire l'accès à la scène du crime ; ensuite, on passait les coups de téléphone. Conformément à la loi, le médecin légiste devait prononcer le décès, même si le corps était dans un état de putréfaction à vous tirer des larmes. C'était au médecin légiste de décider si la mort était suspecte ou non. Le cas de Deacon Simms était un cas limpide comme de l'eau de roche : un coup de fil à votre chef, qui ferait passer l'info à la brigade des homicides pour qu'elle prenne la relève. Ensuite, il faudrait recueillir des preuves médico-légales, prendre des photos, la zone autour du corps serait passée à l'aspirateur, on rechercherait des empreintes ou tout autre indice laissé par l'assassin. Alors seulement, le corps serait enlevé pour pratiquer l'autopsie et les détectives se pencheraient sur les éléments dont ils disposaient pour retrouver le meurtrier.

Dans le cas du grenier de Hank, quelqu'un ferait sans doute remarquer que les crottes de rat et la poussière avaient été balayées sur une distance allant de la trappe à l'endroit où il était allongé, et on en conclurait qu'on l'y avait traîné. Peut-être remarquerait-on les cartons empilés devant le corps, et qu'on en déduirait qu'il avait été caché à cet endroit, abandonné à sa mort. Ils verraient certainement les profondes coupures sur ses paumes et ses avant-bras, ce qui tendait à prouver qu'il avait tenté de se défendre contre quelqu'un qui était armé d'un couteau très bien aiguisé. Le fait qu'il n'ait pas de vêtements signifiait sans doute qu'ils étaient recouverts d'une substance quelconque et que le meurtrier avait pensé que cela pourrait conduire à lui. Ou peut-être que le coupable était un pervers qui prenait son pied en tabassant un vieillard de soixante ans à mort avant de le laisser crever nu dans un grenier.

Le plus dérangeant, c'était le trophée : le bout de peau découpé juste au-dessus du sein gauche de Deacon. La plaie était bordée de sang, mais elle n'avait pas été mortelle. Le tueur n'avait voulu prendre que la peau, un carré de cinq centimètres de côté savamment découpé. Les tatouages décolorés qui entouraient la zone permettaient de deviner ce qui avait été ôté. Avant sa mort, Lena n'avait jamais vu Deacon torse nu, mais elle connaissait bien les scènes représentées sur sa poitrine. Deacon était un Hell's Angel, les premiers marchands de haine.

Quelqu'un avait découpé sa croix gammée.

La seule chose positive que le bout de peau manquant lui apprenait, c'était que Hank n'était pas impliqué dans la mort de Deacon. Tous deux s'étaient disputés tous les jours de leur vie, mais Hank n'aurait jamais fait de mal à la seule personne au monde dont on aurait pu dire qu'il était son ami. Quelles que soient les zones d'ombre où l'esprit de Lena avait vagabondé ces derniers jours, elle avait maintenant la certitude absolue que Hank n'aurait jamais fait du mal à qui que ce soit, à part lui-même. Ce n'était pas un assassin.

Cette pensée conduisit naturellement à la question suivante : Que faisait Hank pendant que quelqu'un tabassait Deacon et le laissait mourir dans le grenier ?

Il fallait qu'elle le retrouve. La police locale penserait que Hank était impliqué dans le meurtre de Deacon. Ils ne verraient qu'un drogué en état de manque et une mort violente, et se dépêcheraient d'en tirer la conclusion la plus évidente. Même Jeffrey aurait du mal à croire à l'innocence de Hank. Il voudrait savoir combien de jours Hank avait vécu dans la maison avec Deacon, mort, au-dessus de sa tête. Il aurait besoin de quelque chose de plus concret qu'un bout de peau manquant pour prouver l'innocence de Hank. En outre, la disparition de Hank n'arrangeait pas les choses. On ne s'enfuyait que si l'on avait quelque chose à cacher.

Ou peut-être que Hank se cachait pour ne pas être découvert par quelqu'un en particulier. Peut-être se cachait-il à cause de Lena.

Elle rampa vers la trappe à quatre pattes, puis descendit sur la chaise. Elle tendit le bras et remit les cartons en place. Elle trouva un chiffon dans la salle de bains et essuya les bords de la trappe pour effacer ses empreintes. Elle remit la chaise à sa place, éteignit toutes les lumières sauf celle qui se trouvait au-dessus de l'évier, et referma la porte derrière elle.

Elle avait l'impression d'être une criminelle en conduisant sa Celica à travers la ville. C'est d'ailleurs exactement ce qu'elle était, bon sang : une criminelle ! Non seulement elle n'avait pas signalé la mort de Deacon, mais en plus, elle avait dissimulé le corps et effacé ses empreintes. Elle se voyait bien dans le bureau d'Al Pfeiffer, le vieux schnoque en train de la reluquer pendant qu'elle lui raconterait ce qui s'était passé. Al retrouverait Hank. Il l'arrêterait et l'inculperait pour meurtre avant que Lena n'ait le temps d'ouvrir l'annuaire pour chercher un avocat.

Quelques lampes étaient allumées à l'extérieur du bar quand Lena se gara, mais il n'y avait pas d'autre voiture sur le parking. Elle supposa que les lampes étaient commandées par un minuteur, mais vit ensuite les fils bidouillés auxquels Hank avait branché des panneaux solaires bon marché. Les ampoules étaient d'un orange pâle et délavé, et elle se dit qu'elles ne tiendraient pas très longtemps. Elle se pencha et prit sa lampe de poche dans la boîte à gants avant de sortir de la voiture.

Du scotch avec le logo du Bureau chargé des affaires relatives à l'Alcool, au Tabac et aux Armes à feu barrait toujours la porte d'entrée. Lena vérifia le scotch pour s'assurer qu'il n'avait pas été coupé, avant de faire le tour vers l'arrière du bâtiment. Elle sentit ses poils se hérisser dans son cou tandis qu'elle traversait le parking mal éclairé et s'engageait sur le sentier de terre qui menait au bureau de Hank. Au regard de la semaine qu'elle était en train de vivre, elle considérait somme toute que sa paranoïa était justifiée.

Elle avait essayé de dissimuler le trou qu'elle avait fait dans le mur à l'aide de quelques poubelles du bar. À moins de savoir ce qu'on cherchait, les dommages étaient moins évidents que ce qu'elle avait cru. Elle regarda par-dessus son épaule et orienta sa lampe de poche vers la forêt avant de déplacer les poubelles et de rentrer dans le bureau.

À l'intérieur, la cabane était telle qu'elle l'avait laissée. Elle n'arrivait pas à décider si c'était une bonne ou une mauvaise chose que Hank ne soit pas revenu. Deacon Simms était mort. À part Charlotte Warren, Hank n'avait pas d'amis vers lesquels se tourner. Il n'y avait pas de canapé sur lequel squatter, ou de chambre d'amis dans laquelle il pouvait se cacher.

Le chéquier était toujours ouvert sur son bureau. Elle s'assit et se pencha sur le registre. Pour autant qu'elle se souvienne, tout était dans le même état que lorsqu'elle avait trouvé les lettres de Charlotte. Lena feuilleta néanmoins le chéquier, pour s'assurer qu'il n'en manquait pas un. Ensuite, elle fouilla de nouveau le bureau, cherchant maintenant quelque chose qui pourrait concerner Deacon Simms. Elle ne trouva que le double des clés de Hank, sous un exemplaire usé de *Je suis le fromage*.

Lena empocha les clés et ouvrit le livre, qui portait le sceau de la bibliothèque du comté d'Elawah. Collée à la couverture, une petite pochette en carton avec une carte de prêt glissée à l'intérieur. Il était écrit « Lena Adams » sur la carte. Elle avait emprunté ce livre des siècles plus tôt, pour un devoir d'anglais. Lena avait adoré le livre, mais merdé sur la dissertation. Quand le professeur avait téléphoné à Hank pour le mettre au courant, Lena avait menti en disant qu'elle avait perdu le livre. En plus de lui avoir mis une raclée, Hank l'avait obligée à rembourser le livre avec son argent de poche.

Et pendant tout ce temps, ce connard l'avait gardé ici.

Lena jeta le livre sur le bureau, faisant tomber une pile de factures. Elle était en train de les ramasser quand elle vit le téléphone. L'appareil était ancien, de ceux qui se faisaient juste après la disparition des téléphones à cadran rotatif. Lena se pencha et suivit le fil sous le bureau, à la recherche du répondeur. Elle imagina que, comme pour le raccordement électrique, Hank n'avait pas pris la peine de payer la compagnie de téléphone pour être raccordé jusqu'au bureau. Le tuyau dans lequel passait la rallonge et qui reliait le bureau au bar faisait environ cinq centimètres de diamètre – cela suffisait amplement pour y faire passer une longue rallonge téléphonique.

Elle prit le chéquier sous le bras et s'accroupit pour sortir par le trou. Il n'y avait rien à voler dans la cabane, mais elle remit quand même les poubelles devant le trou.

La porte de service du bar était fermée avec un cadenas, mais c'était le fait de Hank et non des agents antidrogue. Comme ils l'avaient fait pour la porte d'entrée, l'ATF avait également scellé celle-ci avec leur scotch jaune, elle le coupa sans difficulté avec l'une des clés. Lena ouvrit le cadenas avec la clé Kryptonite, et la serrure avec la petite clé Yale. La porte métallique grinça quand elle l'ouvrit, et une odeur tenace de tabac froid et de bière emplit l'air nocturne.

Les semelles de ses chaussures résonnèrent sur les paillassons en caoutchouc quand elle traversa la cuisine. Elle sentit quelque chose courir sur son pied et resta figée, espérant que ce n'était qu'un rat et qu'il était seul. Elle se servit de sa lampe de poche pour trouver l'interrupteur, tandis que dans son esprit surgissait l'image d'une horde de rongeurs hargneux prêts à attaquer. Elle entendit un bruit dans un coin, qu'elle prit le parti d'ignorer, et avança vers le bar.

Lena toussa, ses poumons n'étaient pas habitués à la fumée stagnante et au manque d'oxygène. Au passage, elle appuya sur les interrupteurs, l'un d'entre eux commandait apparemment le juke-box, qui se mit à jouer une chanson. Il y avait des poubelles partout, et elle vit que les breuvages renversés avaient laissé des taches collantes sur le lino. Nul besoin d'être grand clerc pour comprendre ce qui s'était passé. Les flics étaient entrés, avaient évacué tout le monde, procédé aux arrestations et éteint les lumières en sortant.

Soudain, Lena se souvint de quelque chose. Elle s'accroupit derrière le bar et frappa contre le sol avec ses phalanges, en s'efforçant d'écouter malgré le juke-box. Elle finit par trouver ce qu'elle cherchait et sortit son couteau pour soulever la tuile. Dessous, elle vit une boîte à cigares, dissimulée entre les poutrelles. La cachette secrète de Hank. Elle ouvrit la boîte ; elle contenait à peu près deux mille dollars. Elle hésita, eut subitement l'impression d'être une voleuse. C'était l'argent de Hank. Est-ce qu'elle le volait si elle prenait l'argent pour qu'il ne puisse pas acheter de la drogue avec ?

Elle grimpa sur le bar et cacha l'argent derrière une bouteille de whisky qui était de si mauvaise qualité que le colorant s'était déposé au fond de la bouteille. Elle sauta pour redescendre et remit la boîte dans la cachette. Quelque crooner de bas étage que Lena ne reconnaissait pas entama une ballade tandis qu'elle appuyait son talon contre la tuile pour la remettre en place. Elle se sentait mieux maintenant, elle avait fait quelque chose pour aider Hank au lieu de contribuer à sa déchéance.

Le téléphone se trouvait derrière le bar, sous la caisse enregistreuse, à l'endroit où il avait toujours été. Le répondeur, à côté, montrait douze messages. Lena appuya sur le bouton de lecture, pensant que les messages les plus récents étaient sans doute les siens, quand elle entendit sa voix : « Hank, c'est Lee. Où es-tu ? » Elle fut choquée par le ton de voix qui résonnait dans le bar, la colère que chaque mot dégageait. Est-ce qu'elle avait toujours ce ton haineux quand elle l'appelait ? Lena secoua la tête ; encore une chose à laquelle elle ne pouvait pas penser maintenant.

Le message suivant venait de Nan, la maîtresse de Sibyl. Ses mots étaient plus doux, mais son message clair. « Ça fait quelques jours que je n'ai pas de nouvelles et je commence à m'inquiéter. S'il te plaît, rappelle-moi pour me dire que tu vas bien. »

Le dixième message commença, un silence parasité par les ondes, et Lena était sur le point d'appuyer sur le bouton d'avance rapide quand elle entendit le début d'un message automatique. Son estomac se noua.

Comme pratiquement tous les États des États-Unis, la Géorgie utilisait un système électronique de gestion des appels des prisonniers. Une voix informatique annonçait le nom de la prison dont provenait l'appel, et conseillait au destinataire de s'assurer qu'il comprenait bien les frais qui lui seraient facturés avant d'appuyer sur le bouton pour accepter l'appel. Ensuite, toutes les deux minutes, la même voix informatique interrompait la conversation pour rappeler au destinataire qu'il était en train de parler à un détenu d'une prison d'État. Les frais exorbitants contribuaient à payer le matériel d'écoute utilisé pour surveiller les appels des détenus et à éviter que des étrangers crédules se retrouvent avec une facture de vingt dollars pour une conversation de deux minutes.

L'enregistrement était assez habituel, annonçant d'abord l'origine de l'appel puis laissant un intervalle de trois secondes pour permettre au détenu de dire son nom. Au fil des années, dans diverses affaires, Lena avait écouté les appels de certains détenus de la prison de Grant County. C'était extraordinaire de voir tout ce que les voyous arrivaient à placer en trois secondes. Ils ne donnaient que rarement leur nom, c'était souvent l'occasion la plus courte du monde pour supplier quelqu'un de vous parler. Cela allait de « Maman, je t'aime, je t'en prie parle-moi » à son message préféré,

« Je vais te tuer, salope », de la bouche d'un homme qui continuait à soutenir au juge qu'il ne constituait pas une menace pour sa femme.

Le répondeur de Hank passait maintenant le cinquième message, une réplique des quatre précédents. « Ceci est un appel en PCV d'un détenu de la Coastal State Prison. Si vous souhaitez parler au détenu, appuyez sur… »

Lena posa sa main sur le bar pour réussir à rester debout. Elle laissa le répondeur en route, elle avait l'impression d'avaler du verre.

Le même message passa cinq fois, et cinq fois elle entendit sa voix. Elle ne pouvait pas s'en empêcher. Elle écouta le suivant, puis encore le suivant. Ils étaient tous identiques. C'était cette voix dure et insensible, qui semblait faire écho à celle de l'ordinateur.

Le répondeur indiqua qu'il s'agissait du dernier message. « Ceci est un appel en PCV d'un détenu de la Coastal State Prison. Si vous souhaitez parler au détenu, appuyez sur… » Lena retint sa respiration, en espérant que ce serait différent cette fois-ci, qu'il ne s'agissait que d'une plaisanterie malsaine.

Ce n'était pas le cas.

Le haut-parleur rendait sa voix à la perfection, son rythme lent et sûr, articulant chaque mot.

« Ethan Green. »

Lena arracha le répondeur et le jeta contre le mur.

Jeudi matin

Chapitre 15

À Grant County, Sara avait un aide, un *diener*, qui réalisait les tâches les moins glamour d'une autopsie. Carlos classait tous les instruments chirurgicaux, gérait les prélèvements, faisait les radios, nettoyait et, de manière générale, rendait le travail de Sara plus facile. Il prenait des notes, pesait les organes et, plus important, réalisait ce que l'on appelait le « nettoyage des tripes » : on se tenait au-dessus d'un évier et on vidait les intestins pour pouvoir examiner et peser ce qu'ils contenaient. Cette tâche était aussi horrible qu'elle en avait l'air, et pouvoir s'en décharger sur quelqu'un d'autre était un don du ciel.

Le mot allemand « diener » signifiait serviteur, mais Sara considérait Carlos comme son assistant, un élément crucial de son travail. Si elle avait jamais douté de sa valeur, le fait de ne pas l'avoir à portée de main était un rappel douloureux. Même avec Jeffrey, qui, la veille, avait fait tout ce qu'il pouvait, c'était mieux que de le faire toute seule. Dès l'instant où elle avait ouvert la chambre froide, où elle avait vu Boyd Gibson allongé sur le ventre, elle avait su que la journée serait aussi longue que difficile.

Avec son mètre quatre-vingts, Sara était loin d'être frêle, mais elle faillit se tordre le dos en déplaçant Gibson pour le poser sur le brancard métallique. Le corps de l'homme mort était aussi compact que du béton, et il avait autant de muscles que de graisse. Il avait une carrure épaisse, en bouche d'incendie comme aurait dit son père, mais en tirant et en poussant, elle réussit à le sortir du sac mortuaire et à le poser sur la table sans déloger le couteau planté dans son dos.

Après avoir fait une radio pour déterminer la position du couteau, Sara ramena le cadavre dans la salle principale de la morgue, où elle le mesura et le pesa. Ensuite, elle s'attela aux chaussures et aux vêtements de l'homme. Ses baskets étaient lâchement nouées, probablement vieilles d'un an. Son jean et ses sous-vêtements étaient plus récents, mais guère plus. Elle trouva son portefeuille, qui contenait les choses habituelles, enchaîné à l'un des passants de son pantalon. Une gaine en cuir était attachée à sa ceinture, et la décoration était assortie au dessin figurant sur le manche du couteau qu'elle contenait. Si on lui avait demandé son avis, Sara n'aurait pas choisi cette image : c'était une scène de chasse avec deux chiens à la poursuite d'un faisan.

Après avoir vérifié que le trou dans le tee-shirt était bien en face du trou dans le dos de Gibson, elle découpa le tee-shirt, en prenant autant de photos que possible. Compte tenu de la vétusté de la salle d'autopsie, elle fut surprise de voir à quel point l'appareil numérique était sophistiqué. C'était Jeffrey qui avait pris les photos la veille, mais elle apprenait rapidement à utiliser les diverses fonctions. Le zoom macro était meilleur que celui qu'elle avait à Grant County, et le grand écran LCD lui permettait de parcourir les photos et de s'assurer qu'elle avait bien tout ce qu'elle voulait.

Elle prit quelques clichés des vêtements posés sur le papier qu'elle avait déplié sur le comptoir, avant de les examiner pour y trouver des indices. À part de la poussière et quelques cheveux qui semblaient appartenir à la victime, elle ne trouva rien de spécial sur les vêtements de Boyd Gibson. De même, ses baskets New Balance étaient pleines de boues, mais apparemment rien de compromettant. Néanmoins, elle les emballa soigneusement et consigna chaque pièce, en notant méticuleusement tout ce que contenait le portefeuille de l'homme : un permis de conduire délivré au nom de Boyd Carroll Gibson, trente-sept ans, une carte American Express Delta SkyMiles, une carte visa de la Banque d'Elawah, deux photos d'épagneuls assis près d'une rivière, et cinq dollars en espèces. Soit Boyd Gibson était un homme particulièrement soigneux, soit quelqu'un avait passé son portefeuille en revue. Sara se dit qu'elle en parlerait à Jeffrey.

Elle reprit l'appareil et photographia le corps nu, en prenant des clichés précis de la zone autour du couteau – le couteau de Lena. La veille, quand Sara avait vu l'arme, elle avait tout de suite su à qui elle appartenait. L'expression sur le visage de Jeffrey avait confirmé son hypothèse. Elle avait également vu qu'il n'avait pas envie de partager l'information, pas envie d'admettre que Lena était autre chose qu'un spectateur passif dans toute cette histoire.

Qu'en était-il de Hank ? Il avait sans doute fallu deux personnes pour balancer Boyd Gibson par la fenêtre du motel. Sara n'avait vu l'oncle de Lena que deux ou trois fois, mais d'après ses souvenirs, Hank Norton était un homme mince, et pas très grand. S'il n'était pas le complice de Lena, alors qui ? Il n'y avait aucune chance que Lena ait réussi toute seule.

Ou alors, peut-être qu'elle ne l'avait pas fait du tout. Le couteau lui appartenait, d'accord, mais cela ne signifiait pas que c'était elle qui l'avait poignardé. Sara devait garder l'esprit ouvert. Elle ne pouvait pas entamer l'autopsie avec des préjugés, sans quoi elle risquerait de passer à côté des autres possibilités.

Sara se pencha sur le corps de Gibson, en faisant un gros plan sur la blessure. Elle fronça les sourcils en constatant que la taille de la lame ne correspondait pas à la taille de la plaie. Le manche du couteau de Lena était presque exactement perpendiculaire au corps – il remontait légèrement vers le haut, et peut-être quelques centimètres vers la gauche, ce qui suggérait que le meurtrier était droitier, qu'il était arrivé par-derrière et avait planté le couteau droit dans le cœur. Pourtant, la forme oblongue de la plaie indiquait que le couteau était entré de manière oblique, depuis nettement plus haut. Lena était droitière, mais elle mesurait environ un mètre soixante-deux. Soit le couteau avait bougé pendant le transport, soit Lena était montée sur une échelle pour le poignarder.

Connaissant le bureau du shérif d'Elawah, Sara aurait parié la moitié de son salaire que le couteau avait bougé pendant le transport. Il faudrait qu'elle pose la question à Jake Valentine. Cette incohérence était le genre de détail qui enchanterait l'avocat de la défense. Elle devrait être très précise dans sa description de la plaie, au cas où cette affaire terminerait au tribunal, sans quoi elle risquait de se faire laminer lors du contre-interrogatoire.

Cela dit, la déposition que Sara avait faite dans le cadre du procès pour faute professionnelle tendait à prouver que, quel que soit le degré de précision qu'on y mettait, quelle que soit la qualité de la préparation, il y avait toujours un avocat charognard pour biaiser vos déclarations et les retourner à son avantage.

Sara marmonna quelques insultes à l'intention des avocats avant de continuer l'examen externe.

Elle trouva quelques coupures et égratignures sur les paumes, qu'il s'était sans doute faites en glissant sur la berge, devant le bar de Hank. Les traces de brûlures sur les bras étaient bénignes, et n'auraient pas provoqué de dommages importants, pourvu qu'on ait empêché toute infection. Les cheveux auraient repoussé en l'espace de quelques mois, les cils en quelques semaines. Curieusement, Gibson n'avait qu'un seul tatouage, l'horrible croix gammée rouge que Jeffrey avait remarquée la veille. En général, ce genre de types étaient plus bariolés que les murs de chiottes publiques. Sara se servit d'une main pour appuyer le petit mètre métallique contre le tatouage, tandis que de l'autre elle prenait des photos de la taille et des spécificités du tatouage. Elle s'interrompit, reposa l'appareil pour noter d'autres choses. Elle aurait voulu que Jeffrey soit là pour l'aider et lui permettre d'aller plus vite. La veille, ils avaient trouvé un rythme, et elle aurait aimé maintenant qu'il fût là, ne serait-ce que pour partager ses observations avec lui. Gibson avait toute une série de cicatrices qui lui barraient le dos, et Sara se dit qu'il avait dû être battu avec une ceinture ou quelque chose de semblable. Il avait une longue cicatrice blanche le long de la cuisse, apparemment à la suite d'une fracture ouverte.

Le minuteur du révélateur de radiographies sonna, indiquant que les clichés étaient prêts. Sara les étudia à la lumière du vieux projecteur accroché près de la porte. Des lignes sombres lui racontaient l'histoire de Gibson : les signes d'une ancienne fracture spiroïdale à l'avant-bras gauche, ainsi que de très anciennes fractures postérieures et latérales dans les côtes. Le crâne présentait des fractures depuis longtemps remises le long de la ligne de suture. Il y avait des signes de fracture de l'os long qui datait d'au moins dix ans. Au regard des clichés, Sara devina que Boyd Gibson avait été un enfant gravement battu.

Elle se retourna vers le corps. Malgré elle, elle ressentait de la pitié pour cet homme. Combien de radios *post mortem* semblables à celle-ci avait-elle vues à Grant County ? C'était très rare de tomber sur le cadavre d'un criminel qui ne présentait aucun signe de maltraitance infantile. En tant que pédiatre, elle se posa des questions sur l'entourage de Boyd Gibson au cours de ses premières années. Comment avait-il fait pour cacher ses coups à ses professeurs, son médecin, son pasteur ? Combien de fois la mère et le père de Gibson avaient-ils justifié les os fracturés et les bleus par la maladresse ou l'exubérance du garçon ? Combien d'adultes avaient choisi d'ignorer les preuves qu'ils avaient sous les yeux et de croire les parents ?

Même si les mauvais traitements qu'il avait subis enfant n'excusaient pas les actions de l'homme adulte, Sara ne pouvait s'empêcher de se demander si Boyd Gibson aurait atterri sur sa table s'il avait eu une enfance heureuse.

Bien sûr, il y avait beaucoup d'enfants dans le monde qui avaient souffert bien plus que lui, et qui ne finissaient pas pour autant par devenir des dealers nazis. Ou par les tuer.

Lena avait-elle commis cet acte horrible ? Avait-elle poignardé l'homme dans le dos ? Sara ne pouvait l'imaginer, pour les mêmes raisons qu'elle était incapable de croire que Lena avait pu brûler vif un être humain. La jeune femme avait certes un sale caractère, mais quitte à tuer quelqu'un, Lena Adams le regarderait dans les yeux en le faisant.

Ce n'était pas un argument de défense, mais la vérité était souvent étrange.

Sara se concentra sur l'arme du crime. Les traces de poudre présentes sur le manche indiquaient que Jack Valentine avait déjà relevé les empreintes. Apparemment, cela n'avait rien donné. Lena aurait pris la précaution d'utiliser des gants, ou d'essuyer l'arme. Est-ce que le couteau avait été déplacé à ce moment-là, quand elle avait essuyé ses empreintes ?

Sara fit un gros plan pour déceler d'éventuelles marques qui auraient échappé aux services du shérif. Sa vision se troubla quand elle vit le manche agrandi, et elle détourna le regard pour la rendre nette.

« Attends un peu », se dit-elle à elle-même. En levant les yeux, elle avait vu autre chose. Trois petits bleus ronds apparaissaient sur l'arrière du bras de l'homme. Quelqu'un l'avait agrippé assez fort pour laisser des marques. D'après la couleur des bleus, Sara pouvait affirmer que c'était arrivé juste avant la mort de Gibson.

Elle appuya le mètre sous les bleus et prit plusieurs photos, sous divers angles. Ensuite, par souci de précision, elle examina de nouveau le cadavre, centimètre par centimètre, cherchant d'autres marques qui lui auraient échappé.

Convaincue d'avoir fait tout ce qu'elle pouvait, Sara enleva ses gants et contrôla ses notes, s'assurant qu'elle se relisait sans problème et que rien ne pourrait être mal interprété. Dès l'instant où Sara pénétrait dans une salle d'autopsie, elle gardait à l'esprit que tout ce qu'elle faisait pourrait être vérifié lors d'un procès. Avec le procès pour faute professionnelle, elle était d'autant plus paranoïaque.

Elle revenait sans cesse au couteau, non pas parce qu'il était à Lena – chose qu'elle avait sciemment omis de mentionner dans ses notes – mais parce que la plaie continuait de la préoccuper.

Sara ôta ses lunettes et se frotta les yeux. Contrairement à la veille, le garage adjacent était en pleine activité, les compresseurs soufflaient et les gaz d'échappement filtraient dans la morgue. Elle n'était pas contente que les odeurs de garage soient si prégnantes, d'une part parce qu'elles lui donnaient mal à la tête, et surtout parce qu'une autopsie ne se résumait pas à ce que l'on voyait. Certaines odeurs du corps pouvaient aussi bien indiquer un diabète qu'un empoisonnement.

Sara passa ses lunettes de protection et une nouvelle paire de gants en latex en s'approchant de la table qui trônait au milieu de la pièce. À l'aide d'une aiguille à grand diamètre, elle fit des prélèvements de sang et d'urine, et les étiqueta en conséquence. Avec son pied, elle tira un petit escabeau qui lui permettrait de se mettre au-dessus du corps. Bien installée, Sara posa sa main droite à plat sur le dos de Gibson, et entoura le manche du couteau de sa main gauche. Elle allait le retirer quand on frappa à la porte.

« Il y a quelqu'un ? » dit un homme en entrant dans la pièce sans y avoir été invité. Il vit Sara, la main sur le couteau, et émit un long sifflement. « J'espère que vous êtes en train de le sortir, et pas le contraire. »

Sara se redressa. « Je peux vous aider ? »

L'homme lui fit un bref sourire de fouine, dévoilant une rangée de petites dents carrées. Il tendit la main, puis changea d'avis. « Fred Bart, se présenta-t-il. Vous avez fait mon travail. »

Sara descendit de l'escabeau. Elle faisait au moins vingt centimètres de plus que lui, et il y avait chez lui quelque chose qui lui déplut immédiatement. Pourtant, elle s'excusa. « Je suis désolée. Le shérif m'a demandé de… »

Il partit d'un grand rire gras. « Je vous taquine, chérie. Ça n'a pas d'importance. »

Ayant grandi dans le Sud, Sara s'était souvent entendue appeler chérie, poupée ou même bébé. Son grand-père l'appelait princesse, et le facteur l'appelait cacahouète, mais de manière affectueuse et pas désagréable ; elle signait même ses cartes de vœux de ces petits noms. Cela dit, il y avait une subtile différence entre le genre d'hommes qui pouvaient utiliser ces petits noms sans que cela pose problème, et les autres. Fred Bart, avec son costume mal coupé, trop serré, et ses chaussures vernies, tombait sans l'ombre d'un doute dans la deuxième catégorie.

« Enchantée, lui dit Sara, s'efforçant d'être polie. J'étais en train de… » Elle ne termina pas sa phrase, Bart venait de prendre ses notes. « Je n'ai pas terminé.

— C'est bon, poupée. Je pense que je peux les déchiffrer. » Il commença à lire, et Sara se retint pour ne pas lui arracher les feuilles des mains. Au lieu de quoi, elle les posa sur ses hanches et attendit, fixant son front dégarni d'un regard plein de haine. Les touffes de cheveux qui lui restaient encore derrière les oreilles avaient une apparence peu naturelle, et après un examen minutieux, Sara décida qu'il devait être adepte des colorations.

Bart avait au moins dix ans de plus que Sara, et c'était le genre d'homme qui ne pardonnerait jamais au monde d'avoir commencé à perdre ses cheveux peu après ses vingt ans. Elle eut le sentiment qu'il était du genre à blâmer les autres pour tout ce qui lui déplaisait chez lui-même. Elle regarda ses mains, cherchant une alliance, heureuse de constater qu'au moins, il ne semblait pas y avoir de femme obligée de supporter ce je-sais-tout-m'as-tu-vu.

Quand, enfin, il termina de lire ses notes, il lui adressa un bref sourire et reposa les pages à l'endroit où il les avait trouvées. Elle s'attendait à ce qu'il fasse au moins un commentaire piquant sur son écriture, mais il se contenta de dire : « Vous avez besoin d'aide ?

— Je pense que je peux me débrouiller. »

Bart prit une paire de gants dans la boîte et les enfila en disant : « Je peux au moins vous aider à retirer ce couteau. Je ne sais pas si vous avez déjà eu affaire à ce genre de choses, mais plus vous attendez, plus c'est difficile à enlever.

— J'y arriverai, merci, rétorqua Sara, incapable de trouver un moyen de lui dire qu'elle savait ce qu'elle était en train de faire sans lui arracher la tête et l'envoyer par la fenêtre comme un ballon de foot.

— Pas de problème », dit-il en montant sur l'escabeau dont Sara venait de descendre. Il mit ses deux mains sur le poignard, et la regarda d'un air interrogateur. Comme elle ne bougeait pas, il dit : « Je n'y arriverai pas si vous ne le tenez pas, ma poupée. »

Elle prit soudain conscience qu'elle se tenait les mains sur les hanches, la bouche pincée, personnifiant la salope féministe remplie de haine pour les hommes – le stéréotype dont Fred Bart se servait sans doute pour expliquer pourquoi son charme indéniable ne faisait pas d'effet aux femmes.

Sara appuya ses mains contre le dos de la victime, et Bart tira sur le couteau. Elle remarqua la facilité avec laquelle la chair laissait sortir la lame.

Apparemment, Bart s'en rendit compte lui aussi. « Pas trop mal, dit-il, en laissant tomber le couteau sur le plateau qui se trouvait à côté du corps. Vous avez trouvé des empreintes ?

— Il faudra demander au shérif. Je ne fais que l'autopsie.

— Vous devriez peut-être les relever vous aussi, suggéra-t-il en enlevant ses gants. Si j'en crois mon expérience, le petit Jake n'est pas vraiment au point sur les techniques médico-légales. » Il jeta les gants dans la poubelle et sortit un paquet de cigarettes.

« Si vous pouviez éviter de fumer ici. »

Il mit la cigarette dans sa bouche et la laissa se promener sur ses lèvres en demandant : « Vous êtes un de ces nazis de la cigarette ? »

Sara fut surprise par le choix de ses mots, compte tenu de la croix gammée rouge sur le bras de la victime. « Je préférerais simplement que vous ne fumiez pas », répliqua-t-elle d'un ton neutre.

Il lui décocha un autre sourire, prit son temps pour prendre la cigarette et la ranger dans le paquet – pour qu'elle se rende compte qu'il ne le faisait que pour elle. « Alors, qu'est-ce que vous avez trouvé ? Quelque chose d'intéressant ? »

Sara prit l'appareil pour photographier la blessure. « Pas pour l'instant.

— Vous êtes pédiatre, c'est ça ?

— C'est ça. » Elle se sentit obligée d'ajouter : « Je suis également médecin légiste.

— Je pensais que les gens n'avaient plus les moyens d'être médecins de nos jours. » Bart émit un rire sec, et Sara ne sut pas si elle était particulièrement susceptible ou si ce type savait, pour le procès. Il lui aurait fallu faire des recherches approfondies pour être au courant ; ce n'était sans doute que de la paranoïa. Cependant, avec ce qu'elle avait vécu ces derniers jours, elle se dit qu'elle avait de bonnes excuses.

Bart fit le tour du cadavre, s'arrêta devant le tatouage. « Ces types, dit-il. J'ai eu un de ces salopards le mois dernier. Il est rentré dans un poteau téléphonique sur l'autoroute 16. Il a envoyé un minivan avec une famille à l'intérieur dans le décor. » Il leva rapidement les yeux. « La famille s'en est sortie. Juste des bosses et des bleus. »

Sara se rendit compte qu'elle pourrait peut-être lui soutirer des informations si elle y allait doucement. « Les skinheads posent problème par ici ? »

Bart haussa les épaules. « Le gros problème, c'est le crystal, et les skinheads, c'est en prime. Cela dit, pour moi c'est tout bénéf. » Sara dut avoir l'air confus, car il expliqua : « Je suis dentiste. Je pensais au moins que Jake vous aurait dit ça. » Il croisa les bras sur sa poitrine, les épaules de son costume minable lui remontaient jusqu'aux oreilles. « Il y a dix ans, je pouvais m'estimer heureux si je faisais une dévitalisation par mois. Maintenant, j'en fais deux, voire trois par semaine. Ils viennent de tout le comté, parfois même de l'extérieur. Des couronnes, des bridges, des vernis. Les affaires prospèrent. »

Sara savait les dégâts que le crystal pouvait causer. La plupart des drogués perdaient toutes leurs dents au cours de la première année.

« Ça marche bien, dit Bart. Mais j'y renoncerais volontiers si j'étais sûr de ne plus jamais voir de jeune accroc à cette merde. » Il rougit. « Excusez-moi, madame. »

Sara n'aurait pas su dire si c'était l'effet de ses excuses ou parce qu'il avait l'air préoccupé par la situation, mais elle s'aperçut qu'elle ne le détestait plus autant.

« Laissez-moi vous aider à tourner le corps », dit Bart.

Sara était encore réticente à accepter son offre, mais il fallait reconnaître que la pensée d'avoir à retourner le corps ne la réjouissait pas outre mesure. Elle prit quelques photographies en attendant que Bart remette ses gants. Il prit la tête et les épaules, elle les pieds. Elle ressentit un certain plaisir à voir le dentiste forcer sous le poids du cadavre tandis qu'ils le retournaient sur le dos. Cela lui donnait également matière à réflexion : si tous deux avaient eu des difficultés à le retourner sur la table, il avait forcément fallu des types assez musclés pour le jeter par la fenêtre.

« Costaud, hein ? » dit-elle.

Bart haussa les épaules, mais elle vit une goutte de sueur couler le long de sa joue. « J'ai vu pire.

— J'imagine. »

Elle le vit réagir à son commentaire, il se demandait sans doute si elle était condescendante. Sara continua sur sa lancée, tout juste si elle ne battait pas des cils quand elle lui dit : « Merci beaucoup de m'avoir prêté vos muscles. »

Par réflexe, il voulut prendre une cigarette, mais se ravisa. « Je vois que vous avez réussi à faire marcher Bertha. » Il indiqua la machine. « Je tanne le comté pour qu'ils me la remplacent, mais ils refusent toujours.

— Elle remplit correctement sa fonction », dit Sara. À trop regarder la télévision, on finissait par penser que tous les services de police du pays disposaient de matériel à la pointe de la technologie pour les examens médico-légaux. En réalité, pas un seul laboratoire du pays ne pouvait se permettre d'acheter l'équipement de plusieurs milliards de dollars que l'on voyait dans toutes les séries. Le matériel dont disposait chaque État était très demandé, et parfois, il fallait un an pour recevoir des résultats d'analyses.

Bart étudiait les radios de Boyd Gibson. Il siffla doucement. « Pas très gai comme enfance. » Il indiqua une ligne claire le long de la clavicule. « Méchante fracture.

— Vous le connaissiez ? »

Bart se retourna, et pour la première fois depuis qu'il était entré dans la pièce, il la regarda vraiment. « Ouais, dit-il d'un ton rempli de tristesse. Sa maman me l'amenait. Elle était toujours défoncée. » Il indiqua son visage, et Sara comprit qu'il parlait de mauvais traitements. « Je n'ai jamais rien vu sur Boyd et son frère – il a un frère plus âgé – mais j'ai appelé le shérif plusieurs fois au sujet d'Ella. » Il tourna le dos à Sara pour continuer à regarder les clichés. Ou pour cacher son émotion. « Une femme admirable. Discrète, respectueuse, très bonne cuisinière. Tout ce qu'un homme peut souhaiter. Mais j'imagine qu'il y a des hommes qui sont incapables de s'en satisfaire. En tout cas, Grover ne l'était pas. »

Elle attendit un instant, pour s'assurer qu'il avait fini de parler. « Qu'a fait le shérif quand vous lui en avez parlé ?

— À l'époque, c'était Al qui était shérif, dit Bart en se retournant. Al était un type bien, mais dans le temps, on ne pouvait pas porter plainte sans que la femme vienne témoigner, et Ella n'aurait jamais rien dit sur Grover. Non pas qu'elle ait encore de l'amour pour lui, mais elle savait ce qu'il aurait fait aux garçons, et ce n'était pas comme si elle avait pu trouver un boulot pour les entretenir tous les trois.

— Elle est toujours avec lui ?

— Non, dit-il en baissant les yeux. Emportée par un cancer quand Boyd avait dix, peut-être onze ans. Je ne l'ai pas vu beaucoup après cela. Grover n'était pas du genre à dépenser son argent pour faire nettoyer les dents de ses gosses alors qu'il pouvait s'acheter à boire avec. » Il indiqua le cadavre. « Évidemment, je l'ai beaucoup vu ces derniers temps.

— Comment ça ? »

Bart posa son regard sur les avant-bras de Gibson, la chair présentait des marques de piqûres. Elles avaient relativement bien cicatrisé, et dataient probablement de quatre ou six mois. Gibson était aussi très lourd, or les gens qui prenaient du crystal étaient en général très maigres.

« On ne dirait pas qu'il se droguait, dit Sara.

— Non, il avait arrêté. » Bart haussa les épaules. « Il y en a beaucoup qui arrêtent pendant un mois, un an. Puis il leur arrive quelque chose, et ils se remettent aussitôt à se piquer.

— C'est ce qui est arrivé à Boyd ? »

Bart ne répondit pas vraiment à sa question. « Il est venu me voir il y a six semaines. Il n'avait pas d'argent pour payer les soins, mais je lui ai proposé un échéancier. Il avait horriblement mal. Sa bouche tout entière était infectée. Il aurait perdu toutes ses dents si je n'avais rien fait.

— J'ai vu le bridge », dit Sara en indiquant la radio. Elle n'avait pas encore examiné la bouche de Gibson.

Bart regarda le cliché. « Ça aurait pu être pire. » Il sourit brièvement. « Vous devez en voir beaucoup plus que moi.

— Quoi donc ?

— Des pauvres. » Il prononça le mot avec une certaine brutalité, et Sara ne comprit pas s'il voulait transmettre un sentiment de pitié ou de dérision. « Ils viennent vous voir et vous savez qu'ils ne pourront pas vous payer, mais vous ne pouvez pas les renvoyer, parce que ce n'est pas pour ça que vous avez fait des études. »

Sara hocha la tête tout en haussant les épaules. Elle ne savait pas quoi ajouter. Elle n'avait pas envie de se lancer dans une discussion sur l'état lamentable du système de santé avec cet homme.

« Bien, dit Bart en regardant sa montre, comme s'il venait de se souvenir d'un rendez-vous. Je passais juste voir si vous aviez trouvé vos repères. Faites-moi signe si vous avez besoin de quoi que ce soit, d'accord ?

— Merci, dit Sara, et elle était sincère – jusqu'à ce qu'il lui fasse un nouveau sourire de fouine.

— Faites attention à vous, chérie. Je ne voudrais pas vous voir mêlée à ça. »

Elle sentit son sourire se figer sur ses lèvres. « Merci », répéta-t-elle, mais Fred Bart avait disparu.

Sara regarda de nouveau l'homme mort couché sur la table, comme si elle s'attendait à ce qu'il fasse quelque commentaire sarcastique sur ce qui venait de se passer. Évidemment, il n'en fit rien. Sara enleva ses gants et reprit ses notes. Elle trouva la page qu'il lui fallait, et nota que Fred Bart l'avait aidée à enlever le couteau. Elle nota également que le couteau était facilement sorti de la plaie. Bart avait raison sur un point : en général, les lames restaient coincées, à cause du sang séché ou des tissus qui s'étaient raidis autour du métal.

Elle mit cela dans un coin de sa tête et continua l'examen externe, photographiant les cicatrices qui indiquaient des piqûres, prenant des notes sur quelques égratignures sur le tibia. La bouche de Gibson était déjà ouverte, et elle sortit sans difficulté le bridge qui recouvrait le trou où aurait dû se trouver son incisive. Malgré elle, Sara était forcée de reconnaître que Bart faisait du bon travail. Les gencives étaient pratiquement cicatrisées, et rien n'indiquait que le bridge aurait été mal adapté.

Sara regarda sa montre et se demanda pourquoi Jeffrey et Jake Valentine tardaient autant. Ils étaient censés ramener le père de Boyd Gibson pour qu'il identifie le corps, mais cela faisait déjà deux bonnes heures. D'un point de vue technique, Jake avait déjà identifié Boyd Gibson, mais d'expérience, elle savait que la famille avait généralement besoin de voir le corps pour pouvoir entamer le deuil.

Elle appela Jeffrey sur son portable, mais il ne répondit pas. Elle lui laissa un message, mais au bout de vingt minutes il n'avait toujours pas rappelé, de sorte qu'elle décida de commencer l'examen interne. Il serait toujours temps de recouvrir le corps quand le père de Gibson arriverait, pour lui épargner les détails les plus choquants de la mort de son fils.

Elle remit des gants et retourna à la table, prit un scalpel et commença son incision en Y. Comme elle était habituée à travailler avec un dictaphone, elle ne pouvait s'empêcher de narrer chaque mouvement. Ainsi, en ouvrant la cage thoracique et en examinant la plèvre, elle entendait une petite voix dans sa tête, en écho à ses mouvements.

Elle suivit la voie de pénétration du poignard dans le cœur, et trouva ce à quoi elle s'était attendue. La lame avait percé la paroi thoracique postérieure gauche et était ressortie par la paroi antérieure, provoquant une mort quasi immédiate. Elle s'interrompit, prit quelques notes, des photos, et mesura la plaie laissée par le couteau, avant de dessiner elle-même ce qu'elle avait trouvé.

Exception faite de la blessure provoquée par le couteau, le cœur était en mauvais état. Il était élargi à cause du surpoids, et les artères principales semblaient déjà partiellement bouchées. Si le couteau ne l'avait pas tué, ses mauvaises habitudes alimentaires l'auraient sans doute empêché d'atteindre un âge avancé.

Même si elle connaissait la cause évidente de sa mort, Sara poursuivit l'autopsie détaillée, pesant et disséquant soigneusement les organes, prélevant des échantillons de tissu. Le dernier repas de Boyd Gibson avait été semblable à celui qu'avaient partagé Jeffrey et Sara : pizza. Apparemment, il la préférait aux pepperonis, mais il avait aussi mangé une salade pour compenser. Peut-être avait-il fumé en mangeant. Au regard de la couleur et des grands espaces d'air dans ses poumons, Gibson avait été un grand fumeur. Sara trouva donc étrange qu'il n'ait pas de cigarettes dans ses poches.

Elle le nota, prit d'autres photos, et fit tellement de dessins qu'elle en eut des crampes. Malheureusement, à force d'être perfectionniste, elle finissait par se punir toute seule. À midi et demi, elle avait horriblement mal aux pieds et son dos la faisait souffrir, elle avait l'impression d'être complètement tordue.

Et objectivement, Sara n'avait jamais eu la patte d'un artiste. Ses dessins faisaient penser aux travaux d'un élève de maternelle psychopathe.

Elle recouvrit le corps et s'assit. Toutes les vertèbres de son corps craquèrent quand elle leva la tête vers le plafond, pour soulager sa crampe après deux heures à regarder vers le bas. Elle commençait tout juste à s'autoriser à s'inquiéter pour Jeffrey quand elle entendit une voiture se garer à l'extérieur.

Jake Valentine ouvrit la porte en même temps qu'il frappait. « Désolé pour le retard », dit-il, un sourire nonchalant aux lèvres. Il avait un mouchoir en papier enfoncé dans la narine. L'arête était enflée, et un bleu commençait à s'étendre sous son œil gauche.

Sara se leva, inquiète. « Où est Jeffrey ? »

Avant même d'avoir pu terminer sa question, il entra derrière Valentine et ferma la porte derrière lui.

« Une petite altercation », expliqua Jeffrey. Il avait le même sourire indolent que le shérif, comme s'ils venaient de s'amuser comme des petits fous.

« Quel genre d'altercation ? » Sara avait l'impression de s'adresser à deux enfants désobéissants, et le fait que Jeffrey éclate de rire ne fit rien pour atténuer cette sensation.

Valentine rit aussi, mais aux larmes qu'il avait dans les yeux, elle vit que cela lui faisait mal. « Grover n'était pas très content de me voir », dit-il.

Jeffrey expliqua : « Il a mis son poing dans la figure de Jake dès qu'il a ouvert la porte. »

Sara remarqua qu'il utilisait maintenant le prénom du shérif. Il n'y avait que deux flics pour se rapprocher parce que l'un d'entre eux s'était fait cogner.

Valentine dit à Sara : « Heureusement que vous m'avez dit de l'amener avec moi ce matin. Sans lui, je serais sans doute couché sur cette table.

— Putain, renchérit Jeffrey. On y serait sans doute tous les deux si vous n'aviez pas fait tomber cet abruti. »

Sara se retint pour ne pas lever les yeux au ciel. « J'en déduis que M. Gibson ne viendra pas identifier le corps. »

Valentine expliqua : « Il n'était pas trop abattu d'avoir perdu son fils. On ne peut pas dire qu'ils étaient proches. » Il haussa les épaules, et ajouta sur un ton un petit peu plus sérieux : « Peut-être que ça lui montera au cerveau une fois qu'il aura cuvé. »

Jeffrey devint sérieux à son tour et dit à Sara : « Il était incontrôlable. On lui a passé les menottes pour l'emmener au commissariat, pour qu'il puisse dessoûler. Ça n'avait pas l'air d'être la première fois.

— Non, confirma Valentine. Et ce n'est sans doute pas la dernière non plus.

— J'ai pris plusieurs photos de son visage, dit Sara. Vous pourrez les montrer à son père, ça facilitera peut-être les choses. »

Jeffrey demanda à Sara : « Tu as trouvé quelque chose ?

— Pas vraiment. » Elle prit l'arme du crime et la posa sur une feuille de papier kraft pour la photographier. C'était la première fois que Sara examinait vraiment la lame et le manche. En le regardant, elle s'aperçut de deux choses : la lame était fine, peut-être un centimètre et demi de large, et longue d'au moins dix centimètres. Mais surtout, contrairement à la plupart des couteaux pliables que Sara avait vus, il n'y avait pas de dentelure. La lame était lisse d'un côté, et aiguisée de l'autre.

Le téléphone de Valentine sonna, les premières mesures de *Dixie* emplirent la pièce. Il regarda l'écran et leur dit : « Vous m'excusez un instant ? »

Sara attendit que la porte se referme avant de prendre l'appareil et de faire défiler les photos.

Jeffrey demanda : « Tu as téléphoné aux hôpitaux pour voir si Lena ou Hank s'y trouvaient ?

— Il y en a trois dans un rayon de quatre-vingts kilomètres, lui dit-elle en regardant les photos. Aucun signe de Lena ou de Hank.

— J'imagine que c'est bon signe », dit-il malgré sa déception. Si Lena s'était trouvée dans un hôpital la veille, il n'y avait aucune chance qu'elle ait tué Boyd Gibson.

Sara trouva la photo qu'elle cherchait. « Tu devrais te sentir mieux en voyant ça.

— Qu'est-ce que c'est ?

— Regarde la plaie, dit-elle en lui montrant les gros plans qu'elle avait faits. Il y a une entaille en haut, et une entaille en bas. Je savais que quelque chose clochait. »

Jeffrey regarda le couteau sur la table, puis de nouveau les photos. Il savait forcément où elle voulait en venir, mais se contenta de dire : « D'accord.

— Avec ce couteau – le couteau de Lena –, on aurait eu une plaie en forme de V en bas, avec une extrémité carrée en haut. Si la lame est dentelée, elle laisse une marque dentelée dans la peau. Le haut et le bas de la plaie de Gibson sont dentelés. »

Jeffrey hocha la tête et poursuivit le raisonnement de Sara : « La plaie montre que le couteau qui a tué Gibson était donc à double tranchant, et dentelé. » Elle entendait l'excitation dans sa voix. D'après les statistiques, la plupart des victimes poignardées étaient tuées avec des couteaux à tranchant unique et dentelé, tout simplement parce que c'était en général ce qu'on trouvait dans les tiroirs de cuisine. Sara n'avait jamais vu de couteau à double tranchant dentelé, et encore moins le genre de plaies qu'ils provoquaient. S'il y avait à Elawah quelqu'un qui possédait ce genre d'arme, alors c'était très certainement le tueur.

Jeffrey tapota la table, réfléchissant à ce nouvel élément. « Je parie qu'il a été fait sur mesure. Peut-être un marché parallèle pour l'armée. Forcément full-tang, sans doute avec un manche sur mesure assorti à l'étui… Tu penses que la lame mesurait combien ?

— De la poignée à la pointe, elle doit mesurer au moins quinze centimètres, et à partir de la plaie, j'imagine qu'elle doit faire à peu près trois centimètres et demi, tout au plus. » Elle indiqua Gibson. « Tu vois comme il est costaud. Sa poitrine est immense, son cœur était élargi. J'ai trouvé des blessures d'entrée et de sortie dans le ventricule gauche. » Elle montra de nouveau le couteau de Lena. « Cette lame aurait sans doute pu faire une entaille à l'arrière du cœur, mais il est impossible qu'elle l'ait traversé et soit ressortie devant. Elle n'est pas assez longue. Regarde, d'une extrémité à l'autre, le couteau entier mesure 20 centimètres.

— Il doit y avoir un gars du coin qui fabrique ces trucs. » Il ne pouvait s'empêcher de sourire. « En comptant le manche, un couteau de quinze centimètres mesurerait au moins vingt-deux, vingt-cinq centimètres. Le type que nous avons vu devant l'hôpital avait un grand couteau accroché à sa ceinture. Il l'a laissé dans sa voiture avant de sortir.

— Ce n'est pas rare pour un homme de porter un couteau, fit remarquer Sara. Mon père en a un à sa ceinture pour le travail.

— La dernière fois que j'ai vérifié, ton père n'avait pas de grosse croix gammée sur le bras, rétorqua Jeffrey. Celui qui a fait ça essayait de coincer Lena. Pas étonnant qu'elle ait disparu.

— Ou peut-être qu'il était trop attaché à son couteau et qu'il n'avait pas envie de le lâcher. » Elle s'avança vers la table sur laquelle elle avait posé les affaires personnelles de Gibson. « Regarde le couteau de Gibson. Ce n'est pas n'importe quoi. Il l'a sans doute payé assez cher. Ce n'est pas un objet dont on se déferait facilement. »

La porte s'ouvrit et Valentine apparut. Il maintenait la porte ouverte avec son pied, comme s'il n'avait pas l'intention de rester longtemps. Il était manifestement furieux. « Le recteur du lycée vient de m'appeler. »

Jeffrey échangea un regard avec Sara. « Et ?

— Il a trouvé des couvertures et des sachets de chips vides dans l'une des classes provisoires. » Il secoua sa tête, il serrait tellement les dents que ses mâchoires ressemblaient à une gravure en relief.

Jeffrey fit un sourire qui acheva de le rendre furieux. « Ma *femme* travaille à l'école, espèce de connard. »

Jeffrey dit : « Bon, si j'étais vous, je ne me tracasserais pas trop, Jake. Je suis certain que Myra n'a pas fait exprès de la laisser dormir là-bas. »

Valentine serra les lèvres, il cherchait de toute évidence une réponse adaptée. Il finit par opter pour : « Allez vous faire foutre », puis tourna les talons en claquant la porte derrière lui.

Lena

Chapitre 16

Deux ans plus tôt, Jeffrey avait balancé le dossier d'arrestation d'Ethan Green sur le bureau de Lena en lui ordonnant de le lire.

Naturellement, elle ne l'avait jamais fait.

Elle avait fait semblant de parcourir le dossier, en lisant un mot sur cinq ou six, puis l'avait repoussé vers Jeffrey, avec un air de défi. « Et alors ? »

Jeffrey lui avait énuméré les points principaux, la liste des crimes d'Ethan : vols, agressions, sodomie forcée, viols. Pas un de ces mots n'était entré dans sa tête – Lena en était encore à la phase où elle considérait Ethan comme deux personnes distinctes : celui qui l'aimait, et celui qui finirait par la tuer. Cette dualité n'était pas si étrange. À l'époque, Lena pensait à elle-même en des termes semblables.

Cela faisait près d'un an que Sibyl était morte quand Lena avait rencontré Ethan. Elle logeait dans la résidence universitaire, travaillait pour les services de sécurité du campus et luttait pour vivre chaque nouvelle journée sans céder à la tentation de se tirer une balle dans la tête. Ethan travaillait sur son diplôme de master. Il avait poursuivi Lena sans relâche, et avait fini par l'avoir à l'usure.

Quelques mois plus tard, elle avait récupéré son travail au sein de la police, et s'était installée chez Nan

Thomas. Ethan était toujours dans sa vie ; Ethan était toujours sa vie. Son dossier d'arrestation était resté dans sa Celica pendant tout ce temps, bien caché dans le coffre, derrière le chargeur de CD. Lena n'avait pas voulu que Nan tombe dessus. À la vérité, elle n'avait pas voulu l'emmener dans la maison où Sibyl avait vécu. C'était déjà assez terrible quand Ethan y passait la nuit.

Lena traversa la bande de terre envahie par les mauvaises herbes qui séparait le bar du motel. Ses chaussures crissaient sur les morceaux de verre et autres débris qui avaient été projetés là depuis la route. Elle passa devant le lobby du motel pour aller jusqu'à sa voiture. Malgré la fraîcheur de la nuit, Lena transpirait toujours autant que si elle s'était trouvée dans l'enfer de la maison de Hank.

Vols. Agressions.

Le dossier se trouvait exactement à l'endroit où elle l'avait caché deux ans plus tôt, des traces noires de pneus barraient le sceau de l'État du Connecticut sur la couverture jaunissante. Lena le sortit, et pour une raison obscure, se sentit obligée de le dissimuler sous son tee-shirt tandis qu'elle montait en courant les marches qui conduisaient à sa chambre. Personne ne l'observait. Elle n'avait pas besoin de faire tout cela en cachette. Pourtant, elle se sentait encore coupable. Elle avait encore l'impression que quelqu'un, quelque part, désapprouvait.

Peut-être qu'il valait mieux ne pas savoir. Ethan avait peut-être appelé Hank pour qu'il lui donne de l'argent ou lui apporte de l'aide. Ou peut-être qu'il avait simplement voulu entrer en contact avec Lena. Elle avait déménagé de chez Nan et avait un nouveau numéro de téléphone. Avait-il envoyé des lettres chez

Nan ? Nan les avait-elle cachées, dans l'espoir d'aider Lena à couper le lien ?

Lena accrocha la pancarte « ne pas déranger » à sa porte. Elle tira les rideaux et s'assit en tailleur sur le lit, le dossier contre sa poitrine. Elle sentait son cœur battre contre l'épais paquet de feuilles, et avec la sueur, la couverture jaune lui collait à la peau.

Doucement, elle sortit le dossier de son tee-shirt. Elle fit glisser sa main sur les caractères imprimés et suivit des doigts le cercle qui entourait le sceau. Elle se saisit du bord et ouvrit le dossier, pour retrouver ce qu'elle aurait voulu ne jamais revoir : Ethan en train de la regarder.

La photo avait été prise quelques années avant que Lena ne fasse sa connaissance, quand il avait dix-huit ans. À l'époque où elle le fréquentait, il avait les cheveux courts, mais sur la photo, son crâne rasé. Il avait un sourire narquois aux lèvres, et la petite pancarte qu'il tenait à la main était penchée, comme pour montrer qu'il ne se donnerait pas la peine de la tenir droite. Il portait un tee-shirt à manches courtes, ce qu'il ne faisait plus maintenant. À la réflexion, il avait peut-être cessé de cacher ses tatouages maintenant qu'il était de nouveau en prison. Ils lui rendraient service à l'intérieur.

ETHAN ALLEN GREEN, alias ETHAN ALLEN WHITE, alias ETHAN ALLEN MUELLER.

Lena se souvenait du jour où Ethan lui avait expliqué les origines de son nom. Ils étaient tous deux dans sa chambre de la résidence universitaire, serrés l'un contre l'autre dans son lit une place. Il était couché sur le dos, et elle s'était enroulée autour de lui pour ne pas tomber du lit. Ethan n'était pas très grand, à peine quelques centimètres de plus que Lena, mais les muscles de son corps ressortaient comme s'ils avaient été sculptés dans du granit. Elle avait la tête coincée sous son bras, et le son de sa voix vibrait dans son oreille.

Aux alentours de la Révolution américaine, lui avait-il raconté, Allen avait été le dirigeant des Green Mountain Boys, un groupe de combattants qui avaient juré de donner leur vie pour l'indépendance du Vermont. Pendant la guerre, Allen et ses hommes avaient pris un fort britannique. Selon certains, c'était un génie militaire, selon d'autres, un ignorant, un tueur de sang-froid.

Elle avait pensé, à ce moment-là comme maintenant, que son homonyme n'était pas si éloigné de lui.

Sodomie forcée. Viols.

Lena connaissait peu de choses de la vie d'Ethan avant qu'il vienne s'installer à Grant County. Son père l'avait abandonné quand il était petit. Sa mère, une raciste enragée, avait épousé un homme du nom d'Ezekiel White, un prédicateur. Ethan avait changé son nom pour Green quand il avait quitté sa famille de skinheads. Lena ne savait pas pourquoi il n'avait pas repris le nom de Mueller, le nom de son père biologique. Ethan n'aimait pas parler de son père.

Quand Lena avait rencontré Ethan, il avait affirmé qu'il faisait de gros efforts pour changer. Lena avait accepté, et même respecté cela. Avec le temps, elle avait fini par se dire qu'il n'aurait pas pu la fréquenter, elle, s'il était resté accroché à ses anciennes croyances. Elle était d'origine hispanique, et cela se voyait. Elle vivait en colocation avec une lesbienne – et pas n'importe quelle lesbienne, la maîtresse de Sibyl. Cela n'avait pas l'air de déranger Ethan. Il était plus que cordial avec Nan. Il avait dit qu'il était amoureux de Lena, qu'il voulait partager le reste de sa vie avec elle. Il avait dit qu'être avec elle était la seule bonne chose qu'il ait faite de sa vie. Et si ses paroles étaient contredites par sa violence physique, Lena ne voulait pas trop y penser.

. TAILLE : 1,68 – POIDS : 72,5 – SEXE : MASCULIN – COULEUR DES CHEVEUX : BRUNS – COULEUR DES YEUX : BLEUS – RACE : BLANCHE

La race. Le privilège de la peau, comme il disait. Son droit de naissance de Blanc.

TATOUAGES

Il y en avait tellement – Lena en avait même oublié certains. L'officier qui avait procédé à l'arrestation les avaient tous consignés, avait fait des remarques sur leurs origines, leur symbolique. Lena étudia les photos. C'était la première fois qu'elle regardait vraiment ces tatouages. Elle avait toujours détourné le regard, ou gardé les yeux fermés quand il se déshabillait. Malgré cela, certaines images avaient réussi à passer.

Une rangée de SS sur le côté gauche de sa poitrine saluait une image d'Hitler sur le côté droit. Au-dessous, une grande croix gammée noire ondulait sur ses abdominaux. Son bras gauche était recouvert de scènes de guerre, de soldats en train de charger leur fusil, leurs chapeaux marqués des deux S. Quant au bras droit, il était recouvert de barbelés, et on voyait au loin les baraquements d'un camp.

Comment avait-elle pu toucher ce corps ? Comment avait-elle pu laisser ce corps toucher le sien ?

Lena tourna la page et vit une autre photo. Les cheveux d'Ethan avaient servi à dissimuler d'autres tatouages. En arc de cercle, à la base de son crâne rasé, étaient dessinés les mots *Sieg Heil*. Sur le haut de son crâne, une autre croix gammée.

À côté de cette photo, quelqu'un avait écrit : *Le salut d'Hitler à l'arrière du crâne est en général donné après six ans d'engagement actif. La croix gammée sur la tête est la marque habituelle des dirigeants du groupe de skinheads du nord du Connecticut.*

La dernière photo était un gros plan de l'intérieur de son bras gauche. Juste à la base du biceps, la lettre A, avec un trait à côté. A négatif. Le flic avait noté une explication au dos de la photo : *Les Waffen SS d'Hitler, le bataillon à tête de mort, chargés des camps de concentration, avaient tous leur groupe sanguin tatoué sous le bras. Ce tatouage symbolise le rang de général dans les mouvements du pouvoir blanc.*

Lena n'avait jamais posé de questions à Ethan sur cette lettre tatouée sous le bras, elle n'avait jamais voulu connaître la vérité sur son passé. Maintenant, elle était confrontée à la vérité – elle en était submergée. Chaque photo la frappait comme une gifle.

C'était le père de l'enfant qu'elle avait laissé dans la poubelle d'une clinique à Atlanta. C'était l'homme avec qui elle avait partagé son quotidien pendant deux ans de sa vie.

Après qu'Ethan avait été renvoyé en prison, Lena avait essayé d'être avec un autre homme – et lamentablement échoué. Elle avait vécu avec Greg Mitchell plusieurs années auparavant, et elle eut l'impression que c'était un signe du destin quand il était revenu dans sa vie à peu près au moment où Ethan la quittait. Pourtant, rien ne fonctionnait entre eux. Elle n'était plus la même personne qu'avant, et au début, Greg en était heureux. Par la suite, il en vint presque à avoir peur d'elle.

Dès le début, Lena avait essayé de dissimuler sa vraie nature à Greg, de cacher ses côtés sombres, ses côtés durs. Elle contrôlait tellement ses émotions que la plupart du temps, elle avait l'impression de n'être que l'ombre d'elle-même. Leur vie sexuelle était désastreuse. Après Ethan, elle ne savait plus comment faire avec un homme doux, comment l'embrasser ou le tenir, accepter qu'il lui donne du plaisir et non des souffrances.

Si Angela Adams était restée dans les parages, si elle avait été une mère pour ses deux filles au lieu de les abandonner à Hank, est-ce qu'elle aurait fini avec Ethan ? Cette faille qu'elle portait en elle, qui la poussait vers sa violence, sa volonté impitoyable de contrôle, aurait-elle été déclenchée ? Ou est-ce que Lena aurait fini comme Charlotte Warren, encore à Reese, à élever deux ou trois enfants, en attendant que son mari rentre du travail pour pouvoir mettre le dîner sur la table ?

Le casier d'Ethan s'étalait sur près de trente pages. La plupart des remarques étaient écrites dans le style sec et minimaliste du flic averti qui avait compris qu'il avait mieux à faire que d'en dire trop, juste pour qu'un salopard d'avocat puisse déformer ses propos et les lui renvoyer à la gueule lors d'un procès. Heureusement, Lena savait lire entre les lignes, et à mesure qu'elle avançait dans sa lecture, elle se faisait une idée plus précise de ce qu'avait été la vie d'Ethan avant leur rencontre.

Il avait commencé tôt, arrêté pour la première fois à l'âge de treize ans. Il avait volé des vêtements dans un magasin. À quinze ans, arrêté pour le vol d'une voiture. Les deux cas avaient été réglés devant un tribunal pour enfants. À chaque fois, il avait écopé d'une mise en liberté surveillée. Néanmoins, il manquait forcément des bouts de l'histoire. On ne volait pas des vêtements un jour et des voitures le lendemain, sans qu'il y ait quelque chose au milieu. Lena savait que chaque fois qu'on attrapait des types pour un crime, il y en avait quatre autres pour lesquels ils passaient au travers. Elle était prête à parier qu'Ethan avait volé au moins dix voitures avant de se faire arrêter.

Ensuite, son casier était propre jusqu'à l'âge de dix-sept ans. Il avait alors été accusé d'avoir sodomisé une fille de quinze ans. Deux semaines plus tard, la plainte avait été retirée. D'après les annotations laconiques, Lena en conclut que les parents de la fille n'avaient pas voulu lui infliger un procès. C'était assez courant, et probablement sage. Les gens aimaient penser le contraire, mais n'importe quel flic vous dirait qu'il n'y avait rien de plus atroce – et sans doute rien de tel pour détruire la vie d'une femme – qu'un interminable procès pour viol.

Il y avait une remarque à cet endroit : *Le suspect porte des tatouages et des marques associées à une secte violente de néo-nazis. Il est conseillé d'en référer au FBI pour surveillance.*

Ethan avait dix-neuf ans quand il fut arrêté pour voie de fait. Il s'était servi d'un couteau pendant une bagarre, ce qui transformait le chef d'accusation en agression criminelle. La victime avait manifestement subi des coupures assez graves, mais refusa de coopérer avec la police, et les chefs d'accusation furent réduits. De nouveau, Ethan s'en sortait sans chef d'accusation grave.

Trois années s'écoulèrent avant que l'État du Connecticut entende de nouveau parler d'Ethan Green. Lena supposa que c'était l'époque où Ethan finissait sa licence et entamait son master. C'était sans doute la chose chez lui qui effrayait le plus les gens : il était intelligent, doué même. Le contraire du stéréotype du beauf raciste et ignorant. Quand Lena l'avait rencontré, il essayait d'intégrer le programme de thèse de Grant Tech, et il aurait probablement réussi s'il n'avait été arrêté.

Curieusement, l'accusation que la police de l'État du Connecticut réussit à faire tenir concernait une affaire de chèques sans provision. Ethan avait fait un chèque à l'ordre d'un supermarché pour un montant de vingt-huit dollars et des poussières alors que son compte en banque montrait un solde de douze dollars. Il avait mis le chèque correspondant à son salaire à la banque le lendemain, mais il était néanmoins illégal de faire volontairement un chèque sans provision. C'était le genre d'arrestation qui indiquait clairement que les flics attendaient qu'il fasse un faux pas. Des millions de personnes faisaient tous les jours ce genre de choses. On ne se faisait pas attraper si on n'était pas sous surveillance.

Et Ethan s'était fait attraper. Si le juge était de mauvaise humeur, il pouvait se retrouver avec dix ans d'incarcération dans une prison fédérale.

Lena était en train de tourner la page pour voir comment cela avait fini quand le téléphone sonna. Elle pensa d'abord que personne ne savait qu'elle était là, puis elle se souvint de Hank. Elle se pencha pour décrocher le combiné, mais interrompit son mouvement, laissa le téléphone sonner. Une photo était tombée par terre, et elle se pencha pour la ramasser, mais arrêta son geste quand elle vit qu'il s'agissait d'une femme battue, allongée dans une flaque de sang.

Lena ne bougea pas pour prendre la photo. Elle la regardait de loin, observant les bleus noirs sur les cuisses de la jeune femme, la masse sanguinolente de son visage. Les brûlures rouges autour de ses chevilles et de ses poignets indiquaient qu'elle avait été maintenue les membres écartelés, que des mains fortes avaient retenu ses bras et ses jambes pour faire d'elle ce qu'ils voulaient.

La dernière petite amie d'Ethan.

Elle était noire.

Le téléphone cessa de sonner tandis que Lena regardait la photo. La pièce tomba dans un silence de mort. L'air semblait plus étouffant. La fille de la photo avait dû être très jolie, sa peau était d'une couleur douce chocolat au lait. Comme Lena, elle avait les cheveux longs, avec des boucles qui seraient sans doute retombées sur ses épaules si sa tête n'avait pas été tirée en arrière, ses cheveux recouverts de sang.

Evelyn Marie Johnson, dix-neuf ans. Étudiante à l'université. Soprano dans la chorale de l'église. Lena feuilleta le dossier, à la recherche d'autres photos. Elle passa sur les pages qui contenaient les photos épouvantables de la scène du crime, et trouva ce qui devait être la photo d'école de la jeune femme. C'était un « avant » époustouflant. Des cheveux noirs et soyeux, des lèvres charnues, de grands yeux marron. Elle aurait pu être mannequin.

Lena trouva le rapport médico-légal. Des traces de pneus avaient été retrouvées non loin de son corps. Les impressions avaient été envoyées au labo pour être analysées, et elles correspondaient au pick-up GMC 1989 d'Ethan. Il était en libération conditionnelle pour l'affaire du chèque en bois, et attendait le verdict. Il accepta un arrangement qui lui permettrait d'éviter la prison s'il témoignait contre les tueurs.

D'après la sœur de la fille, Evelyn avait été enlevée de chez elle par quatre hommes blancs, en plein milieu de la nuit. La sœur s'était cachée dans le placard parce qu'elle avait vu les croix gammées sur leur crâne rasé, elle connaissait la signification des tatouages.

D'après Ethan, il avait été obligé, sous la menace d'un pistolet, de conduire les hommes à la maison d'Evelyn. L'année précédente, il avait tenté de quitter un groupe néo-nazi qui s'appelait Les Soldats Choisis de l'Église du Christ, mais ils ne l'avaient pas laissé faire. L'un de ses anciens amis était resté dans la voiture cette nuit-là, son arme pointée contre Ethan, tandis que les autres pénétraient dans la maison et enlevaient Evelyn. Ethan avait ensuite été forcé de les conduire loin dans la forêt. Ses mains étaient attachées au volant, les clés de son pick-up étaient posées sur le siège vide, à côté de lui. Il resta donc assis à sa place en regardant cinq hommes attaquer Evelyn et la battre à mort.

Ethan affirmait que les hommes étaient montés dans une Jeep garée dans la clairière et qu'ils étaient partis. Il affirmait aussi qu'il s'était servi de ses dents pour défaire les nœuds de la corde qui retenait ses mains sur le volant, et que cela lui avait pris au moins une heure. Une fois libre, il n'était pas sorti de sa voiture, il n'était pas allé voir sa petite amie, parce qu'il savait qu'elle était morte.

Il était rentré chez lui.

Le téléphone se remit à sonner et Lena sentit son cœur bondir dans sa poitrine. Elle ferma le dossier, les mains tremblantes, avec l'impression d'avoir laissé sortir quelque chose de fondamentalement mauvais – une chose qui la poursuivrait comme un animal enragé, qui ne la laisserait pas en paix tant qu'elle n'aurait pas été punie. C'était exactement comme cela qu'Ethan était à l'extérieur : acharné, sauvage, fourbe. Il avait dit à Lena qu'il ne la laisserait jamais partir, et elle l'avait obligé à disparaître, elle avait, de force, enlevé un à un ses doigts qu'il tenait serrés autour de sa vie, et l'avait renvoyé dans l'enfer d'où il était venu.

Est-ce qu'Ethan s'adressait à Hank pour pouvoir l'atteindre elle ?

Elle aurait mieux fait de laisser tomber. Rien de tout cela ne la concernait. La partie Ethan de sa vie était révolue. Quelle que soit la raison de son coup de fil à Hank, cela ne la regardait pas. Cela n'expliquerait pas qui avait tué son père et sa mère. Cela n'expliquait pas pourquoi Hank lui avait menti toutes ces années, pourquoi il s'était mis à creuser sa propre tombe.

Lena décrocha l'appareil pour interrompre la sonnerie. « Quoi ?

— C'est Rod.

— Qui ?

— Rod, répéta la voix. De l'accueil. »

L'abruti de poil de carotte. « Qu'est-ce que tu veux ?

— Quelqu'un appelle sans arrêt pour voir si vous êtes là. »

Lena ouvrit de nouveau le dossier, éparpilla les feuilles et les photos en cherchant la fiche d'incarcération d'Ethan. « Un homme ou une femme ?

— Une femme, répondit-il. Je lui ai dit que vous étiez sortie. Je me suis dit que comme vous n'aviez pas répondu, vous n'aviez pas envie d'être dérangée. Ça vous va ? »

Lena trouva le numéro qu'elle cherchait. « Vous pouvez me passer une ligne externe ?

— Je voulais juste… »

Si son téléphone portable avait fonctionné ici, elle aurait déjà raccroché. Elle énonça chaque mot clairement. « J'ai dit que je voulais une ligne externe.

— Ne quittez pas. » Le gamin poussa un soupir de regret, pour qu'elle comprenne qu'il lui rendait un service. Elle entendit un clic, puis la sonnerie.

Elle marqua le numéro, les mains toujours tremblantes. Elle se mit debout, jeta un regard au réveil. Il était plus de minuit.

Son appel aboutit. Une voix préenregistrée lui conseilla d'écouter le message car il venait d'être modifié. Elle appuya sur la touche zéro. Rien. Elle réappuya plusieurs fois et le téléphone se mit à sonner. Au bout de vingt-trois sonneries, un homme à la voix aimable répondit. « Coastal State Prison. »

Lena baissa les yeux, vit la photo qui gisait à ses pieds.

« Allô ?

— Ici le détective Lena Adams, des services de police de Grant County. » Elle lui donna son numéro de licence, le répéta pour qu'il puisse le noter. « J'ai besoin d'organiser un rendez-vous avec l'un de vos détenus à la première heure demain matin. » Son regard se fixa sur la photo d'école d'Evelyn. Ses cheveux noirs et bouclés, le sourire chaleureux sur ces lèvres parfaitement dessinées. « C'est urgent. »

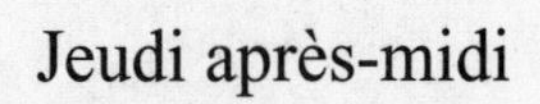

Jeudi après-midi

Chapitre 17

Jeffrey tapotait le volant de ses doigts ; Sara, assise à côté de lui, parlait au téléphone. Le couteau de Lena n'avait pas tué Boyd Gibson. Jeffrey avait eu la conviction viscérale que Lena n'était pas responsable de la mort de cet homme. Apparemment, quelqu'un essayait de lui faire porter le chapeau. Ce qui pouvait très bien expliquer pourquoi Lena avait quitté l'hôpital. Lena était flic jusqu'au bout des doigts. Il lui aurait suffi de jeter un regard à Jake Valentine pour savoir que le shérif ne serait capable de résoudre un crime que si quelqu'un lui apportait la solution sur un plateau. C'était pour cela qu'elle avait disparu. Elle était quelque part, en train d'essayer de trouver toutes les pièces du puzzle.

Le seul problème, c'était de savoir comment le meurtrier avait mis la main sur son couteau. Cela faisait un bon moment maintenant qu'elle portait cette arme. Elle ne l'aurait pas abandonnée facilement. Lena avait peut-être été blessée à cette occasion. Était-ce la raison pour laquelle elle s'était cachée à l'école ? Jeffrey aurait dû suivre Valentine pour examiner les draps qu'ils avaient trouvés. S'ils étaient tâchés de sang, cela pouvait vouloir dire que Lena avait encore plus de problèmes que ce qu'il avait cru.

« D'accord. » Sara prenait des notes dans le carnet de Jeffrey. « D'accord, c'est bon », dit-elle à son interlocuteur. D'après les flèches qu'elle dessinait, il comprit qu'elle notait des indications pour le trajet, et il espérait qu'elle serait capable de déchiffrer ses notes une fois qu'ils seraient sur la route. Il n'avait jamais rencontré quelqu'un qui écrivait aussi mal qu'elle.

« Merci », dit-elle finalement, en refermant son téléphone. Elle se tourna vers Jeffrey : « Il y a un Holiday Inn à environ quarante minutes d'ici. »

La pensée d'un hôtel propre et sans surprise suffit à le faire sourire. « Nous montons en grade.

— Il était temps ! » Sara attacha sa ceinture de sécurité. « Je suis plus que prête à quitter cet endroit. »

Il mit le contact et le moteur se mit à ronronner. « Dis-moi, commença-t-il en indiquant l'écran GPS sur le tableau de bord. Est-ce que ce truc a une fonction mémoire ?

— L'adresse de Hank, c'est ça ? » Elle fit défiler le menu des options, à la recherche de l'adresse. Jeffrey secoua la tête en la voyant faire. Elle avait horreur d'utiliser un téléphone portable, elle acceptait tout juste de s'approcher d'un ordinateur, et refusait de toucher au lecteur DVD à part pour appuyer sur le bouton de lecture. Et curieusement, elle avait réussi à comprendre comment marchait son système de navigation, et se baladait sans problèmes entre les différentes fonctions.

Jeffrey sortit du parking et prit la direction du centre-ville. « C'est près de l'école, lui dit-il. On pourrait même y aller à pied. »

Sara trouva l'adresse. La voix de femme nasillarde lui dit de se préparer à prendre à droite cent mètres plus loin. Jeffrey songea que les ingénieurs avaient commis une erreur colossale en choisissant la voix de leur ordinateur. Rien n'était plus agaçant pour un homme que de s'entendre dire par une femme où il devait aller.

Sara dit : « J'ai toujours la carte que j'avais achetée à l'épicerie quelque part dans la valise. Le centre-ville est comme un grand rectangle, avec une forêt au milieu. Je te parie qu'il y a toutes sortes de chemins qui passent par là. »

Jeffrey adorait la manière dont elle réfléchissait. « Des chemins que Lena a pu prendre pour aller chez Hank le soir où elle s'est échappée de l'hôpital.

— Ou qu'elle a pu utiliser ces derniers jours pour se déplacer sans être repérée. »

Jeffrey attendit que l'ordinateur finisse de lui dire de passer sur la voie de gauche. « Ça t'embête si on regarde ça après être allés chez Hank ?

— Non, pas du tout. »

Jeffrey suivit les indications, passa devant la décharge municipale et le lycée, qui se ressemblaient de manière remarquable. Ils virent le palais de justice et la bibliothèque, des bâtiments qui semblaient dater des années 1950, comme tous les autres bâtiments municipaux.

Il prit à gauche dans Corcoran Court, et reconnut l'endroit où ils se trouvaient. Il indiqua le GPS et demanda à Sara : « Tu peux éteindre ce truc ? »

Elle appuya sur un bouton et en tourna un autre, la voix nasillarde fut interrompue au milieu d'une phrase. Le silence fut accueilli avec un grand soulagement.

Jeffrey se gara devant la maison de Hank. La voiture de police qu'il avait vue quelques jours plus tôt avait disparu. Sans doute Valentine avait-il mobilisé ses troupes pour fouiller l'école.

« Voilà, dit-il à Sara.

— C'est… » Elle ne termina pas sa phrase. L'endroit n'inspirait guère les louanges. La maison de Hank était de loin la plus minable du quartier.

« Sa voiture n'est plus là », dit Jeffrey.

Elle leva les sourcils. « Tu as lancé un avis de recherche ?

— J'en ai laissé le soin à Jake.

— La boîte aux lettres était déjà dans cet état la dernière fois ?

— Oui. »

Il vit qu'elle était toujours scotchée au poteau, la petite porte tenait à peine. « Un gros pétard », dit-il, reconnaissant les signes.

Quand il était enfant, Jeffrey et deux de ses amis avaient fait exploser toutes les boîtes aux lettres du quartier, un soir de Halloween. Malheureusement, ils n'avaient pas été assez malins pour brouiller les pistes. Le shérif s'était contenté de frapper aux portes des trois seules maisons dont les boîtes aux lettres étaient encore en bon état.

Jeffrey sortit de la voiture et fit le tour pour ouvrir la portière de Sara.

Elle observa la maison de Hank, fronça les sourcils : « Tu crois que ça a toujours été comme ça ? »

Jeffrey regarda les mauvaises herbes qui envahissaient la cour, les taches de bois nu aux endroits où la peinture était écaillée. « On dirait.

— Ça fait réfléchir.

— Qu'est-ce que tu veux dire ?

— Peut-être que quelque part, dit-elle, manifestement troublée, la mère de notre enfant vit de cette manière. »

Il n'y avait pas réfléchi ; l'adoption était un réconfort quand tout le reste prenait trop de place. Pourtant, elle avait raison. Les gens qui venaient de foyers aisés et de familles solides ne ressentaient pas le besoin d'abandonner leurs enfants. Cela ne voulait absolument pas dire que c'étaient des gens mieux que les pauvres, mais en général, s'ils n'avaient pas envie d'élever leurs enfants eux-mêmes, ils avaient les moyens de payer quelqu'un pour le faire à leur place.

« Oh, mon Dieu ! » Sara se couvrit la bouche et le nez. « Tu sens cette odeur ? »

Jeffrey hocha la tête, il n'avait pas envie d'ouvrir la bouche, de peur que quelque chose n'en sorte. Sans que ce soit nécessaire, il tendit son bras pour l'empêcher de gravir les marches du perron.

« Un cadavre ? »

Il espérait bien que non. « Attends-moi là. »

Plus il s'approchait de la porte, plus l'odeur était forte. Jeffrey s'arrêta, vit que la porte avait été forcée, puis réparée à la hâte avec du ruban adhésif renforcé, qui avait l'air neuf.

Jeffrey jeta un coup d'œil à Sara. « Reste là, OK ? »

Elle hocha la tête, et il leva la main pour frapper à la porte, qui trembla sous le coup mais tint bon. Il frappa un peu plus fort, et à voir la manière dont elle bougeait, il se dit qu'elle avait également été scotchée de l'intérieur.

Après avoir frappé plusieurs fois sans obtenir de réponse, il se retourna vers Sara. « Qu'est-ce que tu en penses ?

— J'en pense que si je n'avais pas été là, il y a au moins dix minutes que tu aurais forcé cette porte. »

Elle avait raison. Un coup de pied bien placé juste en dessous de la poignée fit voler la porte. L'encadrement était fendu, l'encastrement de la serrure avait disparu. Des pointes métalliques sortaient, comme des petits couteaux, aux endroits où l'enduit avait été arraché du bois. Jeffrey sortit son arme, fit signe à Sara de ne pas bouger, et entra dans la maison.

Il était dans le salon de Hank, regardant autour de lui, essayant de prendre ses marques. Les fenêtres n'avaient sans doute jamais été ouvertes, et il sentit que ses poumons se contractaient à la forte odeur de renfermé, un mélange de tabac froid et de viande en décomposition. Partout, des déchets – vieux cartons de pizza, emballages de plats à emporter, sous-vêtements sales, piles de papiers et de magazines – que la chaleur avait rendus humides.

Mais ce n'était rien par rapport à l'odeur. En vingt ans de carrière dans la police, Jeffrey avait senti beaucoup de choses, mais rien de comparable à la puanteur qui emplissait la maison de Hank Norton. À mesure qu'il gravissait les marches, ça devenait pire. Il était incapable de dire si c'était l'odeur d'un cadavre putréfié ou de poubelles en décomposition qui lui faisait remonter la bile dans la gorge. Il se mit à transpirer, sans doute un réflexe primitif pour le protéger des bactéries.

Il y avait deux chambres ; l'une avait manifestement appartenu à Lena et à sa sœur. Dans la deuxième, un matelas était posé sur le sol, les tiroirs de la commode vomissaient des vêtements, comme s'ils avaient été fouillés par un voleur. Il trouva la cause de la puanteur dans la salle de bains. La cuvette des toilettes était cassée en deux, de sorte que les égouts étaient exposés à l'air libre. De la merde noire recouvrait le sol. Une masse était appuyée contre le mur et Jeffrey supposa que quelqu'un, peut-être Hank Norton, s'en était servi pour casser la cuvette.

Jeffrey eut un haut-le-cœur, et retourna dans le couloir. Instinctivement, il inspira profondément, mais il n'y avait pas d'air pour remplir ses poumons.

À sa gauche, une porte à battants, sans doute la porte de la cuisine, était fermée.

« Hank ? appela-t-il. Hank Norton ou qui que vous soyez, c'est la police. »

Pas de réponse. Jeffrey baissa les yeux pour voir ce qui avait craqué sous ses pieds. Des biscuits sans doute.

« Hank ? »

Doucement, Jeffrey posa la pointe de son pied contre la porte. Il l'ouvrit brusquement avec sa jambe, l'arme pointée devant lui. La cuisine était la pièce la plus grande de la maison. Les placards étaient vieux, en métal, l'évier en fonte rouillée. Il ouvrit grand la porte, se disant que l'odeur était moins forte ici, à moins qu'il ne s'y soit habitué.

« Jeff ? appela Sara dans l'entrée.

— Ne rentre pas, lui dit-il.

— Tout va bien ?

— Ça va », dit-il en ouvrant la fenêtre au-dessus de l'évier. Elle était coincée, il dut remettre son arme dans son étui et pousser des deux mains pour l'ouvrir.

Jeffrey se tenait devant la fenêtre, respirant l'air frais. Derrière la maison, les mauvaises herbes étaient plus hautes que celles de devant, mais il distinguait nettement le corps couché par terre.

Lena.

Il se précipita vers la porte de derrière, l'ouvrit brusquement. Des cartons étaient empilés sur la terrasse et bloquaient le passage. Jeffrey donna des coups de pied dedans pour les pousser, des feuilles volèrent. « Sara ! cria-t-il. Fais le tour de la maison ! »

Quand il arriva près du corps, il s'arrêta. Il s'était trompé. Ce n'était pas Lena. C'était Hank Norton. Le corps du vieil homme était émacié, son visage creusé.

Des plaies ouvertes provoquées par des piqûres parsemaient ses bras.

« Sara ! » Jeffrey cria de nouveau en s'accroupissant à côté de l'homme. « Derrière ! »

Il colla sa tête contre la poitrine de Hank, pour voir s'il respirait encore. Il n'entendait rien.

« Sara ! » répéta-t-il, mais elle était déjà en train de pousser le portail du jardin. Il vit son expression de soulagement quand elle se rendit compte qu'il allait bien, puis sa surprise en découvrant le corps.

Elle se laissa tomber à genoux et le poussa sur le côté. « Tu l'as trouvé comme ça ? »

Jeffrey hocha la tête, sortit son téléphone pour appeler une ambulance. « Il est vivant ?

— À peine. » Elle souleva les paupières de Hank, contrôla ses pupilles. Jeffrey aperçut du sang noir dans le blanc de l'œil. Des filets de sang séché sortaient de ses oreilles et de sa bouche. « Hank ? dit-elle d'une voix forte. C'est Sara Linton, l'amie de Lena. Vous m'entendez ? » Elle tapota son visage d'un geste ferme. « Hank ? Vous devez ouvrir les yeux. »

Jeffrey était en train de donner l'adresse de Hank aux secours quand Sara leva la main pour le faire taire. Elle colla son oreille à la poitrine de Hank. « Il s'est arrêté de respirer. »

Jeffrey raccrocha, Sara commençait à lui faire des compressions thoraciques. « L'ambulance sera là dans dix minutes. »

Elle hocha la tête, et se pencha pour poser sa bouche sur celle de Hank.

Jeffrey, choqué, la repoussa en criant. « Non, Sara ! Il y a du sang !

— Je ne peux pas rester assise à rien faire pendant qu'il…

— Regarde-le, Sara. C'est un drogué, il se pique.

— Lena n'a personne d'autre. » Sara se pencha de nouveau sur Hank, appuya sur sa poitrine, pour faire circuler le sang jusqu'au cœur. Jeffrey savait qu'elle ne pensait pas vraiment à Hank. Elle pensait à Jimmy Powell et aux autres patients qu'elle n'avait pas pu sauver. Elle se souvenait de ce qu'elle avait ressenti en les perdant.

Jeffrey lui dit : « Va chercher ta trousse de secours dans le coffre. » Elle hésita. « Je prends la suite. » Elle finit par le laisser prendre sa place. Il posa sa main gauche sur sa main droite, et poussa contre la poitrine de Hank avec la paume, en comptant les pressions.

Sara courut jusqu'au portail, après lui avoir précisé : « N'arrête pas les compressions. »

Jeffrey sentait la sueur couler le long de son dos tandis qu'il se penchait au-dessus de Hank. L'odeur âcre qui émanait du vieil homme emplissait l'air. Il n'arrivait pas à croire que Sara n'ait pas réfléchi avant de se pencher pour poser sa bouche sur les lèvres ensanglantées de Hank. Il suffisait de regarder l'homme une minute pour comprendre qu'il ne se souciait pas le moins du monde de ce qu'il mettait dans son corps. Il aurait pu transmettre n'importe quelle saloperie à Sara, et pour quoi ? Pour que Hank meure le lendemain et pas le jour même ?

Au moment où Jeffrey était en train de se dire que ses efforts ne servaient à rien, un gargouillement sortit des lèvres de Hank, des petites bulles d'air teintées de rouge sortirent de sa bouche. Jeffrey s'assit sur ses talons, regarda le vieillard faire un effort pour ouvrir les yeux, luttant pour respirer. Il vit Jeffrey et secoua imperceptiblement la tête, comme s'il était incapable de comprendre pourquoi on l'avait ramené à la vie, pourquoi quelqu'un se donnait cette peine.

Sara arrivait en courant, sa trousse à la main.

« Ça va aller, dit Jeffrey à Hank, en prenant la main sèche et cireuse du vieil homme dans la sienne. Vous allez vous en sortir. »

Lena

Chapitre 18

Lena s'était déjà rendue à la Coastal State Prison une fois auparavant. Peu après que Jeffrey avait arrêté Ethan pour violation des termes de sa libération conditionnelle, elle était allée le voir là-bas histoire de mettre les choses au point, lui apprendre exactement comment elle l'avait piégé, trahi, lui raconter en détail le moyen qu'elle avait trouvé pour l'envoyer se faire foutre. Elle était restée assise dans sa voiture, sur le parking des visiteurs, pendant près de deux heures, faisant la liste de toutes les violences qu'elle avait subies : la lèvre fendue, les doigts cassés, les poignets fracturés.

Malgré elle, elle repensa à leurs étreintes. Elle n'avait jamais pensé à leurs rapports sexuels en termes de tendresse, mais à certains moments, souvent peut-être, elle se souvenait de s'être accrochée à lui, de l'avoir pris dans ses bras. Il l'avait aimée avec la même passion qu'il mettait à la haïr, et elle lui avait souvent rendu la monnaie de sa pièce. Assise dans sa voiture, devant la prison, elle se mit à frissonner en se souvenant de ses mains, de sa bouche, de sa langue sur sa peau.

Elle avait à peine eu le temps de sortir de la Celica avant de vomir. Il y avait beaucoup de monde à la prison le jour des visites. Des femmes et des enfants faisaient la queue devant la porte pour voir leur homme. Ils s'étaient tous retournés, les yeux écarquillés de curiosité, pour voir Lena qui vomissait sur le goudron. Elle avait l'impression qu'on lui avait coupé l'estomac en deux. Quand elle eut repris ses forces, elle se traîna jusqu'à sa voiture et rentra à Grant County, la queue entre les jambes.

Cette fois, c'était différent. Il fallait que ce soit différent. Si elle n'était pas capable d'affronter Ethan pour elle-même, elle pourrait au moins le faire pour Hank. Ethan avait forcément des raisons pour lui téléphoner, et Lena ne quitterait pas la prison avant de savoir exactement ce qui s'était passé entre les deux hommes. Avant de quitter le motel, elle avait enfilé un pantalon, un chemisier en lin parfaitement repassé. Elle s'était maquillée et coiffée, de manière à donner l'impression d'un flic en pleine possession de ses moyens, et pas d'une pauvre femme terrorisée.

Elle se rendait à la prison armée de mensonges, et de rien d'autre. Son Glock était caché sous le matelas dans la chambre du motel, et son couteau pliable était dans sa cachette habituelle, sous le siège avant de sa voiture. Elle avait même laissé son téléphone portable dans l'évier, à recharger. Les seules choses qu'elle amenait à la prison, c'étaient une pièce d'identité et un stick à lèvres.

Lena avait dit au directeur qu'elle enquêtait sur des menaces proférées par l'un des hommes de main d'Ethan à l'extérieur. Il s'avéra que le directeur était un modèle de sollicitude. Il lui avait donné les enregistrements des conversations téléphoniques d'Ethan, le journal des visites reçues, des copies de ses courriers sortants. En outre, il lui avait proposé tous les services de la prison, lui assurant qu'ils feraient leur possible pour contribuer au dossier contre l'un de leurs prisonniers les plus dangereux.

Les dossiers ne risquaient pas de faire du tort à Ethan. La seule personne qu'il avait appelée était Hank. Il n'avait pas eu de visites. Il n'avait ni reçu ni envoyé de courrier depuis le début de son incarcération. Ce qui ne voulait évidemment rien dire. Lena savait qu'Ethan était assez intelligent, assez charismatique pour obtenir que quelqu'un fasse le sale boulot à sa place. D'après le directeur, son gang n'était ni le plus important, ni le plus fort, mais Ethan exerçait une telle emprise psychologique que cela leur permettait d'être parmi les mieux servis des détenus.

Lena le croyait volontiers. Cela faisait près d'un an qu'elle n'avait pas vu Ethan, et pourtant, son cœur s'était mis à cogner dans sa poitrine dès l'instant où elle s'était garée sur le parking de la prison.

Un gardien conduisit Lena jusqu'à la salle de conférences qu'ils utilisaient pour les réunions entre les détenus et leurs avocats. La pièce ressemblait davantage à une salle d'interrogatoire, d'après ce qu'elle pouvait voir : environ trois mètres sur quatre, des taches d'eau au plafond, et de gros barreaux aux petites fenêtres. La table était fixée au sol, une ligne rouge la séparait en deux, comme pour séparer le bien du mal. Les chaises étaient en plastique léger et incassable, pour ne pas faire de dégâts si elles étaient lancées ou utilisées comme arme. Les gardiens n'étaient pas autorisés à écouter les échanges entre les prisonniers et leur conseil juridique, de sorte qu'un anneau était fixé au mur, permettant d'attacher les détenus les plus violents.

« Il est extrêmement dangereux, avait dit le directeur à Lena. Je n'aime pas beaucoup l'idée de vous laisser seule, dans une pièce fermée, avec ce type. »

Il avait ensuite fait la liste des crimes qu'on soupçonnait Ethan d'avoir commandités au sein des murs de la prison : agressions dans la cour, trafic de drogue, racket de détenus, un homme dont le visage avait été calciné dans la laverie de la prison. Rien de tout cela ne pouvait être directement imputé à Ethan, mais le directeur savait qu'il en était responsable.

Lena avait demandé à ce qu'Ethan soit attaché à l'anneau fixé au mur. Le gardien lui avait répondu que s'agissant des prisonniers violents, c'était la procédure habituelle.

Elle s'assit à la table et attendit, sensible au moindre bruit. Finalement, elle entendit le loquet de l'autre côté de la porte. Lena resta immobile, faisant semblant de lire les dossiers qu'elle avait sous les yeux, s'efforçant de rester calme et de ne pas trembler. Elle entendit un bruit de chaînes, des pas sur le sol.

« Qu'est-ce qu'elle me veut, cette Latino ? »

La voix d'Ethan ; une lame ardente dans ses oreilles.

« Ta gueule, assieds-toi », répliqua le gardien, un homme compact qui avait l'air d'aimer un peu trop son travail.

Lena s'appuya au dossier de sa chaise, les bras croisés, les yeux rivés sur la poitrine d'Ethan. Sa vision se troubla à force de scruter sa tenue orange tandis que le gardien le poussait dans la chaise et attachait les chaînes à l'anneau. Ethan testa sa liberté de mouvements. Il pouvait poser ses mains devant lui sur la table, mais pas davantage.

Lena comprenait à présent à quoi servait la ligne rouge. Ethan ne pouvait pas la dépasser.

Le gardien dit à Lena : « Frappez à la porte quand vous aurez terminé. » Il attendit qu'elle hoche la tête. Le directeur lui avait montré le bouton sur lequel elle pouvait appuyer en cas d'urgence, situé sous la table.

Elle posa ses mains sur ses cuisses, pour pouvoir l'atteindre facilement.

Le gardien sortit et referma le loquet. Il n'y avait pas de fenêtre dans la pièce, pas de caméra permettant aux gardiens de s'assurer qu'elle allait bien. Lena était seule.

Ethan fit claquer sa langue. « Quelle bonne surprise. »

Lena regarda ses mains posées sur la table. Les phalanges étaient rouges, l'une d'entre elles était coupée.

« Pourquoi est-ce que tu as appelé Hank ? »

Il parla d'une voix douce, d'un ton intime. « Tu n'es même pas capable de me regarder dans les yeux. »

Il avait raison. Elle s'obligea à croiser son regard. « Pourquoi est-ce que tu as appelé Hank ? »

Il serra les lèvres, s'adossa à sa chaise. Ses yeux avaient-ils toujours été aussi bleus ? Ils étaient comme de la glace, mais encore plus froids.

« Le vieux me manquait, dit-il.

— Tu ne le connais même pas.

— Je pensais que je te connaissais, toi. »

Lena laissa le silence s'installer, non pas parce qu'elle maîtrisait l'interrogatoire, mais parce qu'elle ne savait pas quoi dire.

« Tu sais ce que c'est d'être ici ? demanda-t-il.

— Je ne veux pas savoir. Je suis simplement venue te dire de foutre la paix à Hank. »

Était-ce vraiment cela ? Elle ne savait même pas où se trouvait son oncle. Hank pouvait très bien avoir la tête dans une bouche d'égout à l'heure qu'il était. Ou allongé sur la table d'une morgue quelque part, cadavre anonyme.

Les chaînes d'Ethan cognèrent contre la table quand il croisa les doigts. Les menottes à ses poignets étaient en acier renforcé et la chaîne qui l'attachait au mur était si épaisse qu'il aurait fallu un chalumeau pour la couper. Et pourtant, il donnait l'impression de contrôler la situation. Lena n'était pas capable de soutenir son regard. Elle observa ses bras, constata qu'il avait enrichi ses tatouages du camp de prisonniers. Des corps pris dans les barbelés ; des détenus au visage creusé, la bouche grande ouverte de terreur.

« Tu te souviens de Shawn Câble, à l'école ? »

Elle secoua la tête.

« Il était dans ma classe à Grant Tech. Un mec petit, les cheveux bouclés. »

Elle secoua de nouveau la tête, même si elle se souvenait en effet de ce garçon. Ils avaient travaillé ensemble au labo. Shawn s'était reposé sur les travaux d'Ethan.

« Il travaille chez BASF maintenant, dans le service des revêtements industriels. »

Lena fixait les barbelés sur son bras.

« Ça aurait pu être mon job, dit Ethan. Mais ton chef m'a coincé, et maintenant je suis ici. »

Lena ouvrit la bouche pour prendre la défense de Jeffrey, mais s'arrêta à temps pour ne pas rentrer dans le petit jeu d'Ethan.

« J'en étais sorti, dit-il en indiquant ses tatouages. J'avais quitté cette vie et j'allais en commencer une nouvelle avec toi.

— Une nouvelle vie où tu me battais.

— Toi aussi tu me frappais, parfois. »

La gorge de Lena se resserra, elle avait du mal à respirer. Oui, elle l'avait frappé. Elle ne s'était pas laissé faire. Parfois, c'était même elle qui avait commencé les bagarres.

« Je t'aimais, dit Ethan. Je t'aimais, et voilà ce que tu m'as fait. »

Elle retrouva sa voix. « Tu aimais Evelyn Johnson aussi ? »

Le silence était différent, cette fois-ci. Quand elle osa lever les yeux, il regardait ses poignets enchaînés.

« Tu ne m'as jamais dit qu'elle était noire, fit-elle.

— Tu ne m'as jamais posé la question. »

Ils parlaient maintenant comme deux personnes normales, et cela inquiétait Lena. Elle s'efforçait de ne pas oublier à qui elle avait affaire, mais elle ne voyait qu'un homme assis en face d'elle les yeux baissés, les épaules voûtées. Elle l'avait aimé. Elle ne pouvait pas ignorer le fait qu'elle l'avait aimé.

« Qu'est-ce qui s'est passé ? demanda-t-elle.

— Tu es en train d'enregistrer tout ça ?

— À ton avis ? »

Il la fixait de nouveau et Lena se sentit prisonnière de son regard, incapable de rompre le contact.

« Ouvre ton chemisier.

— Va te faire enculer. »

Il leva les sourcils. « C'est fait, chérie, grâce à toi. » Son sourire était familier – c'était le vieil Ethan qui voulait jouer. « Déboutonne ton chemisier. Montre-moi si tu as du matériel d'écoute sur toi.

— Je t'ai dit que non.

— Et je suis censé te croire sur parole ? » Il fit une grimace. « Tu rigoles, Lee. La dernière fois que je t'ai fait confiance, je me suis retrouvé ici. Montre-moi que tu n'es pas câblée ou j'appelle l'autre singe pour qu'il me ramène à ma cage. »

Elle commença à déboutonner son chemisier, ses doigts lui obéissaient mal. Elle regardait la porte, comme si elle avait peur de voir le gardien rentrer à n'importe quel moment. Elle avait transpiré dans cette pièce exiguë, et l'air était frais sur sa peau. Elle ouvrit le chemisier jusqu'à la taille.

« Rien, dit-elle. Tu es content ? »

Il haussa les épaules, son sourire lui glaçait le sang.

Lena commença à reboutonner son chemisier, mais il n'avait pas l'intention de la laisser s'en sortir aussi facilement.

« Tu es encore belle. »

Avec ses mains tremblantes, elle ne parvenait pas à remettre les boutons.

« Tu sais combien de nuits je me suis branlé jusqu'à me vider les couilles en pensant à toi ? »

Elle abandonna ses tentatives, referma son chemisier. Sa voix tremblait maintenant : « Pourquoi as-tu appelé Hank ?

— Ouvre ton chemisier.

— Non.

— Ouvre-le et je te dirai tout ce que tu veux savoir.

— Non. »

Il fit mine de se lever. « Alors appelle le gardien, parce que je n'ai plus rien à te dire.

— Ethan…

— Eh ! appela-t-il, sa voix résonnant dans la petite pièce. Gardien !

— Tais-toi », siffla-t-elle, comme si elle avait jamais été en mesure de l'empêcher de faire quoi que ce soit.

Il sourit de nouveau, le même sourire qu'il lui faisait avant de la tabasser. Il pointa son doigt vers elle, pour lui indiquer de se déshabiller.

Elle pouvait à peine parler. Des larmes brouillaient sa vision. « Dis-moi pourquoi tu as appelé Hank.

— Tu connais le deal. Donnant-donnant. »

Elle lui jeta un regard noir, elle était furieuse contre lui, furieuse contre elle-même. C'était *lui* qui était enchaîné. C'était *lui* qui était attaché au mur. Et pourtant, c'était elle qui se sentait emprisonnée.

« Ouvre », la cajola-t-il.

Ses mains tremblaient quand elle ouvrit son chemisier. Elle portait un vieux soutien-gorge, en dentelle noire, la fermeture devant.

« Le soutif aussi, dit-il.

— Non. »

Il la connaissait tellement bien, il savait quand il pouvait continuer, quand il fallait s'arrêter. « Écarte les épaules. »

Elle regarda vers la porte, mit ses épaules en arrière, comme il le lui ordonnait.

« Putain, tu es vraiment bien. » Ethan se pencha en avant autant que ses chaînes le lui permettaient. Ses mains étaient sous la table, elle gardait le visage tourné, le regard fixé sur la poignée en métal, essayant de ne pas écouter ce qu'il faisait.

Il grogna de plaisir en terminant. Elle l'entendit remonter sa braguette, s'appuyer contre le dossier de sa chaise. Elle se recouvrit, s'efforçant de ne pas imaginer l'air satisfait sur son sale visage.

« Dis-moi quelque chose, fit-il. Simple curiosité. Quand tu as téléphoné à ton chef ce matin-là, après mon départ, tu étais assise ou debout ? »

Lena secoua la tête.

« Allez, chérie. Assise ou debout ? »

Elle secoua de nouveau la tête, tandis que cette journée lui revenait à l'esprit. Sa main sur sa bouche pour étouffer le cri qui sortait de sa gorge, tandis qu'il la balançait sur le lit. Le dégoût qu'elle avait ressenti en l'embrassant pour lui dire au revoir, en lui souhaitant une bonne journée au travail.

Lena se força à parler. « Qu'est-ce que ça peut faire ?

— Je veux savoir, insista-t-il. Quand tu m'as envoyé dans cet enfer pour dix ans de ma vie, est-ce que tu étais assise sur le lit où je venais de te baiser, ou est-ce que tu étais debout, à côté ? »

Elle réprima un frisson, ses paroles la ramenaient à cette sensation. « Tu as eu ce que tu voulais », lui dit-elle. Ses mains ne tremblaient plus quand elle reboutonna son chemisier. « Dis-moi pourquoi tu as essayé de contacter Hank. »

« D'accord, dit-il en se penchant en avant. Viens par ici. »

Elle s'approcha, attendit.

Le sourire qui se dessinait sur son visage aurait dû lui mettre la puce à l'oreille, mais elle fut néanmoins surprise quand elle entendit son rire résonner dans la pièce. « Espèce de conne, dit-il en secouant la tête comme s'il ne se remettait pas du comique de la situation. Tu crois vraiment que je vais te dire quoi que ce soit ? » Brusquement, il cessa de rire. « Fous-moi le camp d'ici. Tu me donnes envie de gerber. »

Lena était stupéfaite de sa propre bêtise. « Mais tu as dit… »

Il abattit ses mains sur la table, les chaînes cognèrent contre l'acier. « J'ai dit *fous-moi le camp d'ici*, grosse pute. »

Lena attrapa les dossiers posés devant elle en se levant, et recula jusqu'au mur.

Il passa un bras derrière le dossier de sa chaise, un sourire satisfait aux lèvres.

Elle ne partait pas. Elle attendit, elle voulait le blesser, l'humilier autant qu'elle avait été humiliée. « Tu sais quoi, Ethan ?

— Quoi, chérie ?

— Je suis vraiment heureuse d'être venue aujourd'hui.

— Ah ouais ? » Il se pencha, attrapa ses couilles. « Moi aussi, bébé.

— Non. » Elle serra les dossiers contre sa poitrine, comme s'ils pouvaient lui servir d'armure. « Tu comprends, il y avait une chose qui me tracassait vraiment. » Elle s'interrompit, étudia son sourire narquois, cherchant à savourer chaque instant. « Tu te souviens quand je t'avais dit que je pensais être enceinte ? »

Il se redressa dans sa chaise. Elle avait maintenant toute son attention.

« Je t'ai dit que c'était une fausse alerte, mais ce n'était pas vrai. »

Sa bouche s'entrouvrit, mais il ne dit rien.

« Ensuite, je t'ai dit que je devais aller à Macon pour assister à une formation, pour le boulot, continua-t-elle. Sauf que je n'étais pas à Macon, Ethan. J'étais à Atlanta. » À elle de sourire à présent. « Tu sais ce que j'ai fait là-bas, chéri ? »

Il serra les dents. « Ferme ta gueule.

— Tu sais ce que j'ai fait là-bas, Ethan ? Chéri ? »

Il bondit vers elle, les chaînes le tirèrent vers le mur. Il hurla : « Je vais te tuer, putain ! » La salive giclait de sa bouche. « Sale pute ! » Tous les muscles de son corps tremblaient sous l'effort qu'il faisait en tirant sur ses chaînes. Il ressemblait à un pitt-bull enragé, préférant s'étouffer jusqu'à en mourir plutôt que de contrôler sa pulsion.

Lena frappa à la porte. « Pense à ce que j'ai fait, lui dit-elle. Pense à ce que j'ai fait à ton enfant la prochaine fois que tu te vides les couilles. »

Le gardien ouvrit la porte. Il regarda Lena, puis Ethan, manifestement sensible à la tension qui régnait dans la pièce. « Vous avez terminé ?

— Oui », répondit Lena. Elle jeta un dernier regard à Ethan. « J'ai terminé. »

*

Lena ne craqua pas avant d'avoir quitté le parking et rejoint l'autoroute. Elle se sentait écœurée d'avoir été en présence d'Ethan, elle avait l'impression d'être un monstre, à cause de la façon inhumaine dont elle avait parlé de leur enfant. En sortant de cette pièce, tandis qu'elle marchait dans le long couloir qui menait à la sortie, sachant qu'Ethan ne pouvait pas la suivre, elle s'était sentie puissante, invincible. Puis, les mots qu'elle avait prononcés lui étaient revenus, ainsi que la manière dont elle s'était de nouveau fait avoir, se laissant convaincre de faire exactement ce qu'il voulait – elle se sentait écorchée vive de l'intérieur.

Le temps d'arriver aux frontières du comté d'Elawah, Lena était épuisée. Elle revoyait en boucle la manière dont elle était tombée dans le piège tendu par Ethan. Il avait toujours pris un plaisir malsain à ces petits jeux psychologiques. Elle l'imaginait en train d'appeler Hank, son sourire narquois aux lèvres, ravi à l'idée de torturer le vieil homme. Ethan s'était toujours servi des autres pour atteindre Lena, que ce soit en menaçant Nan ou en essayant d'agacer Jeffrey. Lena n'était même pas sûre que Hank ait entendu les messages sur son répondeur. Et quand bien même, qu'est-ce qu'il en aurait eu à foutre, d'Ethan Green ? Quelques coups de fil n'auraient pas suffi à le faire retomber dans la drogue. Il y avait forcément autre chose – quelque chose que Lena ne voyait pas encore – et elle avait la certitude viscérale que tout était lié au dealer à la croix gammée rouge qu'elle avait vu devant la maison.

Hank lui avait dit que c'était l'homme qui avait tué sa mère. Où ? Quand ? Comment ?

Sa visite à la prison n'avait été qu'une perte de temps. Lena avait gâché une journée entière sur une fausse piste, alors qu'elle aurait pu la consacrer à chercher des informations sur Angela Adams. Il fallait qu'elle trouve quelque chose – un acte de naissance, de mariage, de décès, sa dernière adresse connue. Au moins un numéro de sécurité sociale, qui lui permettrait d'accéder aux informations fiscales, lesquelles lui donneraient une adresse, le nom d'un employeur – un moyen de faire parler Hank. Lena était de plus en plus convaincue que sa mère était la clé de toute cette histoire. Il devait y avoir une raison pour que Hank ait perdu ainsi tout contrôle. Si Lena parvenait à savoir ce qui était arrivé à sa mère, pourquoi Hank avait menti toutes ces années, alors elle pourrait le confronter, l'aider. Sur l'autoroute qui menait à Reese, elle se mit à échafauder des plans.

Il était temps de parler aux flics du coin. Rien à foutre d'Al Pfeiffer et de ses mains baladeuses. Lena n'était plus une adolescente tremblante effrayée par les conséquences d'un excès de vitesse. Elle était détective à la police de Grant County. Elle se rendrait au bureau du shérif demain à la première heure, et exigerait des copies des rapports d'enquête sur la mort de son père. Si Pfeiffer résistait, elle dirait à Jeffrey de l'appeler et le laisserait faire son numéro de vieux flic. Si Jeffrey lui demandait des explications, elle l'embobinerait en lui racontant des conneries sur son besoin de mettre un point final à toute cette affaire. Depuis que Jeffrey avait épousé Sara, il avait récupéré assez d'œstrogène dans sa vie pour croire à ces conneries.

Lena pouvait toujours aller à l'hôpital et essayer de mettre la main sur l'acte de naissance de sa mère. Si cela ne donnait rien, elle irait chez Hank et se débrouillerait pour trouver les informations dont elle avait besoin. Elle frissonna à l'idée de remonter dans ce grenier, l'odeur de Deacon Simms. Elle n'avait pourtant pas le choix. Hank était cohérent sur un point : il ne jetait jamais rien, qu'il s'agisse d'une facture d'électricité de 1973 ou d'un article de journal racontant l'explosion de la navette spatiale *Challenger*. Quelque part dans la maison, sous les piles de brochures d'entraide, de vêtements sales et de cartons remplis de tout et n'importe quoi, il y avait forcément des informations sur sa mère.

Lena suivit la voiture devant elle, quittant l'autoroute pour rejoindre le centre de Reese. Elle passa devant le motel mais ne s'y arrêta pas. La pensée de se retrouver seule dans cette chambre sombre ne lui disait vraiment rien. Sans même s'en rendre compte, elle avait pris la décision de passer la maison de Hank au peigne fin ce soir même. Elle se procurerait des grands sacs-poubelle et ferait le tri au fur et à mesure.

Peut-être qu'elle trouverait un moyen de se débarrasser du corps de Deacon.

En passant devant le lycée, la voiture qu'elle suivait pila brusquement, et Lena donna un brusque coup de volant, essayant d'éviter un accident. Sa tête cogna contre le volant tandis que la voiture glissait sur la voie. La Celica s'arrêta juste avant de tomber dans le fossé. Son cœur était remonté dans sa gorge, le temps qu'elle comprenne ce qui s'était passé. Elle sentit du sang couler sur le côté de sa tête et s'essuya avant d'ouvrir la portière.

Devant elle se trouvait une Escalade blanche.

Lena se pencha pour attraper son couteau sous le siège. Elle l'ouvrit et sortit de la voiture.

L'éclairage de la rue manqua de l'éblouir, à moins que ce ne soit le choc qui ait embrumé son cerveau. Elle avait le vertige et envie de vomir, l'impression qu'on jouait de la batterie dans sa tête. Lena plissa les yeux, essayant de distinguer l'intérieur du 4 × 4. La vitre arrière s'ouvrit. Charlotte Warren était assise sur la banquette arrière, bâillonnée avec du ruban adhésif, les yeux grands ouverts, terrifiée.

Le dealer de Hank sortit de la voiture et laissa la portière ouverte. Lena serra le manche de perle de son couteau, prête à l'utiliser, mais l'homme l'attrapa par les cheveux et la balança contre la Cadillac comme un sac de farine.

« Monte », dit-il. Il tenait le couteau de Lena dans sa main. Elle avait dû le faire tomber. Il le replia et le rangea dans sa poche tandis qu'elle le regardait faire.

Lena s'écarta de la voiture, il la repoussa brusquement vers la portière ouverte. Charlotte cria, le bruit était étouffé par le scotch. Lena vit un autre homme assis à côté d'elle. Celui-là portait une cagoule noire et des gants chirurgicaux. Il pointait une arme contre la tête de Charlotte. Son sourire lui donna des frissons.

« Monte », dit-il.

Lena ne bougea pas.

Il appuya le canon de l'arme contre la tempe de Charlotte. « Monte, ou je lui fais sauter la cervelle. »

Lena monta.

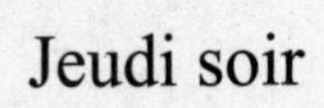

Jeudi soir

Chapitre 19

Jeffrey était assis sur les marches du perron de Hank Norton, en train d'étudier le plan du centre-ville de Reese. Sara était partie dans l'ambulance avec Hank. Jeffrey savait, sans avoir à lui poser la question, qu'elle voudrait rester à ses côtés jusqu'à ce que son état se stabilise. Sara avait fait ses armes en tant qu'urgentiste. Elle ne quitterait pas le chevet de Hank avant d'être sûre qu'il était entre les mains de personnes compétentes.

Jeffrey avait eu le temps de fouiller sa maison. D'abord, il avait ouvert toutes les fenêtres, dans l'espoir d'aérer. En attendant que ce miracle s'accomplisse, il avait inspecté la remise au fond du jardin. À part des déjections de rats et près d'une centaine de cartons remplis de papiers si anciens qu'ils commençaient à s'effriter, il ne trouva rien. Le vieux pick-up Chevrolet était vide, la carrosserie tellement rouillée que les banquettes étaient passées au travers du plancher.

Les vêtements de Hank se trouvaient près du portail. À voir la manière dont le pantalon, la chemise et les sous-vêtements étaient éparpillés sur la pelouse, Jeffrey supposa que le vieil homme les avait enlevés pendant qu'il se dirigeait vers l'arrière de la maison. Après que les auxiliaires médicaux avaient déplacé

Hank sur un brancard, Jeffrey avait vérifié l'état de l'herbe à l'endroit où il l'avait trouvé. Il fut rassuré par sa découverte. En voyant Hank, il avait d'abord pensé que l'oncle de Lena était couché là depuis plusieurs jours, attendant que quelqu'un le trouve. La partie du sol où il était allongé aurait été sèche s'il y avait passé la nuit.

Jeffrey faisait les cent pas dans le jardin pour faire passer le temps, quand il posa le pied sur la terre ramollie et humide qui recouvrait la fosse septique. Apparemment, tout le système avait régurgité. Celui qui s'était servi de la masse pour casser la cuvette des toilettes avait également endommagé l'isolation naturelle, de sorte que les eaux usées étaient refoulées et entraient dans la maison. Il faudrait qu'un plombier vienne vider la fosse septique avec une machine, et un pauvre bougre devrait ensuite prendre une pelle et s'occuper du reste. Le plus simple, se disait Jeffrey, serait encore de louer un bulldozer et de raser toute la maison.

Après avoir attendu une demi-heure que l'odeur se dissipe, il avait pu entrer sans suffoquer. Malgré les fenêtres ouvertes, des restes de nourriture putréfiés et les insectes divers et variés qu'ils attiraient lui donnaient des haut-le-cœur, à tel point que sa gorge le brûlait à cause de la bile qui remontait. Il eut une sensation étrange en fouillant la chambre de jeune fille de Lena. Comme la plupart des parents, Hank n'avait pas changé grand-chose dans la chambre après le départ des filles, et comme la plupart des enfants, Lena et Sibyl avaient laissé derrière elle tout ce dont elles n'avaient pas voulu. Quand Jeffrey se trouva devant le tiroir à sous-vêtements de Lena, il décida de passer à la chambre de Hank.

Jeffrey avait eu la nette impression que ce n'était pas la première fois que la chambre était fouillée. Il ne savait pas si c'était le fait de Lena ou de quelqu'un d'autre. En revanche, quand il avait enlevé le scotch renforcé de l'encadrement de la porte, il avait vu que le bois fendu autour du montant avait récemment été abîmé.

Lena savait comment enfoncer une porte. Elle savait aussi comment fouiller une maison de fond en comble. Savoir qu'elle avait pu faire ces deux choses dans la maison de son oncle n'était pas vraiment une consolation. Jeffrey savait qu'elle se cachait, qu'elle dormait à l'école – du moins jusqu'à présent –, mais que faisait-elle pendant la journée ? Pourquoi se trouvait-elle encore à Reese ?

Jeffrey cessa de se demander ce que fabriquait Lena quand il arriva dans la cuisine. Il se dit que les piles de brochures des Alcooliques Anonymes posées sur la table, et la seringue qu'il trouva sous la chaise, étaient une bonne illustration de ce qu'on pourrait appeler l'ironie de la situation, mais Jeffrey n'était pas d'humeur à rire. Il essuya la chaise qui se trouvait en face de celle de Hank et s'installa, en se demandant ce qui pouvait pousser un homme à se faire ça. C'était du suicide, ni plus ni moins.

N'ayant rien trouvé dans la maison à part une incommensurable tristesse, Jeffrey avait fermé la fenêtre de la cuisine et fait le tour des autres pièces pour s'assurer qu'elles étaient plus ou moins dans l'état où il les avaient trouvées. Il prit un rouleau de ruban adhésif qu'il avait vu dans la cuisine et tenta d'isoler la porte de la salle de bains. À l'intérieur, la fenêtre était ouverte, mais il pensait que même le plus désespéré des voleurs renoncerait à passer par là pour entrer dans la maison.

Il passa la demi-heure suivante à se battre avec la porte d'entrée. Il avait beau essayer, la pointe en métal qui sortait de l'encadrement l'empêchait de la refermer. Jeffrey essaya de la maintenir vers le bas, mais il ne réussit qu'à s'entailler le bout des doigts, comme sur une feuille de métal. Finalement, il mit la main sur un tournevis dans la cuisine et utilisa le côté plat pour maintenir la pointe métallique contre la porte et refermer celle-ci.

Il avait pensé quitter la maison par la cuisine, mais fut pris d'une étrange sensation en tirant la porte derrière lui. Il avait le sentiment d'être passé à côté de quelque chose. Il traversa de nouveau la maison, allumant toutes les lumières, vérifiant chacune des pièces pour voir si quelque chose lui sautait aux yeux. La seule chose qui le frappa était l'odeur. Hank avait dû passer d'une pièce à l'autre pour tenter d'échapper à la pourriture, avant de finir dans la cuisine. Jeffrey retourna dans le salon. Il respirait par la bouche, s'efforçait de maîtriser ses haut-le-cœur, quand il vit la toile accrochée au-dessus du canapé.

Ce devait être la mère de Lena. La même peau basanée, les mêmes yeux perçants. Elle portait les cheveux un peu plus courts, mais ressemblait beaucoup à Lena maintenant. Le même cou de cygne, et la même attitude, celle que la plupart des femmes trouvaient menaçante et que la plupart des hommes trouvaient sexy. Jeffrey imaginait qu'elle avait dû être courtisée par les gars du coin. Il avait fallu l'arrogance d'un flic pour passer outre le port hautain de son menton et l'expression moqueuse de son regard.

Jeffrey finit tout de même par quitter la maison, tournant le loquet de la poignée pour fermer la porte de la cuisine. Il avait laissé toutes les lumières allumées dans l'espoir de décourager les voleurs, ou peut-être l'idée de retourner dans cette maison déprimante le découragea-t-elle.

Il avait décidé de passer aux choses sérieuses. Une femme avait été brûlée vive. On avait tiré sur Jeffrey. Un homme avait été poignardé à mort et balancé par leur fenêtre. Hank Norton était à l'hôpital, sur son lit de mort.

Il était temps de trouver Lena.

Jeffrey s'assit sur les marches du perron et étudia le plan jusqu'à ce qu'il trouve ce qu'il cherchait. Sara avait raison, la ville était disposée en forme de rectangle, avec une forêt au milieu. Il devait y avoir des sentiers à travers la forêt, des raccourcis qui n'avaient pas été utilisés depuis des années. Peut-être même un fort ou un autre abri construit à la va-vite, où les jeunes allaient fumer des joints et baiser. Adolescent, Jeffrey avait une cachette de ce genre. Il n'y avait rien de saugrenu à penser qu'il y en avait une à Reese aussi.

Jeffrey avait donné son téléphone portable à Sara, parce que la batterie du sien était morte. Il s'approcha de la BMW et débrancha son téléphone, le mit dans sa poche et ferma la voiture avant de se diriger vers le bout de la rue. Compte tenu de l'état dans lequel Hank se trouvait, il n'y avait aucune chance pour que le vieillard ait aidé Lena à s'échapper de sa garde à vue. Cela signifiait qu'elle l'avait fait toute seule, et qu'elle avait donc quitté l'hôpital à pied. Sur le plan, Jeffrey repéra le chemin qu'elle avait pu prendre pour aller de l'hôpital à la maison de Hank. Il supposait qu'elle était d'abord venue ici prendre de l'argent. Quelqu'un avait retourné la maison, et ce quelqu'un pouvait fort bien être Lena.

Jeffrey doutait sérieusement que le véhicule que Jake Valentine avait envoyé chez Hank le soir où elle s'était échappée ait pu la décourager. La cour arrière de

Hank touchait celle des voisins. Lena aurait facilement pu rentrer par là sans que personne ne s'en aperçoive du côté de la rue. Et si c'était l'adjoint Don Cook qui s'était trouvé au volant de la voiture de police, elle avait eu tout loisir de mettre la maison à sac tandis qu'il faisait ses mots croisés et mangeait ses biscuits.

Jeffrey était en train de perdre les dernières lueurs du jour en restant planté là à réfléchir. Il enleva sa veste et remonta ses manches en remontant la rue. Il passa devant le lycée et se demanda où Lena allait passer la nuit maintenant qu'elle ne pouvait plus se réfugier dans la salle de classe. Le bar de Hank avait brûlé, mais il se souvint que Valentine lui avait dit que le scotch de l'ATF sur la porte avait été coupé. Jeffrey secoua la tête, en se disant que si Lena avait dormi dans le bar pendant tout ce temps, alors que Jeffrey et Sara étaient dans le motel d'à côté, il la tuerait.

Ce qui était certain, c'était que Lena avait dû se réfugier quelque part. Elle avait forcément eu besoin de nourriture, de vêtements, d'eau. Jeffrey leva les yeux vers le soleil, regrettant de ne pas avoir apporté d'eau. Cela dit, vu l'état de la maison, il avait sans doute été plus prudent de ne rien avaler là-bas.

Au sommet de la colline, il ressortit le plan, vérifiant qu'il était toujours sur la bonne voie. Il vit des marques de pneus sur la route, où deux voitures avaient manqué d'entrer en collision, et supposa qu'il s'agissait de deux jeunes qui avaient failli plier leur voiture.

Jeffrey entendait le bruit de la circulation de l'autoroute quand il tourna à gauche. Un grand champ s'étendait à sa droite et conduisait vers une forêt dense. Il se demanda si c'était la même forêt qui donnait derrière le motel. Jeffrey regarda de nouveau le plan et vit que c'était le cas. Lena aurait pu se rendre à pied de la maison de Hank à son bar. L'hôpital se trouvait quelques rues plus loin.

Comme il s'y attendait, il y avait toutes sortes de sentiers à travers champs. Il faisait plus frais à l'intérieur de la forêt, il remit sa veste. Il n'y avait pas le moindre signe de cachettes secrètes, pas d'autres déchets que les mégots de cigarettes, et plus de cannettes de bière qu'il ne pouvait compter. Jeffrey voyait encore le soleil entre les branches et s'assura de le garder à sa droite tandis qu'il avançait en ligne droite vers le motel. Il regardait sans cesse sa montre, pour ne pas perdre la notion du temps, qui passait toujours plus lentement quand on se croyait perdu.

Jeffrey commençait à devenir quelque peu nerveux quand il entendit le bruit de la rivière qu'il avait vue derrière le bar de Hank l'autre nuit. Brièvement, il pensa qu'il allait peut-être trouver ce que Boyd Gibson avait perdu, mais quand il parvint à la rive, il avait plus ou moins cessé de croire au miracle.

Jeffrey vit la chambre qu'il avait partagée avec Sara. Un bricoleur du dimanche avait cloué une grande planche de contreplaqué contre la vitre brisée. La porte était entrouverte, Jeffrey passa la tête à l'intérieur et vérifia qu'ils n'avaient rien oublié. La chambre était telle qu'ils l'avaient laissée, mais pour une raison obscure, l'endroit ne lui parut pas aussi répugnant qu'avant. Peut-être parce qu'il venait de passer quelques heures dans la maison de Hank. Il ne comprenait pas comment Lena avait pu le supporter.

« Merde », murmura Jeffrey. Lena ne l'avait *pas* supporté. Il n'y avait aucune chance qu'elle ait dormi dans cette maison. Elle était loin d'être maniaque, mais aucune personne saine d'esprit n'aurait passé la nuit dans cette porcherie.

Jeffrey courut jusqu'à l'accueil. Le veilleur de nuit n'était pas là, mais un adolescent aux cheveux orange était assis derrière le comptoir, en train de jouer à des jeux vidéo sur l'écran de son ordinateur.

Le jeune homme ne releva pas la tête et continua à appuyer sur les boutons. « Quoi de neuf ?

— Est-ce que quelqu'un, une femme, a dormi ici la semaine dernière ? Grande comme ça à peu près. » Jeffrey leva la main pour montrer la taille de Lena. « Brune, les yeux marron…

— Vous voulez dire Lena ? » Le jeune gardait les yeux rivés sur son écran.

Jeffrey se pencha par-dessus le comptoir et lui arracha la console des mains. « Donnez-moi la clé de sa chambre.

— Le shérif a déjà vérifié… » Le jeune sembla comprendre que ça n'avait pas d'importance. Il donna le passe à Jeffrey en lui indiquant : « Chambre quatorze. Deuxième étage. »

Jeffrey monta les marches quatre à quatre. Il mit la clé dans la serrure et ouvrit brusquement la porte, comme s'il s'attendait à la trouver là, prête à tout lui expliquer.

Elle n'était pas là.

Il ferma la porte derrière lui et posa la clé sur la table en plastique. Les produits de beauté de Lena étaient bien alignés sur le lavabo, ses vêtements pliés dans sa valise. Jeffrey n'avait aucun moyen de savoir ce qu'il manquait, parce qu'il ne savait pas ce qu'elle avait emporté. Il ouvrit néanmoins tous les tiroirs, vérifia la table de nuit, regarda même sous le lavabo.

Il n'y avait rien, à l'exception d'un tournevis rouillé qui se trouvait sous la climatisation, près de la fenêtre.

Jeffrey s'assit sur le lit, essaya de réfléchir. Il n'avait jamais vu Lena avec un sac à main. En même temps, ce n'était pas pratique, dans son travail. Il faudrait qu'il pose la question à Sara. Ou peut-être valait-il mieux interroger Valentine, puisqu'il avait déjà vérifié la chambre. Après réflexion, le shérif n'avait pas besoin de savoir qu'il avait une longueur d'avance sur Jeffrey.

Il se leva et souleva le matelas. Il n'y découvrit que des miettes de chips. Il laissa tomber le matelas, un courant d'air lui souffla dans le visage. Même si le système olfactif de Jeffrey était tout à fait déréglé depuis son passage chez Hank Norton, il aurait juré qu'il avait senti un effluve d'huile d'arme à feu. Il déplaça le matelas du lit et s'accroupit pour examiner la couverture qui recouvrait le matelas à ressorts. Heureux que personne ne puisse le voir, il renifla le tissu en coton, mais s'arrêta quand il entendit une clé tourner dans la serrure.

Jeffrey se leva au moment où la porte s'ouvrait. La femme de ménage sursauta en le voyant, son visage avait un air renfrogné.

« Qu'est-ce que vous foutez là, vous ? aboya-t-elle.

— Vous pouvez revenir dans dix minutes ?

— Vous pouvez remettre le matelas à sa place ? » Jeffrey ne bougea pas, et elle posa ses mains sur ses hanches. « J'ai pas toute la journée devant moi, monsieur. »

Il sortit son badge et le lui montra.

Elle plissa les yeux pour lire les petites lettres, pas du tout impressionnée. « Grant County. Un trou paumé ça, non ? Vous travaillez pour le service des matelas, pour voir si les gens ont enlevé les étiquettes ? »

Jeffrey remit le matelas à sa place, espérant parvenir à la faire parler. « Vous avez rencontré la femme qui occupait cette chambre ?

— Celle qui a semé Jake ? » Elle ricana en s'avançant dans la pièce. « Et dire que j'ai voté pour ce bon à rien.

— Lena est l'une de mes amies, lui dit-il. J'essaye de l'aider.

— Ah ! Vous êtes un vrai chevalier servant. » Elle sortit un torchon de sa poche et commença à nettoyer le téléphone sur la table de nuit, en marmonnant : « Elle a dû pas mal utiliser le téléphone. Des putains de traces de doigts partout. » Elle se tenait la tête penchée, mais leva les yeux vers Jeffrey comme si elle se demandait pourquoi il était encore là.

« Merci pour votre aide », lui dit-il sans en penser un mot.

Jeffrey était au milieu des escaliers quand il se rendit compte que la femme de ménage l'avait peut-être aidé plus qu'elle n'en avait eu l'intention. Il n'avait pas vu le portable de Lena dans la chambre d'hôtel, il devait donc être dans sa voiture. Frank Wallace, son adjoint, pourrait vérifier avec qui elle avait parlé avant la nuit où l'Escalade avait été incendiée, ou peut-être même après. Il allait également lancer un avis de recherche pour la Mercedes de Hank, et peut-être que Frank pourrait demander à la patrouille de la circulation de garder les yeux ouverts, au cas où ils verraient Lena. Comme le téléphone de Jeffrey, celui de Sara ne captait aucun réseau dans le motel ; il faudrait qu'il appelle Frank sur le chemin.

Il s'arrêta sur la dernière marche. Mon Dieu, quel abruti. S'il n'avait pas de réseau à l'hôtel, c'était la même chose pour Lena.

Il se précipita à l'accueil. Cette fois-ci, le jeune attendait près du comptoir, prêt à rendre service. Il demanda : « Vous avez trouvé quelque chose ? »

Jeffrey répondit par une autre question. « Est-ce que le détective Adams a passé des coups de téléphone pendant qu'elle était ici ?

— Elle en a passé un avant de partir, longue distance. »

Jeffrey savait, à cause de sa propre note, que le motel facturait cinquante cents la minute pour les appels locaux, et deux dollars la minute pour les appels longue distance. Les coups de téléphone rapportaient beaucoup d'argent, et le motel en conservait sans doute la trace. « Montrez-moi tous les appels qu'elle a passés. »

Le jeune sortit un tas de feuilles de l'imprimante. « Il n'y en a eu qu'un, expliqua-t-il. L'indicatif est 912. »

Le numéro lui disait quelque chose. « C'est Savannah.

— Oui, je crois. »

Jeffrey prit le téléphone sur le comptoir et composa le numéro.

Lena

Chapitre 20

Le visage de Charlotte était dissimulé par le ruban adhésif qui lui recouvrait la bouche, de sorte que Lena ne voyait que ses yeux clairs et terrifiés. Elle tremblait de peur, ses sanglots étaient étouffés par le scotch. Lena regarda dans le rétroviseur en conduisant le 4 × 4 sur une route sombre, essayant, du regard, de dire à Charlotte qu'il fallait qu'elle tienne bon, qu'elle allait trouver un moyen de les sortir de là. Lena n'avait pourtant aucune idée de la manière dont elle allait s'y prendre.

L'homme tatoué qui avait frappé Lena était derrière eux, au volant de sa Celica. Elle ne savait pas où ils allaient, ni pourquoi. Elle continuait à conduire parce que, même si elle ne voyait pas le visage de l'homme masqué derrière elle, elle savait qu'il n'était pas là pour rigoler. La manière dont il tenait son arme ne laissait aucun doute à ce sujet. C'était comme une extension naturelle de sa main ; il n'hésiterait pas à s'en servir.

Lena pensait à Evelyn Johnson, à Ethan qui l'avait emmenée dans son pick-up jusqu'à la clairière où elle serait tuée. Ethan avait-il regardé dans le rétroviseur, avait-il vu son regard terrorisé, impuissant à l'aider ? Avait-il eu aussi peur qu'elle ? Ou s'était-il tortillé sur son siège, essayant de réprimer son excitation à la pensée de ce qui allait se passer ?

« Tourne ici », dit l'homme masqué, et Lena suivit ses ordres, s'engagea sur Laskey Street, qui passait derrière l'école. Sa voix ne laissait transparaître aucune inquiétude ; il ne semblait pas avoir de plan particulier en tête. D'après ce qu'elle voyait, il la faisait conduire en rond autour du lycée.

« La prochaine à droite », dit-il.

Lena regarda de nouveau Charlotte. Elle demanda à l'homme : « Pourquoi faites-vous cela ?

— Qu'est-ce que tu crois ?

— C'est Ethan qui vous a envoyé ?

— Qui est Ethan ?

— Si c'est Ethan qui vous a envoyé, ça se passe entre lui et moi. Charlotte n'a rien à voir là-dedans. Je ne l'ai pas vue depuis le lycée.

— Chérie, je ne sais pas de quoi tu parles. »

Elle ne savait pas s'il disait la vérité ou s'il était en train de jouer. Est-ce qu'ils l'avaient suivie jusqu'à la Coastal State Prison ou simplement attendu qu'elle refasse surface en ville ? Dans sa chambre d'hôtel, rien n'indiquait où elle était allée. Le casier d'Ethan était caché derrière le chargeur de CD, dans le coffre de sa Celica. Le seul objet de valeur dans la chambre était son Glock, et de toute évidence, ils n'en avaient pas besoin.

Lena jeta un regard par-dessus son épaule. L'homme était petit, mais costaud. Il avait une position détendue, les jambes bien écartées, son bras gauche posé sur le dossier, son arme pointée sur la nuque de Charlotte.

« Qu'est-ce que tu regardes ? dit-il.

— Qui êtes-vous ? » demanda Lena. Le masque signifiait-il qu'il allait les laisser partir ? Elle avait vu le visage de son complice, mais peut-être que ça n'avait pas d'importance, puisqu'il s'était déjà montré deux jours plus tôt devant la maison de Hank.

Elle regarda autour d'elle, à la recherche de quelque chose – n'importe quoi – qui puisse lui servir d'arme. À part les clés, il n'y avait qu'un gobelet en polystyrène, accroché au tableau de bord. Elle fit glisser sa main le long du volant et posa ses phalanges sur le côté du gobelet. Le liquide qu'il contenait était froid, sans doute de l'eau.

« Continue, dit l'homme. Prends à droite ici. »

Lena l'ignora, continua tout droit. Il fit claquer sa langue, comme si elle était une gamine rebelle, mais ne dit rien.

Face à un enlèvement, la règle numéro un était de ne pas laisser l'auteur du crime changer d'endroit. S'il vous agressait dans un parking, il fallait se battre bec et ongles pour rester sur le parking. Il ne fallait absolument pas monter dans une voiture et le laisser vous emmener ailleurs. Une fois qu'il avait le contrôle sur vous et sur la situation, il pouvait faire n'importe quoi. Il n'y avait pas de retour possible.

Lena ralentit en gardant les yeux sur la Celica derrière elle, se demandant dans quelle histoire elle s'était fourrée – elle et Charlotte.

L'homme dit : « Ça te plaît de jouer avec le feu, hein ? »

Lena s'arrêta. Elle se retourna pour le regarder en face. « Qu'est-ce que vous nous voulez ? Pourquoi Charlotte est-elle ici ? »

La portière arrière du côté de Charlotte s'ouvrit. L'homme à la croix gammée rouge se tenait là.

L'homme armé lui ordonna : « Donne-lui un petit quelque chose, qu'elle comprenne qu'on n'est pas là pour rire. »

La brute fouilla dans sa poche arrière. Lena s'attendait à ce qu'il en sorte une arme et les tue toutes les deux, mais ce n'était qu'un petit sachet en plastique roulé sur lui-même.

« Qu'est-ce que vous faites ? » demanda Lena, mais elle comprit très vite quand elle le vit dérouler le sachet et en tirer une seringue pleine.

Charlotte sut avant Lena ce qui allait arriver. Prise de panique, elle cacha ses bras derrière son dos, luttant pour se protéger tandis que la grosse brute tapotait la seringue, faisant sortir un peu de produit par l'aiguille. Elle se débattit avec l'énergie du désespoir quand il lui agrippa le bras, mais soudain, il sembla à Lena que quelque chose en elle cédait. Elle abandonna tout simplement, étendit le bras, attendant que l'aiguille pénètre dans sa chair.

« Non… » dit Lena, mais il était trop tard. Il avait appuyé. Charlotte ferma les yeux, un petit bruit, comme un soupir, sortit de sa gorge.

Le type masqué pressa l'arme contre la pommette de Charlotte. « Elle a l'air d'aimer ça, tu crois pas ? »

Lena sentit les larmes couler sur ses joues. Combien d'enfants avait Charlotte ? Elle en avait vu un à la bibliothèque, l'autre jour, une petite fille, qui n'avait sans doute pas plus de treize ans.

« Je vous en prie, dit Lena. Laissez-la partir.

— Pourquoi est-ce qu'on ne ferait pas un autre petit tour ? » suggéra l'homme. Il fit un signe à son acolyte et la portière claqua.

Lena démarra et appuya sur l'accélérateur. Elle conduisait sans but précis, retraçant la même boucle qu'auparavant, suivie de près par la Celica.

Charlotte gémit. Ses yeux roulèrent vers l'arrière de sa tête et elle retomba contre la portière.

Lena demanda : « Qu'est-ce que vous lui avez donné ?

— Un truc qui va la détendre.

— Je ne comprends pas, dit Lena en sanglotant. Pourquoi est-ce que vous faites ça ? Qu'est-ce que Charlotte vous a fait ?

— Tu veux que je te raconte une petite histoire, Lee ? »

Il utilisait son surnom, celui qui était réservé aux amis proches et à la famille. Lena déplaça le rétroviseur de manière à voir son agresseur.

Elle apercevait ses dents blanches par le trou de sa cagoule. « Tu commences à comprendre, poupée ? »

Elle se concentra sur sa voix, tentant désespérément de la replacer ; grave, presque aussi grave que celle de Jeffrey, et sans accent. Lena pensa à son enfance, essaya de se remémorer tous les hommes qu'elle avait rencontrés. Hank n'avait pas d'amis. À l'époque où il se droguait, il finissait toujours par les arnaquer ou par les repousser. Après avoir décroché, il était incapable de se lier aux gens. Il y avait ceux qu'il avait rencontrés aux AA, et Deacon Simms, mais c'était tout. Il passait ses nuits chez lui, ou au bar.

« Tu sais, dit l'homme, quand je t'ai vue devant chez Hank l'autre jour, je me suis dit, ça, c'est une belle femme. »

Cela voulait-il dire qu'il s'était trouvé à l'intérieur de l'Escalade ? Les vitres de la voiture étaient teintées, et Lena avait été tellement accaparée par l'homme à la croix gammée qu'elle n'avait pas regardé s'il y avait un passager.

« Tu ressembles beaucoup à ta maman quand elle avait ton âge. Tu sais ça ?

— Je ne savais même pas que ma mère avait vécu jusqu'à mon âge.

— Oh si, Angie a vécu beaucoup plus longtemps qu'elle n'aurait dû. »

Hank avait dit que le type dehors était celui qui avait tué Angela Adams. Faisait-il référence à cet homme-là, celui qui tenait son arme pointée sur la tête de Charlotte Warren ?

Lena demanda : « Vous avez tué ma mère ? » Elle se retourna. « Hank dit que vous l'avez tuée. »

Il rit. « Hank dit beaucoup de choses. Mais ce n'est pas comme s'il allait tenir beaucoup plus longtemps, drogué comme il est. Dis-moi, chérie, tu aimes parier ? Peut-être que tu veux miser quelque chose sur le temps qu'il va mettre pour crever ? » Son rire était un bruit sec, dénué de tout humour. « Honnêtement, je serais étonné qu'il respire encore après toute la merde que Clint lui a donnée aujourd'hui. »

Clint, pensa Lena. Elle connaissait le nom de la brute, maintenant.

« Je vais te parler de ta maman, dit l'homme masqué. Tu veux apprendre des choses sur ta maman ?

— Oui.

— Alors… » Il fit semblant de rassembler ses souvenirs. « Comme je te l'ai dit, tu es exactement comme elle. Les mêmes jolis cheveux, les mêmes yeux magnifiques. Sa bouche était assez extraordinaire. Je ne vais pas rentrer dans les détails, vu que tu es sa fille, mais disons qu'elle aurait pu sucer une balle de base-ball et l'avaler tout rond. » Il ricana. « Bien sûr, ce n'était pas du tout le genre d'Angie. Coincée comme c'est pas permis. Super croyante, comme sa mère. Il aurait fallu un pied-de-biche pour qu'elle s'ouvre. Là.

— Quoi ?

— Tourne là, dit-il en indiquant le gazon à côté de l'école.

— Il n'y a pas de route.

— C'est vrai, j'oublie tout le temps que tu es flic, dit-il. Allez, tourne, sur l'herbe. Personne ne t'arrêtera. »

Lena s'agrippa au volant tandis que les pneus passaient le petit fossé de la route. L'eau dans le gobelet gicla sur sa jambe tandis qu'elle manœuvrait la voiture pour l'amener sur un terrain moins accidenté.

« Continue. » Il lui fit signe de franchir les grilles ouvertes du terrain de foot.

Lena conduisait aussi lentement que possible sans caler. Dans le rétro, elle vit la Celica se garer sur l'une des places du parking des élèves. C'était donc ça, leur plan ? Tuer Lena et Charlotte devant l'école ? Elle ne comprenait pas pourquoi il continuait à parler si sa seule intention était de les tuer.

« Encore un peu, dit l'homme. Passe par le portail, sur le terrain de foot. » Il se pencha en avant, posa sa main sur le bras de Lena. « Donne-moi ce gobelet, s'il te plaît. Ça m'a donné soif de parler autant. »

Elle freina un peu et obéit, en prenant garde de ne pas le toucher. Comme le gobelet changeait de mains, elle sentit ce qu'il contenait. Une chose était sûre, ce n'était pas de l'eau, mais elle ne reconnaissait pas l'odeur. Et le gobelet lui sembla bizarrement lourd.

« Merci. » Il s'enfonça dans la banquette, maintenant le gobelet à hauteur de poitrine. « On dirait que tu as une question à me poser. »

Elle alla droit au but. « Comment connaissiez-vous ma mère ?

— Elle était exactement comme Charlotte, répondit-il. Tu leur en fais goûter une fois, et elles font tout ce que tu veux.

— Goûter quoi ? demanda Lena. De la drogue ? » Elle se retourna vers Charlotte. Elle était affalée, silencieuse, les lèvres légèrement remontées, comme si c'était une autre conversation qu'elle entendait. Avait-elle menti ? Pas seulement alcoolique, mais droguée aussi ?

« Arrête-toi sur la ligne des cinquante », lui dit l'homme.

Lena mit au point mort mais ne coupa pas le moteur. Devant elle, elle vit Clint se diriger vers le terrain. Il peinait à avancer, il portait un seau à la main, le corps penché. Au lieu de s'approcher de la voiture, il posa le seau par terre, sur l'une des lignes, et resta immobile, comme s'il attendait un signal.

Dans le rétroviseur, Lena vit l'homme masqué ranger son arme à sa ceinture. Il tenait le gobelet dans sa main droite, la gauche était posée contre la nuque de Charlotte.

Lena aurait pu s'enfuir, là, maintenant. Sauter de la voiture. Clint était gras et en mauvaise condition physique. Elle aurait pu traverser la forêt et disparaître dans la nuit. Frapper à la porte de quelqu'un jusqu'à ce qu'on lui ouvre et utiliser leur téléphone.

« Tu comptes t'en aller ? demanda l'homme, comme s'il avait lu ses pensées. Ou tu vas rester ici pour écouter ce que j'ai à dire ? »

Elle avait posé sa main sur la portière, les doigts serrés sur la poignée. Elle la laissa tomber et se retourna vers lui.

« Dites-moi.

— Si j'avais voulu te tuer, commença-t-il, tu serais déjà morte. Tu le sais.

— Oui.

— Ton amie là, elle s'est assez bien comportée toutes ces années, mais quand c'est l'heure, c'est l'heure.

— Ne lui faites pas de mal, supplia Lena. Elle a des enfants. Son mari…

— Eh oui, c'est triste. Mais chacun fait ses propres choix.

— Vous appelez ça un choix ? gronda Lena. Un connard de nazi qui vous pique dans le bras, c'est un *choix* ? »

Il souriait de nouveau. « Tu lui ressembles vraiment beaucoup, Lee. La même langue trop pendue, le même caractère. Par contre, Sibyl, elle était plus… enfin, j'imagine que tu sais comment était ta sœur. Toute calme, perdue dans ses pensées. Putain, je ne sais pas d'où elle tenait son intelligence en revanche. J'en suis tombé par terre quand j'ai appris qu'elle avait obtenu une bourse d'études complètes à Georgia Tech. »

Il semblait tout savoir de leur vie, et pourtant, Lena ne l'avait jamais rencontré.

Mais que savait-il *vraiment*, en fait ? N'importe qui aurait pu savoir que Hank appelait sa nièce Lee, il suffisait de les avoir croisés dans un supermarché. Le journal local avait publié un article en première page quand Sibyl avait obtenu sa bourse. Quant aux précisions sur la vie d'Angela Adams… il pouvait les avoir inventées. L'histoire qu'elle venait d'entendre sur sa mère était peut-être aussi mensongère que les histoires dont Hank avait nourri son enfance.

« Tu commences à comprendre ? demanda l'homme.

— Je suis censée vous reconnaître ?

— Chérie, pour l'instant, tout ce que tu as à faire, c'est regarder et apprendre. » Il leva le gobelet comme s'il portait un toast. « Je vais te montrer ce qui arrive aux gens qui se mêlent de ce qui ne les regarde pas. »

Il renversa le contenu du gobelet sur Charlotte. Lena sentait ce que c'était maintenant.

De l'essence à briquet.

« Qu'est-ce que vous… »

Il ouvrit sa portière. Il y eut un clic, et une flamme surgit d'un briquet argenté qu'il tenait à la main. Il balança le briquet sur Charlotte en s'éloignant de la voiture, et Lena se jeta en avant pour l'attraper, en hurlant « Non… ! » – en vain.

Elle ne fut pas assez rapide. Le briquet retomba sur les genoux de Charlotte, l'essence prit feu, et Lena fut rejetée sur le siège avant tandis que son amie brûlait.

Charlotte émit un bruit animal, ses bras s'agitèrent quand les flammes commencèrent à la dévorer.

« Non ! » criait Lena, incapable de l'aider, incapable de faire autre chose que de regarder Charlotte brûler. « Non ! » La voiture s'emplissait de fumée et d'une odeur de chairs brûlées. Lena tira sur la portière. Elle finit par trouver la poignée et jaillit de la voiture. Elle retomba lourdement sur le sol, la douleur lui transperça l'épaule tandis qu'elle essayait de se mettre debout.

Clint apparut. Le seau qu'elle avait cru voir était en réalité un bidon d'essence. Il passa devant Lena et le déversa sur le 4 × 4.

Elle se jeta sur lui, le frappa, agitant les bras, le griffant au visage. Elle hurlait des insultes, passant toute sa rage sur lui. Clint lui envoya son poing dans la tempe, si fort qu'elle bascula en arrière, nauséeuse de douleur. Elle sentit la bile remonter dans sa gorge et se pencha en avant pour vomir dans l'herbe.

Il y eut une petite explosion quand le 4 × 4 prit feu. Lena tomba à genoux, essaya de s'éloigner en rampant avant que le véhicule n'explose. La fumée et la chaleur étaient intenses. Elle retomba sur le côté, la respiration sifflante. Elle entendait un cri qui ne pouvait pas être humain : un cri aigu et strident. Charlotte. Elle était encore vivante, consciente des flammes qui la dévoraient.

Lena se coucha à plat ventre, sachant qu'il était trop tard pour Charlotte, qu'il fallait qu'elle s'éloigne le plus possible de la voiture. Elle tenta de bouger, mais son corps lui fit défaut. Soudain, elle fut ramassée par la taille de son pantalon, tirée vers les gradins. La voiture explosa de nouveau, si fort cette fois qu'elle pensa que c'était le réservoir. Elle fut jetée dans les gradins, sa tête rebondit sur le métal. Le coup résonnait dans ses oreilles ; le bidon d'essence retomba à côté d'elle.

Clint se tenait au-dessus d'elle, son visage à quelques centimètres du sien. « T'es toujours vivante ? »

Lena toussa, elle avait l'impression d'avoir les poumons brûlés. Elle parvenait à peine à respirer avec la brute au-dessus d'elle. « Pourquoi ? réussit-elle à dire. Pourquoi vous faites ça ? »

Il se redressa, épousseta ses bras et ses jambes, avec l'air de quelqu'un qui vient de rentrer de la messe et qui ne comprend pas comment il a fait pour se salir autant.

« Pourquoi ? » répéta-t-elle d'une voix affligée.

À la lumière de l'incendie, elle voyait son visage, la manière dont il baissait la tête pour la regarder, avec une expression qui ressemblait à de la pitié. « Je ne peux rien te dire, Lena. Il faudra que tu demandes à Hank. »

Jeudi soir

Chapitre 21

Sara était assise devant l'hôpital d'Elawah County, le froid du banc en béton traversait son jean. Elle en avait assez des hôpitaux, de leur lenteur. Rien d'étonnant à ce que les gens soient furieux contre le secteur de la santé. Les analyses de toxicité, de sang, les radios – tout avait pris deux fois trop de temps. Ensuite, il avait fallu mettre la main sur un médecin, appeler un pharmacien, trouver une infirmière. Toutes ces procédures étaient destinées à couvrir chacune des personnes au cas où une erreur serait commise ; au cas où l'on rendait le mauvais rapport d'analyses, au cas où on administrait le mauvais médicament, au cas où on posait le mauvais diagnostic. En attendant, le patient souffrait. C'était à devenir fou.

La seule consolation était que Hank n'avait pas été conscient de l'attente ; il était resté comateux pendant le court trajet jusqu'à l'hôpital, et quand ils l'avaient examiné aux urgences et déplacé vers l'unité de soins intensifs, son état n'avait pas tellement évolué. Sara n'avait pas beaucoup d'espoir. Son corps était envahi par des infections, son cœur était affaibli par des années de drogue et ses poumons montraient des signes d'emphysème assez avancé.

Ce qui préoccupait le plus Sara, c'étaient les marques de brûlure autour de ses poignets et de ses pieds. À première vue, elles correspondaient aux autres coupures et abrasions qui recouvraient son corps. Mais après un examen plus approfondi, elle avait constaté qu'il s'agissait de brûlures causées par une corde. L'angle des lésions sur ses poignets indiquait que ses mains avait été attachées dans son dos. Ses chevilles avaient été ligotées. Et il avait récemment été battu. Il avait deux côtes cassées et un méchant bleu au bas de l'abdomen, où il avait dû recevoir un coup de poing ou de pied.

Curieusement, c'était par le sevrage qu'il avait fallu commencer. Pour des raisons qui lui appartenaient, Hank avait arrêté de prendre du crystal du jour au lendemain, et son corps avait réagi en se rebellant. Ses organes tentaient de cesser de fonctionner, d'entamer le processus qui finirait par le conduire à sa mort.

Aux urgences de Grady pendant son internat, Sara avait vu de nombreux drogués sans domicile fixe. Ils étaient comme des morts vivants, dans un tel état de délabrement qu'il était même surprenant qu'ils arrivent à tenir debout. Pneumonie, hépatite, scorbut, déshydratation sévère… Cela faisait plusieurs années qu'elle ne travaillait plus auprès de ces âmes désespérées, et elle avait été tellement choquée par l'état de Hank au moment où elle l'avait vu allongé dans son jardin, que pendant un instant, elle avait été paralysée, incapable d'agir.

La seule chose qu'elle avait pu faire pour lui ce soir était de l'aider à passer les formalités. Dans la mesure où son état restait stable pendant la nuit, il serait transféré vers un hôpital plus grand dans la matinée.

Une voiture argentée pénétra sur le parking. Sara fut déçue de voir que ce n'était pas sa BMW. Jeffrey devrait être là d'une minute à l'autre, et elle avait hâte de le voir. Il avait appelé Sara à l'hôpital et lui avait raconté qu'il avait fouillé la chambre d'hôtel de Lena, le coup de téléphone qu'elle avait passé à la Coastal State Prison. D'après les dossiers, Lena avait rendu visite à Ethan le jour où l'Escalade avait été incendiée. Il y avait forcément un lien, mais Jeffrey n'avait pas voulu en parler au téléphone. Il lui avait dit qu'il attendrait au motel que le directeur le rappelle, et qu'il irait ensuite chercher Sara à l'hôpital.

Rien qu'en l'écoutant, elle savait déjà que, quoi que le directeur lui dise, il avait déjà décidé d'aller voir Ethan en personne. Il pensait que la menace et l'intimidation fonctionneraient sur le taulard, mais Sara n'était pas dupe. Les gens comme Ethan Green ne se recroquevillaient pas sur eux-mêmes quand ils étaient menacés. Ils s'enroulaient comme des serpents à sonnette et se préparaient à attaquer.

Sara avait conclu un accord avec elle-même la nuit précédente. Quoi que Jeffrey fasse, elle resterait à ses côtés. Au bout de seize ans, elle savait pertinemment que son mari ne resterait jamais assis à rien faire si une personne était enfermée dans un bâtiment en flammes, laissant à quelqu'un d'autre le soin d'aller la sauver. Sara devait accepter cet aspect de sa personnalité, le soutenir dans ses choix, car c'était cette bonté qui l'avait attirée au début. C'était contre sa nature de tourner les talons.

Les portes vitrées des urgences s'ouvrirent, et Fred Bart sortit en tapotant ses poches. « Eh ! Salut chérie », dit-il en repérant Sara sur le banc. Il trouva ses cigarettes, lui fit un sourire rassurant et les remit dans sa poche.

« Perdue dans vos pensées ? demanda-t-il en s'asseyant à côté d'elle sans attendre d'y avoir été invité. On dirait qu'il va encore pleuvoir, pas vrai ? »

Sara leva la tête vers le ciel noir et vit qu'il avait raison. « Oui.

— Ma sœur est ici. » Il redressa ses épaules, lui montra ses petites dents toutes droites. « Je suis tonton ! » Il lui donna un coup dans l'épaule, un geste beaucoup trop familier, mais elle ne dit rien, il avait l'air tellement heureux.

« C'est le premier ?

— Le troisième ! lui dit-il avec exubérance. J'imagine que vous devez voir beaucoup de bébés, étant pédiatre. Vous vous rendez compte comme ils sont petits ? Tellement minuscules !

— C'est vrai, reconnut Sara, distraite de le voir si heureux.

— Vous avez des enfants, vous ?

— Non.

— Eh bien, je vous le recommande fortement, conseilla-t-il, très enthousiaste. J'ai quatre ex-femmes, mais pas d'enfants. Ne vous méprenez pas, j'adore gâter les petits de ma sœur, mais ce n'est pas la même chose que d'en avoir à soi. » Il regarda le parking. « Mes parents sont morts tous les deux. Il n'y a plus que Sissy et moi maintenant. »

Sara pinça les lèvres, elle se demanda à quel moment elle était devenue la meilleure amie de Fred Bart.

Sur le ton de la confidence, il dit : « Jake vient d'une famille nombreuse, lui.

— Ah bon ?

— Quatre grandes sœurs. Son petit frère, Tom, est mort ici il y a quelques années. Overdose.

— Je ne savais pas.

— Jake était effondré. Je crois que c'est pour ça qu'il a rejoint la police. Ensuite, il a vu ce qui se passait vraiment, que personne ne voulait prendre le problème à bras-le-corps. C'est là qu'il a décidé de se présenter au poste de shérif, pour pouvoir y faire quelque chose. »

Sara se demanda s'il attendait qu'elle prenne des notes. De toute évidence, Fred Bart essayait de faire passer un message à Jeffrey. *Jake est quelqu'un de bien,* pensa-t-elle. *Message reçu.*

« Enfin, dit Bart en se donnant une tape sur les genoux tandis qu'il se levait. Vous voulez que je vous dépose quelque part ?

— J'attends mon mari », lui dit-elle, se demandant combien de temps il faudrait à Jeffrey pour arriver.

Il lui fit un clin d'œil. « Quel chanceux !

— Je ne manquerai pas de lui dire.

— C'est ça, dites-lui. » Bart lui fit un sourire, dévoilant à nouveau ses petites dents blanches. Il se dirigea vers un pick-up vert, et Sara lui fit un signe de la main avant de retourner à l'intérieur.

Elle ignora la femme maussade de l'accueil et se dirigea vers l'alcôve où se trouvaient les distributeurs de snacks. Soudain, elle avait l'impression qu'elle aurait pu manger un bœuf. Cela dit, ça tombait bien, puisque les farines animales étaient un ingrédient clé de la plupart des snacks proposés dans le distributeur.

Le portable de Jeffrey sonna ; elle le sortit de sa poche. « Où es-tu ? demanda-t-elle sans même dire bonjour. Je crève de faim. »

La ligne resta silencieuse, et Sara était sur le point de raccrocher quand Lena dit : « C'est moi. »

Pendant quelques instants, Sara resta paralysée par le choc. Bêtement, elle regarda autour d'elle, comme si elle s'attendait brusquement à voir Jake Valentine sortir des lambris et lui arracher le téléphone des mains.

« Où es-tu ? demanda Lena.

— À l'hôpital, avec Hank. »

Lena ne réagit pas tout de suite. « Il va bien ?

— Non. » Sara regarda autour d'elle, cherchant un endroit plus tranquille, mais elle avait peur de ne plus avoir de réseau. « Nous l'avons trouvé derrière la maison. Il avait été attaché, battu. Laissé pour mort.

— Peut-être qu'il a envie de mourir. »

Sara n'en croyait pas ses oreilles. « On pourrait en dire autant de toi, répliqua-t-elle. Jeffrey sait, pour Ethan.

— Ethan n'est pas impliqué dans cette histoire.

— Et tu penses vraiment que Jeffrey te croira ? Il va se rendre à la prison demain. Je ne peux pas l'en empêcher. S'il lui arrive quelque chose, ce sera ta faute. Tu entends ce que je te dis ? Ta faute.

— Dis-lui… commença Lena. Dis-lui que je suis allée voir Ethan pour lui dire que je m'étais fait avorter. »

Sara ouvrit la bouche de surprise.

« Il serait né maintenant », dit Lena. Sa voix n'était qu'un murmure rauque. « Peut-être que toi et Jeffrey auriez pu l'élever. »

Sara s'appuya contre le distributeur, elle avait l'impression qu'on venait de lui donner un coup de poing dans l'estomac.

Lena continua : « Je sais que tu ne peux pas avoir d'enfants, Sara. Ça ne t'énerve pas de savoir ce que j'ai fait ? De savoir que je suis tombée enceinte alors que je n'essayais même pas ? »

Les larmes montèrent aux yeux de Sara. Elle n'aurait pas dû commencer ce jeu, elle n'avait pas la force d'y jouer.

« Hank m'a amenée à la clinique, continuait Lena. Ils m'ont mis un truc en métal et ils l'ont retiré. »

Sara la supplia. « Je t'en prie, arrête.

— Je me demande à quoi ça ressemblait quand ils l'ont enlevé. Toi, tu dois savoir, non ? Tu es médecin après tout. Tu vois des bébés tout le temps. »

Sara sentit qu'elle allait se mettre à pleurer. « Comment peux-tu être aussi cruelle ?

— Dis à Jeffrey tout ce que je viens de te dire, lui ordonna Lena. Dis-lui que tout ce que tu as toujours pensé ou dit de moi est vrai, Sara. Je ne suis pas une bonne personne. Je n'en vaux pas la peine. Rentre chez toi. Emmène Jeffrey et rentrez chez vous.

— Je sais ce que tu cherches à faire. » Sara s'essuya les yeux du revers de la main, furieuse d'avoir été manipulée. Elle n'avait pas l'intention de se retrouver encore une fois complice de Lena. « Ça ne marchera pas. Tu n'arriveras pas à m'embobiner.

— Ce n'est pas mon intention, lui répondit Lena. Je ne veux pas de toi ici. Je ne veux pas de Jeffrey ici. Hank peut vivre ou mourir, je m'en fous. Je veux juste que vous rentriez chez vous et que vous oubliez que j'existe.

— C'est encore un jeu, Lena ? Je ne suis pas à ton niveau. Je ne sais pas comment ça marche. »

Lena se taisait. Sara tendit l'oreille pour entendre des bruits de fond, quelque chose qui pourrait la renseigner sur l'endroit où Lena se trouvait. Mais elle n'entendait qu'un gémissement, comme un animal blessé. C'était Lena. Elle pleurait.

Sara s'efforça de parler d'un ton ferme, de prendre les choses en main. « Où es-tu ? Laisse-nous venir te chercher. »

Elle ne répondit pas, continuait à pleurer.

« Ça a assez duré. Il faut que tu nous laisses venir te chercher.

— Tu l'as vue ?

— Vue… »

Lena se mit à sangloter. « La… femme… celle qui était dans la voiture. »

Sara sentit le même relent dans sa gorge que quand elle avait fait l'autopsie.

« Tu t'es occupée d'elle ?

— Oui, répondit Sara. Évidemment que je me suis occupée d'elle.

— Elle a souffert.

— Je sais.

— Elle a souffert, et c'était à cause de moi.

— Qui était-ce ?

— C'était la mère de quelqu'un, dit Lena en pleurant. La femme de quelqu'un. L'amie de quelqu'un. » Sa voix se brisa. « C'était la petite amie de quelqu'un.

— Pourquoi fais-tu cela ?

— Parce que c'est ce que je mérite ! Tu avais raison. Tout ce que je touche tourne mal. Allez-vous-en avant qu'il ne soit trop tard.

— Trop tard pour quoi ?

— Tu veux qu'il arrive la même chose à Jeffrey ?

— Qu'est-ce que tu…

— Foutez le camp ! » hurla-t-elle en raccrochant.

Sara tenait le téléphone serré contre sa poitrine, incapable de bouger, le cœur battant. Jeffrey. Elle avait peur que quelque chose lui arrive. Que quelqu'un s'en prenne à lui. L'espace d'une seconde, l'image de l'autopsie qu'elle avait réalisée sur la femme calcinée lui vint à l'esprit, sauf que cette fois, elle vit Jeffrey sur la table, Jeffrey calciné. Les larmes lui montèrent aux yeux, elle tremblait sans pouvoir se contrôler.

« Dr Linton ? » dit Don Cook. Il portait son uniforme d'adjoint et tenait son chapeau à la main.

« Oui », répondit-elle en essayant de se reprendre. Elle se demanda s'il était là depuis longtemps.

« Vous allez bien ?

— Oui », répondit-elle, contrôlant sa voix pour qu'elle ne tremble pas. Elle ferma les yeux un instant, essaya de supprimer l'horrible image.

« Je suis Don Cook. Nous nous sommes rencontrés l'autre soir… » Il attendit qu'elle hoche la tête. « Votre mari m'a demandé de venir vous chercher pour vous amener à la prison. »

Elle le regarda fixement, l'air sceptique. « Il ne m'a pas appelé pour me prévenir. »

Cook haussa les épaules. « On m'a simplement dit de venir vous chercher et de vous amener à la prison. Jake et votre mari vous y attendent. »

Elle indiqua le téléphone qu'elle tenait à la main. « Je vais juste l'appeler avant.

— D'accord. » Il retourna dans l'entrée, pour la laisser tranquille.

Sara regarda le portable de Jeffrey en se demandant ce qu'il fallait faire. Elle avait été fière de résister à l'invasion des technologies, mais maintenant, elle avait l'impression d'être une idiote arriérée. Elle savait que le téléphone de Jeffrey enregistrait les numéros, mais ne savait pas si le fait de composer un autre numéro effacerait le dernier appel reçu. Si Lena avait appelé d'une ligne reconnaissable, le fait d'utiliser le téléphone maintenant risquait d'effacer le numéro.

Cook jeta un œil vers elle et lui demanda : « Tout va bien ?

— J'ai laissé un message sur son portable, mentit-elle.

— Bien. On y va ? »

Sara hocha la tête. Il fit un signe avec son chapeau en direction de l'entrée, la laissant passer devant. À l'extérieur, elle vit l'ambulance garée sur la zone de chargement. Les auxiliaires médicaux qui avaient conduit Hank à l'hôpital étaient appuyés contre le mur, en train de fumer. Ils virent Sara et lui firent un signe amical.

La voiture de police de Cook était garée sur une place réservée aux handicapés, et il fit le tour du véhicule pour lui ouvrir la portière passager. Le siège était plein de sachets de chips froissés et de canettes de Coca Light.

« Désolé pour ce bazar. Ça vous embête de monter derrière ? »

Elle sentit les poils de son cou se hérisser. Elle était soit complètement parano, soit très intelligente. « Ça vous embête si je monte dans l'ambulance ? » Elle vit la surprise se dessiner sur son visage, et le gratifia de son plus joli sourire. « Je vais monter avec eux. »

Elle négocia rapidement avec les auxiliaires médicaux. Sara leur avait largement facilité la tâche sur le trajet de la maison de Hank à l'hôpital, et les deux hommes étaient ravis de pouvoir lui rendre service à leur tour. En outre, la prison ne se trouvait qu'à trois minutes. Sara se sentait un peu bête dans l'ambulance, coincée entre les deux hommes robustes, mais elle avait depuis longtemps appris à faire confiance à son instinct.

Don Cook se gara sur le parking, tandis que l'ambulance repartait. Il prit un air renfrogné en voyant Sara faire signe aux deux auxiliaires.

Il sortit de sa voiture en grognant : « Ma voiture n'est pas si pourrie que ça. »

Sara se retint de s'excuser. Elle se contenta de le suivre à l'intérieur du bâtiment.

« Le bureau du shérif est là-haut, dit-il en lui indiquant des escaliers. À moins que vous ne préfériez que quelqu'un d'autre vous le dise.

— Non, merci. » Sara commença à gravir les marches, elle sentait les yeux de Cook sur elle. En montant, elle entendit des voix d'enfants. Dans la salle d'attente, trois jeunes visages levèrent les yeux de leurs livres de coloriages. Ils étaient assis par terre, les jambes tendues, concentrés sur ce qu'ils dessinaient. Une adolescente était assise de l'autre côté de la pièce. À voir son expression maussade, elle n'était pas contente d'avoir à les surveiller.

Sara chercha leur mère, mais il n'y avait pas d'adulte dans les parages. Elle était sur le point de leur poser la question quand Jeffrey ouvrit la porte.

« Par ici », dit-il. Puis, s'apercevant de son air préoccupé, il la rassura. « C'est bon. »

Sara passa par-dessus l'un des enfants pour s'avancer vers Jeffrey. Elle murmura : « Il faut que je te parle. »

Il la fit taire, lui indiquant de faire vite. Il ne lui donna pas l'occasion de dire quoi que ce soit tandis que la porte se refermait. « Quelqu'un est venu signaler la disparition d'une personne.

— Une femme ?

— Son mari est venu il y a une vingtaine de minutes. Larry Gibson.

— Un rapport avec Boyd ?

— C'est son frère. Valentine dit qu'il est clean. »

Sara fronça les sourcils en se demandant depuis quand Jeffrey prenait Jake Valentine au mot. Elle demanda : « Ça fait combien de temps que la femme a disparu ?

— Depuis samedi dernier.

— Je n'ai pas trouvé d'alliance sur le corps, dit Sara, tout en sachant que le métal avait pu fondre avec la chaleur. Si sa femme est partie depuis six jours, pourquoi est-ce qu'il a attendu si longtemps ?

— Elle avait déjà disparu avant, lui dit-il. Elle avait un problème d'alcool, elle a pris du crystal pendant un moment. Elle est institutrice. Ce sont ses enfants dans la salle d'attente.

— Mon Dieu », murmura Sara. Une institutrice, mère de trois enfants. Qu'avait dit Lena, déjà ? Une mère. Une épouse. Une amie. Une petite amie.

Jeffrey prit le bras de Sara, inquiet. « Tu vas bien ?

— Tu as reçu un coup de fil. » Elle lui tendit le portable. « D'une vieille amie. »

Il consulta l'écran en disant : « J'ai demandé à Frank de retracer les appels. » Il parlait du téléphone de Lena. « Il n'y a eu qu'un numéro appelé avec ce téléphone depuis lundi soir – moi au motel.

— Elle a dit… commença Sara, mais sa gorge devint sèche. Elle a dit qu'il pouvait t'arriver la même chose qu'à la femme dans la voiture.

— Elle dirait n'importe quoi pour qu'on s'en aille. » Jeffrey fronça les sourcils en regardant son portable. « Numéro masqué. Il apparaîtra sans doute sur mon relevé, mais ça prendra un jour ou deux.

— Jeffrey…

— Occupons-nous d'abord de l'institutrice disparue, proposa-t-il. Ça va aller, d'accord ? »

Elle hocha la tête, même si elle était loin d'être d'accord. Malgré elle, elle revit l'image de Jeffrey sur une table d'autopsie. Son estomac se noua tandis qu'elle avançait devant lui dans le couloir. L'avertissement de Lena résonnait dans ses oreilles.

Tu veux qu'il arrive la même chose à Jeffrey ?

Valentine était installé à son bureau. Il écrivait sur une feuille de papier, sans doute en train de remplir la déposition, tandis que Larry Gibson lui donnait des précisions.

« Elle est normale », dit-il. Il semblait à la fois apeuré et en colère. « Je ne sais pas, Jake… Essaye de décrire *ta* femme. Je ne connais pas sa taille. Je ne connais pas son poids. Elle est juste normale.

— Ne t'inquiète pas, Larry, dit Jake pour le calmer. Écoute, je l'ai vue des millions de fois à l'église. Ne le prends pas mal, mec, mais c'est une jolie femme, pas vrai ? »

L'homme eut un rire de surprise, comme s'il avait oublié ce détail. Avec un pincement de cœur, Sara se souvint de l'autopsie qu'elle avait réalisée sur le frère de cet homme. Et si la victime de l'Escalade *était* la femme de Larry Gibson ?

« Une jolie femme, normal que les hommes la remarquent, non ? dit Valentine. J'imagine qu'elle mesure environ un mètre soixante-huit. Pour le poids, je dirais cinquante-cinq kilos. Sur son permis, il y a sûrement écrit cinquante kilos, mais tu connais les femmes. » Il leva la tête de son formulaire, vit que Sara le regardait et lui fit un clin d'œil. Ce n'était pas un clin d'œil racoleur, mais plutôt sa manière de lui faire comprendre qu'il faisait son boulot. En tout cas, ce qu'il faisait marchait bien, puisque Larry Gibson semblait se calmer.

Valentine lui demanda : « Le poids te semble juste ? »

Larry hocha la tête. « Oui, je pense qu'elle pèse à peu près cinquante-cinq kilos. Et je me souviens maintenant, la dernière fois que je l'ai vue, c'était vers deux heures. Elle a laissé les enfants au cinéma, et quand elle est rentrée, elle a parlé au téléphone avec sa mère. Je l'ai entendue dire qu'il fallait qu'elle aille la voir.

— Bon, dit Valentine. Faudra vérifier avec sa maman.

— Elle n'y est pas allée, rétorqua Larry. Elle prenait un bain et je lui ai demandé si elle allait chez sa mère.

Elle m'a répondu que non, qu'elle lui avait dit qu'elle passerait le lendemain. »

Valentine secoua la tête. « Elle ne savent pas ce qu'elles veulent.

— C'est ça, c'est ce que je lui ai dit, acquiesça Larry. Ensuite, elle m'a dit qu'elle irait peut-être faire une promenade, et j'ai dit peut-être plus tard, parce qu'il y avait un match à deux heures et demie, et je lui ai demandé si elle voulait que je fasse quelque chose avant, parce que je voulais regarder le match.

— Georgie-Alabama ? demanda Valentine, sans doute pour confirmer l'heure. Putain, c'était un super match.

— Ouais.

— Tu l'as entendue partir ?

— Ouais. Juste avant la mi-temps, j'ai entendu la porte se refermer. Je me suis dit qu'elle allait faire un tour.

— Ça ne pouvait pas être les enfants ?

— Ils étaient au cinéma, pour le truc spécial films d'horreur de Halloween, ils en avaient fait la pub dans le journal. »

Valentine nota quelque chose sur sa feuille. « À la mi-temps, alors. Autour de quatre heures ?

— Ouais, quatre heures. »

Sara regarda Jeffrey, mais il suivait l'entretien avec attention. Elle se demanda s'il était aussi impressionné qu'elle par la capacité de Valentine à tirer autant de détails du mari inquiet. Une chose était sûre, le shérif cachait bien ses talents.

« Qu'est-ce que tu nous as apporté, là ? » demanda Valentine.

Larry posa une petite boîte métallique sur la table. Elle était vieille, le vernis bleu roi était écaillé et laissait entrevoir la première couche de peinture grise. Un cadenas rouillé maintenait le couvercle, mais Larry l'ouvrit facilement. « Je voulais te montrer », dit-il en indiquant le contenu. Sara se pencha en avant, et vit une cuiller en argent dont le manche était tordu et plusieurs seringues neuves. Du papier aluminium, quelques filtres à cigarette, et un briquet au butane complétaient le kit.

Larry se retourna, comme s'il venait tout juste de se rendre compte de la présence de Sara et de Jeffrey. Il expliqua : « Ça fait environ six mois qu'elle ne prend plus rien. J'ai apporté ça pour vous montrer » – il se tourna de nouveau vers Valentine – « pour *te* montrer, Jake. Si elle avait recommencé à se droguer, si c'était pour ça qu'elle était partie, elle aurait emporté ça. Il y a un sachet dedans. » Il fouilla dans la boîte et en ressortit un petit sachet de poudre blanche et sale. « Elle n'aurait jamais laissé ça si elle se droguait de nouveau. Tu le sais. »

Jeffrey intervint : « Monsieur Gibson, sans vouloir vous interrompre, pourquoi avez-vous attendu aussi longtemps avant de signaler sa disparition ? »

Larry rougit, regarda ses pieds. « Je ne voulais pas lui créer de problèmes. La première chose que je me suis dit, c'est qu'elle avait recommencé à se droguer. J'ai d'abord regardé dans la maison, pour voir si elle avait pris quelque chose. Ses vêtements étaient encore là. Elle avait même laissé son sac à main. » Il regarda Sara en disant : « Elle prenait toujours des trucs quand elle s'enfuyait, avant… En général des trucs qu'elle pouvait vendre. La télé, les lecteurs DVD, un iPod… Et elle ne laissait jamais son sac à main. Les femmes ne laissent pas leur sac à main. »

Sara hocha la tête, comme si elle pouvait parler au nom de l'épouse.

Larry se retourna vers Valentine. « J'ai passé des coups de fil, j'ai appelé sa mère, sa tante Lizzie. J'imagine que j'attendais qu'elle rentre. Elle est toujours revenue. Elle ne voulait pas laisser les enfants. Cette drogue… » Il indiqua le sachet de poudre qu'il tenait à la main. « Ça vous fait des trucs au cerveau. On ne peut plus penser normalement. Parfois, elle ne savait plus ce qu'elle faisait. C'était la seule chose qui comptait. Elle avait juste besoin de laisser faire, puis elle rentrait à la maison, et tout revenait à la normale. »

Valentine demanda : « Où est sa voiture, Larry ?

— Tu vois, ça aussi. La voiture est toujours garée dans l'allée. Si elle est juste allée faire une promenade… » Il se frotta le visage de ses deux mains. « J'ai appelé l'école pour leur dire de trouver un remplaçant, qu'elle avait la grippe. Je crois que Sue ne m'a pas cru. » Il déglutit, la gorge serrée, les larmes lui montaient aux yeux. « Ça ne peut pas être elle dans la voiture, sur le terrain de foot, Jake. Je veux dire… elle a déjà fugué avant. Ça ne peut pas être elle. Je ne sais pas ce que je ferais si… » Il parlait d'un ton aigu, suppliant. « Demain, on va mettre Boyd en terre. J'étais sûr qu'elle reviendrait quand elle apprendrait ce qui lui est arrivé. Boyd avait ses problèmes, mais il faisait attention à lui. Il a aidé Charlotte à traverser des mauvaises périodes…

— Je peux regarder ça ? » demanda Valentine, mais il avait déjà pris la boîte.

Avec précaution, le shérif vida le contenu de la boîte sur son sous-main. Il se servit de son stylo pour pousser les aiguilles de côté, ainsi que le sachet de crystal et les autres accessoires. Sara ne vit aucun objet de valeur – à part aux yeux d'un flic ou d'un drogué. Valentine semblait du même avis. Il tapota l'intérieur de la boîte avec son doigt, prit son coupe-papier, et se servit de la pointe pour en sortir le revêtement en plastique. La boîte était tellement vieille qu'elle se cassa en morceaux.

« Eh bien, dit Valentine. Qu'est-ce que c'est que ça ? »

D'abord, Sara ne vit pas ce qu'il avait trouvé, mais il sortit deux feuilles bleu ciel pliées en deux.

Valentine parcourut les documents avant de les tendre à Jeffrey, apparemment peu préoccupé par la question des empreintes digitales. Sara lut les documents par-dessus son épaule, et reconnut les vieux formulaires de déclarations de naissance. C'étaient maintenant les médecins qui se chargeaient de ces formalités, mais dans les années 70, les parents étaient autorisés à remplir toutes les informations pertinentes eux-mêmes. Ils avaient six jours pour décider d'un nom, puis ils devaient remettre les déclarations au bureau des naissances de l'hôpital. L'officier d'état civil vérifiait les informations fournies et les transmettait aux autres institutions concernées.

Ils avaient sous les yeux les déclarations que la mère de Lena avait remplies pour ses deux filles. Angela Adams avait apposé sa signature en bas, d'une écriture très féminine. Sara eut l'impression que tout était normal, jusqu'à ce qu'elle remarque la section intitulée « Nom du père ».

Angela y avait écrit : Henry « Hank » Norton.

Lena

Chapitre 22

Lena était couchée à plat ventre, cachée par les herbes, en train de prendre des photos de l'entrepôt délabré au pied de la colline. Au cours des dernières quarante-huit heures, elle avait tout photographié et consigné : les voitures qui arrivaient, l'argent qui sortait de la fenêtre, la drogue qui rentrait. À la tombée de la nuit, l'activité était fébrile. Personne ne semblait craindre de se faire attraper. Les postes radio étaient allumés, du rap ou de la country sortait à tue-tête des haut-parleurs. Des jeunes arrivaient en moto. Des couples se promenaient. À un moment, une voiture de police était passée et il y avait eu un peu d'agitation, une légère manifestation d'inquiétude, mais la plupart du temps, la circulation autour de l'entrepôt était assez régulière.

Ils auraient très bien pu imprimer des billets là-dedans.

Une berline blanche se gara et un homme en sortit. Ses bottes soulevèrent de la poussière tandis qu'il traversait le parking. Lena prit chacun de ses pas en photo, jusqu'à ce qu'il entre dans le bâtiment et claque la porte derrière lui.

Elle posa son appareil, regarda sa montre et nota quelque chose dans son carnet :

22 h 15 – CLINT arrive dans une berline blanche. Entre dans le bâtiment.

Lena était restée couchée sur le dos en attendant l'arrivée de Jeffrey, quand elle avait entendu des hommes discuter de manière animée au bout du couloir. Sur le terrain de football, la veille, l'homme à la cagoule avait appelé l'homme à la croix gammée Clint. À présent, dans son lit d'hôpital, elle reconnut immédiatement les grognements brusques de Clint, qui résonnaient dans le couloir. Masque Noir n'avait pas été trop difficile à reconnaître non plus. Sa voix était douce, presque chantante, quand il avait dit : « Clint, écoute-moi. Nous devons nous débarrasser d'elle. » Clint n'était pas d'accord, il avait dit qu'il fallait une autorisation pour tuer un flic. Au bout du compte, rien n'avait été décidé, bien que les deux hommes aient passé plus de dix minutes à en discuter, si elle en croyait le radio-réveil posé à côté de son lit. Lena était restée là, désemparée, les poignets endoloris par les liens, tandis qu'elle forçait sur tous les muscles de son corps pour se libérer.

Finalement, elle avait entendu les deux hommes se diriger vers l'ascenseur, leurs pas lourds résonnant sur le sol carrelé.

Lena était trempée de sueur. Dans quelle histoire Hank s'était-il fourré ? Ces types avaient brûlé Charlotte vive. Ils avaient tabassé Deacon Simms à mort. Ce n'était évidemment qu'une question de temps avant qu'ils ne décident qu'ils avaient eu tort de la laisser en vie. Et qui d'autre élimineraient-ils au passage ? Qui d'autre Lena mettrait-elle en danger simplement parce qu'elle était incapable de laisser les choses suivre leur cours ?

Sara. La pauvre Sara. Ç'avait été si facile de s'échapper par la salle de bains, c'en était presque ridicule. Lena avait trouvé des vêtements en bas, dans la laverie, des baskets trop grandes dans le placard d'une infirmière. Il y avait aussi de l'argent et plusieurs cartes de crédit, mais Lena les avait laissées, se contentant de prendre un tournevis dans une boîte à outils. Elle avait pris un raccourci à travers bois, courant aussi vite qu'il était possible de le faire dans des chaussures à la mauvaise taille. Elle ne savait pas de combien de temps elle disposait – très peu en tout cas.

Elle avait facilement ouvert la porte de sa chambre de motel à l'aide du tournevis, qu'elle posa sur une table avant de fermer doucement la porte derrière elle. Elle était en sueur après sa course dans la forêt. Elle retira les vêtements de l'hôpital et enfila les siens. Elle prit son téléphone portable et son chargeur. Son Glock était sous le matelas, à l'endroit où elle l'avait caché la veille. Les clés du bar de Hank étaient posées sur la commode. Elle eut une seule hésitation au moment de quitter la chambre. Elle se précipita à l'intérieur avant que la porte ne se referme et prit une autre chose dont elle avait besoin.

Elle jeta les habits et les baskets dans la poubelle du motel en allant au bar de Hank. Les deux mille dollars étaient toujours cachés derrière la bouteille de scotch. Cette fois, elle n'eut aucun remords à prendre l'argent.

Une autre petite course à travers la forêt, et elle était arrivée chez Hank. Parmi les clés qu'elle avaient prises dans son bureau, il y avait le double de la clé de la Mercedes. Le moteur se mit en route au troisième essai. Une voiture de police arrivait par la droite dans la rue de Hank au moment où Lena s'en allait par la gauche, dans la direction opposée. Elle jeta un coup d'œil à l'horloge du tableau de bord tandis que Reese disparaissait derrière elle. Vingt-huit minutes seulement s'étaient écoulées depuis qu'elle s'était échappée de l'hôpital. Au lever du jour, elle était à l'abri dans un motel au bord de la route, de l'autre côté de la frontière avec la Floride.

Elle s'était effondrée dans le lit, mais était trop fatiguée pour pouvoir s'endormir. C'est alors qu'elle se mit à récapituler tous les éléments – tout ce qu'elle avait vu, tout ce qu'elle avait fait.

Et c'est alors que les démons avaient commencé à la rattraper.

Lena était restée couchée près de douze heures, ne se levant que quand la nature l'exigeait. Chaque fois qu'elle fermait les yeux, elle revoyait Charlotte assise sur la banquette arrière de l'Escalade, attendant que les flammes la dévorent. La façon dont elle avait gesticulé, ses pieds qui cognaient contre le dossier du siège de Lena, comme un animal enfermé dans une boîte… Cette seule pensée était trop dure à supporter.

Elle voulait ne plus rien *sentir*. N'était-ce pas ce que Charlotte avait dit la dernière fois qu'elles s'étaient parlé dans le préfabriqué de l'école ? Qu'avait-elle fait après cela ? Elle avait sans doute donné son dernier cours, avant de rentrer préparer le dîner de ses enfants. Elle avait embrassé son mari quand il était rentré du travail. Peut-être qu'ils avaient regardé un film à la télévision ce soir-là, assis sur le canapé. Il ne lui restait alors que vingt-quatre heures à vivre. Comment les avait-elles passées ? Que faisait-elle le matin du jour où les salauds étaient venus la chercher ?

C'est à ce moment-là que Lena s'était mise à relire les lettres de Charlotte. Elle était retournée les chercher dans la chambre du motel, sachant qu'elle ne pouvait pas les laisser derrière elle. Elle les chérissait maintenant, ces lettres d'amour qui en disaient autant sur Sibyl que sur la femme qui les avait écrites. Charlotte avait été quelqu'un de bon et de gentil. Quelles que soient les erreurs qu'elle ait pu commettre dans sa vie, elle ne méritait pas une mort aussi atroce.

Lena aurait dû être assise à l'arrière de cette voiture. C'était elle qui commettait les erreurs. C'était elle qui méritait d'être punie.

« Pourquoi ne m'ont-ils pas tuée moi, à la place ? »

C'est ce qu'elle avait demandé à Jeffrey quand elle lui avait téléphoné. Lena avait été idiote de penser qu'il quitterait la ville. Même Sara Linton avait compris que Jeffrey ne l'abandonnerait en aucun cas. Sa voix au téléphone avait été comme un couteau planté et retourné dans ses entrailles. Elle avait eu envie de tout lui dire – où elle était, ce qui était arrivé à Charlotte, les mensonges de Hank depuis toutes ces années – mais elle avait paniqué dès qu'elle avait entendu sa voix. Les hommes qui avaient tué Charlotte étaient peut-être en train de l'écouter. Ils pourraient retracer l'appel, et tuer Jeffrey parce qu'il en savait trop.

Lena avait dû être sous surveillance, ils avaient dû la suivre dès l'instant où elle était arrivée en ville. Quelle idiote elle avait été. Une personne intelligente aurait agi différemment. Une nièce attentionnée aurait jeté un regard sur son oncle et se serait précipitée pour appeler une ambulance. Une bonne amie aurait laissé Charlotte Warren tranquille. Une personne juste serait entrée dans le feu pour rejoindre Charlotte dans son calvaire, au lieu de rester assise sans rien faire sur les gradins.

Peut-être l'aurait-elle fait si le shérif n'était pas arrivé. Jake Valentine. Quel nom stupide. Il eut l'air de s'en rendre compte, parce qu'il avait baissé la tête, gêné, la première fois qu'il s'était présenté, et Lena avait pu voir une chose que peu de gens, sans doute, voyaient : une zone au sommet de son crâne qui se dégarnissait. Valentine s'était aperçu que Lena avait remarqué, et il avait vraiment rougi. Il s'était passé la main sur le crâne et dépêché de remettre son chapeau.

Comme s'il n'y avait pas d'Escalade en train de brûler, pas de femme morte à l'intérieur.

Elle ne lui avait pas parlé, n'avait pas laissé un seul mot franchir ses lèvres. Au début, c'était parce qu'elle était en état de choc. Lena était assise sur les gradins du stade, la tête pleine d'images, mais pas celles qu'on aurait cru. Elle se souvenait des matchs de foot, des réunions pour encourager les joueurs. À l'école, Lena avait toujours traîné avec les voyous, et ne s'était jamais assise aux premiers rangs des gradins. Ils étaient toujours tout en haut, cachés par la foule, pour pouvoir taquiner les pom-pom girls ou, encore mieux, en profiter pour s'en aller.

Mais cette nuit-là, elle était assise au premier rang, le pied posé sur le bidon d'essence, à regarder l'Escalade brûler. La chaleur était intense, elle n'avait jamais rien senti de pareil. Même à cent mètres, elle sentait sa peau chauffer, comme si elle avait pris un coup de soleil. La gorge lui brûlait comme si elle avait avalé de l'acide, et quand Jake Valentine était apparu devant elle, tentant de la ramener à la réalité, elle n'avait pas compris ce qu'il disait.

« Qu'est-ce qu'il vous a fait ? » lui avait demandé Valentine. Lena ne comprenait pas ce qu'il voulait dire, de sorte qu'elle avait gardé le silence.

Il s'était assis sur le banc à côté d'elle, en regardant la voiture brûler. « On vous a battue. On ne se fait pas des bleus pareils juste en tombant par terre. »

Lena avait fixé les flammes, les avait regardées danser sur le toit de la voiture. Cela faisait un petit moment que le réservoir avait explosé, et même si elle entendait les mots qu'il prononçait, elle ne parvenait pas à les comprendre.

Le shérif dit : « Quoi qu'il vous ait fait, vous devez me le dire. Si c'était de la légitime défense… »

Lena l'avait regardé, tournant la tête de surprise. Elle ouvrit la bouche, sentit l'air atteindre le fond de sa gorge, la chaleur dégagée par l'incendie assécher sa salive.

Elle ferma la bouche et regarda le feu.

Jake Valentine avait eu la délicatesse de ne pas la menotter. Lena lui en était reconnaissante. Ethan aimait les menottes, il aimait l'approcher comme un chat, mettre sa main contre sa bouche et lui faire peur. Il avait encore plus aimé la frapper, et Lena s'était rendu compte de l'ironie de la situation tandis que Jake Valentine l'aidait à monter à l'arrière d'un des véhicules de police qui se trouvaient sur les lieux – ce shérif qui pensait que Lena était une femme battue qui avait pété les plombs, et non une âme maudite qui semait la mort autour d'elle.

Jeffrey. Il fallait qu'elle le fasse sortir de la ville avant qu'il ne mette tout par terre.

À côté de l'entrepôt abandonné, une Harley Davidson se garait, le pot grondait et vrombissait comme un dragon enragé. Lena regarda dans le viseur de son appareil. Elle avait éteint l'écran numérique pour économiser la batterie ; difficile de trouver des endroits où recharger les appareils quand on ne savait pas où on allait passer la nuit.

Elle fit la grimace en voyant un éclair traverser le ciel obscur. Depuis le début de l'après-midi, l'air était lourd et menaçant. Lena ne s'inquiétait pas tant d'être trempée que d'être découverte. Les types de ce genre n'aimaient pas trop qu'on les espionne.

La Harley vrombit encore quelques fois, puis le moteur fut coupé. Le motard fut l'un des rares à entrer dans le bâtiment sans en ressortir immédiatement avec un sac de drogue. Malgré sa moto, il ne s'habillait pas comme un Hell's Angel. Bien sûr, la Harley n'était pas à lui – elle appartenait à Deacon Simms. Lena l'avait reconnue au premier coup d'œil. Le biker avait environ l'âge de Lena, propre sur lui, les cheveux rasés comme un militaire. Il portait un jean délavé et une chemise sous son blouson en cuir. Il laissait toujours son casque posé sur le siège de la moto. Plus d'une fois, elle l'avait vu vérifier son reflet dans le rétroviseur avant d'aller à l'intérieur.

Pour des raisons évidentes, elle l'avait surnommé Harley, mais elle savait qu'il avait un nom, et que ce nom provoquait sans doute de la peur chez la plupart des gens. Il y avait quelque chose dans la manière dont les autres lui ouvraient la route qui lui faisait penser qu'il était colonel plutôt qu'un soldat ordinaire.

Harley était le suspect zéro de Lena, le rat qui l'avait conduit au nid. La première chose qu'elle avait faite en revenant à Reese, deux jours plus tôt, avait été de chercher Hank. Le trajet depuis la Floride avait été long. Elle était entrée dans la ville au milieu de la nuit. Lena avait garé la Mercedes à trois rues de chez Hank et y était allée à pied. Elle avait failli vomir en entrant par la porte de service. Elle avait d'abord pensé que l'odeur provenait de Deacon Simms, toujours rangé au grenier, mais un coup d'œil rapide à la salle de bains lui avait fait comprendre que non. Les toilettes avaient été cassées. La maison était vide. Pas le moindre signe de quoi que ce soit ; l'endroit respirait le malheur et le délabrement.

À ce moment-là, Lena avait baissé les bras. Hank avait disparu. Charlotte était morte. Lena était une fugitive. Deux jours plus tôt, deux hommes s'étaient disputés dans le couloir de l'hôpital pour savoir s'il fallait ou non l'éliminer, et Ethan… Qui savait de quelle manière il était impliqué dans cette affaire ?

Lena sortit pour réfléchir. Elle était assise sur l'un des cartons qui encombraient la terrasse quand elle avait entendu la moto. Le bruit du pot d'échappement avait sans doute réveillé tous les habitants de la rue, mais personne n'avait ouvert sa fenêtre pour protester. Elle suivit le vrombissement, entendit la moto s'engager dans l'allée et se garer devant la maison de Hank. C'était l'engin de Deacon, elle reconnaissait le bruit du moteur, et savait pertinemment que ce n'était pas Deacon qui le conduisait.

Aussi discrètement que possible, elle se dirigea vers la vieille Chevrolet entreposée dans le jardin. Elle se glissa dessous, le plancher rouillé de la voiture lui griffa le dos, au moment où le portail s'ouvrait.

La lampe équipée d'un détecteur de mouvements s'alluma. Harley cligna des yeux, visiblement agacé. Clint apparut derrière lui, ferma le portail.

« Il ne serait pas revenu ici, dit Clint, nerveux. Il suffit de laisser la drogue faire son travail. De toute façon, il ne s'éloignera pas trop des seringues. »

Harley parla, avec l'accent haché et nasillard des gens de la Nouvelle-Angleterre. « Ce serait une mort un peu trop douce, tu ne crois pas ? »

Clint était manifestement nerveux. « Allons-y, mec. Y a rien dans la maison.

— Je serais ravi de discuter avec lui, de savoir exactement ce qu'il pensait pouvoir accomplir.

— Je ne pense pas que ce serait une bonne idée.

— Je ne pense pas que tu aies été intégré à cette organisation pour penser. » Clint était beaucoup plus fort que Harley, mais il tressaillit quand le jeune homme lui attrapa l'épaule. « Tu connais M. Norton depuis un certain temps. »

Clint secoua la tête, il savait manifestement où l'autre voulait en venir. « J'ai fait mon boulot. J'ai fait exactement ce que vous m'avez dit de faire.

— Tu es proche de la famille depuis des années.

— Non, monsieur. Ça n'a pas d'importance. Je n'ai pas de chouchous.

— Alors pourquoi la nièce de Hank Norton est-elle encore vivante ?

— Vous nous avez dit de ne pas tuer de flics. » Clint faisait attention à ce qu'il disait. « C'était un ordre.

— Et maintenant, nous avons deux flics à gérer : un dans la nature, et un autre qui se montre un peu trop curieux par rapport à l'autre.

— Je suis désolé. J'aurais dû le prévoir.

— C'est bien que tu en acceptes la responsabilité, Clint, mais le fait que tu ne prennes pas d'initiatives explique le fait que tu ne progresses pas dans l'organisation. » Harley se retourna vers la maison de Hank. « Allons voir si tu as fais ça correctement, au moins.

— Je ne peux pas être responsable de… »

Harley ne dit rien, mais l'expression de son visage devait en dire plus que nécessaire.

« Je suis désolé, monsieur, répéta Clint, avec terreur et respect. On peut rentrer par la porte de service. »

Les deux hommes entrèrent dans la maison de Hank. Lena entendait des meubles qu'on renversait, des verres qu'on brisait tandis qu'ils traversaient les pièces. D'après un vieux cliché, il y avait deux genres d'hommes dans le monde : les meneurs et les suiveurs. Harley était un meneur, mais Ethan l'était aussi. Il n'y avait aucune chance que les deux hommes travaillent ensemble. Aucun des deux n'accepterait de recevoir des ordres. Aucun des deux ne supporterait l'attitude de l'autre. Si on les mettait dans la même pièce, on pouvait se préparer à assister au combat de coqs le plus violent du siècle.

La porte de la cuisine s'ouvrit. Harley sortit de la maison et descendit les marches, d'un pas pressé.

Clint, lui, s'essuyait la bouche du revers de la main, comme s'il avait vomi.

« Retrouve les flics, dit Harley par-dessus son épaule. Les deux. Débrouille-toi pour savoir ce qu'ils savent, et s'ils te donnent les bonnes réponses, trouve un moyen de les persuader de passer leur chemin.

— Et s'ils donnent les mauvaises réponses ?

— Le sens de l'initiative, Clint. » Harley lui donna une tape sur l'épaule, puis baissa la tête, comme s'il priait. « "Ô, Dieu de vengeance, que ta glorieuse justice se manifeste !" »

Clint semblait mal à l'aise, mais il resta immobile jusqu'à ce que Harley relève la tête. Ensuite, il attendit quelques secondes de plus avant de reconduire Harley vers le portail.

Dès qu'ils furent partis, Lena sortit de sa cachette. Elle se mit à courir, si vite qu'elle eut l'impression que son cœur allait exploser. Elle sauta dans la Mercedes et baissa les quatre vitres, cherchant à repérer le bruit de la moto en conduisant. Elle dut revenir sur ses pas à plusieurs reprises, mais finit par retrouver Harley arrêté à un feu rouge, devant la bibliothèque. Une berline blanche se trouvait devant la moto, et elle supposa que Clint était assis derrière le volant.

Le feu passa au vert, et la berline prit à gauche. Harley continua tout droit, et Lena suivit la moto. Les feux de la Mercedes étaient éteints, et elle ralentit, resta loin derrière pour que Harley ne la remarque pas. Dans l'idéal, on utilisait deux voitures pour filer quelqu'un, mais Lena n'était pas en mesure de se payer ce luxe. Elle restait en retrait autant que possible, et espérait que Harley n'était pas le genre de conducteur à vérifier sans cesse son rétroviseur. Elle, en revanche, le faisait, et plutôt deux fois qu'une. Clint aurait très bien pu faire un détour pour voir si Harley était suivi.

Mais il ne l'avait pas fait, apparemment. Derrière Lena, il n'y avait toujours personne. Quand elle vit la moto tourner en direction de ce qui ressemblait à un entrepôt abandonné, elle continua tout droit, se dirigea vers le sommet de la colline pour trouver un endroit qui lui permettrait de voir ce qui se passait en bas sans être découverte.

Elle avait passé deux nuits à observer l'entrepôt. Elle dormait quelques heures à l'école avant de refaire la route jusqu'au motel du côté de la Floride, où elle reprenait des forces pendant la journée. La deuxième nuit, elle avait apporté l'appareil. En regardant dans l'objectif, elle voyait mieux les mouvements des uns et des autres – les suspects habituels, ainsi que quelques surprises. C'était grâce à ces surprises qu'elle avait commencé à entrevoir le moyen de se sortir d'ici, pour la première fois depuis qu'elle était revenue à Reese. Maintenant, il lui fallait simplement mettre Sara et Jeffrey hors de danger. Ensuite, elle pourrait agir.

Entre le motel, l'appareil numérique et l'essence de la voiture, Lena avait déjà dépensé onze cents dollars de la somme qu'elle avait prise à Hank. Elle pensait pouvoir trouver une épicerie ouverte vingt-quatre heures sur vingt-quatre pour faire des copies de la carte à puce de l'appareil. Les photocopies ne coûtaient pas cher, et elle avait consigné les allées et venues à l'entrepôt de manière méticuleuse.

Apparemment, Hank avait découvert quelque chose à propos de ces hommes et de leurs activités. C'est ce que Harley avait dit quand elle l'avait vu devant la maison. Il avait parlé de la déchéance de Hank en termes de vengeance, et on ne cherchait pas à se venger de quelqu'un si celui-ci n'avait pas jeté la première pierre. Hank avait dû tenter le plus gros bluff de sa vie et s'était fait attraper – ou alors ils s'en étaient pris à son talon d'Achille, son addiction. Il s'était sans doute débattu au début, mais une fois qu'il avait replongé, il avait cessé de lutter.

Lena ne partageait pas les faiblesses de son oncle, pas en ce qui concernait la drogue en tout cas. Tout ce qu'elle cherchait maintenant, c'était la liberté – pas la justice, pas l'argent, pas la vengeance, et pourtant, Dieu sait si Charlotte et Deacon auraient mérité d'être vengés. Lena ne pouvait pas se permettre de penser à eux maintenant, c'étaient les vivants qu'elle devait protéger. Charlotte avait encore une famille. Elle devait aussi penser à Hank, à Sara, à Jeffrey. Lena ne pouvait pas se permettre de bluffer. Que ce soit Ethan ou quelqu'un d'autre qui ait tout manigancé, cela n'avait aucune importance. Demain matin à la première heure, elle abattrait toutes ses cartes.

Si elle jouait juste, elle parviendrait peut-être à racheter des vies. Et si elle devait perdre la sienne au passage, qu'il en soit ainsi.

Vendredi

Chapitre 23

Jeffrey avait oublié ce que ça faisait de se réveiller et d'avoir l'impression d'être un être humain. Il ne s'imaginait pas que le Holiday Inn de Beaulah, Géorgie, était le temple de la propreté et de l'hygiène ; tout ce qui lui importait, c'était que l'endroit ait *l'air* propre. Les draps étaient immaculés, les coussins rebondis et accueillants. Sur la moquette, il y avait des traces du passage de l'aspirateur, et elle ne collait pas aux pieds quand il traversait la pièce. Le petit déjeuner apporté par le service d'étage était chaud et frais. Les employés semblaient heureux d'être là – en tout cas, aucune des femmes de ménage ne l'avait insulté. Et pour finir, la salle de bains lui semblait paradisiaque : la douche avait tellement de pression qu'on aurait pu tanner un bœuf avec, et la chasse d'eau des toilettes fonctionnait sans gargouillis insupportable.

Sara devait se sentir comme lui. Elle avait dormi si profondément qu'il l'avait réveillée pour vérifier qu'elle allait bien. Puis il l'avait convaincue de rester au lit encore un peu. Et encore un petit peu. Tant et si bien que, quand le soleil avait filtré entre les rideaux, elle était toujours allongée, détendue, sa jambe sur celle de Jeffrey, sa tête posée sur sa poitrine. Jeffrey lui caressa le bras, ne pouvant s'empêcher de s'interroger. Il ne pouvait pas le définir, mais ces derniers temps, quelque chose avait changé chez Sara. Leurs rapports sexuels étaient beaucoup plus intenses, et ce matin même, il avait senti qu'elle s'accrochait plus à lui par peur que par passion.

L'explosion du bar de Hank l'avait effrayée. Cela dit, lui aussi avait eu peur. Jeffrey pensait sans arrêt à ce que Jake Valentine lui avait dit à propos de sa femme qui refusait d'avoir un enfant tant qu'elle n'était pas sûre qu'il ait un père pour l'élever. Quand il avait l'âge de Valentine, Jeffrey aurait éclaté de rire si on lui avait dit qu'il adopterait. Il avait toujours pensé qu'il finirait ses jours avec Sara, mais jamais qu'ils fonderaient une famille ensemble. D'une certaine manière, il se sentait plus proche d'elle ; il y avait désormais dans leur vie plus important que d'aller au travail pendant la semaine et de passer le week-end au lit. Hank Norton avait-il éprouvé la même chose quand il avait recueilli Lena et Sibyl chez lui ? Les liens du sang lui avaient-ils fait ressentir un lien encore plus profond ?

Le portable de Jeffrey était posé sur la table de nuit. Il vérifia de nouveau qu'il avait du réseau et que la batterie était bien chargée. Il avait plu toute la nuit, une lourde averse battant à leur fenêtre comme une sorcière qui voulait entrer. Malgré les épais rideaux, il voyait le soleil briller. Il devait prendre une décision : continuer à aider Lena ou rentrer à la maison avec sa femme.

Sara lui avait raconté en détail le coup de téléphone de Lena sur le chemin de l'hôtel. Elle avait essayé d'atténuer ses paroles, mais il était évident que Lena l'avait blessée. Jeffrey ne savait pas qu'elle s'était fait avorter. Lena avait forcé Sara à écouter cette histoire, et rien que pour cela, elle méritait qu'il lui tourne le dos pour toujours. Curieusement, c'était Sara qui lui avait dit d'ignorer les paroles de la jeune femme, de voir plus loin. Elle était habituée à travailler avec des enfants, et elle pensait que les mots blessants de Lena n'étaient qu'un stratagème pour les obliger à quitter la ville. Elle avait dit qu'il serait peut-être sage d'écouter Lena, pour une fois.

Ni l'un ni l'autre ne parvenaient à se remettre de la possibilité que Hank Norton soit le vrai père de Lena. Ayant grandi dans le centre de l'Alabama, Jeffrey connaissait un certain nombre de blagues sur le thème de « l'oncle-papa », mais dans le cas présent, ce n'était vraiment pas drôle. Que ferait Lena si elle l'apprenait ? Ou peut-être qu'elle savait déjà ? Était-ce la raison pour laquelle elle était restée muette quand Valentine l'avait trouvée sur le terrain de foot ? La mort de Charlotte Warren était-elle liée aux origines de Lena ?

Larry Gibson leur avait donné des informations sur le lien entre Lena et sa femme. Charlotte était une amie de Sibyl, la sœur de Lena, quand les trois filles étaient au lycée. Comme la plupart des amitiés d'école, elles avaient perdu contact au fil des années, mais elles avaient manifestement renoué, sans quoi il n'y aurait eu aucune raison pour que Lena se trouve sur le terrain de foot.

Jeffrey regardait les ombres au plafond, écoutant la respiration de Sara. Comme il commençait à avoir des fourmis dans le bras, il le dégagea et se leva. Le réveil indiquait 7 h 16, mais Jeffrey avait l'impression d'avoir dormi dix heures. Ils avaient demandé une chambre au dernier étage de l'hôtel, pensant tous deux, sans le dire, qu'il serait agréable de savoir qu'on ne pourrait pas jeter un cadavre par la fenêtre du dixième étage. La seule chambre disponible était une petite suite – un luxe, certes, mais une dépense que Jeffrey faisait volontiers.

La suite n'avait rien de celles que l'on pouvait voir à la télévision. En fait, ce n'était rien de plus que deux chambres d'hôtel qui communiquaient entre elles par une porte. Dans la deuxième pièce, il n'y avait qu'un canapé avec deux fauteuils assortis et une télévision. Jeffrey l'alluma et coupa le son. Sur ESPN, on montrait deux commentateurs qui avaient dû passer dix minutes sur un terrain, avant de postuler pour le service des sports et de prendre trente kilos. Il changea de chaîne, regarda l'horloge sur CNN avancer pendant quelques minutes, puis changea encore, mit MSNBC et regarda encore l'horloge. Elles étaient assez semblables, et il continua à changer de chaînes jusqu'à ce qu'il tombe sur Discovery Channel, où l'on voyait un homme dont le bras était enfoncé jusqu'à l'épaule dans le cul d'une vache.

Jeffrey ne voulait pas utiliser son portable pour rester joignable, il décrocha donc le fixe posé à côté du canapé et utilisa sa carte de téléphone pour vérifier les messages sur leur répondeur. Personne n'avait appelé ; il composa le numéro du commissariat. Il pianota son code et accéda à sa messagerie. Il avait six messages : trois du maire qui voulait savoir pourquoi Jeffrey n'avait pas coincé la bande d'adolescents qui renversaient les poubelles dans sa rue, les deux suivants venaient de l'avocat du comté qui avait besoin de précisions sur plusieurs cas qui allaient donner lieu à un procès. Le dernier était un message de Frank Wallace, qui informait Jeffrey qu'il avait déjà écouté ses messages et qu'il s'était occupé de tout, y compris de l'arrestation d'un groupe de garçons qui avaient renversé les poubelles dans la rue du maire. Frank tenait à ce que son supérieur sache que le chef des voyous était le fils adolescent du maire en personne. Jeffrey sourit en raccrochant.

« Coucou. » Sara se tenait dans l'encadrement de la porte. Elle avait enfilé sa chemise mais ne l'avait pas boutonnée, et il voyait à peu près tous les endroits qu'il préférait de son corps, là où le tissu ne le recouvrait pas.

Il se retint à moitié pour interrompre le sifflement admirateur qui allait sortir de ses lèvres.

Elle sourit et serra la chemise en s'approchant de lui. « Tu devrais être en train de dormir.

— Toi aussi. »

Elle s'assit à côté de lui, coinça la chemise sous ses jambes et fronça le nez en regardant l'écran de télévision. « Qu'est-ce que c'est, un genre de pornographie animale ? »

Il éteignit le poste. « Tu veux retourner au lit ?

— Je veux retourner à la maison.

— Moi aussi je veux que tu rentres à la maison. »

Lentement, elle se tourna face à lui. Elle s'appuya contre l'accoudoir du canapé. « Laisse-moi le faire, proposa-t-elle. Il me parlera plus volontiers qu'à toi. »

Ethan. Elle lisait tellement bien ses pensées qu'il en était parfois effrayé. « Je ne laisserai pas ma femme mettre les pieds dans une prison.

— Ma femme, répéta-t-elle, les sourcils levés. Je suis ta propriété ? »

Elle ne voulait pas qu'il réponde à cela. Oui, elle était sa propriété. Chaque partie de sa personne lui appartenait.

Jeffrey lui prit les pieds pour les poser sur ses genoux et se mit à les masser. « Tu ne sais pas à quoi ressemble une prison, Sara. La saleté, le degré de violence.

— Tu as peur que je provoque une émeute ? » Cette idée la fit rire, mais Jeffrey n'était pas d'humeur.

Il lui dit : « À chaque fois que tu rentres dans une prison, tu risques ta vie. Les gardiens font la loi uniquement parce que les détenus les laissent faire. Ça peut changer d'une minute à l'autre, surtout s'ils veulent quelque chose. Tout peut arriver, en particulier avec une brute comme Ethan, parce qu'il n'a rien à perdre.

— Il a beaucoup à perdre, rétorqua-t-elle. Il n'a plus que neuf ans à tirer sur sa peine. Tous les deux ans, il peut demander une mise en liberté conditionnelle. Il a toujours la possibilité de corrompre un membre du comité de probation pour obtenir sa libération anticipée. Il ne va pas gâcher sa chance simplement pour me faire du mal.

— Ce n'est pas à toi qu'il veut faire du mal », lui rappela Jeffrey.

Ils savaient tous deux que le jour où il avait mis Ethan en prison, il aurait tout aussi bien pu se peindre une grande cible dans le dos. Elle serra les lèvres, puis dit doucement : « S'il te plaît, n'y va pas.

— Je n'irai pas si tu promets de rentrer à Grant County aujourd'hui. »

Elle leva de nouveau les sourcils. « Et quand je t'appellerai ce soir et que tu me diras que tu m'as menti, que tu es allé à la prison, qu'est-ce qui se passera ? »

Avec ses doigts, il suivit la cambrure de son pied.

Elle garda une voix calme, raisonnable. « Je t'ai dit que je te soutiendrais, mais là, c'est de la folie. Tu ne sais même pas si Ethan est lié à ce qui arrive à Lena. Elle m'a donné une raison valable pour sa visite.

— Il y a trop de coïncidences », lui dit-il, se demandant pourquoi elle n'était pas en train de lui hurler dessus. Il savait ignorer les accès de colère de Sara, mais il n'avait jamais réussi à lui tenir tête quand elle raisonnait. « Il faut que j'aille voir par moi-même.

— Je comprends, dit-elle. Mais tu crois vraiment qu'Ethan va tranquillement te faire des confidences ? S'il sait pourquoi Lena a des problèmes, tu penses qu'il te dira quoi que ce soit ? » Maintenant, elle avait l'air de le supplier. « Il te hait, Jeffrey. Il aura envie de te tuer dès qu'il aura posé les yeux sur toi. Et tu m'as expliqué il n'y a même pas deux minutes à quel point les prisons étaient violentes. Les gardiens ne contrôlent pas les détenus. Et si l'un d'entre eux décide de tourner la tête pendant que tu avances dans un couloir ? Et si Ethan porte une arme et qu'il décide de te tuer lui-même ?

— Chérie, ça ne me plaît pas de me défendre avec cet argument, mais si Ethan Green avait voulu me tuer, je serais déjà mort et enterré. » Des larmes lui montèrent aux yeux. Jeffrey ajouta : « Lena ne dit rien. Il faut bien que je trouve les réponses quelque part.

— Et tu crois qu'Ethan Green va te les servir sur un plateau d'argent ? C'est toi qui es naïf ! » Sara se redressa et prit sa main dans la sienne. « S'il te plaît, n'y va pas. »

Jeffrey regarda sa main dans celle de sa femme. Même si Sara n'avait pas mis les pieds dans un bloc opératoire depuis plusieurs années, elle avait toujours les mains d'un chirurgien. Ses doigts étaient longs et délicats, mais ils dégageaient aussi une certaine force. Si quelqu'un était rentré dans leur chambre d'hôtel à cet instant précis et avait demandé à Jeffrey de décrire tout ce qui était important chez Sara, il aurait commencé par ses mains.

« Je ne t'emmènerai pas avec moi à la prison, dit-il.

— Alors, tu vas juste me laisser ici ?

— Je te déposerai à l'hôpital. Je sais que tu veux voir comment va Hank. Je viendrai te reprendre quand j'aurai vu Ethan. D'accord ? »

Elle refusa de le regarder.

Le portable de Jeffrey se mit à vibrer, sautillant sur la table basse. Jeffrey bondit sur l'appareil et vérifia l'écran avant de décrocher.

« Tolliver.

— C'est Jake, dit Valentine. Lena est ici. Elle vient de se rendre. »

Chapitre 24

Sara passa la plus grande partie du trajet de l'hôtel à Reese au téléphone, essayant de découvrir où se trouvait Hank Norton. Comme promis, l'hôpital d'Elawah County avait dès le matin organisé son transfert vers une structure plus adaptée. Sara avait appelé tous les hôpitaux de la région. Finalement, elle réussit à joindre une personne compétente à St. Ignatius, un hôpital régional situé à une heure de route environ, dans la direction opposée à celle de la Coastal State Prison. Une infirmière de l'unité de soins intensifs informait Sara de l'état de Hank au moment où Jeffrey arrivait devant la prison locale.

« Merci », dit Sara à l'infirmière. Elle raccrocha, serra le téléphone contre sa poitrine. « Son état se stabilise. »

Jeffrey se gara. « C'est bien, non ? »

Sara hocha la tête, mais elle n'en était pas si sûre. En tant que médecin, elle savait que la guérison d'un patient ne dépendait pas seulement de l'adéquation d'un traitement. Le soutien de la famille donnait souvent de l'énergie, parfois même une raison de vivre. Hank Norton se trouvait à un stade crucial. S'il pensait être seul, si Lena ne prenait pas soin de son oncle, il y avait de fortes chances pour qu'il abandonne le combat.

Jeffrey sortit de la voiture et fit le tour pour ouvrir la portière de Sara. Elle lui fit un sourire crispé en se levant, mais retint sa main dans la sienne tandis qu'ils se dirigeaient vers le sous-sol, où se trouvait la prison.

Pendant tout le trajet, elle avait senti qu'il voulait lui parler, tout comme elle avait senti que ce désir venait de sa culpabilité plus que d'un réel besoin de compréhension. Mais Sara n'avait pas envie d'écouter ses excuses. Jeffrey avait décidé d'aller à la Coastal State Prison dès l'instant où il avait vu le numéro de téléphone sur la note de motel de Lena. Il cherchait seulement à se justifier à présent. Sara avait le sentiment de devoir le soutenir dans sa décision, mais elle n'allait tout de même pas faire semblant d'en être heureuse !

Elle lui dit : « L'hôpital se trouve à une heure de route dans l'autre sens. »

Jeffrey lui ouvrit la porte vitrée. « Je sais. »

Don Cook était assis à l'accueil, mais contrairement à la première fois où Jeffrey l'avait rencontré, il ne jouait pas au vieux routard détendu. L'adjoint était assis droit dans sa chaise, les bras croisés, manifestement furieux.

Jeffrey lui fit un sourire engageant. « Nous sommes ici pour voir Lena Adams.

— Je sais pourquoi vous êtes là », aboya Cook.

On entendit des pas dans l'escalier. Jake Valentine apparut, et s'arrêta net quand il aperçut Jeffrey et Sara. Il portait son uniforme, sa ceinture et son arme bien serrée à la taille, son chapeau planté sur le crâne. Sara s'était attendu à voir le shérif satisfait d'avoir retrouvé sa prisonnière, mais il avait l'air très énervé.

« Madame. » Il ôta son chapeau pour la saluer, puis dit à Jeffrey : « On est en train de la libérer. »

Sara et Jeffrey s'exclamèrent à l'unisson : « Quoi ? »

Valentine fronça les sourcils, comme s'il ne croyait pas vraiment à la sincérité de leur réaction. « Son super avocat a convaincu le juge de la relâcher. Elle est libre jusqu'à la date du procès pour évasion. » Il ordonna à son adjoint : « Don, tu veux bien aller la chercher ? »

Cook prit tout son temps pour se lever, s'assurant ainsi que toutes les personnes présentes dans la pièce comprennent que ce rebondissement ne lui plaisait pas, puis sortit par la porte en acier qui conduisait aux cellules.

Dès qu'il fut sorti, Jeffrey demanda : « Qu'est-ce qui s'est passé, Jake ?

— Ça ne faisait pas dix minutes qu'elle était enfermée que le juge m'appelle et me demande de revoir le mandat avec lui. Encore une fois. » Valentine se tut, comme s'il avait besoin de se calmer. « Il a rejeté tous les chefs d'inculpation d'origine et il en a profité pour me passer un savon. J'ai dû le supplier pour qu'il établisse un mandat d'arrêt pour évasion. Si je n'avais pas dépensé autant d'argent pour la retrouver, il l'aurait sans doute aussi rejeté. » Il posa sa main sur la crosse de son arme. « Vous voulez m'expliquer ce qui se passe ? »

Jeffrey répondit : « Je ne comprends rien non plus. »

Valentine se dirigea vers la porte d'entrée et regarda le parking. Une petite bruine s'était mise à tomber. Il jeta un coup d'œil à Jeffrey et à Sara, puis se concentra sur la BMW. « Cette jolie voiture a dû vous coûter un paquet. »

Sara se tendit. Jeffrey intervint : « Les médecins gagnent beaucoup d'argent.

— Ça, c'est sûr », fit Valentine. Il leur tournait le dos, et Sara se souvint du coup de poing que le shérif avait brusquement voulu donner à Jeffrey le premier soir, devant l'hôpital. Jeffrey avait dû y penser lui aussi, parce qu'il se mit devant Sara.

« Pourquoi avez-vous laissé le juge la libérer ? demanda-t-il à Valentine. Vous auriez pu vous battre contre lui. Vous auriez pu outrepasser son opinion et faire appel au GBI.

— Croyez-moi, j'ai pensé à tout cela. » Valentine se retourna. « Puis j'ai reçu un message.

— Quel message ? »

Il fouilla dans sa poche arrière et en sortit un morceau de papier plié en deux.

Jeffrey prit le papier et le déplia. Sara se pencha pardessus son épaule. Une phrase était écrite sur la largeur de la page, en caractères d'imprimerie : LAISSE TOMBER OU TU MEURS.

Valentine reprit son papier, le replia. « La question ne se pose pas. Je n'ai pas l'intention de finir comme Al Pfeiffer, à chier dans mon froc dès qu'on frappe à ma porte. »

Jeffrey avait l'air aussi choqué que Sara. « Alors vous allez tout laisser tomber ? Vous allez laisser ces types s'en sortir ? Deux personnes sont mortes, Jake. Charlotte Gibson était prof dans l'école de Myra.

— Vous êtes mal placé pour me faire la leçon, compte tenu du fait que votre super détective est représentée par l'un des plus grands avocats de la pègre de la région. » Il secoua la tête, l'air écœuré. « J'ai comme l'impression d'avoir vu juste la première fois qu'on s'est rencontrés, pas vrai ? » Il fit quelques pas en avant, réduisant la distance qui le séparait de Jeffrey. « Au cas où vous vous demanderiez, je remets votre probité en cause, chef. Vous voulez me casser la gueule maintenant ou vous attendez que j'aie tourné le dos ? »

Jeffrey ignora la provocation. « Il est temps d'arrêter de jouer, Jake. Vous devez demander au GBI d'intervenir.

— Déjà fait, dit-il. On dira que c'est ma dernière mission officielle en tant que shérif.

— Attendez un peu. Vous avez démissionné ? »

Valentine hocha la tête. « Enfin, mon avant-dernière mission officielle, je suppose. La dernière était de libérer votre détective. Et je vous suggère de vous barrer avec elle le plus vite possible, et d'oublier que vous avez jamais mis les pieds ici. » Il jeta un coup d'œil derrière Jeffrey. « Quand on parle du loup. »

Lena se tenait dans l'encadrement de la porte, Cook ronchonnait derrière elle. Des hématomes noirs constellaient son visage. Ses yeux étaient injectés de sang, mais sa rage devint évidente quand elle aperçut Jeffrey et Sara. « Qu'est-ce qu'ils font là ? »

Jeffrey l'ignora. Il dit à Valentine : « Allons terminer cette conversation dehors.

— Avec plaisir. » Le shérif ouvrit la porte d'un geste théâtral.

Sara les observa à travers la vitre. La bruine s'était transformée en crachin, mais aucun des deux hommes ne semblaient s'en préoccuper. Jeffrey se tenait sur le bord du trottoir tandis que Valentine traversait le parking pour regarder encore une fois la BMW de Sara. Elle se sentait à la fois honteuse et furieuse qu'il accorde autant d'importance à sa voiture. Si le shérif pensait que Jeffrey acceptait des pots-de-vin, qu'il vienne jeter un coup d'œil à leurs avis d'imposition.

Derrière elle, la porte en acier claqua. Don Cook était parti. Lena et Sara étaient seules. D'un seul coup, l'atmosphère devint étouffante.

Le ton de Lena était brusque et coupant. « Tu dois faire sortir Jeffrey d'ici tout de suite.

— Ça ne sera pas un problème, répondit Sara en regardant son mari têtu debout sous la pluie. Jeffrey va rendre visite à Ethan.

— Tu ne peux pas le laisser faire ça. »

Sara éclata de rire, incrédule. « Je ne sais pas si tu te souviens de ta petite tirade à l'hôpital il y a quelques jours, Lena, mais le meilleur moyen de faire faire quelque chose à Jeffrey est de lui dire de ne *pas* le faire. Et ça marche encore mieux si tu le menaces. »

Lena marmonna quelque chose dans sa barbe.

Sara en entendit une grande partie, mais demanda quand même : « Qu'est-ce que tu dis ?

— Rien.

— Si tu tiens à marmonner, tu devrais le faire plus discrètement. »

Lena s'approcha d'elle, mais s'arrêta à quelques mètres. « J'ai dit, il s'est tellement fait châtrer qu'il a plus les yeux en face des trous, répéta-t-elle. Putain, il faut que tu le fasses dégager d'ici. Tout de suite.

— Et comment, à ton avis ?

— Dis-lui simplement de s'en aller. »

Sara secoua la tête. « Mon Dieu, tu es tellement nulle avec les gens.

— Tu crois que le fait de m'insulter va arranger les choses ?

— Arranger quoi ? demanda Sara. Arranger la femme qui a été brûlée vive ? Arranger l'homme qui s'est fait poignarder ? Arranger le fait que ton oncle est à deux doigts de mourir ? »

Lena pinça les lèvres et jeta à Sara un regard haineux.

« Pas la peine d'en faire autant. J'ai droit au même regard à chaque fois que je fais une piqûre à un enfant. » Sara posa les mains sur ses hanches. « Dis-moi, Lena. Charlotte Gibson était ton amie ? »

Lena continuait de la fixer méchamment, mais Sara voyait qu'elle était un peu moins déterminée.

« C'était ton amie ?

— Oui, finit-elle par répondre.

— Si c'était ton amie, alors j'ai peur pour tes ennemis. »

Lena détourna enfin le regard, le ton de sa voix se radoucit. « Je suis en train d'essayer de vous protéger tous les deux. J'ai besoin d'une journée, une seule. Faites-moi confiance et quittez la ville.

— Tu nous as entraînés ici et tu nous as mis dans cette… cette… *merde* – à défaut d'un terme plus approprié –, et tu crois qu'en disant "parce que c'est comme ça", ça va régler les choses ? » Sara regarda de nouveau du côté du parking et vit Jeffrey et Valentine se diriger vers la porte. « Est-ce qu'Ethan est impliqué dans cette histoire ? »

Lena fixa Sara, comme si elle essayait de deviner la bonne réponse, celle qui lui permettrait d'obtenir ce qu'elle voulait.

« Vite », dit Sara sèchement. Valentine se trouvait à quelques mètres de la porte, Jeffrey juste derrière lui. « Est-ce qu'Ethan est impliqué là-dedans ?

— Je ne sais pas. » Lena haussa les épaules et secoua la tête. « Probablement pas. Je ne sais pas.

— Qu'est-ce qui se passera si Jeffrey va le voir ? Qu'est-ce que ça changera ? Est-ce que ce sera mieux ou pire ?

— Je ne… »

Valentine ouvrit la porte. Jeffrey entra derrière lui.

Lena ne perdit pas de temps. Elle dit à Jeffrey : « Laisse Ethan tranquille. »

Il regarda d'abord Sara, comme pour savoir de quel côté elle était. Sara fit le même geste que Lena un peu plus tôt, secouant la tête en même temps qu'elle haussait les épaules. En fin de compte, Lena n'était peut-être pas si nulle que cela avec les gens. Évidemment, Sara venait de lui donner le mode d'emploi : la meilleure façon d'obtenir quelque chose de Jeffrey était de lui dire ne pas le faire. Si Lena voulait tellement qu'il parte de Reese, sa visite à la Coastal State Prison allait lui prendre toute la journée.

Lena lui dit : « Ethan n'a rien à voir avec tout cela. »

Il lui fit le sourire arrogant que Sara méprisait. « Ah oui ?

— Je m'occupe de tout, dit Lena. Va-t'en, Jeffrey. Ce ne sont pas tes affaires. »

Il souriait toujours, mais son ton était menaçant. « Tu es mon chef maintenant, Lena ? C'est comme ça que ça marche depuis qu'un gros avocat spécialisé dans les affaires de drogue s'occupe de toi ? »

Lena baissa les yeux. Sara essaya de distraire Jeffrey en demandant au shérif : « La voiture de Lena est toujours à la fourrière ? »

Valentine hocha la tête.

« Ça vous embête de nous y conduire ? »

La demande surprit manifestement Valentine. « Je… euh… »

Lena l'interrompit. « J'ai laissé la voiture de Hank devant chez lui ce matin. On peut la prendre, c'est plus près. »

Sara n'attendit pas que Valentine trouve une excuse. Elle dit à Jeffrey : « Lena et moi allons prendre la voiture de Hank pour aller à l'hôpital. Tu pourras venir me chercher là-bas quand tu auras fini. »

Jeffrey serra les mâchoires. Il fit un signe de la tête pour indiquer la porte, et Sara le suivit à l'extérieur. La bruine tombait de nouveau, l'atmosphère avait quelque chose de solennel. Il se dirigea vers la voiture, en silence. Le téléphone de Sara était dans la boîte à gants.

Il l'alluma et lui dit en regardant l'écran : « Il va me falloir quelques heures pour arriver là-bas, et sans doute une heure pour remplir les formalités. » Il lui tendit l'appareil. « Je t'appelle sur le chemin du retour, d'accord ? »

Jeffrey n'était pas un adepte des effusions en public, mais il l'embrassa sur la joue, puis sur la bouche. Elle l'attrapa par le col et appuya son visage contre son cou.

« Je ne sais pas ce que vous mijotez, Lena et toi, mais promets-moi que vous irez directement à l'hôpital », dit-il. Elle hocha la tête, mais ce n'était pas suffisant. Il lui souleva le menton de manière à la regarder dans les yeux. « Tu vas être la mère de mon enfant, Sara. Promets-moi de faire attention à toi.

— Je te le promets, lui répondit-elle. Nous irons directement à l'hôpital. J'y resterai jusqu'à ce que tu viennes me chercher. »

Il l'embrassa de nouveau avant de la lâcher. « Ça va aller, d'accord ? » Il fit le tour de la voiture. « On se voit dans quelques heures. On sera rentrés à la maison ce soir. »

Sara le regarda monter dans la voiture et se souvint du matin, six mois auparavant, où il l'avait laissée dans l'allée de ses parents. Lena avait téléphoné quelques minutes plus tôt, et il s'apprêtait à arrêter Ethan Green pour port d'arme en violation des termes de sa libération conditionnelle. Maintenant, devant la prison, Sara sentit la même terreur l'envahir – la même peur incontrôlable qui l'oppressait chaque fois qu'elle pensait à ce que serait sa vie sans lui.

Tandis qu'il faisait demi-tour pour s'engager dans la circulation, Sara priait pour que les choses se terminent aussi bien que la dernière fois. Pour que, ce soir-là encore, elle puisse se lover contre lui dans le lit et écouter le battement régulier de son cœur pendant qu'il dormirait.

*

Sara et Lena montèrent à l'arrière de la voiture de police de Valentine. Il leur avait proposé de s'asseoir à l'avant, mais Lena avait refusé, et très franchement, Sara n'avait pas envie d'être assise à côté de lui. Le peu de respect qu'elle avait eu pour Valentine au début avait disparu quand elle avait appris qu'il rendait son tablier à cause de la menace qu'il avait reçue. Pourtant, elle se rendait bien compte de l'ironie de la situation, sachant que si elle avait été à la place de Myra Valentine, elle aurait supplié son mari d'arrêter. Sara se demanda si le jour viendrait où elle se ficherait de savoir si Jeffrey faisait son travail correctement.

Sans doute le soir de son pot de départ à la retraite.

Les freins crissèrent quand Valentine s'arrêta devant la maison de Hank. Sara fronça les sourcils quand elle vit la Mercedes : elle avait l'air plus vieille que Lena.

Valentine sortit de la voiture de police. Il ouvrit la portière de Lena et fit le tour pour ouvrir à Sara. Il semblait soulagé de quitter son poste et de pouvoir passer à autre chose. Elle se demanda ce que Jeffrey lui avait dit sur le parking.

La pluie avait cessé mais le ciel était couvert. Lena regardait la maison de son oncle, et demanda : « Pourquoi toutes les lumières sont allumées ?

— Quoi ?

— Les lumières sont allumées, dit Lena d'une voix inquiète. Ce n'était pas comme ça ce matin. »

Sara se demanda si cela avait une importance quelconque. « Tu es sûre ?

— Oui, dit Lena. Non. Je ne me souviens pas. » Elle fixa de nouveau la maison. « Hank ne serait pas content de voir toutes les lampes allumées.

— Il est à peine conscient, lui rappela Sara. Je suis sûre que sa facture d'électricité est le cadet de ses soucis à l'heure qu'il est. »

Lena se dirigea vers la maison. « Je vais voir.

— Attendez un peu, mademoiselle. » Valentine la dépassa à petites foulées, la main posée sur son arme pour éviter qu'elle rebondisse. « Laissez-moi rentrer pour vérifier, d'accord ? »

Lena n'attendit pas avec Sara. Elle fit le tour de la Mercedes de Hank, regardant à l'intérieur de la voiture, vérifiant au-dessous. Tous ses mouvements étaient empreints de paranoïa.

Sara la suivit et demanda : « Qu'est-ce qui se passe ?

— On avait un accord, dit Lena, comme si elle se parlait à elle-même.

— Quel accord ? »

Lena se trouvait de l'autre côté de la voiture et regardait Valentine enlever le scotch de la porte en essayant de l'ouvrir.

« Qu'est-ce que tu cherchais sous la voiture ? » demanda Sara. Son instinct lui disait que quelque chose clochait. « Avec qui est-ce que tu as conclu un accord, Lena ?

— Eh ! dit Valentine en ricanant. S'il arrive quoi que ce soit, vous connaissez le numéro des secours, n'est-ce pas ? » Il ne leur laissa pas le temps de répondre, et enfonça la porte d'un coup d'épaule.

Lena prit une inspiration profonde, comme si elle se préparait à quelque chose.

Valentine leur fit signe. « C'est bon, dit-il, la main appuyée contre ses côtes. Je vais bien. »

Du sang traversa sa chemise à l'endroit où la pointe métallique de l'encadrement de la porte l'avait coupé. Valentine appuyait sa main contre la blessure, puis regardait sa paume couverte de sang. À la quantité de sang, Sara voyait que la blessure était profonde, mais il leur dit : « Je vais bien. Restez là pendant que je vais voir à l'intérieur. »

Lena attendit que le shérif ait disparu, puis ouvrit la portière arrière de la Mercedes. Elle se pencha pour attraper quelque chose sous le siège avant, les yeux rivés sur la maison.

« Qu'est-ce que tu fais ? » demanda Sara.

Lena ferma doucement la portière et verrouilla la voiture. Elle avait de toute évidence voulu vérifier quelque chose sous le siège, mais dit à Sara : « Cette coupure avait l'air méchante. »

Il se remit à pleuvoir. Sara leva la main pour se protéger. « Tu as l'intention de me dire ce qui se passe ? »

Lena sourit, comme si Sara était idiote. « Je pense que je n'ai pas fait attention et que les lumières étaient allumées ce matin, dit-elle. Il doit y avoir une trousse à pharmacie dans la voiture de Jake. » Elle se dirigea vers la voiture de police, appuya sur le bouton et ouvrit le coffre. Sara aperçut un fusil et la boîte bleue que le mari de Charlotte Gibson avait apportée au commissariat.

Sara se souvint des déclarations de naissance cachées dans la doublure, sur lesquelles Angela Adams avait inscrit le nom de son frère en qualité de père des enfants. Sara dut faire un immense effort pour ne pas repousser Lena quand elle se pencha dans le coffre pour prendre la boîte. Elle fit néanmoins une tentative, en disant : « C'est une pièce à conviction. »

Lena ouvrit le couvercle avant que Sara n'ait le temps de l'en empêcher.

Sara retint un soupir de soulagement. La boîte était vide. Même la doublure avait disparu. La pluie rebondissait sur le fond métallique.

Lena demanda : « Où est-ce qu'il a trouvé ça ?

— C'est le mari de Charlotte Gibson qui l'a apportée. »

Lena secoua la tête. « Ce n'est pas logique.

— La voie est libre ! » cria Valentine depuis la maison. Il se dirigea vers le portail, la main appuyée contre sa plaie. Apparemment, il souffrait. Il vit la boîte métallique et demanda à Lena. « Vous la reconnaissez ? »

Lena secoua la tête et referma le couvercle.

Valentine rangea son arme et demanda : « Je peux savoir pourquoi vous êtes en train de fouiller dans mon coffre ? »

La trousse de secours était accrochée à l'intérieur. Sara la sortit et lui dit : « On s'est dit que vous auriez peut-être besoin de ça. »

Il ôta sa main de la blessure pour lui montrer l'endroit où la pointe avait déchiré sa chemise et coupé la peau. « Je pense qu'il va me falloir plus qu'un pansement, doc. Ça n'arrête pas de saigner. »

À contrecœur, Sara lui demanda : « À quand remonte votre dernier rappel antitétanique ?

— J'ai marché sur un clou quand j'avais douze ans. »

Sara regarda la maison, redoutant le moment où elle allait devoir y entrer. Elle n'avait pas non plus envie de retourner à la prison, mais elle ne pouvait tout de même pas le soigner sous la pluie.

Elle s'avança vers la porte d'entrée en disant à Valentine : « Vous allez devoir faire une piqûre contre le tétanos. Je vais vous panser ça du mieux que je peux, puis vous irez à l'hôpital.

— Tout seul ? » Il semblait inquiet.

« C'est à deux minutes d'ici », dit-elle, consciente qu'elle devrait lui proposer de l'y emmener.

Valentine grogna : « Je hais les hôpitaux.

— Comme tout le monde », dit-elle en le conduisant à la cuisine. Sara était fille de plombier, et avait une assez grande expérience des égouts, mais elle n'avait jamais senti d'odeur aussi horrible. « Je vais la désinfecter et l'examiner.

— Ça va me faire mal ?

— Probablement », reconnut-elle en ouvrant la porte de la cuisine. Il y avait des saletés partout, mais l'évier était vide et c'était assez éclairé. Sara posa la trousse à pharmacie par-dessus les brochures empilées sur le plan de travail et demanda à Lena : « Tu peux me trouver des torchons propres ? »

Lena fronça les sourcils. « Propres comment ? » Elle n'attendit pas la réponse. Elle posa la boîte métallique sur la table et retourna dans l'entrée. La porte se referma derrière elle.

Sara baissa la voix et demanda à Valentine. « Est-ce que je dois m'inquiéter de ne pas porter de gants ?

— Quoi ? demanda-t-il, puis il rougit en riant. Oh ! non, madame. Je suis aussi propre qu'un nouveau-né.

— D'accord », dit-elle en espérant qu'elle pouvait lui faire confiance. Sara ouvrit le robinet et se lava les mains avec du liquide vaisselle. « Allez, enlevez votre chemise. Je pourrai au moins arrêter les saignements. »

Il posa sa ceinture et son arme sur la table et se mit à déboutonner sa chemise. « C'est aussi grave que ça en a l'air ?

— On va voir. » Sara ouvrit la trousse, contente de trouver de grandes compresses et du ruban adhésif chirurgical au lieu des pansements habituels.

« Je déteste les piqûres », continua Valentine. Lena entra dans la cuisine, quelques torchons à la main. Il les prévint toutes les deux. « Ne le racontez pas à tout le monde, mais il m'est arrivé de tomber dans les pommes à la vue d'une aiguille.

— Moi aussi », dit Sara. Elle ouvrit un sachet de compresse et il trembla comme un enfant. Elle était toujours étonnée de voir à quel point les flics devenaient nerveux quand on remettait leur invincibilité en cause. Le pauvre homme avait même du mal à déboutonner sa chemise.

« Vous voulez de l'aide ? demanda-t-elle.

— Et puis merde. » Valentine laissa tomber les boutons et tira la chemise par-dessus sa tête, en grimaçant de douleur quand il s'étira, la plaie grande ouverte.

« Attention », dit Sara, quelques secondes trop tard.

Il regarda le sang couler sur son pantalon et plaisanta : « Je ne vais quand même pas avoir besoin d'une transfusion ou un truc comme ça ?

— Oh, je ne pense pas, dit Sara en appuyant la compresse contre la blessure. Et si c'est le cas, je suis sûre qu'on trouvera des donneurs à la prison.

— Ça, je ne sais pas, dit Valentine. J'ai un groupe sanguin rare. »

Le sang avait déjà trempé la compresse. Sara tendit la main pour que Lena lui passe un torchon, mais celle-ci ne bougea pas. Elle se tenait debout, pétrifiée.

« AB négatif, dit Lena, d'une voix à peine plus forte qu'un murmure. Son groupe sanguin est AB négatif. »

Chapitre 25

Jeffrey remit son arme au gardien de la Coastal State Prison assis dans sa guérite en métal. Depuis qu'il s'était retrouvé sans arme dans la forêt avec Jake Valentine, Jeffrey prenait soin de l'avoir toujours à portée de main. Il avait même dormi avec, posée sur la table de nuit, au lieu de la cacher sous le matelas comme il en avait l'habitude. Soudain, il prit conscience que quand ils auraient un enfant, il faudrait qu'il mette des dispositifs de sécurité sur ses armes et qu'il leur trouve de meilleures cachettes. Cette pensée le fit sourire.

« Autre chose ? demanda le gardien en éjectant le chargeur du Glock pour vérifier le canon.

— C'est tout. »

L'homme hocha la tête, nota le numéro de série de l'arme et donna un ticket à Jeffrey.

Un autre gardien lui ouvrit la première des deux portes en disant : « Par ici. »

Une fois à l'intérieur du sas et la première porte refermée, le gardien ouvrit la deuxième. Applebaum – d'après le badge épinglé à sa chemise – était exactement le genre de type que l'on s'attendait à voir à la Coastal State Prison. Grand, les épaules larges, il marchait en roulant des mécaniques, l'air de dire qu'il n'avait peur de rien.

Jeffrey lui dit : « Je crois que vous avez rencontré une de mes détectives il y a quelques jours.

— Non, lui dit le gardien. Je viens de rentrer de vacances. »

Il s'arrêta devant d'autres portes. Celles-ci étaient commandées depuis la station de contrôle centrale. Applebaum murmura quelque chose dans son talkie-walkie et la porte s'ouvrit.

Jeffrey dit : « Le dossier de Green ne mentionne pas d'affaires de drogue. »

Applebaum secoua la tête. « Les types de sa bande n'y touchent pas. Si vous êtes avec eux et qu'ils vous attrapent en train de dealer ou de consommer, il vaut mieux traverser la cour à poil en courant que d'attendre qu'ils s'occupent de vous. » Il secoua encore la tête. « On a eu un skinhead, il devait avoir dix-sept, dix-huit ans, qui s'était mis dans la bande de Green quand il est arrivé. Mais il ne pouvait pas résister à l'aiguille, et il l'ont pris en flagrant délit. Il savait qu'ils étaient après lui, alors il s'est fabriqué un couteau à partir de son peigne et s'est débrouillé pour le passer dans les douches. »

Jeffrey comprit qu'il voulait dire qu'il se l'était enfoncé dans le cul, coutume des prisons. « Qu'est-ce qui s'est passé ?

— Ils ont pris un balai et lui ont enfoncé le peigne encore plus haut. Le docteur qui a fait l'autopsie a dit qu'il avait trouvé des morceaux de plastique jusqu'au niveau des amygdales.

— C'est Green qui a fait ça ?

— C'est lui qui en a donné l'ordre », dit Applebaum. Il s'arrêta devant une autre porte. « Quand quelqu'un est aussi haut placé, il garde les mains bien propres.

— Quelqu'un pourrait le balancer. »

Le gardien rigola, et sortit la clé pour ouvrir la porte : ils se trouvaient dans la salle réservée aux entretiens. « C'est ça, oui. Et Jennifer Lopez pourrait venir faire un tour en Géorgie et me tailler une pipe dans son jet privé. » Il redevint très professionnel en faisant entrer Jeffrey dans la pièce. « Ne touchez pas le prisonnier. Gardez une distance d'un mètre cinquante entre lui et vous. Vous voyez cette ligne sur la table ? Les chaînes l'empêcheront d'aller plus loin, mais ne vous y fiez pas.

— Je ne veux pas qu'il soit enchaîné.

— Ordre du directeur.

— Je n'ai pas peur d'Ethan Green. »

Applebaum se retourna. « Écoutez-moi, mon vieux. Moi j'ai peur de lui, et vous devriez, vous aussi. »

Jeffrey hocha la tête, message reçu. « Amenez-le. »

Applebaum quitta la pièce et Jeffrey s'assit à la table, face à l'anneau métallique accroché au mur. Il entendit des voix dans le couloir et se mit debout, ne voulant pas laisser à Ethan l'avantage de la taille. Puis il se dit qu'en se tenant ainsi, il donnait l'impression d'être venu lui rendre une visite de courtoisie, de sorte qu'il alla se placer en face de la porte, et s'appuya contre le mur, les mains dans les poches.

La porte s'ouvrit et Ethan entra avec Applebaum et trois autres gardiens. Il garda le regard fixé sur Jeffrey tandis qu'Applebaum et les autres le guidaient vers la chaise. Il s'assit, fixant Jeffrey comme s'il pouvait le tuer du regard, pendant que les gardiens l'enchaînaient au mur.

Applebaum dit : « Nous attendrons devant la porte. »

Les quatre hommes quittèrent la pièce, emportant tout l'oxygène avec eux. Les chaînes attachées aux menottes d'Ethan raclèrent le bord de la table quand il posa ses mains devant lui.

« Vous avez peur de vous asseoir en face moi ? demanda-t-il à Jeffrey.

— À l'endroit où se trouve le bouton d'urgence ? Pas particulièrement. »

Ethan sourit d'un air narquois, mais il hocha la tête, accordant le point à Jeffrey. C'était exactement cela que Sara craignait – un concours de bite qui risquait de devenir fatal.

Jeffrey se décolla du mur et s'avança vers la chaise vide. Il la tira à environ soixante centimètres de la table et s'assit, jambes écartées, les mains posées sur ses cuisses.

« Pff… fit Ethan en s'adossant à sa chaise. Vous allez passer votre journée à me regarder, chef ? Je vous fais de l'effet ou quoi ?

— Je veux savoir ce que tu as fait avec Lena. »

Il mima le geste de se branler. « On a rigolé un peu.

— Je sais que tu as appelé Hank », dit Jeffrey. Il avait vu les appels notés dans le dossier d'Ethan. « Pourquoi ?

— Pour attirer Lena ici. » Il fit claquer sa langue. « Ça a marché, non ?

— Le seul problème, c'est que c'est un truc qui ne marche qu'une fois.

— J'ai d'autres plans. » Il indiqua les murs de la pièce. « Je sortirai d'ici un jour, et ce jour-là, je la retrouverai.

— Elle te mettra une balle dans la tête.

— Elle sera morte avant de dégainer, rétorqua Ethan. Vous l'avez déjà baisée, chef ? »

Jeffrey ne répondit pas.

« Je sais que vous en aviez envie. J'ai bien vu comment vous la regardiez parfois. »

Jeffrey ne disait toujours rien.

« Laissez-moi vous dire un truc, dit Ethan en se penchant en avant. Elle a l'air dure comme ça, mais elle est tellement douce en dessous. Vous voyez ce que je veux dire ? » Il sourit d'un air satisfait. « C'est de la bonne came. »

Jeffrey restait impassible. Ethan croyait de toute évidence appuyer sur un point sensible, mais Jeffrey n'avait jamais été attiré par Lena. Il n'avait jamais eu de sœur, mais il imaginait que les sentiments qu'il éprouvait pour Lena étaient de cet ordre-là.

« Le seul truc, c'est qu'il faut la frapper un petit peu, continua Ethan. La retourner et... » Il se colla brutalement à la table et émit un fort grognement.

« La retourner, hein ? » Jeffrey secoua la tête d'un air navré. « J'ai l'impression que tu as traîné avec les mauvaises personnes, petit mec. »

Ethan mit les mains sous ses couilles et les secoua. « Il est là ton petit mec, enculé.

— *Fight or fuck*, dit Jeffrey. C'est comme ça que ça se passe ici, non ? Soit tu te bats, soit tu te fais baiser. » Il regarda Ethan, puis posa son regard sur ses mains. « J'ai pas l'impression que tu te sois battu. »

Ethan rit. « Tu vois ces tatouages, salope ? » Il faisait référence aux croix gammées, aux scènes de violence qu'il s'était fait graver sur la peau. « Personne me touche ici, mec.

— C'est vrai, dit Jeffrey. J'ai entendu dire que toi et tes petites copines aviez monté une équipe de pom-pom girls. Ça veut dire quoi, exactement ? Enfin, je veux dire, je sais que vous portez les mêmes uniformes, mais je vous imagine mal en train de vous coiffer les unes les autres. Vous vous faites les ongles ensemble ? Peut-être que vous vous faites des lavements en vous racontant comment l'homme blanc va diriger le monde ?

— Fais attention à toi.

— Attention à quoi ? À une bande de jeunes punks qui n'ont jamais été aimés par leur papa ? Mon Dieu, tu es un épisode d'Oprah à toi tout seul. Me fais pas rigoler.

— Qu'elle aille se faire enculer, cette pute noire.

— Enculer par-ci, enculer par-là, se moqua Jeffrey en se levant. Lena avait raison. C'est juste une perte de temps.

— Quoi ? » Ethan fronça les sourcils. « Elle a dit quoi, Lena ?

— C'est elle qui m'a envoyé. Elle voulait que je voie quelle petite fille pathétique tu étais devenu. »

Ethan le regardait fixement, essayant de démêler le vrai du faux. Lentement, il recula dans sa chaise. « Non, mec. Elle t'a pas envoyé.

— Si », dit Jeffrey. Il se tenait près de la porte, et s'appuya contre la paroi. « Elle m'a dit que tu t'étais mis avec la Confrérie. »

Ethan fit une grimace de dégoût. « Quoi ?

— La Confrérie de la Vraie Peau Blanche, expliqua Jeffrey. Elle m'a dit que tu les avais rejoints pour sauver ta peau.

— Putain, cracha-t-il. Ces tapettes ? Ils vendent du crystal. »

Jeffrey haussa les épaules. « Et alors ?

— Le crystal, c'est l'ennemi de l'homme blanc. » Ethan se pencha en avant, il parlait avec véhémence. « Tu donnes pas cette merde à tes propres frères. Ça fait partie de la conspiration des Noirs pour prendre le pouvoir en Amérique.

— Tu crois vraiment ? » demanda Jeffrey en se rapprochant de la table. Il posa ses mains sur la surface métallique, et se pencha vers la ligne rouge. « Tu vois, j'ai rencontré quelques connards de la Confrérie, et je n'ai pas eu l'impression qu'ils étaient très différents de toi. »

Ethan rit. « Putain de connard de merde. Tu crois que je traîne avec ces fils de pute ? Je t'ai dit, ils vendent du crystal à leurs frères. Ils fument cette merde comme les nègres avec leur crack. Putain, qu'on les laisse tous s'entretuer. Qu'ils disparaissent de la putain de planète pour que la vraie race puisse régner. »

Jeffrey soutenait son regard, toujours penché sur la table. Ethan avait dit qu'il avait appelé Hank pour que Lena vienne le voir. Si c'était son plan, ça avait marché. Mais quels liens entretenait-il avec Elawah ? Où intervenait-il dans le réseau de crystal que les frères Fitzpatrick avaient établi depuis le sud de la Géorgie et tout le long de la côte ? Jeffrey connaissait le dossier d'Ethan par cœur. Il n'avait jamais été pris avec de la drogue. Ses analyses d'urine avaient toujours été irréprochables, depuis l'époque où il était en détention juvénile jusqu'à sa conditionnelle à Grant County. Applebaum, le gardien, avait même dit qu'Ethan n'était pas lié à des affaires de drogue. Lena avait-elle dit la vérité ? Était-il possible qu'Ethan ait juste passé les mauvais coups de fil au bon moment ?

Jeffrey s'éloigna de la table. « On a terminé. »

Ethan n'allait pas le laisser avoir le dernier mot. « Tu crois que tu es quelqu'un avec ton arme, Tolliver. Mais tu sais ce que tu es ? Tu n'es qu'une merde sous ma semelle. Tu sais que Lena a mis cette arme dans mon sac. Tu sais qu'elle m'a tendu un piège. Tu te prends pour la Loi et l'Ordre, mais tu as enfreint la loi, mec. Tu vaux pas mieux que ces pédés en Irak, ces enculés d'Abou Ghraib qui s'imaginent qu'ils peuvent échapper aux Conventions de Genève parce que ça les fait bander de recouvrir un enculé d'Arabe de sa propre merde. Tu es comme eux, mec, et peut-être pire, parce que tu n'es pas à quinze mille kilomètres de chez toi, tu ne manges pas que des conserves et tu n'es pas obligé de faire des trous dans le sable pour chier. Toi tu t'es contenté de m'arrêter le matin, et le soir tu t'es couché dans ton lit, tu as sûrement baisé ta femme et dormi du sommeil du juste. Mais tu sais quoi, connard ? Tu es comme tous les autres. »

Jeffrey ne répliqua pas, parce qu'en grande partie, Ethan avait raison. Jeffrey avait compris que Lena avait mis l'arme dans son sac au moment où il l'avait retirée. Le nazi connaissait les armes à feu. Même le plus novice des abrutis n'aurait pas balancé une arme chargée dans son sac à dos avant de partir en courant au travail.

Et pourtant, Jeffrey l'avait arrêté, et oui, il avait sans aucun doute dormi du sommeil du juste cette nuit-là, parce qu'il savait – il *savait* – que la place d'Ethan Green était derrière les barreaux. Ethan avait systématiquement battu et torturé des gens. Lena n'était pas assez forte pour l'arrêter, mais Jeffrey l'était. Il était devenu flic justement parce qu'il y avait dans le monde des gens comme Ethan Green et Lena Adams. C'était son boulot de protéger les plus faibles contre les plus forts, et il n'avait jamais été plus convaincu de cela qu'au moment où il avait passé les menottes aux poignets d'Ethan.

Jeffrey leva la main pour frapper à la porte. « Merci pour le petit discours, Ethan. C'était très sympa, mais là il faut que je rentre chez ma femme.

— Je t'aurai, dit Ethan, d'une voix menaçante. Tu verras.

— Quand je m'y attendrai le moins, c'est ça ?

— Je ne la laisserai jamais tranquille.

— Tu n'as pas vraiment le choix.

— Je vais sortir d'ici. Attends un peu, mon grand. Je vais sortir d'ici et Lena m'accueillera les bras ouverts.

— Tu risques d'avoir un choc si c'est ce à quoi tu t'attends.

— Elle ne peut pas vivre sans moi, dit Ethan en se levant autant que les chaînes le lui permettaient. Une partie de moi se trouve en elle. »

Jeffrey sourit, puis dit l'une des choses les plus cruelles qu'il ait jamais dites. « Elle t'a pas raconté ? Je pensais que c'était pour ça qu'elle était venue, Ethan. Pour te parler de la partie de toi qu'elle avait fait enlever. »

Jeffrey s'était attendu à une réaction de surprise, à une recrudescence de haine, mais la seule chose qui se lisait sur le visage du nazi, c'était la tristesse. Lentement, Ethan se rassit. Quand il parla, Jeffrey dut faire un effort pour l'entendre. « On partira ensemble, insista-t-il. Lena et moi – on trouvera une plage quelque part. On restera au soleil toute la journée, on baisera toute la nuit. On sera ensemble pour le restant de nos jours.

— C'est ça. » Jeffrey frappa à la porte. « Tu m'enverras une carte postale. »

Ethan leva brusquement la tête. « Fais gaffe à ton courrier. »

Jeffrey prit ses couilles dans ses mains et imita le geste d'Ethan quelques instants plus tôt. « Fais gaffe à ça, espère de connard. »

Le taulard ne lui fit pas l'honneur d'une dernière insulte. Il était assis à la table, les mains croisées devant lui, tête baissée, rêvant sans doute à sa vie imaginaire sur une plage avec Lena.

Chapitre 26

Lena avait vu le tatouage sous le bras gauche de Jake Valentine, quand il avait tiré sa chemise par-dessus sa tête. Juste à la base de son biceps, deux lettres, AB, suivies d'un trait, étaient tatouées. AB-négatif. Elle se souvenait de l'explication figurant au dos d'une photo, dans le casier judiciaire d'Ethan Green : *Symbolise le rang de général dans le mouvement suprémaciste blanc.* Ses lèvres remuèrent ; des mots sortirent de sa bouche sans qu'elle puisse les contrôler.

« AB-négatif, dit-elle. Son groupe sanguin est AB-négatif. »

Sara demanda : « Quoi ? »

Le cerveau de Lena était paralysé, mais elle sentit une montée d'adrénaline. Elle se jeta en avant pour attraper la ceinture et l'arme de Valentine posées sur la table, mais il avait le bras plus long, et n'eut aucun mal à les attraper avant elle.

Sara leva les mains en reculant vers la porte.

« Arrête-toi là, ordonna Valentine, l'arme pointée sur elle. Lena, fais le tour, que je vous voie toutes les deux. »

Lena ne bougea pas. Comment cela avait-il pu arriver ? Elle n'avait jamais vu Jake Valentine à l'entrepôt. Il n'apparaissait ni sur les photos, ni dans ses notes.

« Je t'ai dit de venir là. » Il attrapa le bras de Lena et la poussa vers Sara. Il se pencha pour attraper sa ceinture, se saisit des menottes et les lança à Lena.

« Une sur ton poignet, une autre sur le sien, ordonna-t-il. Et bien serré. Je ne suis pas aussi bête que j'en ai l'air.

— Non, dit-elle, le cœur battant. Ce n'est pas juste. Appelez votre chef.

— Mon chef ?

— Clint. »

Il éclata de rire. « Cette petite merde ? Clint ne serait pas foutu de commander une armée d'un seul homme.

— Je lui ai parlé ce matin. Il m'a dit qu'on avait un accord.

— C'est vrai, confirma Valentine. Vous *aviez* un accord. Tu fermes ta gueule et chacun repart tranquillement de son côté. Mais ça, c'était avant que tu l'ouvres et que tu la mêles à tout ça. » Il parlait de Sara. « Mets les menottes maintenant, comme je te l'ai dit, pendant que je réfléchis à ce qu'on va faire. »

Lena obéit, attacha les menottes à son poignet gauche et au poignet droit de Sara. Elle ne laissa que l'espace d'un doigt entre l'anneau métallique et leur peau, sachant que Valentine les avait à l'œil.

Il tira une chaise et dit à Lena : « Assieds-toi. » Puis à Sara : « Termine avec la blessure, que je ne me vide pas de mon sang.

— Non, dit Sara. Je n'ai pas l'intention de vous aider.

— Tu as vu ce qui est arrivé à Charlotte, lui rappela Valentine. Tu veux que la même chose arrive à ta copine ? Tu pourras la regarder brûler en attendant ton tour.

— Vas-y, dit Lena. Arrête le saignement. »

À contrecœur, Sara continua de soigner la plaie. La coupure était profonde, mais ne saignait plus beaucoup.

Lena n'était pas une spécialiste, mais elle voyait clairement que Sara faisait un travail de cochon. Si Lena avait pu trouver un moyen de passer outre l'arme pointée contre sa tête, elle aurait volontiers enfoncé ses doigts dans la blessure jusqu'à ce qu'elle sente les organes de Valentine.

« Aïe, dit-il tandis que Sara appuyait sur la compresse. Tu l'as fait exprès. »

Sara demanda : « Qu'est-ce que vous allez nous faire, Jake ? Vous allez nous faire du mal ? Vous devriez réfléchir attentivement à la personne que vous allez mettre en colère. »

L'éclair qui passa dans ses yeux indiqua que Sara venait de toucher un point sensible. Lena imaginait qu'au cours des derniers jours, le shérif s'était aperçu que Jeffrey n'était pas le genre de personne à qui l'on faisait des coups foireux. Si Valentine était assez malin pour s'en être rendu compte, il pouvait sûrement déduire ce que Jeffrey ferait à quelqu'un qui menaçait Sara.

« Jeffrey vous tuera, lui dit Sara. Peu importe ce que vous ferez, où vous essaierez de vous cacher. Il vous tuera. »

Valentine sortit son portable de sa poche et composa un numéro avec son pouce. « Je ne fais pas de mal aux gens, expliqua-t-il en collant l'appareil à son oreille. Clint, c'est moi. Tu sais le truc que tu allais mettre en place pour moi à l'endroit ? » Il se tut. « Ouais, je suis à l'autre endroit maintenant. On va le faire ici plutôt. » Valentine hocha la tête. « Non, un changement. On va trouver un autre moyen. Je te dirai quand tu seras là. » Il regarda Sara, presque avec un air de regret. « Et dis à notre petit copain que sa présence est requise pour nous détendre. » Il referma son téléphone en l'appuyant contre sa jambe et le remit dans sa poche.

« Qu'est-ce que vous allez faire de nous ?

— Là tout de suite, je veux que tu t'assoies, lui dit Valentine en poussant une autre chaise vers elle. Allez. »

Sara hésita, mais elle savait très bien qu'elle n'avait pas le choix. Elle s'assit, posa sa main sur la table pour que celle de Lena repose à côté. Sa main libre était repliée sur ses genoux, et Lena se rendit compte qu'elle avait sous-estimé l'autre femme. Si Sara avait une occasion, elle se battrait pour se sortir de cette situation, ou mourrait en essayant.

« Clint travaille pour vous ? » demanda Lena pour le distraire.

Valentine sauta sur le plan de travail et grimaça ; la coupure devait lui faire mal. « Beaucoup de gens travaillent pour moi. »

Harley, se dit Lena. Personne ne travaillait pour Harley. Quand elle avait confronté Clint à l'entrepôt ce matin, les photos d'Harley étaient celles qui l'avaient fait basculer. Il était devenu tout pâle, sa main avait tremblé quand il avait décroché le téléphone, composé le numéro. Il avait expliqué d'une voix calme à celui qui se trouvait à l'autre bout du fil que Lena était prête à échanger les photos et les notes contre leurs vies. C'était tout ce qu'elle voulait – pas d'argent, pas de drogue, rien d'autre que leurs vies. Elle garderait les originaux par mesure de sécurité, et les garçons aux croix gammées pourraient poursuivre leur route.

Clint n'avait pas dit grand-chose au téléphone. Il avait surtout hoché la tête, les yeux fixés sur ceux de Lena. Dans l'entrepôt désert, sa peur était palpable. Il avait raccroché et dit à Lena d'aller se constituer prisonnière, que le juge était de leur côté et qu'il la laisserait partir avec une tape sur les doigts. Lena avait naturellement pensé que Clint avait appelé Harley. Est-ce qu'il avait appelé Jake Valentine à la place ? Est-ce que c'était le shérif qui tirait les ficelles depuis le début ?

« Merde, il me faut de l'aspirine. » Valentine descendit du plan de travail et se mit à ouvrir tous les placards.

Lena savait qu'il y avait toutes sortes d'antalgiques dans la trousse à pharmacie, mais elle n'avait pas l'intention de le lui dire. Il avait le dos tourné, et du coin de l'œil, Lena vit Sara poser sa main sur la boîte métallique et l'approcher.

Lena demanda : « Qu'est-ce que vous vouliez dire au téléphone – quelque chose pour nous "détendre" ? »

Il vérifia dans le dernier placard. « Tu verras bien assez tôt, chérie. »

Sara semblait avoir placé la boîte à l'endroit qui lui convenait. Elle dit à Valentine : « Votre pansement est en train de se défaire. »

Il regarda son œuvre et soupira. « Arrange-le », ordonna-t-il en s'approchant d'elle. Elle leva les mains, mais il l'arrêta net en appuyant son arme contre sa tête. « Je vais le laisser comme ça, histoire que tu ne te sentes pas obligée d'attraper cette boîte et de me frapper sur la tête. »

Sara recolla le bandage. « Jeffrey vous tuera. » Elle prononça ces mots d'un ton neutre – une évidence plutôt qu'une menace.

Valentine attendit qu'elle ait terminé, puis prit la boîte, ouvrit la porte battante avec son pied et la jeta dans le couloir.

Il s'appuya contre le plan de travail et demanda à Lena : « Comment tu as deviné ? Comment est-ce que tu sais pour le tatouage ? » Elle finit par comprendre, avec cette question, qu'Ethan n'avait rien à voir avec tout ce qui s'était passé – Hank s'était remis à se droguer pour ses propres raisons. Charlotte et Deacon étaient les victimes d'une autre guerre. Ce qui se passait maintenant dans cette maison était uniquement lié à Jake Valentine et aux millions de dollars de méthamphétamines qui inondaient son comté.

Lena expliqua à Sara : « Les Waffen SS d'Hitler avaient leur groupe sanguin tatoué au même endroit. Ça veut dire que Jake a un poste très élevé dans la hiérarchie.

— On ne peut pas arriver plus haut, se vanta-t-il.

— C'est même rare d'en voir un, continua Lena. En général, ils se font tatouer des croix gammées ou toute autre chose qui leur vient à l'esprit. » Elle se tourna vers Sara, pour qu'elle entre dans son jeu. « Tu as déjà vu un skinhead – je veux dire, vraiment vu, étudié ses tatouages ? »

Sara soutint son regard. Elles savaient toutes les deux qu'elle avait examiné Ethan. « Non. »

Lena demanda au shérif : « Pourquoi est-ce que vous n'avez qu'un seul tatouage ? »

Il gloussa. « Tu rigoles ou quoi ? Myra me tuerait si je rentrais décoré comme un putain de sapin de Noël. » Il se frappa la poitrine. « Ce qui compte, c'est ce qu'il y a là-dedans.

— Votre femme est au courant ? » demanda Sara, avec une intonation de surprise.

Valentine sembla l'évaluer du regard, mais ne répondit pas. Il s'adressa à Lena. « Tu étais à ça de t'en sortir, tu sais ? Et il a fallu que tu ailles tout foutre en l'air. Tu as mis les mauvaises personnes en colère contre toi, ma p'tite chérie. Tu aurais dû rester bien tranquille dans ton coin. »

Lena se retint pour ne pas lui cracher au visage. « Pourquoi est-ce qu'il a fallu que Charlotte meure ?

— Pour te montrer ce qui arrive quand on parle trop.

— Elle ne m'a rien dit.

— D'après mon expérience, on ne peut pas faire confiance aux drogués.

— Ce n'était pas une droguée.

— Alors tu m'expliques ce qu'elle faisait le week-end dernier, dans une cave à crystal, en train de fumer avec ton oncle ? »

Lena baissa la tête pour que Valentine ne voie pas son expression. Charlotte… Pauvre Charlotte.

Sara demanda : « Qu'est-ce que Hank a à voir avec tout cela ?

— Il a regardé par sa fenêtre au moment où il n'aurait pas dû, dit Valentine. J'étais avec quelques associés, en train de négocier une affaire, au motel. Lui et son connard de barman se sont mis à poser des questions, s'imaginant qu'ils allaient pouvoir arriver sur leurs blancs chevaux et mettre de l'ordre dans la ville. » Il haussa les épaules. « J'imagine que c'est de famille, cette incapacité à comprendre les avertissements.

— Al Pfeiffer, pousuivit Sara. C'est pour ça qu'il a quitté la ville ? C'est vous qui avez balancé la bombe par sa fenêtre ? »

Valentine se contenta de hausser les épaules. « Ce sont des choses qui arrivent. »

Lena demanda : « Cook aussi est impliqué ?

— Don ? fit-il d'un ton méprisant. Don n'est au courant de rien. Il tient son bureau en attendant sa retraite.

— C'est pour ça qu'il s'est présenté au poste de shérif ? » dit Sara.

Valentine sourit d'un air satisfait. « Il fallait bien que j'aie un opposant, non ? Le pauvre Cookie, ça lui est monté à la tête – il s'est même imaginé qu'il pouvait gagner. » On entendit frapper à la porte de service. « Qui est là ? demanda Valentine.

— C'est moi. »

Valentine se dégagea du plan de travail et alla ouvrir, tout en gardant son arme pointée sur Sara et Lena. Clint se tenait devant la porte, un grand carton dans les bras.

Il secoua la tête en voyant Lena. « Tu es pire que ton oncle, putain ! Tu le sais ? Toujours à fourrer ton nez partout.

— On avait un accord.

— Ouais », dit Clint en prenant quelque chose dans le carton.

Un pli FedEx était posé au-dessus. Il le jeta à Lena. Elle y vit son écriture, l'adresse de Frank Wallace au Commissariat de police de Grant County. Elle avait posté le pli à Frank depuis la papeterie Kinko la veille au soir, se disant que si les choses tournaient mal, Frank aurait assez de preuves pour faire tomber la filière. Les originaux des photos et des notes étaient cachés sous le siège avant de la Mercedes de Hank. Son assurance était partie en fumée.

Clint lui dit : « Depuis que tu es arrivée en ville, nous te suivons. Tu pensais que c'était juste une coïncidence que Charlotte soit avec nous le soir où on t'a fait sortir de la route ? »

Lena ouvrit la bouche mais pas le moindre son n'en sortit.

« Tu aurais pu disparaître gentiment d'ici quelques semaines. Une aiguille dans le bras, une lettre d'adieu expliquant à quel point tu étais triste que ton oncle soit mort. » Il jeta un regard à Sara, et secoua la tête d'un air triste. « Toi aussi, tu as failli t'en sortir. »

Valentine lui jeta sèchement : « Assez perdu de temps, au travail ! »

Clint posa le carton sur le plan de travail et se dirigea vers la cuisinière. Il enleva les brochures de Hank et tourna les boutons. Les plaques refusaient de s'allumer, sans doute parce que ça faisait à peu près vingt ans que Hank n'avait pas utilisé la cuisinière. Mais Clint insista. Il tourna le bouton et se pencha pour sentir l'odeur du gaz. Satisfait, il prit une boîte d'allumettes et en craqua une. La flamme vacilla quand le feu prit. Il éteignit et vérifia que les autres boutons fonctionnaient correctement. Deux d'entre eux s'allumèrent aussi facilement que le premier, mais il dut démonter le quatrième et le gratter avec l'ongle de son pouce pour permettre au gaz de sortir.

Sara demanda à Valentine : « Qu'est-ce que vous faites ? »

Il ne répondit pas, sortit des choses du carton que Clint avait apporté et les aligna sur le plan de travail. De l'acétone, de l'alcool à 90°, de l'ammoniaque, de la soude.

« Merde, siffla Lena. Du crystal. Il font faire bouillir du crystal.

— Ne t'inquiète pas », dit Valentine en ouvrant les placards jusqu'à ce qu'il trouve les tasses à café de Hank. Elles étaient vieilles, faites à la main, au Mexique – et tellement fragiles que Hank ne les utilisait que pour les grandes occasions. Il leva une tasse et sourit. « Ça ne va pas bouillir très longtemps. »

Effectivement. Une fois que les ingrédients auraient atteint une certaine température, la céramique se briserait. Le liquide exploserait à la seconde où il entrerait en contact avec la flamme. Les produits chimiques colleraient à tout ce qu'ils toucheraient, comme de la cire brûlante – les murs, les tapis, la peau. Faire bouillir du crystal était si dangereux que seuls les drogués vraiment en manque s'y essayaient. Et les explosions que cela entraînait provoquaient des dommages colossaux, non seulement aux personnes, mais aussi aux biens matériels. La plupart des États considéraient que les laboratoires de crystal étaient des armes de destruction massive et avaient demandé des subventions pour les désinfecter, au titre de la loi sur la sécurité intérieure.

« C'est ce que vous faisiez au motel ? demanda Lena. Hank vous a vu en train de faire bouillir du crystal ?

— Je t'ai déjà dit que j'avais une réunion avec des associés, répondit Valentine en sortant des petits flacons d'éther, de pétrole du carton. Des associés très importants.

— Quels associés ? insista-t-elle. Des Mexicains ? Des skinheads ? »

Valentine arrêta de décharger le carton, agacé. « Tu veux que je te raconte toute l'histoire ? Tu veux savoir ce qui s'est passé ? »

Maintenant qu'elle avait la réponse à portée de main, Lena n'était pas sûre d'avoir envie de l'entendre.

Valentine fit mine de se retourner, mais elle l'arrêta. « Oui. Je veux savoir ce qui s'est passé. »

Il s'accouda contre le plan de travail. « Hank a essayé de me contourner, de copiner avec des types au niveau de l'État.

— Le GBI ? » demanda-t-elle. Pourquoi est-ce que Hank s'était tourné vers le GBI au lieu de demander de l'aide à Lena ? Il n'avait pas voulu l'impliquer, évidemment. Toute sa vie, il avait essayé de tenir Lena loin des problèmes, avec autant de persévérance qu'elle-même en mettait pour y rester empêtrée.

« Heureusement, continua Valentine, il est allé voir un de nos amis – quelqu'un qui était prêt à déménager dans le Nord et à prendre de longues vacances. » Il sourit à la simplicité de l'affaire. « Cela n'a pas été trop dur de le rendre accroc. Tu savais qu'avec le crystal, le taux de guérison n'est que de vingt-deux pour cent ? Et la plupart de ceux qui s'en sortent continuent à en vouloir. La victoire de l'esprit sur la matière, j'imagine. Clint a eu plusieurs conversations avec lui, lui a fait quelques piqûres. Et assez rapidement, il s'est mis à acheter la drogue.

— Vous saviez que j'étais flic ? Vous saviez que je viendrais chercher Hank ?

— Bien sûr que nous étions au courant, lui répondit-il. Tu crois qu'on a fait comment pour le contrôler au début ? Il était terrifié à l'idée que tu viennes ici et qu'il t'arrive quelque chose. Franchement, poursuivit-il en haussant les épaules, je n'arrive pas à croire que ce vieux renard soit encore vivant. La merde que Clint lui donnait était tellement pure qu'elle aurait tué un cheval. Il devrait être mort depuis des semaines. On s'était dit que le temps que tu arrives, ce serait l'heure de son enterrement.

— Comment pouvez-vous… » commença Sara, mais la porte de service s'ouvrit. Fred Bart sembla aussi surpris de voir Sara et Lena qu'elles l'étaient de le voir lui. Cela avait pris un peu de temps, mais Lena avait finalement réussi à comprendre qui était l'assassin de Charlotte. Bart était installé à Reese depuis que Lena était enfant. Difficile d'oublier un dentiste aux dents minuscules.

« Pas question ! dit Fred Bart en reculant. Je n'ai pas signé pour ça.

— Ramène tes fesses, ordonna Valentine en agitant son arme.

— Je n'en ai que pour une personne, protesta Bart. Clint ne m'a pas dit… »

Clint se retourna de manière agressive. « Qu'est-ce que je n'ai pas dit, enculé ? »

Valentine les ignora et demanda à Lena : « D'autres questions ? »

Elle ouvrit la bouche pour répondre, et il la frappa à la tête avec son arme. Lena vacilla. Elle serait tombée par terre si elle n'avait pas été attachée à Sara.

« Lena ! » Sara la tira sur la chaise avec difficulté.

Lena entendait un bourdonnement dans ses oreilles. Valentine disait : « Occupe-toi du doc. Je le dois bien à son mari.

— Non ! » hurla Sara en reculant, emmenant Lena avec elle. Clint intervint, la serra par-derrière. Lena était ballottée dans tous les sens tandis que Sara luttait contre l'homme, se battant pour sauver sa peau. La main de Valentine attrapa le poignet menotté de Sara et Lena vit Fred Bart enfoncer une aiguille dans son bras.

Deux ou trois secondes plus tard, Sara cessait de se débattre. Elle s'effondra par terre, à côté de Lena, les yeux vitreux. Lena appuya ses doigts contre le cou de Sara, essaya de sentir son pouls.

« Ce n'est qu'un petit sédatif, chérie, dit Bart. Quelque chose qui va la détendre. Ça va aller. »

Valentine fouilla dans sa poche et en sortit les clés des menottes. « Ouais, ça ira jusqu'à ce qu'elle meure. » Il tendit son arme à Bart. « Tire-lui une balle dans la tête si elle bouge. »

Bart prit l'arme avec la même familiarité dont il avait fait preuve le soir où il était assis à l'arrière de l'Escalade avec Charlotte. « Qu'est-ce que tu vas faire, Jake ? Je n'ai pas signé pour ça. Je ne fais pas de mal aux innocents.

— Tu le feras si tu dois le faire. » Valentine tourna la clé dans la menotte de Sara et son poignet retomba par terre. Il dit à Clint : « Amène-la dans le couloir, que je ne l'aie plus sous les yeux. »

Le visage de Clint s'illumina d'un sourire.

« Et reviens immédiatement, ordonna Valentine. Pas de conneries avec elle ou je te coupe les couilles. »

Bart avait cessé de regarder Lena. Elle glissa doucement vers la porte, mais il la frappa à la tête avec son arme. « N'essaye même pas, poupée. Nous savons tous deux de quoi je suis capable. »

Lena se rassit. La menotte de Sara pendait toujours à son poignet, et elle glissa ses doigts le long de la chaîne, pensant qu'elle pourrait s'en servir comme d'une arme.

Elle agrippa l'objet froid et arrondi, s'en fit une sorte de coup de poing américain. Si Bart ou Valentine s'approchaient suffisamment, elle les frapperait de toutes ses forces, qu'ils aient une arme pointée sur elle ou non. Elle préférait encore mourir d'une balle que brûlée vive comme Charlotte.

Clint revint, la porte battante se referma derrière lui. Lena eut le temps de voir Sara couchée dans le couloir avant qu'elle ne se referme complètement.

Bart demanda : « Jake, qu'est-ce qu'on fait ici ? »

Valentine plongea sa main dans le carton et en sortit une poignée de plaquettes de médicaments vides. « Du crystal. » Il jeta d'autres plaquettes vides sur le plan de travail, répandit quelques paquets d'allumettes sur la table de la cuisine. Il y avait tout ce qu'il fallait dans le carton : des tubes à usage médical, des gobelets, des filtres. Il posa également le carton sur la table.

Bart demanda : « Pourquoi ces filles sont là, Jake ? Je t'ai dit, après Charlotte, que j'en avais terminé avec ces conneries.

— Tu n'en auras pas terminé avec quoi que ce soit avant que je l'aie décidé. »

Bart gardait son arme pointée sur Lena mais dit : « Je ne veux pas être mêlé à ça. »

Valentine ricana en ouvrant le placard sous l'évier. Des produits nettoyants vieux de plusieurs années étaient collés au sol, mais il les balaya du revers de la main en disant. « Putain, on aurait pu se servir de ça. »

Bart dit : « Ce n'est pas bien, Jake. Ce n'est vraiment pas bien. Al n'a jamais fait des choses comme ça. Jamais on n'a fait de mal à des innocents.

— Al ramenait de l'argent de poche. On a réussi à créer une véritable organisation, Fred. On ne peut pas laisser tomber les nôtres. » Valentine se pencha sous l'évier et attrapa le tuyau d'évacuation, en mettant tout son poids sur ses talons pour tirer dessus. « Ça ne bouge pas d'un iota. »

Clint se tenait debout, les bras ballants. « Qu'est-ce que tu veux que je fasse, maintenant ? »

Valentine indiqua les flacons de solvant posés sur le plan de travail. « Mélange-les. Prépare tout. »

Clint se mit à ouvrir les flacons et à les verser dans les tasses en céramique de Hank.

Bart essaya de nouveau : « Jake…

— Ta gueule, arrête de pleurnicher, Fred. » Valentine grogna en se relevant. « Putain de sa mère, ça fait mal, dit-il en se tenant le côté. Tu ne t'inquiètes même pas pour moi, Fred. » Valentine attrapa le bord du meuble, sa main y laissa une trace de sang. « Putain, regarde-moi ça. Je me suis ouvert sur cette porte de merde. »

Bart jeta un coup d'œil au pansement ensanglanté. « Tu survivras.

— Merci de ta sollicitude. » Valentine s'essuya la bouche du revers de la main. Il transpirait. Il ramassa le bidon de javel sous l'évier et le posa brutalement sur la table de la cuisine.

Bart dit : « C'est n'importe quoi, mec. Qu'est-ce que tu comptes faire ?

— Ce que *nous* allons faire, c'est que nous allons la menotter à l'évier, et faire exploser cette putain de baraque. »

Bart secoua la tête. « Ils trouveront les menottes dans le…

— Ouais, je ferai bien attention à le noter quand je ferai mon rapport sur les lieux du crime », l'interrompit Valentine. « Une paire de menottes de la police.

— Et la fourrière ? » Il jeta un coup d'œil nerveux à Lena. « C'est réglé ?

— Tout est réglé, lui dit Valentine. Ils ont enlevé la caisse dès qu'elle s'est pointée avec les photos. »

« Tout est prêt », dit Clint en indiquant les tasses en céramique posées sur le plan de travail. De fines volutes de fumée sortaient des tasses sous l'effet du mélange de produits.

« Ça va prendre combien de temps ? » demanda Valentine.

Clint haussa les épaules. « La céramique n'est pas très épaisse. Je dirais dix, peut-être vingt minutes tout au plus, avant qu'elle se brise sous l'effet de la chaleur. Une fois que le liquide aura touché la flamme, ça explosera comme une putain de bombe atomique. Mieux vaut foutre le camp d'ici dès qu'on les mettra à chauffer. On ne sait jamais avec ces trucs. Les produits chimiques ne sont pas vraiment stables. »

Valentine lui donna une tape dans le dos pour le féliciter. « Je vois ce que tu veux dire, mon garçon. »

Bart intervint. « J'en ai plein le cul de ces conneries. Tu crois que son mari va te laisser tranquille ? » Il fit un geste en direction du couloir avec son arme. « Tue-la au moins, qu'elle n'ait pas à souffrir. » Il regarda Lena, avec un peu moins de compassion. « Tue-les toutes les deux. Pourquoi pas faire preuve d'un peu de bonté ? »

Valentine aspergea la pièce d'acétone. « Parce que ça laissera des balles dans les corps, Fred. Je peux faire disparaître une paire de menottes, mais je ne peux pas dissimuler une balle aux rayons X. Et même si tu l'enlèves avant, une balle qui touche un os laisse des traces. Les couteaux aussi laissent des marques, alors ce n'est même pas la peine d'y penser, Clint. » Il secoua la tête, s'adressa à Bart. « Je croyais que tu avais fait assez d'autopsies pour savoir comment ça marchait. On va juste l'attacher au tuyau d'évacuation et se dépêcher de foutre le camp. »

Lena prit enfin la parole. « Qu'est-ce que vous allez dire à Jeffrey ? »

Il lui sourit. « Que Deacon Simms était en train de faire cuire du crystal dans la cuisine de Hank et que Sara et toi êtes entrées au mauvais moment. »

Elle ne prit même pas la peine d'avoir l'air surprise à l'idée qu'on retrouve le corps de Deacon Simms dans les décombres. C'était tout à fait plausible. « Jeffrey sait que vous étiez avec nous.

— Il *saura* que je vous ai déposées, rétorqua Valentine en versant de l'ammoniaque sur la soude. Ensuite, il *saura* que je suis rentré chez moi pour déjeuner avec ma femme avant qu'elle retourne à l'école.

— Il recollera les morceaux en s'apercevant que vous avez rendu votre insigne le jour où sa femme est morte. »

Bart avait écouté leur conversation avec attention. Lena sentit qu'il se tendait. Il demanda : « Tu as démissionné ?

— Oui, dit Lena en serrant un peu plus fort sa menotte, espérant qu'il allait s'approcher. Don Cook m'a dit que Jake avait démissionné ce matin. Jake a reçu une lettre de menaces et a dit qu'il comptait quitter la ville avant de finir comme Al Pfeiffer.

— Elle ment, dit Valentine. J'ai démissionné, mais je…

— Il a dit qu'il allait quitter la ville, répéta Lena. Regardez tous ces trucs, Fred. » Elle lui montra les gobelets, les produits chimiques. « Ils avaient tout préparé. Ils ont fait tout ça pour quoi, à votre avis ?

— Ne l'écoute pas », dit Valentine à Bart d'un ton menaçant.

Lena continuait, elle était en train de rassembler toutes les pièces du puzzle. Valentine avait dû être très fier de lui-même. Lena lui avait remis des photos. Il suffisait de les trier et de les montrer aux bonnes personnes, et Bart apparaîtrait comme le cerveau de l'opération. « Ils allaient te coincer, Fred. Ils avaient tout prévu, ils attendaient simplement le bon moment pour te piéger. » Il secoua la tête, et elle insista. « Réfléchis, Fred. Regarde ce qui se passe ici. Jeffrey aurait eu besoin d'une explication, il va lui falloir un coupable pour la mort de sa femme. Tu ne vois pas que Jake est en train de te piéger ? C'est *toi*, son alibi.

— N'écoute pas ces conneries », dit Valentine, mais même Lena se rendait compte qu'elle n'était pas loin de la vérité. Il était visiblement nerveux. Il ne pouvait s'empêcher de regarder l'arme. « Allez, Fred. C'est juste que ça devenait un peu chaud et j'ai… »

Lena et Valentine se baissèrent tous les deux en voyant Bart appuyer sur la gâchette. Instinctivement, Lena mit ses mains sur la tête, et la deuxième menotte lui revint dans la figure. Elle leva les yeux, s'attendant à voir Jake Valentine allongé par terre, mort, mais Bart avait tiré sur Clint. C'était un excellent tireur. La balle était entrée droit entre les yeux de l'autre homme.

Pour sa part, Clint semblait être le dernier à comprendre qu'on venait de lui tirer dessus. Il était encore debout, le regard vide, mais commençait à perdre l'équilibre. Au moins deux secondes s'écoulèrent avant qu'il ne s'effondre contre la porte. Elle s'ouvrit quand il tomba, la chaîne qui rattachait son portefeuille à sa ceinture cogna contre le bois.

« Putain, mais pourquoi est-ce que tu as fait ça ? demanda Valentine. Pour l'amour de Dieu, Fred. C'était l'homme de Jerry. » Il frappa du pied. « Tu vas être obligé de t'expliquer, espèce de connard. »

Bart pointait son arme contre la poitrine de Valentine. « Tu crois que je ne comprends pas ce que tu es en train de faire ?

— Quoi ?

— Elle a raison, dit-il. Tu n'as jamais fait de crystal de ta vie, et Clint était trop avancé dans l'organisation pour s'amuser à ces conneries.

— Ce n'est pas…

— Qu'est-ce que tu pensais faire avec tout ça ? demanda-t-il en lui montrant les produits chimiques, les gobelets. Tu comptais me laisser ça sur les bras pendant que tu foutais le camp avec ta grosse vache de femme. »

Valentine serra les poings. « Ne t'amuse pas à mêler Myra à tout ça. »

Bart dit : « Al et moi, on veillait au bon fonctionnement de la ville, on a réussi à garder les gens bien à l'écart des pourris pendant trente ans. Tu ne t'es jamais soucié du bien et du mal. Tu distribuais cette merde comme si c'était des bonbons.

— L'argent c'est de l'argent, mec.

— À quel prix ?

— Je n'ai jamais eu l'impression que ça te dérangeait de prendre les billets que je te donnais toutes les semaines.

— Comme si j'avais le choix, répliqua-t-il. Tu n'étais qu'un petit merdeux avant d'entrer dans cette famille en épousant ta femme. Et alors, d'un coup, tu t'es pris pour le king, à faire le beau et à rouler des mécaniques comme si tu étais quelqu'un. Tu n'as jamais été qu'un minable.

— Comme si c'était moi qui avais eu la brillante idée de balancer Boyd à travers la fenêtre du motel, putain ! cria-t-il. Qu'est-ce que tu réponds à ça, Fred ? Encore un de tes actes grandioses, comme *l'instit* que tu as fais cramer sur le terrain de foot. C'est avec elle que toute cette merde a commencé. » Valentine semblait content de sa réplique. « Toi et tes tactiques de merde, tu t'imagines que tu vas réussir à faire peur aux gens comme au bon vieux temps, alors que ça ne sert qu'à jeter de l'huile sur le feu. Et moi, j'essaye de faire le ménage derrière toi. C'est qui le minable maintenant ?

— Tu sais pourquoi ils m'ont gardé ? demanda Bart. Tu ne t'es jamais demandé pourquoi ils ne m'avaient jamais donné un aller simple pour le marais ? C'est parce qu'ils ne faisaient pas confiance à ta petite gueule de con. »

Valentine ricana. « Puisque tu les connais si bien, tu dois savoir ce qu'ils pensent de la famille.

— Je crois qu'ils seront contents de se débarrasser de toi, voilà ce que je pense.

— Et moi je pense que je suis la seule chose qui te sépare de la mort pour l'instant.

— Va te mettre à côté de l'évier, ordonna Bart. Tous les deux. »

Valentine protesta : « Attends un peu… »

Bart lui tira dans la jambe.

« Merde ! hurla Valentine. Mais nom de Dieu, qu'est-ce que tu fais ? »

Bart se baissa et récupéra la cartouche. « J'ai dit, tous les deux à côté de l'évier. » Comme Lena ne bougeait pas, il donna un coup de pied à sa chaise. « Il y a des choses qui font plus mal qu'une balle, chérie. »

Elle se leva et se dirigea vers l'évier.

Valentine tenait sa jambe ensanglantée, furibond. « Tu crois que tu peux t'en sortir comme ça ?

— Je crois que je vais avoir un paquet de balles à retirer de ton corps si tu ne te dépêches pas d'aller à côté de l'évier et de te menotter au tuyau.

— Tu crois que tu peux retrouver le bon vieux temps ? Il y a trop d'argent en jeu maintenant, Fred. Ils t'enterreront.

— Ta gueule, ordonna Bart en lui donnant un coup de pied à l'endroit où il l'avait blessé.

— Putain ! hurla Valentine, vacillant et tombant par terre.

— Toi aussi, dit Bart en agitant son arme vers Lena. Assieds-toi par terre. »

Elle s'agenouilla lentement. « Je n'ai jamais dit à personne que c'était vous dans la voiture, dit-elle. Je n'ai rien dit du tout.

— Je sais, chérie, dit Bart. C'était vraiment gentil de ta part.

— Laissez-moi partir, supplia Lena. Laissez-nous partir, Sara et moi, et nous ne dirons rien. »

Bart montra ses horribles petites dents. « Ce qui est marrant, Lena, c'est que s'il n'y avait que toi, je te croirais. Vraiment. Mais ton amie la doctoresse, elle, ne mentira pas. Elle essaiera peut-être, mais elle n'est pas foutue de garder un secret.

— Je vous assure que si. »

Il secoua la tête. « Jake, penche-toi et passe la menotte derrière le tuyau.

— Enculé de ta mère, marmonna Valentine en attrapant le bras de Lena et en passant la chaîne derrière le tuyau d'évacuation.

— Bien serré, insista Bart. Plus que ça. »

Valentine serra tellement la menotte que son poignet devint tout rouge. « Ils te retrouveront, prévint-il. Ils te retrouveront et te feront sortir les intestins par le trou du cul. »

Bart se trouvait maintenant devant la cuisinière. Il poussa le feu au maximum, et se servit de la crosse de son arme pour casser les boutons de la cuisinière. S'étant assuré qu'on ne pouvait plus s'en servir pour baisser le gaz, il prit les tasses en céramique et les posa sur le feu.

« Tu vas mourir pour ça, le prévint Valentine. Tu crois que tu peux me tuer impunément ? Putain, j'ai le rang de général dans l'organisation de la Confrérie de la Vraie

Peau Blanche. La vengeance s'abattra sur toi comme la fureur de l'unique Dieu blanc.

— Ouais, ouais, dit Bart. Et toi tu vas te faire enculer par le plus gros et le plus noir des pédés qu'il y ait en enfer. » Il leva le pied et frappa Valentine, dont la tête alla cogner contre l'acier de l'évier, juste derrière lui, et on entendit le bruit atroce du craquement de son crâne. Il glissa le long de l'évier, du sang s'écoula de l'arrière de sa tête.

Bart s'accroupit et fouilla les poches de Valentine, l'arme pointée contre la poitrine de Lena.

« Ne faites pas ça, supplia-t-elle. Je vous en prie, ne faites pas ça. »

Il trouva le portable de Valentine et l'écrasa sous le talon de sa chaussure. Il dit à Lena : « Je suis vraiment désolé, chérie.

— Oui, dit Lena en pensant que si elle avait les mains libres, elle l'étranglerait. Pas de problème, je comprends. »

Bart secoua la tête, le regard perdu. « Tu es exactement comme était ta mère. Tu le sais, ça ? »

Était. Lena sentit sa gorge se serrer, sa volonté de se battre s'évaporait. « Que lui est-il arrivé ? demanda-t-elle. Je vous en prie, j'ai besoin de savoir.

— C'était quelqu'un de bien, et elle est passée de l'autre côté, ma puce. » Bart se leva, vérifia les tasses posées sur la cuisinière. « Elle est mieux là où elle est à présent. » Il fit un geste pour indiquer la pièce, la situation. « J'espère que savoir ça t'apportera un peu de paix.

— De paix ? répéta-t-elle. Vous vous foutez de ma gueule ? Vous vous imaginez que vous me rendez service en me tuant ? »

Bart balança l'arme sur la table de la cuisine. « Désolé, chérie. » Il ouvrit la porte et la referma doucement derrière lui.

« Merde ! » cria Lena en donnant un coup de pied à Valentine. Il grogna, roula sur le côté. Elle vit le haut de sa tête, l'endroit où son crâne avait été enfoncé. Elle eut tout loisir d'observer sa tache dégarnie. Le bas de ce qui ne pouvait être autre chose qu'une croix gammée rouge était tatouée sur son crâne.

« Sara ! hurla Lena, sachant qu'elle n'aurait pas de réponse. Sara ! » Elle se pencha autant qu'elle pouvait, essayant de voir par-dessus le cadavre de Clint. Sara était toujours appuyée contre le mur, son regard vide fixé sur Lena.

Lena tira sur le bras de Valentine pour le faire glisser sur le tuyau. L'effort était intense. C'était un poids mort, elle aurait tout aussi bien pu être attachée à un bloc de pierre. À force, elle parvint à le pousser à l'intérieur du placard, à faire passer son épaule au-dessus du tuyau. Il disait quelque chose, la suppliait d'arrêter, de l'aider, mais Lena ignorait ses suppliques. Elle posa ses pieds de part et d'autre du placard, attrapa la main de Valentine et tira aussi fort qu'elle le pouvait sans se débloquer l'épaule. Quand elle eut réussi à pousser Valentine dans le placard au maximum, elle recula un peu et donna un coup de pied dans le tuyau de toutes ses forces.

« À l'aide ! » hurla-t-elle, en continuant à frapper le tuyau, encore et encore. Son pied glissa, frappa l'épaule de Valentine. « À l'aide !

— Lena… murmura Valentine en tendant sa main vers elle. Je t'en prie… »

Lena commença à tousser tandis qu'une fine brume remplissait la pièce. Elle avait réussi à tordre le tuyau mais il restait attaché – c'était la seule chose que Hank avait jamais changée dans sa putain de maison délabrée. Elle hurla de rage, frappant le tuyau jusqu'à ce que son pied soit tellement endolori qu'elle pouvait à peine le soulever.

« Au secours ! » cria-t-elle de nouveau, sachant que personne ne viendrait. Bart avait tiré deux fois et personne n'avait accouru. C'était un quartier d'ouvriers. Personne n'était à la maison en plein milieu de la matinée un vendredi ; ou en tout cas, personne qui se donnerait la peine d'aider son voisin.

L'arme. Lena la vit, posée sur la table, contre le mur. Elle se jeta en avant pour l'attraper, son bras faillit se disloquer. Elle ne pouvait pas atteindre la table. Lena se coucha sur le dos et essaya d'entourer le pied de la table de ses jambes, pour la tirer jusqu'à elle. Elle effleura le métal de la pointe de sa chaussure, mais s'arrêta quand elle entendit une bouteille se casser. De la fumée blanche s'éleva depuis la table. Le liquide tomba par terre, grésilla comme du bacon en faisant des trous dans le lino. À quoi pensait-elle ? Elle allait répandre encore plus de produits chimiques dans l'atmosphère. Et que ferait-elle si elle parvenait à attraper l'arme ? Elle ne pourrait pas tirer un coup de feu dans la pièce. Les vapeurs chimiques remplissaient déjà l'air. L'étincelle d'une arme à feu risquerait de faire exploser la maison.

« Non, non, non, souffla-t-elle, en s'asseyant, tentant de se concentrer. Oh mon Dieu, je vous en prie ! » Elle tira de nouveau sur la menotte et cria de douleur. Son poignet était plein de bleus et saignait. Elle avait tellement mal qu'elle pensa qu'il était peut-être cassé. « Non », murmura-t-elle en toussant. Elle sentait ses poumons trembler dans sa poitrine. Elle avait l'impression d'avoir respiré du coton. Lena toussa pour faire passer cette sensation, mais rien n'y fit. Elle se leva et ouvrit le robinet, mit ses mains sous l'eau et les amena à sa bouche, à ses yeux.

Elle avait passé tellement d'années dans cette maison, à prier pour ne pas mourir ici, pour se sortir de cette ville et faire quelque chose de sa vie. Et pourtant, voilà qu'elle se trouvait là, coincée dans la maison de Hank, à vivre le pire de ses cauchemars.

Lena étouffa un sanglot. Jeffrey parviendrait à comprendre ce qui s'était passé. Il ne laisserait pas un putain de dentiste autopsier sa femme. Il ferait venir quelqu'un de l'État pour examiner les corps. Ils verraient le crâne brisé de Valentine. Peut-être qu'il resterait assez du cadavre de Lena pour qu'ils voient les bleus sur son pied, la chair à vif sur son poignet.

Son poignet.

Lena la vit alors, la solution, le moyen de s'en sortir.

Elle se pencha vers Clint, essaya d'attraper son pantalon, sa chaussure, n'importe quoi. Elle était trop loin. Elle se coucha à plat ventre, les bras tendus au-dessus de sa tête aussi loin qu'elle pouvait aller, étendit ses jambes pour essayer de tirer Clint vers elle à l'aide de ses pieds. Il était lourd, mais elle réussit à attraper un de ses pieds entre les siens, le tira vers elle jusqu'à ce qu'elle parvienne à faire passer sa chaussure à travers la chaîne qui rattachait son portefeuille à sa ceinture. Elle contracta ses abdos, cria sous l'effort tandis que le corps se rapprochait. Lena s'assit, se pencha vers lui, parvint finalement à attraper son pantalon et à le tirer suffisamment près pour attraper le couteau à sa ceinture.

Lena regarda Valentine. Il la regardait fixement, les yeux emplis de terreur.

Elle ne se laissa pas le temps de réfléchir. Elle attrapa le couteau et le planta dans son poignet. La bouche de Valentine s'ouvrit, mais il ne cria pas. Il émit une plainte aiguë, interminable. Lena tenta de l'ignorer, et attaqua de nouveau son poignet, tentant d'atteindre l'endroit plus souple où l'os laissait la place aux tendons. Son estomac se retourna quand le sang lui éclaboussa le visage, la répulsion si forte qu'elle dut faire d'immenses efforts pour continuer. La menotte était tellement serrée autour du poignet de Valentine qu'elle n'osait pas prendre de recul, de peur d'abîmer la lame du couteau contre le métal. Elle s'interrompit, essaya de reprendre son souffle, essaya de ne pas vomir. Sur la cuisinière, elle entendait un gargouillis, le liquide commençait à bouillir.

« Je t'en prie… murmura Valentine. Seigneur, non, je vous en prie… »

Elle repoussa les restes du téléphone de Valentine, appuya son poignet par terre, pour le mettre le plus à plat possible, et posa la lame du couteau contre son poignet.

« Non », supplia Valentine, la voix plus forte maintenant qu'il comprenait ce qu'elle avait l'intention de faire.

Lena se releva et appuya la semelle de sa chaussure contre le couteau ; la double lame fit une entaille dans le caoutchouc. Elle posa le front contre le plan de travail pour ne pas perdre l'équilibre, et déplaça tout le poids de son corps sur sa jambe en appuyant la lame dans le poignet.

« Non ! » hurla Valentine, ses jambes sursautaient, des bruits animaux de souffrance résonnaient dans la pièce.

Elle força davantage sur la lame, appuyant de tout son poids, jusqu'à ce que le couteau traverse entièrement le poignet et atteigne le sol.

La menotte sauta, la main de Valentine se détacha de son bras comme une dent qui bouge. La menotte était tellement serrée que sa main restait coincée. Lena se releva complètement, la main de Valentine tapa contre sa cuisse. Elle eut un haut-le-cœur, la fumée était plus dense. Elle avait les yeux qui piquaient et était incapable de se repérer.

Les tasses sur la cuisinière étaient brûlantes, le liquide bouillonnait. Elle tenta de tourner les boutons, mais il n'y avait pas de prise. Des nuages de fumée noire emplissaient la pièce. Au loin, Lena vit que Sara avait réussi à s'asseoir. Tandis qu'elle l'observait, la bouche de Sara bougea, mais elle ne fit aucun mouvement pour se lever ou pour tenter de quitter la maison en feu.

Lena tituba vers elle, se cogna contre la table en faisant tomber des boîtes d'allumettes. Elle regarda par terre, vit que les grattoirs avaient été enlevés et que toutes les allumettes étaient intactes. Son bras se mit à la lancer, et elle se rendit compte qu'elle avait posé sa main sur des bouts de verre. Elle sentit une odeur étrange, puis une douleur aveuglante. De l'acide. Elle venait de poser sa main sur la bouteille d'acide cassée. Elle ouvrit la bouche, mais ses poumons ne contenaient pas assez d'air pour crier. Elle retira brusquement sa main de la table.

« Lena… l'appelait Valentine. S'il te plaît… »

Lena se déplaça, fuyant sa voix. Elle avait l'impression que sa peau était en train de s'écouler des os de sa main, mais elle se força à continuer, força ses jambes à la conduire auprès de Sara, alors même que chaque cellule de son corps lui criait d'aller de l'autre côté.

Elle toussa, s'étouffant à cause de la fumée, la chaleur de la pièce close pénétrait dans sa peau. Il avait tout organisé à la perfection. La cuisine était un rêve de savant fou, un cauchemar de flic.

Des batteries au lithium. De l'iode. Du diluant. De la soude.

Certains des ingrédients utilisés pour faire du crystal étaient présents dans la bombe qui avait détruit le Murray Building d'Oklahoma City.

Il fallait qu'elle arrive jusqu'à Sara avant que la maison n'explose, qu'elle parvienne à les faire sortir toutes les deux de cet enfer, à l'air libre.

« Sara ! » hurla Lena en se jetant dans le couloir. Elle s'accroupit devant elle, l'attrapa sous les bras et essaya de se relever avec elle. « Au secours ! » cria-t-elle, ses jambes tétanisées par l'effort. La fumée était maintenant si épaisse que Lena ne voyait plus rien. Elle sentait les larmes couler le long de ses joues à cause des vapeurs chimiques. Quelque chose sauta dans la cuisine, comme un bouchon de champagne ou un pistolet à bouchon. Lena passa le bras de Sara par-dessus ses épaules, la tira vers la porte d'entrée. Elle voyait un rai de lumière filtrer à travers la porte, qui n'était pas complètement refermée.

« Je t'en prie, Sara, supplia Lena. Aide-moi s'il te plaît. Je ne peux pas te soulever. »

Les jambes de Sara commencèrent à avancer de manière étrange. Lena la poussa en avant, ouvrit la porte. La lumière du soleil était aveuglante. Elle sentait la menotte et ce qui y était encore accroché cogner contre la porte tandis qu'elle poussait Sara vers l'extérieur.

Elle s'écroulèrent toutes les deux en bas des marches, mais Lena se releva immédiatement. Elle attrapa Sara sous les bras et la tira à reculons, à travers la cour, jusque dans la rue. Elles étaient arrivées sur le trottoir des voisins quand l'air changea. Ce fut comme un appel d'air, qui attirait tout l'oxygène vers la maison, suivi d'une brusque poussée lorsqu'un souffle violent passa à côté d'elles. Quand Lena entendit l'explosion, elle était déjà en train de plonger à terre, se servant de son corps pour recouvrir celui de Sara. Ensuite vint la chaleur, une chaleur horrible, intense, qui lui brûlait la peau.

Lena était allongée au-dessus de Sara. Elle s'était vidée de toute l'adrénaline qui lui avait permis de les faire sortir de la maison. Elle se força néanmoins à rouler sur le côté, et se retrouva couchée sur le dos.

Au loin, une sirène annonçait enfin l'arrivée des secours. Lena ferma les yeux, s'autorisa à ressentir du soulagement, puis de la joie de s'en être sortie. Elle lutta, parvint à s'asseoir, toussa du sang. Sa main lui faisait tellement mal qu'elle arrivait tout juste à respirer. Elle essaya de ne pas la regarder, de ne pas voir la peau fondue que l'acide avait grignotée. C'est alors qu'elle aperçut la menotte vide qui pendait à son poignet. Elle regarda autour d'elle, le chemin qu'elles avaient parcouru. Rien.

Sara essaya de s'asseoir, mais retomba sur la pelouse. En haut de la rue, Lena vit une voiture de police d'Elawah prendre le virage sur deux roues.

« Qu'est-ce qui s'est passé ? marmonna Sara en appuyant ses doigts contre ses yeux. Lena, qu'est-ce qui s'est passé ?

— C'est bon, lui dit Lena. C'est fini.

— Tu vas bien ? » demanda Sara, toujours avec un réflexe de médecin, alors même qu'elle était couchée sur le dos.

La voiture de police crissa et s'arrêta devant elles. Lena s'efforça de se mettre debout quand Don Cook sortit de la voiture. Ses jambes ne répondaient plus, elle avait l'impression d'avoir la main en feu.

« Putain, mais qu'est-ce qui se passe ici ? » demanda l'adjoint.

Lena sentit le goût du sang dans sa bouche. Son estomac se retourna, et elle parvint à peine à parler. « Fred Bart, dit-elle à Cook. Vous devez retrouver Fred Bart. »

Sara avait réussi à s'asseoir. Elle posa sa main dans le dos de Lena, lui dit d'inspirer profondément. Lena essaya d'obéir, mais le sang resta coincé dans sa gorge. Elle toussa, le corps tendu par l'effort.

La dernière chose qu'elle entendit fut le hurlement de Sara : « Appelez une ambulance ! »

Puis elle perdit connaissance.

Lundi

Chapitre 27

Nick Shelton n'avait pas été tout à fait exact quand il avait dit à Jeffrey que le Bureau d'Investigation de l'État de Géorgie ne pouvait intervenir que si la police locale le leur demandait. Il y avait une exception à cette règle : quand les forces de police locales étaient si corrompues qu'il n'y avait pas d'autre solution que de faire intervenir l'agence de l'État pour faire table rase. En termes de corruption, on faisait difficilement mieux qu'essayer de faire exploser un flic et la femme d'un chef de la police dans un labo de crystal, et les agents de l'État avaient envahi le comté d'Elawah comme une horde de frelons enragés.

Jeffrey était à mi-chemin entre la Coastal State Prison et Reese quand son téléphone avait sonné. Le numéro ne lui disait rien, mais il avait reconnu la voix au premier mot.

« Je vais bien », lui dit Sara, sans même se préoccuper des politesses habituelles. Le cœur de Jeffrey s'était arrêté de battre, parce qu'on ne précisait pas qu'on allait bien à moins d'avoir été vraiment mal juste avant.

Sara l'appelait de l'arrière d'une ambulance, la sirène faisait concurrence à sa voix. Elle lui avait raconté tout ce dont elle se souvenait, du moment où Valentine avait sorti son arme à celui où Bart lui avait injecté le produit qui l'avait assommée. Le temps qu'elle termine, Jeffrey avait les mâchoires si serrées qu'il pouvait à peine parler.

Il avait perdu son temps avec Ethan Green pendant que Sara était en danger de mort. Il ne se pardonnerait jamais de l'avoir laissée seule avec Valentine. Si le type n'avait pas déjà été mort, Jeffrey se serait fait un plaisir de le retrouver et de régler le problème tout seul.

Deux heures plus tard, quand il arriva finalement à l'hôpital, Sara avait l'air plus inquiète pour Lena que pour elle-même. Elle avait peur que le chirurgien plastique ne soit pas assez compétent pour réparer la brûlure sur sa main, elle avait peur qu'elle développe une infection dans les poumons, sûre que le pneumologue ne savait pas ce qu'il faisait. Elle se comportait de manière obsessionnelle, faisant les cent pas en égrenant toutes ses inquiétudes, et Jeffrey avait fini par l'arrêter physiquement.

« Je vais bien », lui disait-elle sans arrêt ; il avait vite compris que c'était plus pour se rassurer elle-même. Même sur le chemin du retour à Grant County, elle n'avait cessé de lui dire qu'elle allait bien. La veille, elle avait cependant fini par s'effondrer. Il lui avait dit qu'il devait retourner à Reese pour aider Nick Shelton à interroger Fred Bart. Elle ne lui avait pas dit de ne pas y aller, mais ce matin, il s'était fait l'effet d'un criminel en se glissant hors de la maison avant qu'elle se réveille.

Jeffrey se gara devant la prison du comté d'Elawah. Pour la dernière fois de sa vie, espérait-il de tout cœur. Un camion de la brigade contre les produits toxiques était garé sur le parking, des types du gouvernement rôdaient dans les locaux et buvaient du café. Après l'explosion de la maison de Hank, le quartier avait été évacué sur une surface de près d'un kilomètre carré pour éliminer les déchets toxiques. Les seules choses qui restaient du shérif étaient des fragments d'ADN et sa main.

Jake Valentine. Jeffrey avait la nausée à chaque fois qu'il pensait au bonhomme. Maintenant qu'il était mort, ils avaient découvert toutes sortes de choses intéressantes à son sujet. La modeste maison qu'il avait en ville correspondait sans doute à l'idée qu'il se faisait d'un taudis. Il avait un grand chalet près du lac, avec deux bateaux à moteur amarrés au ponton. Son casier judiciaire était vierge, mais celui de son frère, c'était une autre histoire. David Valentine avait été poignardé dans un combat avec un autre gang de skinheads, mais si l'on en croyait son dossier, il avait été bien placé au sein de l'organisation. Incendie criminel, viol, agression avec arme à feu, tentative d'homicide.

Valentine avait dû tirer les leçons des erreurs de son frère et ne s'était pas trop fait remarquer. À l'exception d'une arrestation pour délit d'ivresse quand il était encore à l'université, il n'y avait rien dans le dossier de Jake Valentine susceptible de laisser penser qu'il était un skinhead trafiquant de drogues à la tête d'un business de plusieurs millions de dollars. La pièce manquante du puzzle était Myra, sa femme. Myra Valentine, née Fitzpatrick, était la petite sœur de Jerry et Carl Fitzpatrick, les chefs de la Confrérie de la Vraie Peau Blanche. Leurs parents étaient venus s'installer à Reese après que, dans leur ville d'origine du New Hampshire, on leur avait fait comprendre que la famille d'un assassin de policier n'était plus la bienvenue au sein de leur communauté. Myra s'était plu à Reese, assez pour y rester. En l'épousant, Jake Valentine était entré dans une famille puissante, et comme la plupart des familles puissantes, ils avaient trouvé une occupation à leur gendre paresseux.

Nick avait envoyé une requête au siège de la Confrérie dans le New Hampshire, en demandant à interroger Myra. Le siège n'avait pas répondu.

Jeffrey n'avait jamais fait entièrement confiance à Jake Valentine, mais il avait tellement eu envie de mettre Ethan au centre de toute cette affaire qu'il avait laissé

Sara et Lena seules avec lui. Jeffrey ne savait pas s'il était en colère ou s'il avait honte de sa naïveté. Il se souvint des paroles de Grover Gibson le jour où lui et Valentine s'étaient rendus chez lui dans les bois pour lui annoncer la mort de son frère.

« C'est toi qui lui as fait ça ! avait crié Grover, en se ruant sur le shérif pour lui casser la figure. C'est toi qui l'as tué ! »

Valentine avait parfaitement monté son coup, prévenant Jeffrey à l'avance que Grover le tiendrait pour responsable de la dépendance de son fils. Et Jeffrey avait aidé le shérif à se défendre.

Il ne voulait pas y penser maintenant, cela le rendait furieux. Il devait se concentrer sur Fred Bart. Le dentiste visqueux était la seule personne qu'il restait à punir, et il semblait bien décidé à se battre. Quand Don Cook était finalement allé le chercher, il était à son cabinet, en train de soigner une carie. Bart avait affirmé que c'était une pure coïncidence que le patient installé dans son fauteuil soit aussi son avocat. Nick était persuadé que Jeffrey pourrait l'aider à le faire parler, mais celui-ci ne partageait pas l'optimisme de l'agent d'État. Elawah County vivait sur des secrets qui remontaient à plusieurs décennies. La ville s'épanouissait en fermant les yeux. Jeffrey doutait sérieusement que quelqu'un – en particulier Fred Bart – puisse y changer quoi que ce soit.

L'entrée de la prison était encore plus exiguë que dans le souvenir de Jeffrey. Don Cook occupait sans doute le bureau du shérif, à l'étage, peut-être même était-il en train de prendre des mesures avant de commander de nouveaux meubles. Nick était assis à l'ancien bureau de Cook, en train de feuilleter un de ses magazines de chasse. Il leva les yeux quand il vit Jeffrey. « Tu as vraiment une sale tête, mon vieux.

— Sara n'est pas contente que je sois ici.

— Elle s'en remettra », dit Nick, mais Jeffrey n'en était pas convaincu. « Je suis vraiment effondré pour Bob Burg, mon vieux. Ils l'ont arrêté hier soir. »

Jeffrey ressentait la même chose. Il était parti du principe que Burg était du bon côté, mais apparemment, l'agent du GBI acceptait des pots-de-vin depuis plusieurs années. « Il a dit quelque chose ?

— Pas un mot, répondit Nick. Bob n'est pas bête. Il sait qu'il ne va pas voir la lumière du jour pendant un certain temps, il ne risque pas de dénoncer un skinhead maintenant.

— Tu n'as rien trouvé concernant Hank, quand il a pris contact avec lui ?

— Bob a noté que dalle. Et même s'il l'avait fait, on aurait besoin de son témoignage, et y a pas moyen qu'il balance. Ces putains de nazis sont à tous les coins de rue. Bob ne passera plus une nuit tranquille. »

Jeffrey se dit que c'était une forme de punition adaptée.

« Comment va Lena ?

— Bien, répondit-il, content de changer de sujet. Elle va devoir suivre une rééducation pour ses poumons, mais elle devrait pouvoir rentrer chez elle en milieu de semaine prochaine. Ils l'ont transférée dans le même hôpital que Hank hier soir.

— Comment va-t-il ?

— Mieux. Il n'est pas encore sorti d'affaire. Et Bart ? Il parle un peu ?

— Putain, marmonna Nick en se levant. Il ne fait *que* parler. Ce crétin s'imagine qu'il peut se sortir de n'importe quelle situation. Il dit que Lena devait être défoncée à cause des vapeurs chimiques et qu'elle se souvient des choses de travers. Son avocat dit que Bart nous dira tout ce qu'il sait au sujet de Valentine si les charges sont réduites et qu'on l'inculpe de mise en danger par insouciance. »

Jeffrey rit pour la première fois depuis plusieurs jours. « Il pense vraiment qu'il va pouvoir s'en sortir comme ça ?

— Son avocat a précisé qu'il était prêt à envisager une peine avec sursis et mise à l'épreuve. »

Jeffrey rit de nouveau. Soudain, il se réjouissait de voir Fred Bart.

Nick redevint sérieux. « Je veux que tu me dises ce que tu penses de l'avocat. Il y a anguille sous roche.

— D'accord, dit Jeffrey. Tu as le dossier ? »

Nick lui tendit une pochette, puis se pencha sous le bureau pour appuyer sur un bouton. La porte s'ouvrit. Jeffrey le suivit dans l'arrière-boutique ; même si quelques jours seulement s'étaient écoulés, le bâtiment semblait négligé. Don Cook n'était franchement pas un meneur, et il allait falloir quelqu'un à la personnalité forte et avec beaucoup d'expérience pour permettre à la ville de se remettre de la trahison de Valentine. Jeffrey ne lui donnait pas plus de deux mois avant de démissionner, de prendre sa retraite, et de passer le restant de ses jours à la pêche.

Devant la salle de conférences, il y avait une caméra numérique montée sur un trépied. Nick frappa à la porte en même temps qu'il l'ouvrait.

« Enfin ! » dit Bart, comme s'il était content de les voir.

Jeffrey jeta sur la table le dossier que Nick lui avait donné, puis tendit la main en se présentant à l'avocat de Bart. L'homme ne lui dit pas comment il s'appelait, et Jeffrey pensa, à voir son costume bien coupé et sa coupe de cheveux à la mode, qu'il était sans doute plus à l'aise à Atlanta qu'à Elawah County.

Nick indiqua la caméra. « Je vais juste mettre ça en place. » Il sifflota pendant qu'il installait le trépied au bout de la table, la déplaçant doucement comme s'il avait toute la vie devant lui. Jeffrey savait que c'était uniquement dans le but de rendre le dentiste anxieux, mais sa technique fonctionnait également sur lui. Le temps que Nick ait fini d'installer son matériel, Jeffrey était pratiquement en train de se tortiller sur sa chaise.

Nick s'assit à côté de Jeffrey, en face de Fred Bart et de son avocat. À cause de la caméra, il dit : « Je suis Nick Shelton, du Bureau d'Investigation de l'État de Géorgie. À côté de moi, voici le chef de la police de Grant County, Jeffrey Tolliver, qui dirigera l'interrogatoire. Ça vous va, les gars ? »

L'avocat hocha la tête. C'était un homme robuste, aux cheveux coupés très courts. Jeffrey se demandait s'il portait un tatouage sur le crâne.

Bart dit : « On peut en finir avec cette histoire ? »

Jeffrey ouvrit le dossier posé sur la table. Il étala devant lui les photos qu'ils avaient trouvées dans une pochette, sur le bureau de Valentine. Si l'on en croyait les débris carbonisés dans sa poubelle, il y avait eu d'autres photos, mais Valentine avait pris soin de ne sélectionner que celles qui impliquaient Fred Bart et Boyd Gibson. Le shérif avait dit la vérité à Jeffrey quand il avait prétendu avoir appelé le GBI. Le bureau de Nick avait enregistré un appel sur sa boîte vocale une heure avant que Jeffrey et Sara n'arrivent à la prison. Sur l'enregistrement, Valentine exposait d'une voix guillerette l'affaire du dentiste épinglé pour trafic de drogue.

Fred Bart regarda à peine les photos. Le grain était gros, mais mises bout à bout, elles racontaient tout de même une histoire. Jeffrey tapota la première, sur laquelle on voyait Fred Bart et Boyd Gibson fumer des cigarettes devant un vieil entrepôt abandonné. Derrière eux, une transaction avait lieu. Sur une autre photo, on voyait Bart dans sa Jaguar, qui tendait une liasse de billets à Boyd Gibson. Toutes les photos montraient Bart du doigt et le présentaient comme le cerveau du trafic de crystal en ville, et Boyd comme son homme de main.

Bart s'exclama : « De toute évidence, elles ont été altérées.

— Je suis certain que vous trouverez un expert qui acceptera de dire ça à un jury », admit Jeffrey. Jake Valentine avait fait du bon boulot pour coincer le dentiste. Si Lena n'avait pas vu le tatouage sous le bras du shérif, personne n'aurait douté des preuves avancées par Valentine – ou de la mort de Bart dans son petit laboratoire de crystal personnel, faveur qu'il devait à Clint Jones.

Jeffrey dit : « Votre compte en banque montre un dépôt de liquide de plus de deux cent mille dollars vendredi matin.

— J'étais à mon cabinet avec mes patients. Je ne sais pas de quoi vous parlez.

— Vous voulez dire là où on a retrouvé plus de crystal qu'il n'en faudrait pour poudrer une piste de ski ? » Il s'interrompit. « Jake était sur le point de fournir le coup du siècle au GBI. »

Bart secoua lentement la tête. « Je ne sais vraiment pas de quoi vous parlez. »

Jeffrey le lui expliqua : « Disons que vous risquez la peine de mort. »

L'avocat intervint : « Mon client est prêt à collaborer de quelque manière que ce soit.

— Il a tué un homme de sang-froid, devant un détective de la police.

— Elle était défoncée ! protesta Bart, comme l'avait dit Nick. Avec les quantités de produits chimiques qu'il y avait dans cette pièce, je suis même étonné qu'elle se souvienne d'y avoir été. Vous savez ce qu'elle a fait à Jake. Elle lui a coupé la main ! Ce n'est pas le geste d'une personne lucide. »

Jeffrey considérait que c'était le geste d'une personne qui n'avait pas envie de mourir. « Vous avez injecté un sédatif à ma femme.

— Jake lui aurait fait du mal si je ne l'avais pas fait. Croyez-moi, Jake était quelqu'un de violent. »

L'avocat se raidit. Jeffrey ne l'aurait pas remarqué s'il n'avait été en train de l'observer.

Jeffrey demanda à Bart : « Comment est-ce que vous avez protégé Charlotte Gibson à l'arrière de l'Escalade ?

— J'ai déjà dit à votre copain que ce n'était pas moi, insista Bart. J'étais chez moi ce soir-là, en train de regarder la télé.

— Lena est prête à vous identifier. »

Bart sourit. « J'ai cru comprendre que l'auteur de ce crime était masqué.

— C'est juste, reconnut Jeffrey. Mais c'est difficile de se cacher derrière un masque quand on a des petites dents de fouine. »

Bart cacha sa bouche derrière sa main avant de pouvoir s'en empêcher.

Jeffrey dit : « Parlez-moi de Boyd Gibson. »

L'avocat sembla se réveiller au nom de Gibson. Fred Bart était-il la seule personne dans la pièce à ne pas se rendre compte que l'avocat travaillait pour les autres ? Jeffrey aurait adoré remonter les manches du type pour voir ses tatouages.

Jeffrey répéta : « Boyd Gibson ? »

Bart parlait lentement, bougeant les lèvres aussi peu que possible, comme si cela allait suffire à cacher ses dents. « Jake m'a raconté ce qui s'est passé, dit-il. Clint et Boyd ne se sont jamais entendus, mais Jake avait réussi à les maîtriser. Il leur a dit de faire brûler le bar de Hank.

Lena y avait passé du temps et ça ne plaisait pas à Jake qu'elle fouille. Il voulait lui faire peur pour qu'elle s'en aille.

— Et alors ?

— Alors, Jake m'a dit qu'ils avaient versé de l'essence autour du bar. Clint a balancé une allumette, mais à ce moment-là, Boyd a commencé à crier et à dire que Hank gardait de l'argent à l'intérieur, dans une boîte cachée sous une lame du plancher ou quelque chose comme ça.

— Il est entré dans un bâtiment en feu pour aller chercher de l'argent ? » demanda Jeffrey, songeant que, si Bart disait la vérité, il avait risqué sa vie pour sauver l'un des plus grands abrutis de la terre.

Bart hocha la tête. « À ce moment-là, vous êtes arrivé. Boyd a réussi à s'échapper et il a rejoint Clint dans la forêt. Ils se sont disputés. Je vous l'ai dit, ces hommes avaient le sang chaud. » Bart marqua une pause pour donner de l'effet à ses paroles. « Quoi qu'il en soit, Clint a fini par poignarder Boyd.

— Et après ?

— Et après il a fallu qu'il le dise à Jake.

— Et le couteau ?

— Clint ne voulait pas perdre son couteau – il était cher – alors il a utilisé un couteau qu'il avait... trouvé. » L'homme tendit les mains en haussant les épaules. « Attention, c'est Jake qui m'a raconté cette histoire, alors je ne peux pas en confirmer l'exactitude.

— Ouais, dit Jeffrey. Je comprends. » Il croisa les bras. « Est-ce que Jake vous a raconté qui avait eu l'idée de balancer le cadavre de Boyd par la fenêtre de ma chambre d'hôtel ?

— C'était son idée. Jake pensait que si votre femme était assez effrayée, vous quitteriez la ville. »

Jeffrey demanda : « Et Charlotte Gibson ?

— Jake s'est inquiété parce qu'elle parlait à Lena.
— Donc Jake l'a brûlée ?
— Oui. Jake aimait bien faire passer des messages.
— C'est vrai ?
— Oui. »

Jeffrey se souvenait de ce que Lena lui avait raconté, des derniers mots de Bart à Valentine, de la colère qui avait explosé entre les deux hommes. Le dentiste arrondissait ses fins de mois en vendant du crystal depuis que Valentine était en couches-culottes. Il avait été le king de la ville jusqu'à ce que Myra épouse son petit ami de la fac.

« Voyons voir si j'ai bien compris. » Jeffrey résuma, en comptant les cadavres sur ses doigts : « Clint Jones a tué Boyd Gibson, Jake a tué Charlotte, et vous, bien sûr, vous vous êtes montré charitable en tuant Clint en… quoi… légitime défense ? J'imagine que le fait de laisser Lena et Sara dans la maison en attendant qu'elles meurent n'était qu'un manque d'attention de votre part ?

— Je sais que je n'aurais pas dû les laisser là, mais j'étais terrorisé. Jake a des amis très puissants. Je me suis enfui parce que j'avais peur. J'en prends l'entière responsabilité.

— Je suis heureux d'entendre que vous acceptez la responsabilité de quelque chose. »

Bart essaya de se défendre : « J'ai passé un appel anonyme au poste de police pour les avertir. »

Nick avait apparemment déjà entendu cette histoire. « Nous avons écouté les enregistrements des appels d'urgence de vendredi, Fred. Et nous n'avons rien trouvé.

— Alors il faut continuer à chercher, insista Bart. J'ai appelé de la cabine du StopDiscount. Il doit y avoir mes empreintes. »

Jeffrey ne doutait pas qu'il y ait les empreintes de Bart sur le téléphone. Il avait largement eu le temps de penser à son alibi pendant que Lena et Sara luttaient pour s'en sortir.

« Et l'autre corps ?

— L'autre corps ? répéta Bart. Quel autre corps ? »

Il avait l'air aussi surpris que Sara et Lena. Les deux femmes avaient juré qu'elles n'avaient vu personne d'autre dans la maison de Hank, mais les restes d'un homme avaient été retrouvés près de la chambre du fond.

Jeffrey lui expliqua : « Il y avait d'autres ossements dans la maison de Hank Norton. Le médecin légiste de l'État dit qu'il s'agit d'un vieil homme, la soixantaine probablement. »

Bart regarda ses mains. « Je ne suis pas au courant de ça.

— Il y a beaucoup de choses dont vous n'êtes pas au courant, le défia Jeffrey. Je crois que vous êtes juste en train de faire travailler votre petite cervelle, pour essayer de répondre rapidement à toutes mes questions, mais le truc, c'est que vous n'avez aucune idée de la profondeur du trou dans lequel vous vous trouvez.

— Je ne vois pas ce que vous voulez dire. »

Jeffrey regarda Nick. Les deux hommes savaient que Bart était soit trop arrogant, soit trop bête, pour se rendre compte que sa vie était plus ou moins foutue dès l'instant où il avait tiré sur Clint Jones et qu'il avait dit à Jake Valentine de s'asseoir sous l'évier.

« OK. » Nick soupira, posa ses mains sur la table en se levant.

Bart glapit : « Qu'est-ce que vous faites ?

— On remballe, lui dit Nick en rangeant le trépied. Tu ne sais rien du tout, Toto, et j'ai l'impression que ton sauveur, là, va bientôt rentrer chez lui s'occuper de ses petits copains. »

L'avocat gloussa. « Bien vu. »

Nick lui dit : « Sans vouloir vous vexer, nous espérons vraiment que ça n'ira pas plus loin que ça.

— Je crois que nous avons eu assez de dommages collatéraux pour le moment. » L'avocat poussa les photos de Fred Bart sur la table. « J'ai l'impression que vous avez là plus de preuves qu'il n'en faut pour inculper le coupable. » Il se leva et dit à Jeffrey : « Je suis désolé que votre femme ait été en danger. » Après réflexion, il ajouta : « Et votre détective aussi, bien sûr. »

Jeffrey comprit ce que l'homme voulait dire, mais tenait à être clair. « Tant qu'elles sont en sécurité maintenant.

— Elles le sont. »

L'avocat se retourna, mais Bart s'agrippa à son bras, en criant. « Vous m'avez dit qu'ils trouveraient un accord. Vous m'avez dit qu'ils…

— Ôtez vos pattes », aboya-t-il, en dégageant brusquement son bras.

Bart sembla enfin comprendre que l'avocat n'était pas de son côté, que la seule raison de sa présence était de s'assurer que Bart ne constituait pas une menace pour les gens qui payaient ses honoraires.

Pour sa part, l'avocat semblait soulagé que les masques soient tombés. Il fit un signe à Nick, puis à Jeffrey. « Messieurs, si vous voulez bien m'excuser.

— Qu'est-ce que vous faites ? demanda Bart. Vous êtes mon avocat ! Où allez-vous ? »

L'homme quitta la pièce sans se retourner.

Bart se tenait debout à côté de la table, il se tordait les mains comme une pauvre femme.

Nick lui dit : « Asseyez-vous, Fred. »

Bart s'écroula dans sa chaise. « Je veux trouver un accord, marmonna-t-il. Je dois trouver un arrangement.

— Bienvenue dans l'État où on Sort sa Tête de son Cul. » Nick applaudit. « Quel arrangement est-ce que tu penses pouvoir trouver, mon petit Fred ?

— N'importe, supplia Bart. Dites-moi juste ce que je dois dire. »

Nick secoua la tête. « On veut que tu nous donnes des noms, Fred. Le problème, c'est que tu ne les connais pas.

— Si, je les connais ! hurla Bart. Je les connais tous !

— Par exemple ?

— Par exemple… » Il bougeait les lèvres en essayant de trouver quelque chose. « Dites-moi. Dites-moi qui vous voulez et je vous le dirai !

— Ça rime avec Spitzpatrick. »

Il devint tout blanc. « Non, dit-il. Je ne peux pas faire ça. »

Nick haussa les épaules. « Écoute un peu, mon gars. On t'a donné assez de corde pour pendre le serpent. Ce n'est pas ma faute si tu sais pas comment faire le nœud.

— Ils me tueront, dit Bart. Ils… pire que ça. Ils ne se contentent pas de tuer les gens… Ils… » Il s'interrompit, haletant. « Je vous en prie… » pleurnicha-t-il.

Jeffrey se leva et Nick ouvrit la porte.

« Non ! supplia Bart. Vous ne pouvez pas me laisser là. »

Nick ne put s'empêcher de lui répondre. « T'inquiète, mon pote. On s'arrêtera au StopDiscount pour appeler les secours en partant d'ici. »

*

Jeffrey avait un goût amer dans la bouche tandis qu'il traversait Reese. Il aurait dû se sentir bien à l'idée de laisser Fred Bart aux loups, mais il se sentait sale. Fred Bart avait laissé Sara brûler, et Jeffrey était un adepte convaincu de l'adage « œil pour œil, dent pour dent ». Il était également flic, et il savait que l'État avait le devoir de prendre soin des criminels les plus méritants. Quelle différence y avait-il entre attendre dix ans que l'appel soit rejeté ou laisser la Confrérie s'occuper de lui ?

La différence, c'était que la Confrérie se renforçait à chaque fois qu'elle prenait une vie. Ils ne se contenteraient pas d'amener Bart dans une pièce stérile et de lui enfoncer une aiguille dans le bras. Ils feraient en sorte qu'il les supplie de le laisser en vie. Ils le battraient, le tortureraient – de sorte que la mort serait son seul espoir. Fred Bart servirait de leçon à toutes les brutes et autres crétins qui couraient les rues : on ne contrariait pas la Confrérie sans en payer le prix fort.

Pourtant, les paroles d'Ethan Green continuaient de résonner dans sa tête, et Jeffrey ne pouvait s'empêcher de se demander si le jeune homme avait réussi à percer au jour le vrai Jeffrey, celui qui se cachait derrière son insigne tout en détournant le regard. Jeffrey avait prêté serment, jurant de protéger et de défendre tous les citoyens, et pas seulement ceux qui, selon lui, le méritaient. Il était censé travailler dans le cadre d'un système, pas inventer les règles en cours de chemin.

Il était censé s'occuper des faibles et les protéger des forts. Fred Bart n'avait vraiment pas eu l'air fort quand Jeffrey et Nick l'avaient abandonné, en larmes, dans la salle d'interrogatoire. Il était tombé à genoux, suppliant qu'on l'aide.

Jeffrey s'aperçut qu'il avait dépassé le motel et fit demi-tour. Il se gara devant l'accueil au moment où la femme de ménage sortait de l'une des chambres. Elle resta debout à le regarder sortir de sa voiture.

Jeffrey lui dit : « Je viens chercher les affaires de la chambre quatorze.

— Elles sont rangées », dit la femme en s'en allant.

Jeffrey devina qu'il devait la suivre. Il attrapa la porte de l'accueil juste avant qu'elle ne lui revienne dans la figure.

« Merci », dit-il.

Elle passa derrière le comptoir en se grattant le bras à travers son tee-shirt à manches longues. « Il faut payer la chambre », lui dit-elle.

Jeffrey jeta un coup d'œil au tableau de clés accroché derrière elle, et en déduisit qu'environ trois chambres étaient occupées. « Vous avez eu beaucoup à faire, ces derniers temps ?

— Écoute, connard. C'est pas moi qui fais les règles. »

Il rit et sortit son portefeuille. « Combien ça fait ? »

Elle se gratta la nuque, se demandant combien elle pouvait en tirer.

« Cent dollars.

— Qu'est-ce que vous diriez de vingt ?

— Qu'est-ce que vous diriez de cinquante ? »

Jeffrey lui tendit les billets, même s'il doutait sérieusement qu'ils trouvent le chemin de la caisse enregistreuse. En la regardant, il se dit qu'il se trouvait devant une rareté : une droguée au crystal qui avait survécu à ses trente ans.

Elle demanda : « Comment va la fille ?

— Lena ?

— Ouais, elle.

— Ça va.

— D'accord », dit la femme. Elle sortit un sac de sous le comptoir et le poussa vers Jeffrey. « Voilà ses trucs. Allez, foutez-moi le camp d'ici. »

Il étudia son visage, l'inclinaison arrogante de son menton. Lentement, il dit : « Elle reste encore quelques jours à St. Ignatius.

— Super. Mes impôts qui travaillent.

— Vous payez des impôts ? » Elle lui jeta un regard haineux et méprisant, auquel il aurait dû être habitué. « Vous savez, dit Jeffrey, votre fille me jette le même regard parfois.

— J'ai pas de fille.

— Lena a exactement la même tête que vous. »

Angela Adams grogna. Elle avait cinquante dollars dans sa poche, et besoin d'une dose. « Elle a la tête dans le cul, exactement comme moi. Même pas foutue de reconnaître sa propre mère quand elle l'a sous le nez. »

Jeffrey lui-même avait failli ne pas faire le lien entre la peinture à l'huile qu'il avait vue accrochée au-dessus du canapé de Hank Norton et la femme qui se trouvait devant lui. Quelque chose dans la manière d'incliner son menton l'avait trahie – même après toutes ces années, elle avait ce regard arrogant et plein de défiance. Angela avait été belle, mais le crystal lui avait enlevé cette beauté, tout comme il l'avait enlevée à ses filles.

Jeffrey tenta néanmoins de dire quelque chose de gentil. « Parfois, on ne voit pas ce que l'on ne cherche pas.

— Vous croyez que je ne sais pas à quoi je ressemble ? » Elle gratta le bord du revêtement. « Hank va bien ? »

Jeffrey sentit qu'une autre pièce du puzzle venait compléter le tableau. « Hank était chez vous tout le temps où il avait disparu, n'est-ce pas ?

— Cet abruti aurait dû s'en douter. Au bout de trois jours, nous étions prêts à nous entretuer. » Elle gratta la croûte qu'elle avait dans le cou. « Ce connard est parti un matin, comme ça. J'imagine qu'il est réapparu chez lui.

— Il est en désintoxication, dit Jeffrey à Angela. Il n'a plus de drogue dans le corps.

— Il s'est toujours occupé des filles. » Elle se reprit. « De ma fille.

— On a trouvé la déclaration de naissance que vous aviez remplie, avec le nom de Hank.

— Elle l'a vue ?

— Non, dit Jeffrey. Elle s'est perdue dans l'agitation. »

Elle rit calmement. « Quelle idiote j'étais – je pensais que ce serait plus facile pour lui de garder les filles, de les protéger. J'ai failli le faire arrêter. » Elle recommença à gratter sa croûte. Des gouttes de sang perlèrent. « C'est moi qui ai entraîné Hank dans la drogue. Il vous l'a dit ?

— Nous n'en avons jamais vraiment parlé.

— Quand Cal a été tué – leur père –, je n'y arrivais pas. Enceinte, grosse, malheureuse, seule. Puis j'ai eu une rage de dents par-dessus tout. Je suis allée voir ce connard chauve de Fred Bart. Il m'a dit qu'il avait quelque chose qui pouvait me détendre. » Elle fixa Jeffrey comme s'il l'avait mise au défi. « J'ai fait mon choix.

— Lena aimerait vous voir.

— Ça fait vingt ans que je passe mon temps à rentrer et à sortir de prison. Vous croyez qu'un flic aimerait avoir une taularde comme mère ? »

Jeffrey n'avait pas voulu de son père, mais on ne choisissait pas ses parents. « Ça fait longtemps que je connais Lena. Elle aimerait vous voir.

— Vous croyez qu'elle a envie de voir ça ? » demanda Angela en soulevant sa manche.

Jeffrey grimaça en voyant les dégâts que les piqûres avaient causés à sa peau au fil des années.

« Je travaille ici, dit Angela. Ça me donne juste assez d'argent pour vivre. Je n'ai pas besoin de complications dans ma vie.

— Je ne sais pas si Lena serait d'accord.

— Ouais… » Elle baissa sa manche. « Je me fous complètement de ce que vous pensez, trou du cul. Foutez-moi le camp d'ici. »

Elle fit le tour du comptoir, se dirigea vers la porte. Jeffrey pensait qu'elle allait sortir, mais elle s'arrêta.

Il fit une dernière tentative. « Vous êtes sa mère. Rien ne changera jamais cela. »

Elle lui tournait le dos, la main posée sur la porte vitrée. « Vous voulez savoir quel genre de mère je suis ? » Elle secoua la tête d'un air dégoûté. « J'avais promis de les laisser tranquilles, mais j'étais à sec, je tremblais tellement que j'en avais mal. Je suis allée à la maison, j'ai supplié Hank qu'il me donne de l'argent. Il me l'a donné, et je… » Elle inspira profondément. « Je faisais marche arrière avec la voiture, je ne regardais pas où j'allais, et je l'ai écrasée, juste devant sa sœur et la petite fille potelée des voisins. Vous saviez ça ? Vous savez comment j'ai rendu ma propre fille aveugle ? »

Jeffrey ne parvenait pas à imaginer ce que pouvait être un tel sentiment de culpabilité.

« Les flics m'ont arrêtée le lendemain pour détention de stupéfiants. J'avais d'autres trucs sur mon casier – des chèques en bois, des antécédents. Le juge a été sévère. Moi et Hank, on s'est dit qu'il valait mieux que les filles pensent que j'étais morte plutôt que de savoir ce que j'étais vraiment.

— Quand même…

— Monsieur, abandonner ces bébés, c'est la seule chose de bien que j'aie faite dans ma vie. Ne me l'enlevez pas. »

Elle ouvrit la porte et sortit, laissant Jeffrey seul avec les affaires de Lena.

Chapitre 28

Lena était assise dans une chaise roulante à côté du lit de Hank, sa main dans la sienne. Sa peau était sèche, ses doigts étaient comme des petits bâtons tout raides. Il refusait de la regarder, de lui serrer la main en retour. Au début, elle s'était dit qu'il était fâché, mais elle commençait doucement à comprendre qu'il avait honte. S'il avait ouvert la bouche, il lui aurait parlé de son orgueil qui le tuait. Il avait presque été arrogant au sujet de sa guérison, mais il n'avait fallu qu'une piqûre pour qu'il retombe dans la spirale de l'addiction. Son corps était ravagé par la drogue. Les médicaments prescrits par les médecins palliaient au mieux l'état de manque, mais il n'y avait pas grand-chose à faire pour sa dépression.

La plupart du temps, ils restaient tous deux ainsi, Lena le tenant par la main, Hank regardant fixement par la fenêtre, jusqu'à ce que l'une des infirmières vienne leur dire à tous les deux d'aller se reposer. Lena ne parlait pas beaucoup, parce qu'il n'y avait rien à dire.

« Ça va ? » demanda l'infirmière en entrant pour vérifier tous les tubes et les machines auxquels Hank était attaché. Elle était gentille, mais son entrain était agaçant, et elle parlait tellement fort qu'elle aurait pu réveiller un mort.

« Ça va », lui dit Lena en toussant.

L'infirmière lui jeta un regard préoccupé. « Vous avez fait vos exercices de respiration ce matin ?

— Oui, madame », répondit Lena.

Elle sourit, tapota la main de Hank. « Vous voyez comme votre nièce est sage, monsieur Norton ? » Elle parlait encore plus fort quand elle s'adressait à Hank, sans doute parce qu'il ne lui répondait jamais.

Elle demanda à Lena : « Comment va votre main ? »

Lena leva sa main droite, bien emmaillotée dans ses bandages. « Ça va. Les médecins disent que je devrais pouvoir récupérer toutes mes facultés de mouvements.

— Bien sûr, dit l'infirmière, optimiste devant l'Éternel. Je vous laisse encore quelques minutes avec votre oncle, d'accord ? Vous avez tous les deux besoin de repos. » Elle pointa son doigt en guise d'avertissement. « Je viendrai vérifier ! »

La porte se referma, et Hank marmonna : « Sûr qu'elle parle assez fort. »

Lena fut tellement soulagée de l'entendre parler qu'elle fut incapable de répondre.

Sa voix était rauque. « Tu fais vraiment ces exercices, ma fille ?

— Oui.

— Je n'ai jamais su dire quand tu mentais.

— Moi non plus. »

Hank prit une inspiration profonde et expira doucement.

Elle dit : « Parle-moi de ma mère. »

Il sourit. « Quelle histoire veux-tu que je te raconte ? » Il pensait qu'elle jouait au jeu qu'elle et Sibyl avaient inventé quand elles étaient petites.

« La vraie, Hank. Celle où elle a survécu. »

Ses yeux coulaient sans arrêt, de sorte qu'elle ne pouvait pas dire s'il pleurait ou non. « Elle vous a toujours aimées toutes les deux. Ça ne s'est jamais arrêté.

— Elle a rendu Sibyl aveugle. »

S'il en fut surpris, elle ne le vit pas. Il avait toujours le visage tourné. « Elle est venue à la maison me demander de l'argent. Elle était folle de douleur quand c'est arrivé. Je l'ai sortie de là, j'ai pris la responsabilité de ce qui s'était passé quand les flics sont arrivés, j'ai dit que c'était moi. Je ne pouvais pas vous laisser haïr votre mère. Je voulais que vous l'aimiez, que vous aimiez sa mémoire.

— Qu'est-ce qui lui est arrivé ? demanda Lena. Comment est-elle morte ? »

Il retourna brusquement la tête. Il était de toute évidence choqué par la question. Son regard était presque paniqué, comme s'il ne pouvait décider ce qu'il allait lui dire.

« Ça va, dit-elle pour l'apaiser. Je ne t'en veux pas. Je ne suis pas en colère. J'ai juste besoin de connaître la vérité. Dis-moi simplement la vérité. »

La gorge de Hank se serra. Il pinça les lèvres, comme pour ravaler les mots qui lui venaient. Il n'avait jamais été du genre à s'attarder sur ses souvenirs, peut-être parce qu'il n'en avait pas de bons.

« Hank, dis-moi, insista gentiment Lena. Réponds-moi juste cette fois, et je ne te demanderai plus jamais. Je crois qu'après tout ce temps, je mérite de savoir comment ma mère est morte. »

Il fixa le plafond, pour reprendre ses esprits. Quand il répondit, il parla si doucement qu'elle avait du mal à l'entendre. « Accident de voiture.

— Fred Bart m'a dit qu'elle était mieux là où elle est. »

Hank était de nouveau silencieux, réfléchissant à tout cela. « Avoir perdu ton papa, puis avoir blessé ta sœur comme ça… » Il avala sa salive, essayant de maîtriser ses émotions. « Je suis un homme égoïste, Lee. Tu es tout ce qu'il me reste et je ne peux pas… » Sa voix resta coincée. « Je ne peux pas te perdre. »

Lena serra sa main un peu plus fort, pour lui faire comprendre qu'elle ne l'abandonnerait plus jamais. « Quand je t'ai vu chez toi, tu m'as dit que cet homme, Clint Jones, avait tué ma mère.

— C'était son dealer, répondit Hank. C'était notre dealer à tous les deux. »

Lena s'adossa à son fauteuil. Elle essayait de réconcilier l'image qu'elle avait eue en tête toutes ces années, celle d'Angela l'ange, avec cette nouvelle image, Angela la droguée. Sa mère avait-elle été comme Hank ? Ses bras avaient-ils été aussi marqués, ses traits aussi ravagés ? Lena frissonna à cette pensée, et souhaita presque n'avoir jamais rien su.

« Le crystal, c'est… » Hank secoua la tête. « Tu meurs à la minute même où tu en prends. La personne que tu es, la personne que tu allais devenir – ça n'existe plus dès l'instant où le liquide se mélange à ton sang. À partir de ce moment-là, tu es mort.

— Comment est-ce que c'est arrivé ? Comment est-elle morte ? »

Il ferma les yeux, sa poitrine se soulevait au rythme de ses respirations. Il ne put la regarder quand il répondit : « Elle a traversé le Taylor Bridge trop vite, elle a percuté un poteau téléphonique. Elle s'est brisé le cou. Le docteur a dit que la mort avait dû être instantanée. »

Lena avait été appelée plusieurs fois sur des accidents de la route de ce type. Invariablement, il y avait derrière une histoire sordide.

Les doigts de Hank entourèrent la main de Lena. « Elle ne vous aurait jamais laissées si elle avait su ce que j'allais devenir. Elle pensait que je prendrais soin de vous.

— C'est ce que tu as fait, lui dit Lena. Tu as fait de ton mieux.

— Ne me pardonne pas », dit-il. Il avait peu de forces, mais il lui serrait la main aussi fort qu'il pouvait. « Ne me pardonne jamais. »

Lena ne pouvait pas s'en empêcher. Pas après tout ce qui s'était passé, pas après tout ce qu'il avait fait pour elle et pour Sibyl.

Il lui jeta un coup d'œil, puis détourna rapidement le regard. « Tu ferais mieux d'y aller avant que l'infirmière revienne. Elle me donnerait presque envie d'être dans le coma.

— D'accord », dit-elle en lui lâchant la main. Ils n'avaient jamais été très doués pour parler de leurs sentiments. « Appelle-moi si tu as besoin, d'accord ? »

Lena sortit de la chambre d'un pas traînant, plus fatiguée que jamais. Les médecins lui avaient dit que c'était parce que son corps ne recevait pas assez d'oxygène. Lena, elle, pensait que c'était parce qu'elle restait couchée toute la journée, sans rien d'autre à faire que se morfondre sur son sort.

Sa chambre était juste à côté de celle de Hank, et elle entendit le téléphone sonner depuis le couloir. Lena hâta le pas et décrocha au milieu d'une sonnerie.

« Ceci est un appel en PVC d'un détenu de la Coastal State Prison », dit une voix informatique. Lena tomba sur le lit plus qu'elle ne s'y assit. Elle attendit l'enregistrement de la voix, son cœur cognait contre ses côtes, et elle entendit : « Ethan Green. »

Lena coinça le combiné entre son épaule et son oreille, et appuya sur le bouton pour accepter l'appel.

Silence. Rien d'autre qu'un petit bip toutes les trois secondes pour leur rappeler que le temps passait.

Il dit : « Comment tu vas ? »

Lena regarda autour d'elle, promenant ses yeux dans la chambre, avec l'impression que quelqu'un l'observait. « Pourquoi est-ce que tu m'appelles ? demanda-t-elle. Je ne veux pas te parler.

— C'est pour ça que tu as accepté l'appel ?

— Je raccroche tout de suite.

— J'ai appris ce qui s'était passé. »

Elle avait la main au-dessus du téléphone, prête à raccrocher, mais elle s'arrêta. Bien sûr qu'Ethan avait appris ce qui s'était passé. Son réseau lui avait probablement transmis la nouvelle avant même que les médias ne soient au courant.

« Le mal de dents que j'avais quand je t'ai vue ? » Elle savait qu'il n'attendait pas de réponse. « Ne t'inquiète pas, lui dit-il. J'ai pris des médicaments. Ça ne fait plus mal. »

Elle pensa à Fred Bart, à la façon dont le dentiste avait souri avec ses petites dents toutes moches avant de mettre le feu à Charlotte. Elle répondit avant de pouvoir se retenir. « Tant mieux.

— Personne ne fait de mal à ma petite amie. Tu comprends ?

— Personne sauf toi », lui rappela-t-elle.

Il ricana doucement. « C'est ça, Lee. Personne sauf moi. »

Elle avait le souffle court. Sa main n'était qu'à quelques centimètres du téléphone, prête à raccrocher, mais elle ne parvenait pas à faire autre chose que l'écouter.

« Je vais t'écrire, lui dit-il, d'une voix douce, cajoleuse. Je vais t'écrire et tu devras me répondre, d'accord, chérie ?

— Non », dit-elle, d'un ton suppliant. Elle essaya de se montrer plus forte. « Je ne veux plus de toi dans ma vie.

— Tu penses que c'est si simple ? Tu crois que tu vas réussir à m'échapper ? » Il rit de nouveau, pour l'amadouer. « Je serai sorti d'ici avant même que tu ne t'en rendes compte, Lee. On pourra recommencer. Juste toi et moi. D'accord ? »

Elle secoua la tête, les mots lui manquaient.

« Dors bien, ma chérie. Je penserai à toi. »

Lena raccrocha. Elle entendait encore sa voix, sentait sa présence dans la chambre. Qui l'attraperait le premier – Ethan ou Harley ? Les deux hommes réglaient toujours leurs comptes. Ni l'un ni l'autre ne laissaient jamais personne prendre l'avantage sur eux. Serait-elle battue à mort, ou se réveillerait-elle dans quelques semaines parce qu'un étranger lui enfoncerait une aiguille dans le bras en lui disant de ne pas lutter, que ce serait plus facile si elle se laissait faire ? Lena espérait que ce serait l'aiguille ; elle priait Dieu de ne plus jamais avoir à poser les yeux sur Ethan Green.

Elle regarda le plafond, où les ombres dansaient sur les carreaux blancs. Ethan était encore là – il remplissait chaque centimètre de la chambre, chaque morceau de son âme. Elle se coucha dans le lit, sa présence maléfique penchée au-dessus d'elle, jusqu'à ce que la fatigue l'emporte et qu'elle sombre finalement dans un sommeil profond et sans rêves.

Chapitre 29

Sara était assise sur la véranda, au téléphone avec sa mère. Jeffrey l'avait appelée une demi-heure plus tôt pour lui dire qu'il venait de passer la frontière de Grant County, mais elle ne serait pas rassurée tant qu'il ne serait pas rentré. Il lui avait dit qu'il devait lui parler de quelque chose, et Sara pensait que ça devait être ce qui la préoccupait elle-même depuis quelques jours. Elle ne pouvait pas continuer comme cela. Quelque chose devait changer.

Sa mère avait l'air exaspérée. « Tu m'écoutes ?

— Oui, maman, mentit Sara.

— Il m'a dit qu'il avait réparé l'arroseur automatique. La moitié des plantes sont mortes.

— Je suis sûre qu'il ne l'a pas fait exprès.

— Ça fait un peu moins d'une semaine qu'on est rentrés, et il ne m'a toujours pas fourni d'explication crédible.

— Je suis sûre qu'il comptait réparer l'arroseur.

— Sara », commença Cathy, et Sara se prépara à écouter une longue explication. Contre toute attente, sa mère lui proposa : « Tu veux que je revienne te voir ? Je peux être là dans cinq minutes. »

Sara adorait sa mère, mais Cathy avait été avec elle presque vingt-quatre heures sur vingt-quatre au cours des derniers jours. Elle avait besoin de temps seule, pour réfléchir. « Jeffrey sera bientôt à la maison.

— Tu as l'air distante. C'est le procès ?

— Non », répondit Sara, même si le mot lui donnait un goût amer dans la bouche. Buddy Conford avait téléphoné deux jours plus tôt pour dire à Sara que Global Indemnity allait trouver un arrangement avec les Powell. Les parents recevraient deux millions de dollars pour la mort de leur fils, ce qui suffirait tout juste à couvrir les frais d'hôpital et de laboratoire de Jimmy. Buddy avait essayé d'en plaisanter, en disant qu'il était très rare qu'une compagnie d'assurances s'acquitte des frais médicaux de quelqu'un, mais Sara n'avait pas été d'humeur à rire.

« Si ce n'est pas le procès, alors quoi ?

— Maman… »

Manifestement, elle en avait assez. « Sara Ann Linton, je suis ta mère, et je sais quand quelque chose te travaille. »

Sara souffla entre ses dents.

Cathy alla droit au but : « Tu as des nouvelles de l'agence d'adoption ?

— Oui », dit-elle. L'assistante sociale avait laissé un message sur le répondeur le matin même, pendant que Sara était chez ses parents. En rentrant, elle avait trouvé le bouton rouge clignotant, mais avait attendu trois heures avant d'appuyer sur lecture. C'était la même chose qui la retenait de relever la boîte aux lettres, ou d'écouter la messagerie de son portable. Sara avait tellement espéré qu'on lui dise qu'un enfant les attendait, que maintenant, le moment enfin à portée de main, elle ne parvenait plus à le saisir.

« Et ? demanda Cathy. Qu'est-ce qu'elle a dit ?

— Elle a dit qu'ils avaient un petit garçon de neuf mois, répondit Sara. D'origines mixtes, asiatique et afro-américaine.

— Oh ma chérie ! C'est merveilleux !

— Tu crois ? » demanda Sara, et elle avait l'impression que son cœur allait se briser. Le simple fait de prononcer ces mots avait suffi à faire remonter l'image de la peau douce et des cheveux rêches, de la manière dont son petit pied tiendrait dans la paume de sa main. « Qu'est-ce que je vais faire, maman ? Rester debout toute la nuit avec le bébé en attendant que le téléphone sonne et qu'un étranger m'apprenne que mon mari est mort ?

— Ne sois pas ridicule, dit Cathy sèchement. Les flics ont des familles, Sara. Les *plombiers* ont des familles. Tu prends un risque à chaque fois que tu passes derrière une voiture ou que tu vas à la poste. Tu ne peux pas t'arrêter de vivre juste parce que tu as peur de quelque chose qui *pourrait* arriver.

— Jeffrey est tellement têtu, dit-elle. Il n'écoute jamais.

— Bienvenue dans le monde du mariage, ma chérie. Je suis désolée, nous n'allons pas pouvoir organiser de défilé pour toi. »

Sara posa sa main contre son cou, essayant de faire sortir les mots dont elle avait besoin. « Et si… essaya-t-elle. Et si… » Elle laissa tomber sa tête dans sa main, exprimant enfin la plus grave de ses préoccupations. « Et si je ne suis pas capable de m'en occuper, maman ? S'il tombe malade, ou s'il se blesse et que je ne peux pas… »

Sa mère répondit d'un ton doux, mais ferme. « Ce n'est pas ta faute si Jimmy Powell est mort d'une leucémie.

— Et si mon bébé tombe malade ?

— Je sais que tu fais semblant de ne pas croire à ces choses-là, mais tu sauras, la première fois que tu le tiendras dans tes bras, qu'il est un don du ciel que le Seigneur t'a prêté. Et tant qu'il te sera confié, tu le chériras, tu le tiendras contre ton cœur, et tu feras de ton mieux pour ne jamais lâcher.

— Je ne peux pas… » Sara pensait à Jimmy Powell, à la dernière fois qu'elle l'avait vu vivant. Ses yeux s'étaient illuminés quand Sara était entrée dans sa chambre. Il avait toujours eu le béguin pour elle. Elle était sans doute ce qui se rapprochait le plus d'une petite amie. Il ne volerait jamais un baiser à une fille après l'école, n'embrasserait jamais personne à l'arrière de la voiture de son père. Il n'aurait jamais ni femme ni enfant. Sa mère n'aurait jamais de petits-enfants. Pour le restant de ses jours, Beckey Powell verrait en vain passer les grandes étapes de la vie, lui rappelant chaque fois son fils décédé. Les autres enfants iraient à l'école. Les autres familles partiraient en vacances ensemble. Beckey n'aurait qu'un calendrier vide, des jours infinis sans Jimmy, qui s'étendraient devant elle comme un puits sans fond.

Le ton de Cathy se radoucit. « Qu'est-ce que tu as dit à l'assistante sociale ?

— Que je devais en parler à Jeffrey.

— Tu la rappelles immédiatement et tu leur dis que tu veux cet enfant.

— Maman, je ne sais pas.

— Moi, si, l'interrompit Cathy. Je raccroche tout de suite pour que tu puisses l'appeler. » Elle s'interrompit. « Et tu me rappelles après, d'accord ? Je veux tout savoir sur mon premier petit-fils. »

La ligne était libre, mais Sara n'appela pas. Maintenant qu'elle avait du temps, elle se trouvait incapable de réfléchir posément. Son esprit passait de Jimmy

Powell à Jeffrey, au bébé qui les attendait. Elle resta assise, immobile, à regarder la rue, jusqu'à ce que la BMW se gare devant la maison.

Jeffrey lui fit signe à travers la vitre, avec un demi-sourire. Il avait dit qu'il voulait lui parler, lui dire quelque chose d'important. Ce n'était pas simplement sa décision à elle. Peut-être qu'il avait lui aussi des doutes.

Sara posa le téléphone sur les marches et se dirigea vers la voiture.

Il ouvrit la portière en disant : « Putain, j'en ai marre de conduire. » Il regarda son visage et demanda : « Qu'est-ce qui ne va pas ?

— L'agence d'adoption a téléphoné. »

Il se rapprocha d'elle et la souleva dans ses bras. « Un bébé ! hurla-t-il. Oh ! mon Dieu, Sara. » Il la fit tourner dans ses bras. « Je n'y crois pas. Je n'y crois pas... » Il riait, essayait de reprendre son souffle. « C'est un garçon ou une fille ?

— Un garçon.

— Ha ! » dit-il en la faisant de nouveau tournoyer.

Sara se mit à rire elle aussi, prise par son excitation. « Tu vas me donner le vertige. »

Il la reposa, prit son visage entre ses mains. « J'ai un fils ! » Il l'embrassa. « Ça y est, Sara. C'est le début de notre vie. » Il l'embrassa de nouveau, plus profondément cette fois. « Mon Dieu, je t'aime. »

Elle voyait des larmes dans ses yeux, la joie absolue qu'il ressentait à la nouvelle. Soudain, tous ses doutes s'évanouirent, comme s'il s'était agi de distractions sans importance. Elle voulait un enfant avec cet homme, elle ne désirait rien de plus que d'élever leur enfant ensemble.

« On peut aller le chercher ce soir ? demanda-t-il. Maintenant ?

— Demain, dit-elle en riant de son impatience. Nous devons voir l'agence et entamer les procédures de foyer d'accueil.

— De la paperasse, grogna-t-il, mais il souriait encore. Oh ! mon Dieu, Sara, je t'aime tellement. »

Elle posa sa main sur sa joue. « Je sais. »

Il rit encore, c'était presque un cri. « Qu'est-ce qu'on fait maintenant ?

— Ils ont dit qu'ils avaient déjà envoyé les formulaires, lui dit-elle. Regarde dans la boîte aux lettres, je vais chercher le téléphone. »

Elle était à mi-chemin entre la voiture et la véranda quand il cria : « Eh ! Sexy Mama ! »

Sara se retourna, rouge comme une tomate. « Chut ! lui dit-elle. Les voisins.

— Appelons-les tous ! hurla-t-il. Nous allons être parents ! »

Il ouvrit la boîte aux lettres. Il y eut un éclair de lumière. Jeffrey fut projeté en haut et en arrière, son corps se tordit tandis que l'explosion résonnait dans l'air.

Sara se précipita vers lui avant même que son cerveau ait compris ce qu'elle venait de voir.

Une bombe. Quelqu'un avait mis une bombe dans leur boîte aux lettres.

« Jeffrey ! » dit-elle dans un souffle, tombant à genoux à côté de lui. Il y avait des morceaux de métal partout, le courrier virevoltait autour d'eux. Elle vit sa poitrine ouverte – les os, les muscles, le cœur battant.

« À l'aide ! hurla-t-elle. Quelqu'un ! Au secours ! »

Il ouvrit la bouche et le sang s'écoula. Son bras droit gisait quelques mètres plus loin, sur le goudron, arraché à son épaule. Elle appuya sa main contre la plaie ouverte, essayant désespérément d'arrêter le saignement. Le sang coulait à travers ses doigts, trempait ses mains.

« Non, murmura-t-elle. Non.

— Toi… » dit-il en claquant des dents.

Elle appuya ses lèvres contre les siennes, l'embrassa sur la bouche, le visage. « Oh, mon amour… mon amour…

— Toi… » murmura-t-il en tendant son bras vers elle. Elle lisait la souffrance dans ses yeux, savait que sa vie était en train de lui échapper.

« Ne me quitte pas, supplia-t-elle en lui serrant la main. Oh, mon Dieu, Jeffrey – je t'en prie, ne me quitte pas.

— Toi…

— Non, supplia-t-elle, essayant de le faire tenir. S'il te plaît ! Je t'aime. Je t'aime. » Pourquoi l'avait-elle toujours taquiné, sans jamais lui dire ces mots ? « Jeffrey, je t'aime.

— Toujours… »

Elle l'embrassa encore, elle sentait le goût de son sang dans sa bouche. Ce n'était pas possible. Il ne pouvait pas la quitter.

« Toujours… essaya-t-il encore, le sang coulant dans sa gorge. Toujours… Seulement…

— Toujours seulement quoi, chéri ? Toujours quoi ?

— Toi… dit-il en haletant, s'étouffant. Toujours… seulement… toi… »

Son corps se détendit. Le sang cessa de couler de son épaule. Sara se rendit compte que les voisins étaient là. Ils formaient un cercle autour d'elle, ne sachant que faire. Elle hurla, leur ordonnant de s'en aller. Elle ne voulait pas qu'ils le voient ainsi, elle ne voulait pas qu'on le touche. L'ambulance arriva, puis la police ; les hommes de Jeffrey, ses amis. Elle criait, les suppliait de s'en aller. Elle souleva Jeffrey, le tint dans ses bras, refusant de les laisser s'approcher. Elle s'accrocha ainsi à lui, avec la fureur d'un enfant, jusqu'à ce que sa mère arrive et la force à les laisser l'emporter.

REMERCIEMENTS

Il y a dix ans, cherchant un agent pour me représenter, je regardais la page des remerciements à la fin des livres. Je me disais que si les auteurs remerciaient leurs agents, c'est qu'ils devaient beaucoup les aimer. De sorte que j'hésite un peu à remercier ici le mien, Victoria Sanders, parce que je la veux pour moi toute seule. À bon entendeur…

J'ai beaucoup d'autres personnes à remercier : Kate Miciak, Susan Sandon, et Kate Elton – comme toujours – m'ont été d'une aide inestimable. J'aimerais aussi remercier le service de presse des éditions Bantam : Sharon Propson, Susan Corcoran, et Barb Burg. Je leur ai dédié ce livre parce que ce sont vraiment les meilleures dans leur domaine, sans compter la myriade de biscuits Tim Tam qu'elles ont, avec une admirable abnégation, mangés à ma place. Merci à Betsy Hulsebosch, Cynthia Lasky, et Carolyn Schwartz. L'équipe commerciale de Bantam mérite toutes les louanges du monde ; je ne suis qu'un grain de riz au menu de tous les auteurs qui leur sont redevables. Paolo Pepe… une fois de plus, tu as réussi. Kelly Chian, merci de ne pas avoir sauté dans le premier vol pour Atlanta afin de m'étrangler. Tu es une star. Il y a tant d'autres personnes au service des forces de vente ; j'ai eu le privilège d'en rencontrer certaines, d'autres se sont démenées pour moi en coulisses, et je veux à toutes adresser mes remerciements pour leur indéfectible soutien. Je crois que Lisa George mérite une mention spéciale, pour avoir bu le Kool-Aid. Enfin, mon infinie gratitude va à Nina Taublib et Irwyn Applebaum.

RMB, merci pour ta correspondance fidèle. Bill Burgess, tu es une vraie petite cacahuète. Erin O'Reilly, merci pour ton 10. DT, tu es l'un des derniers grands hommes de la Renaissance. Je suis honorée de me compter parmi tes amis. Merci à DM, AE, DL et PB pour votre merveilleux soutien. Beth et Jeff, de Cincinatti Média, s'occupent avec talent de mon site Internet. Côté médical, le Dr David Harper m'a été une fois de plus d'une aide incomparable. Je connais peu de gens capables de continuer à m'écouter quand j'entame la conversation en disant : « Alors, imaginons que je veuille brûler vif quelqu'un… » Côté famille, je tiens à remercier mon père de m'avoir très tôt enseigné les choses importantes, et DA – comme toujours, tu es mon cœur.

Sue Kurylowicz est la grande gagnante du concours « Faites-vous Slaughteriser ! », ce qui lui vaut le douteux honneur d'apparaître dans la liste des victimes de ce livre. Sue, ma chérie, ne viens pas me dire que tu ne l'as pas cherché…

Du même auteur
aux Éditions Grasset :

TRIPTYQUE, 2008.

PAS DE PITIÉ POUR MARTIN, 2009.

Série « Grant County »

MORT AVEUGLE, 2002.

AU FIL DU RASOIR, 2004.

À FROID, 2005.

INDÉLÉBILE, 2006.

SANS FOI NI LOI, 2007.

Composition réalisée par FACOMPO (Lisieux)

Achevé d'imprimer en février 2011, en France sur Presse Offset par
MAURY Imprimeur - 45330 Malesherbes
N° d'imprimeur : 162381
Dépôt légal 1re publication : mars 2011
LIBRAIRIE GÉNÉRALE FRANÇAISE - 31, rue de Fleurus - 75278 Paris Cedex 06

31/5854/0